Hannes Kraus / Andreas Er

KLARTEXT

Hannes Krauss / Andreas Erb (Hg.

Vom Nullpunkt zur Wende ...

Deutschsprachige Literatur nach 1945

Ein Lesebuch für die Sekundarstufe
Erweiterte Neuausgabe

Mitarbeit:
Klaus-Michael Bogdal, Anna Chiarloni,
Maria Manuela Delille, Maria Teresa Mingocho,
Hugh Ridley, Gonçalo Vilas-Boas
und Jochen Vogt

Redaktion: Rose Sommer

1. Auflage Mai 1994
2., erweiterte Neuauflage Oktober 1999
3. Auflage November 2003
4. Auflage August 2008
Gesamtausstattung: Klartext Verlag, Essen

ISBN 978-3-88474-802-2

www.klartext-verlag.de

Inhalt

1. Vorzeit und Trümmerjahre

2. Wiederaufbau und Wirtschaftswunder

3. Teilung und Wiedervereinigung

4. Gewalt und Gegengewalt

5. Arbeit und Freizeit

6. Kinder und andere Menschen

7. Frauen und Männer

8. Vaterland und Muttersprache

9. Ende der Nachkriegszeit

Zu diesem Lesebuch

Fünf Jahre nach Erscheinen der ersten Auflage taugt der Titel des Buches immer noch als Metapher zur Charakterisierung deutscher Nachkriegs-Literatur-Geschichte. Zu bestätigen scheint sich, dass das Ende der deutschen Zweistaatlichkeit (1989/1990) auch das Ende der Spezies „Nachkriegsliteratur" markiert.

Nach dem 8. Mai 1945, der vielzitierten „Stunde Null" nach der Niederwerfung des Nationalsozialismus, war allmählich eine „neue" deutsche Literatur entstanden, die sich in ihren wesentlichen Themen und Fragestellungen auf jenen Nullpunkt und seine Vorgeschichte: auf Weltkrieg, Faschismus und Holocaust rückbezog – auch wenn sie ausdrücklich nur von der Gegenwart der Trümmer- oder Wirtschaftswunderjahre sprach. Sie wuchs aber spätestens seit 1949 in Ost und West, in DDR und Bundesrepublik, in eigenständige Systeme hinein, die nach unterschiedlichen Regeln funktionierten. Im Westen entstand ein „Literaturbetrieb", der von Anfang an mit anderen Medien von Konsum und Unterhaltung konkurrierte – zugleich aber weite Spielräume für individuelle, auch scharf gesellschaftskritische Positionen ließ. Die Autoren und Autorinnen, die sich etwa in der Gruppe 47 versammelt hatten, waren insbesondere in Fragen politischer und gesellschaftlicher Moral eine Art von Ersatzopposition, gewissermaßen das öffentliche Gewissen von Staat und Gesellschaft.

Im Osten war die Entwicklung einer von Partei und Staat gelenkten „Literaturgesellschaft" offizielle Politik. Sie war als gesellschaftliche Erziehungsinstanz gedacht, was die Spielräume für Abweichung und Kritik von Anfang an sehr viel enger machte. Dennoch haben nicht wenige Autorinnen und Autoren, verstärkt seit den sechziger Jahren, solche Spielräume genutzt und zu erweitern gesucht, zumeist im Sinne einer innersozialistischen Kritik, die indes für zahlreiche Leserinnen und Leser unverzichtbar war,

Die Funktion der Literatur im vereinigten Deutschland zu bestimmen fällt schwer. Die alte Rolle des mehr oder weniger kritischen Widerparts von Politik und gesellschaftlicher Macht hat nun auch in Ostdeutschland ausgespielt; die Pluralisierung der literarischen Themen und Formen setzt sich fort. Aber auch zehn Jahre nach der Wende noch sind Texte erfolgreich, in denen die „Erfahrungs- und Erzählgemeinschaft DDR" (Michael Rutschky) weiterexistiert.

Unser Lesebuch will Aspekte des literarischen Lebens nach 1945 anschaulich machen, die einen repräsentativen Rückblick auf die Rolle der Literatur in West und Ost erlauben. Es demonstriert aber auch – besonders im neu zusammengestellten Schluss-Kapitel –, wie problematisch es ist, von d e r deutschen Literatur zu sprechen. Nicht länger sind es nur schweizerische oder österreichische Autorinnen, die sich gegen eine Vereinnahmung unter dem Etikett „deutsch" wehren müssen. Wo soll man die Texte der nach Deutschland emigrierten, deutschschreibenden Rumänin, Tschechin oder Türkin einordnen?

Wieviele deutsche Literatliren gibt es? Wir wollen auf diese von Kritikern und Literaturwissenschaftlern immer wieder aufgeworfene Frage keine dogmatische Antwort geben. Stattdessen haben wir versucht, den eigen- und bodenständigen Traditionen der österreichischen und deutschschweizerischen Literatur genauso gerecht zu werden wie jener wachsenden Zahl von Autorinnen, die deutsch schreiben, obwohl es nicht ihre Muttersprache ist.

Intensiv debattiert wurde nach dem Ende der DDR über die Frage, was denn nun übrig bleibe von dort entstandener Literatur. Wir greifen diese Frage gerne auf – nicht um sie zu beantworten, sondern um sie auszuweiten auch auf die ‚klassische' Literatur der frühen Bundesrepublik. Durch hinreichend breites und vielfältiges Anschauungsmaterial hoffen wir, die Leserinnen und Lesern dieses Bandes zu jeweils eigenen Antworten zu fuhren. So lassen sich zugleich Kenntnisse der jeweils „anderen" Literatur vervollständigen und Vorurteile überprüfen. Vor allzu engen Ost-West-Fixierungen hat uns die Mitarbeit von Kolleginnen und Kollegen aus dem europäischen Ausland bewahrt. Rückblickend zeigt sich ohnehin, dass die Grenze zwischen den west- und ostdeutschen Literatursystemen durchlässiger war als Mauer und Grenzanlagen.

Ein wichtiger Grundsatz bei der Auswahl der Texte war nicht zuletzt deren zeitgeschichtliche Relevanz. Im Mittelpunkt stehen deshalb Texte, die kollektive Erfahrungen mehrerer Generationen, von den Trümmerjahren bis zur Jahrhundertwende, mit den vielfältigen Mitteln der Literatur verarbeiten.

So ist uns hoffentlich ein facettenreiches Bild der Literatur der zweiten Hälfte des 20. Jahrhunderts gelungen, das dieses Buch vielfach benutzbar macht. Die Kriterien, nach denen wir Texte ausgewählt und zu thematischen Gruppen zusammengefasst haben, folgen teils unmittelbar der Zeit- und Sozialgeschichte; teils orientieren sie sich an Problemfeldern, die wesentlich mit der gesellschaftlichen Entwicklung zusammenhängen; schließlich geht es um Geschlechterrollen sowie die Frage der nationalen Identität und die Funktion der Literatur selber. Dies sollte die Möglichkeit geben, je nach Vorkenntnissen und Interessen verschiedene thematische Schwerpunkte zu wählen und Unterrichtseinheiten zu gestalten.

Deshalb hoffen wir, daß unser Material für beide Sekundarstufen – wie auch für die Erwachsenenbildung – brauchbar ist. Das Spektrum reicht von bewährten ‚Lesebuchklassikern' bis zu neuesten Texten, die die Ereignisse und Verwerfungen der jüngsten deutschen Geschichte ganz unmittelbar reflektieren.

Unser Plan, die Neuauflage des Lesebuchs mit einem Kommentarband zu begleiten, ließ sich aus diversen Gründen nicht realisieren. Unter der Internet-Adresse http://www.uni-essen.de/literaturwissenschaft-aktiv/nachkriegsliteratur.htm. können Nutzerinnen und Nutzer des Bandes aber Kommentare, Erläuterungen und weiterführende Literaturhinweise zu den meisten der hier versammelten Texte abrufen.

Essen, im August 1999 *H.K./A.E.*

1. Vorzeit und Trümmerjahre

Das Jahr 1945 markierte auch auf dem Gebiet der Literatur eine tiefe Zäsur. Nach dem Krieg setzte sich in Deutschland eine Generation von Autoren durch, die kurz zuvor noch an der Front standen. Schriftsteller wie Heinrich Böll und Wolfgang Borchert waren früh zum Wehrdienst einberufen worden und legen in ihren frühen Arbeiten ein eindrucksvolles Zeugnis von Kriegs- und Nachkriegswirklichkeit ab. Böll, Borchert, Alfred Andersch oder Wolfdietrich Schnurre prägen die "Heimkehrer-Literatur", die Ende der vierziger, Anfang der fünfziger Jahre erscheint. Nicht zufällig gehören sie – bis auf Borchert, der 1947 verstarb – zu den Gründungsmitgliedern der "Gruppe 47". Dieser von Hans Werner Richter begründete Diskussionskreis von Schriftstellern traf sich regelmäßig zur Vorstellung neuer Arbeiten. Zusammengefunden hatten sich die jungen Autoren in der Zeitschrift "Der Ruf", die aus einer Kriegsgefangenen-Zeitschrift hervorgegangen war.

Die Literatur der Nachkriegszeit beschreibt aber nicht nur die Probleme der Kriegsheimkehrer und ihrer Familien; sie zeichnet auch ein genaues Bild der Zerstörung Deutschlands. In seinem "Bekenntnis zur Trümmerliteratur" benennt Heinrich Böll allerdings auch die Abwehr, auf die seine Arbeiten ebenso stießen wie etwa die Romane Koeppens. Diese Werke stellten sich der verbreiteten Tendenz entgegen, den Nationalsozialismus und seine Folgen so schnell wie möglich aus dem Gedächtnis zu streichen. Dies konnte nur geschehen, wenn man so handfeste Erinnerungsstücke wie Schutt und Trümmer möglichst schnell beseitigte. Die Geringschätzung der "Trümmerliteraten", die sich der allgemeinen Verleugnung der Vergangenheit widersetzten, war also durchaus systemkonform.

Deutsche Schriftsteller hatten bereits in der Weimarer Republik zu den kritischen Intellektuellen gehört, die sich gegen eine stillschweigende Duldung des Faschismus zur Wehr setzten. Nicht zufällig waren viele von ihnen bereits Ende der zwanziger Jahre Diffamierungen und Behinderungen in ihrer Arbeit ausgesetzt. Nach der Ernennung Hitlers zum Reichskanzler am 30. Januar 1933 begann eine konsequente Verfolgung unter den Schriftstellern. Anfang April wurden die Hochschulbibliotheken von "jüdischem und zersetzendem" Schrifttum "gesäubert", damit diese Bücher am 10. Mai 1933 öffentlich verbrannt werden konnten. Viele Autoren hatten das Land zu diesem Zeitpunkt bereits verlassen. Auf der Flucht vor der drohenden Verhaftung befanden sich nicht nur Autoren jüdischer Herkunft wie Anna Seghers oder Alfred Döblin; der marxistische Stückeschreiber Bertolt Brecht floh ebenso wie der bürgerliche Romancier Thomas Mann. Die Lebensbedingungen im Exil gestalteten sich sehr unterschiedlich. Während Mann sich in den USA durchsetzen, Brecht zumindest überleben konnte, fand der Arzt und Schriftsteller Döblin lange Zeit weder eine Arbeitserlaubnis noch ein Publikum.

Juden wie Paul Celan, die die Verfolgung durch den Nationalsozialismus oder gar das Konzentrationslager überlebten, trugen lebenslang an der Last der Erinnerung. Unter den in Deutschland verbliebenen Autoren gab es aber auch etliche, die sich in eine sogenannte "Innere Emigration" zurückzogen, ohne gegen die bestehenden Zustände zu opponieren. Nicht zuletzt diese in Nazi-Deutschland weit verbreitete und über 1945 hinauswirkende Haltung führte dazu, dass ein Autor wie Thomas Mann die Rückkehr aus dem Exil verweigerte. Demgegenüber war Bertolt Brecht davon überzeugt, dass die deutsche Bevölkerung nur unter dem Einfluß der Faschisten gehandelt hatte. Brecht und Anna Seghers kehrten daher bereits 1947 in den Osten des Landes zurück und wirkten am Aufbau eines sozialistischen Staates mit.

Anna Seghers

Zwei Denkmäler

In der Emigration begann ich eine Erzählung, die der Krieg unterbrochen hat. Ihr Anfang ist mir noch in Erinnerung. Nicht Wort für Wort, aber dem Sinn nach. Was mich damals erregt hat, geht mir auch heute noch nicht aus dem Kopf. Ich erinnere mich an eine Erinnerung.

In meiner Heimat, in Mainz am Rhein, gab es zwei Denkmäler, die ich niemals vergessen konnte, in Freude und Angst auf Schiffen, in fernen Städten. Eins ist der Dom. – Wie ich als Schulkind zu meinem Erstaunen sah, ist er auf Pfeilern gebaut, die tief in die Erde hineingehen – damals kam es mir vor, beinahe so tief wie der Dom hochragt. Ihre Risse sind auszementiert worden, sagte man, in vergangener Zeit, da, wo das Grundwasser Unheil stiftete. Ich weiß nicht, ob es stimmt, was uns ein Lehrer erzählte: Die romanischen und gotischen Pfeiler seien haltbarer als die jüngeren.

Dieser Dom über der Rheinebene wäre mir in all seiner Macht und Größe im Gedächtnis geblieben, wenn ich ihn auch nie wiedergesehen hätte. Aber ebensowenig kann ich ein anderes Denkmal in meiner Heimatstadt vergessen. Es bestand nur aus einem einzigen flachen Stein, den man in das Pflaster einer Straße gesetzt hat. Hieß die Straße Bonifaziusstraße? Hieß sie Frauenlobstraße? Das weiß ich nicht mehr. Ich weiß nur, daß der Stein zum Gedächtnis einer Frau eingefügt wurde, die im ersten Weltkrieg durch Bombensplitter umkam, als sie Milch für ihr Kind holen wollte. Wenn ich mich recht erinnere, war sie die Frau des jüdischen Weinhändlers Eppstein. – Menschenfresserisch, grausam war der erste Weltkrieg, man begann aber erst an seinem Ende mit

Luftangriffen auf Städte und Menschen. Darum hat man zum Gedächtnis der Frau den Stein gesetzt, flach wie das Pflaster, und ihren Namen eingraviert.–

Der Dom hat die Luftangriffe des zweiten Weltkriegs irgendwie überstanden, wie auch die Stadt zerstört worden ist. Er ragt über Fluß und Ebene. Ob der kleine flache Gedenkstein noch da ist, das weiß ich nicht. Bei meinen Besuchen hab ich ihn nicht mehr gefunden.

In der Erzählung, die ich vor dem zweiten Weltkrieg zu schreiben begann und im Krieg verlor, ist die Rede von dem Kind, dem die Mutter Milch holen wollte, aber nicht heimbringen konnte. Ich hatte die Absicht, in dem Buch zu erzählen, was aus diesem Mädchen geworden ist.

[1965]

Christoph Hein

Die Witwe eines Maurers

Auf dem Waldfriedhof an der Wuhlheide in Oberschöneweide wurde in der letzten Septemberwoche eine achtundsiebzigjährige Frau beigesetzt, die, nicht gewillt, an den politischen Parteiungen, Kämpfen und Verbrechen ihrer Zeit teilzuhaben, auf eine so eigentümliche Weise in ein halbes Jahrhundert deutscher Geschichte verstrickt war, daß sie, von ihren Bekannten als bedauernswert und schamlos zugleich angesehen, in den letzten Lebensjahren ihre Wohnung kaum zu verlassen gewagt hatte.

Diese Frau heiratete im Jahre 1918 einen aus dem Krieg zurückgekommenden Maurer, der ein halbes Jahr später in den Berliner Märzkämpfen erschossen wurde. Er hinterließ seiner Frau ein noch ungeborenes Kind und das Mitgliedsbuch der Kommunistischen Partei Deutschlands.

Ein Arbeitskollege und Genosse des Toten riet der verzweifelten, mittellosen Frau, eine Kriegswitwenrente zu beantragen und der Behörde anzugeben, ihr Ehemann sei als unbeteiligter Passant von der verirrten Kugel einer der kämpfenden Parteien getroffen worden. Ihr Anspruch wurde anerkannt, und die Weimarer Republik zahlte ihr monatlich einige Mark.

Das dritte deutsche Reich übernahm ungebeten die Zahlungen. Zum stillen Erschrecken der Frau versäumte es das Regime nicht, gelegentlich in dem Propagandamaterial des Nazistaates, für das man den traditionellen Namen Zeitung beibehalten hatte, ihres toten Ehemannes zu gedenken als eines Opfers der Roten und Märzverbrecher. Die Ehrenrente wurde erhöht, und die Witwe, um ihr Leben fürchtend, wagte nicht, Einspruch zu erheben.

Fünf Jahre nach Kriegsende suchte der aus dem KZ heimgekehrte Genosse ihres Mannes die zurückgezogen lebende Frau auf und ließ sich trotz ihrer eindringlichen Bitten nicht davon abbringen, den neuen Behörden die Wahrheit über den Tod des Maurers zu berichten. Einen Monat später war sie als ein Opfer des Faschismus in den Akten registriert und erhielt eine Rente des sozialistischen deutschen Staates. Sie versuchte, diese abzulehnen, jedoch der Beamtin erschienen ihre Beweggründe nicht überzeugend, und um das aufkommende Mißtrauen zu entkräften, sie habe sich von der Tat und Haltung ihres gefallenen Mannes distanziert, willigte sie schließlich ein. Sie wechselte den Wohnsitz, wich ihren Freunden aus, vermied es, mit neuen Bekannten über ihr Leben zu sprechen, und verärgerte die sie betreuende Behörde, da sie allen Treffen der ehemalig Verfolgten und Opfer des Faschismus fernblieb.

Als sie starb, konnten sich mehrere Nachbarn ihrer nur erinnern als einer scheuen, verängstigten Frau, die mit eingezogenem Kopf über die Straße huschte, um ihre kleinen Besorgungen zu erledigen.

[1979]

Bertolt Brecht

Die zwei Söhne

Eine Bäuerin im Thüringischen träumte im Januar 1945, als der Hitlerkrieg zu Ende ging, daß ihr Sohn im Feld sie rief, und schlaftrunken auf den Hof hinausgehend, glaubte sie ihren Sohn an der Pumpe zu sehen, trinkend. Als sie ihn ansprach, erkannte sie, daß es einer der jungen russischen Kriegsgefangenen war, die auf dem Hof Zwangsarbeit verrichteten. Einige Tage darauf hatte sie ein merkwürdiges Erlebnis. Sie brachte den Gefangenen ihr Essen in ein nahes Gehölz, wo sie Baumstümpfe auszugraben hatten. Im Weggehen sah sie über die Schulter zurück denselben jungen Kriegsgefangenen, übrigens einen kränklichen Menschen, das Gesicht nach dem Blechtopf wenden, den ihm jemand mit der Suppe reichte, und zwar in einer enttäuschten Weise, und plötzlich verwandelte sich dieses Gesicht in das ihres Sohnes. Schnelle und schnell verschwimmende Verwandlungen des Gesichts eben dieses jungen Menschen in das ihres Sohnes passierten ihr in den nächsten Tagen öfter. Dann wurde der Kriegsgefangene krank; er blieb ohne Pflege in der Scheuer liegen. Die Bäuerin spürte einen zunehmenden Drang, ihm etwas Kräftigendes zu bringen, jedoch wurde sie daran gehindert durch ihren Bruder, einen Kriegsinvaliden, der den Hof führte und die Gefangenen roh behandelte, besonders nun, wo alles anfing, drunter und drüber zu gehen, und das Dorf die Gefangenen zu fürchten anfing. Die Bäuerin selbst konnte sich seinen Argumenten nicht verschließen; sie hielt es keineswegs für recht, diesen Untermenschen zu helfen, über die sie schreckliche Dinge gehört hatte. Sie lebte in Furcht, was die Feinde ihrem Sohn antun mochten, der im Osten stand. So hatte sie ihren halben Vorsatz, *diesem* Gefangenen zu helfen in seiner Verlassenheit, noch nicht ausgeführt, als sie eines Abends im verschneiten Obstgärtchen eine Gruppe der Gefangenen bei einer eifrig geführten Unterredung überraschte, die wohl, um im geheimen vorgehen zu können, in der Kälte stattfand. Der junge Mensch stand dabei, fieberzitternd, und wahrscheinlich seines besonders geschwächten Zustands wegen erschrak er am tiefsten vor ihr. Mitten im Schrekken nun geschah wieder die sonderbare Verwandlung seines Gesichts, so daß sie in das Gesicht ihres Sohnes schaute, und es war sehr erschrocken. Das beschäftigte sie tief, und wiewohl sie pflichtgemäß ihrem Bruder von der Unterredung im Obstgärtchen berichtete, beschloß sie doch, dem jungen Menschen die bereitgestellte Schinkenschwarte nunmehr zuzustecken. Dies stellte sich, wie manche gute Tat im Dritten Reich, als äußerst schwierig und gefahrvoll heraus. Sie hatte bei diesem Unternehmen ihren eigenen Bruder zum Feind, und sie konnte auch der Kriegsgefangenen nicht sicher sein. Dennoch gelang es ihr. Allerdings entdeckte sie dabei, daß die Gefangenen wirklich vorhatten, auszubrechen, da die Gefahr für sie täglich wuchs, daß sie vor den anrükkenden roten Armeen nach Westen verschleppt oder einfach niedergemacht werden würden. Die Bäuerin konnte gewisse, ihr pantomimisch und mit wenigen Brocken Deutsch klargemachte Wünsche des jungen Gefangenen, an den sie ihr merkwürdiges Erlebnis band, nicht abschlagen und ließ sich so in die Fluchtpläne der Gefangenen verwickeln. Sie besorgte eine Jacke und eine große Blechschere. Eigentümlicherweise fand die Verwandlung von da ab nicht mehr statt; die Bäuerin half jetzt lediglich dem fremden jungen Menschen. So war es ein Schock für sie, als eines Morgens Ende Februar ans Fenster geklopft wurde und sie durch das Glas im Dämmer das Gesicht ihres Sohnes erblickte. Diesmal war es ihr Sohn. Er trug die zerfetzte Uniform der Waffen-SS, sein Truppenteil war aufgerieben, und er berichtete aufgeregt, daß die Russen nur noch wenige Kilometer vom Dorf entfernt seien. Seine Heimkunft mußte unbedingt geheimgehalten werden. Bei einer Art Kriegsrat, den die Bäuerin, ihr Bruder und ihr Sohn in einem Winkel des Dachbodens abhielten, wurde vor allem beschlossen, sich der Kriegsgefangenen zu entledigen, da sie möglicherweise den SS-Mann gesehen hatten und überhaupt voraussichtlich über ihre Behandlung Aussage machen würden. In der Nähe war ein Steinbruch. Der SS-Mann bestand darauf, daß er in der kommenden Nacht sie einzeln aus der Scheuer locken und niedermachen müßte. Dann konnte man die Leichen in den Steinbruch schaffen. Am Abend sollten sie noch einige Rationen Branntwein bekommen; das konnte ihnen nicht allzusehr auffallen, meinte der Bruder, weil dieser zusammen mit dem Gesinde in der letzten Zeit schon ausgemacht freundlich zu den Russen gewesen war, um sie im letzten Augenblick noch günstig zu stimmen. Als der junge SS-Mann den Plan entwickelte, sah er plötzlich seine Mutter zittern. Die Männer beschlossen, sie auf keinen Fall mehr in die Nähe der Scheuer zu lassen. So erwartete sie voller Entsetzen die Nacht. Die Russen nahmen den Branntwein anscheinend dankend an, und die Bäuerin hörte sie betrunken ihre melancholischen Lieder singen. Aber als ihr Sohn gegen elf Uhr in die Scheuer ging, waren die Gefangenen weg. Sie hatten die Trunkenheit vorgetäuscht. Gerade die neue, unnatürliche Freundlichkeit des Hofs hatte sie überzeugt, daß die Rote Armee sehr nahe sein mußte. – Die Russen kamen in der zweiten Hälfte der Nacht. Der Sohn lag betrunken auf dem Dachboden, während die Bäuerin, von Panik erfaßt, seine SS-Uniform zu verbrennen versuchte. Auch ihr Bruder hatte sich betrunken; sie selbst mußte die russischen Soldaten empfangen und verköstigen. Sie tat es mit versteinertem Gesicht. Die Russen zogen am Morgen ab, die Rote Armee setzte ihren Vormarsch fort. Der Sohn, übernächtig, verlangte von neuem Branntwein und äußerte die feste Absicht, sich zu den rückflutenden deutschen Heeresteilen durchzuschlagen, um weiterzukämpfen. Die Bäuerin versuchte nicht, ihm klarzumachen, daß Weiterkämpfen nun sicheren Untergang bedeutete. Verzweifelt warf sie sich ihm in den Weg und versuchte, ihn körperlich zurückzuhalten. Er schleuderte sie auf das Stroh zurück. Sich wieder aufrichtend, fühlte sie ein Deichselscheit in der Hand, und weit ausholend schlug sie den Rasenden nieder.

Am selben Vormittag fuhr mit einem Leiterwagen eine Bäuerin in dem nächstgelegenen Marktflecken bei der russischen Kommandantur vor und lieferte, mit Ochsenstricken gebunden, ihren Sohn als Kriegsgefangenen ab, damit er, wie sie einem Dolmetscher klarzumachen suchte, sein Leben behalte.

[1949]

Paul Celan

Todesfuge

Schwarze Milch der Frühe wir trinken sie abends
wir trinken sie mittags und morgens wir trinken sie nachts
wir trinken und trinken
wir schaufeln ein Grab in den Lüften da liegt man nicht eng
Ein Mann wohnt im Haus der spielt mit den Schlangen der schreibt
der schreibt wenn es dunkelt nach Deutschland dein goldenes Haar Margarete
er schreibt es und tritt vor das Haus und es blitzen die Sterne er pfeift seine Rüden herbei
er pfeift seine Juden hervor läßt schaufeln ein Grab in der Erde
er befiehlt uns spielt auf nun zum Tanz

Schwarze Milch der Frühe wir trinken dich nachts
wir trinken dich morgens und mittags wir trinken dich abends
wir trinken und trinken
Ein Mann wohnt im Haus der spielt mit den Schlangen der schreibt
der schreibt wenn es dunkelt nach Deutschland dein goldenes Haar Margarete
Dein aschenes Haar Sulamith wir schaufeln ein Grab in den Lüften da liegt man nicht eng

Er ruft stecht tiefer ins Erdreich ihr einen ihr andern singet und spielt
er greift nach dem Eisen im Gurt er schwingts seine Augen sind blau
stecht tiefer die Spaten ihr einen ihr andern spielt weiter zum Tanz auf

Schwarze Milch der Frühe wir trinken dich nachts
wir trinken dich mittags und morgens wir trinken dich abends
wir trinken und trinken
ein Mann wohnt im Haus dein goldenes Haar Margarete
dein aschenes Haar Sulamith er spielt mit den Schlangen

Er ruft spielt süßer den Tod der Tod ist ein Meister aus Deutschland
er ruft streicht dunkler die Geigen dann steigt ihr als Rauch in die Luft
dann habt ihr ein Grab in den Wolken da liegt man nicht eng

Schwarze Milch der Frühe wir trinken dich nachts
wir trinken dich mittags der Tod ist ein Meister aus Deutschland
wir trinken dich abends und morgens wir trinken und trinken
der Tod ist ein Meister aus Deutschland sein Auge ist blau
er trifft dich mit bleierner Kugel er trifft dich genau
ein Mann wohnt im Haus dein goldenes Haar Margarete
er hetzt seine Rüden auf uns er schenkt uns ein Grab in der Luft
er spielt mit den Schlangen und träumet der Tod ist ein Meister aus Deutschland

dein goldenes Haar Margarete
dein aschenes Haar Sulamith

[1952]

Peter Weiss

Meine Ortschaft

Bei meinen Überlegungen, welche menschliche Siedlung oder welche Gegend einer Landschaft am besten dazu geeignet sei, in diesem Atlas umrissen zu werden, tauchten anfangs viele Möglichkeiten auf. Doch von meinem Geburtsort aus, der den Namen Nowawes trägt und der den Informationen nach gleich neben Potsdam an der Bahnstrecke nach Berlin liegen soll, über die Städte Bremen und Berlin, in denen ich meine Kindheit verbrachte, bis zu den Städten London, Prag, Zürich, Stockholm, Paris, in die ich später verschlagen wurde, nehmen alle Aufenthaltsorte etwas Provisorisches an, und dabei habe ich die kürzeren Zwischenstationen gar nicht erwähnt, alle diese Flecken, heißen sie nun Warnsdorf in Böhmen, oder Montagnola im Tessin, oder Alingsås in Westschweden.

Es waren Durchgangsstellen, sie boten Eindrücke, deren wesentliches Element das Unhaltbare, schnell Verschwindende war, und wenn ich untersuche, was jetzt daraus hervorgehoben und für wert befunden werden könnte, einen festen Punkt in der Topographie meines Lebens zu bilden, so gerate ich nur immer wieder an das Zurückweichende, alle diese Städte werden zu blinden Flecken, und nur eine Ortschaft, in der ich nur einen Tag lang war, bleibt bestehen.

Die Städte, in denen ich lebte, in deren Häusern ich wohnte, auf deren Straßen ich ging, mit deren Bewohnern ich sprach, haben keine bestimmten Konturen, sie fließen ineinander, sie sind Teile einer einzigen ständig veränderlichen irdischen Außenwelt, weisen hier einen Hafen auf, dort einen Park, hier ein Kunstwerk, dort einen Jahrmarkt, hier ein Zimmer, dort einen Torgang, sie sind vorhanden im Grundmuster meines Umherwanderns, im Bruchteil einer Sekunde sind sie zu erreichen und wieder zu verlassen, und ihre Eigenschaften müssen jedesmal neu erfunden werden.

Nur diese eine Ortschaft, von der ich seit langem wußte, doch die ich erst spät sah, liegt gänzlich für sich. Es ist eine Ortschaft, für die ich bestimmt war und der ich entkam. Ich habe selbst nichts in dieser Ortschaft erfahren. Ich habe keine andere Beziehung zu ihr, als daß mein Name auf den Listen derer stand, die dorthin für immer übersiedelt werden sollten. Zwanzig Jahre danach habe ich diese Ortschaft gesehen. Sie ist unveränderlich. Ihre Bauwerke lassen sich mit keinen anderen Bauwerken verwechseln.

Auch sie trägt einen polnischen Namen, wie meine Geburtsstadt, die man mir vielleicht einmal aus dem Fenster eines fahrenden Zuges gezeigt hatte. Sie liegt in der Gegend, in der mein Vater kurz vor meiner Geburt in einer sagenhaften kaiserlich-königlichen Armee kämpfte. Von den übriggebliebenen Kasernen dieser Armee wird die Ortschaft beherrscht. Zum besseren Verständnis der dort Werksamen und Ansässigen wurde ihr Name verdeutscht.

Auf dem Bahnhof von Auschwitz scheppern die Güterzüge. Lokomotivpfiffe und polternder Rauch. Klirrend aneinanderstoßende Puffer. Die Luft voll Regendunst, die Wege aufgeweicht, die Bäume kahl und feucht. Rußgeschwärzte Fabriken, umgeben von Stacheldraht und Mauerwerk. Holzkarren knirschen vorbei, von dürren Pferden gezogen, der Bauer vermummt und erdfarben. Alte Frauen auf den Wegen, in Decken gehüllt, Bündel tragend. Weiter ab in den Feldern einzelne Gehöfte, Gesträuch und Pappeln. Alles trübe und zerschlissen. Unaufhörlich die Züge oben auf dem Bahndamm, langsam hin- und herrollend, vergitterte Luken in den Waggons. Abweichgeleise führen weiter, zu den Kasernen, und noch weiter, über öde Felder zum Ende der Welt.

Außerhalb der Siedlungen, die nach der Räumung wieder bewohnt sind und aussehen, als sei der Krieg vor kurzem erst vorüber, erheben sich die Eisengitter vor der Anlage, die heute zu einem Museum ernannt ist. Autos und Omnibusse stehen am Parkplatz, eben tritt eine Schulklasse durch das Tor, ein Trupp Soldaten mit weinroten Mützen kehrt nach der Besichtigung zurück. Links eine lange Holzbaracke, hinter einer Luke Verkauf von Broschüren und Postkarten. Überheizte Wärterstuben. Gleich hinter der Baracke niedrige Betonwände, darüber eine grasbewachsene Böschung, ansteigend zum flachen Dach mit dem kurzen dicken viereckigen Schornstein. An Hand der Lagerkarte stelle ich fest, daß ich schon vor dem Krematorium stehe, dem kleinen Krematorium, dem ersten Krematorium, dem Krematorium mit der begrenzten Kapazität. Die Baracke vorn, das war die Baracke der politischen Abteilung, da befand sich das sogenannte Standesamt, in dem die Zugänge und Abgänge verzeichnet wurden. Da saßen die Schreiberinnen, da gingen die Leute mit dem Emblem des Totenkopfs aus und ein.

Ich bin hierher gekommen aus freiem Willen. Ich bin aus keinem Zug geladen worden. Ich bin nicht mit Knüppeln in dieses Gelände getrieben worden. Ich komme zwanzig Jahre zu spät hierher.

Eisengitter vor den kleinen Fenstern des Krematoriums. Seitwärts eine schwere morsche Tür, schief in den Angeln hängend, drinnen klamme Kälte. Zerbröckelnder Steinboden. Gleich rechts in einer Kammer ein großer eiserner Ofen. Schienen davor, darauf ein metallenes Fahrzeug in der Form eines Troges, von Menschenlänge. Im Innern des Kellers zwei weitere Öfen, mit den Bahrenwagen auf den Schienen, die Ofenluken weit offen, grauer Staub darin, auf einem der Wagen ein vertrockneter Blumenstrauß.

Ohne Gedanken. Ohne weitere Eindrücke, als daß ich hier allein stehe, daß es kalt ist, daß die Öfen kalt sind, daß die Wagen starr und verrostet sind. Feuchtigkeit rinnt von den schwarzen Wänden. Da ist eine Türöffnung. Sie führt zum Nebenraum. Ein langgestreckter Raum, ich messe ihn mit meinen Schritten. Zwanzig Schritte die Länge. Fünf Schritte die Breite. Die Wände weißgetüncht und abgeschabt. Der Betonboden ausgetreten, voller Pfützen. An der Decke, zwischen den massiven Tragbalken, vier quadratische Öffnungen, schachtartig durch den dicken Steinguß verlaufend, Deckel darüber. Kalt. Hauch vor dem Mund. Weit draußen Stimmen, Schritte. Ich gehe langsam durch dieses Grab. Empfinde nichts. Sehe nur diesen Boden, diese Wände. Stelle fest: durch die Öffnungen in der Decke wurde das körnige Präparat geworfen, das in der feuchten Luft sein Gas absonderte. Am Ende des Raums eine eisenbeschlagene Tür mit einem Guckloch, dahinter eine schmale Treppe, die ins Freie führt. Ins Freie.

Dort steht ein Galgen. Ein Bretterkasten, mit nach innen herabgefallenen Luken, darüber der Pfahl mit dem Querbalken. Ein Schild teilt mit, daß hier der Kommandant des Lagers gehängt wurde. Als er auf dem Kasten stand, die Schlinge um den Hals, sah er hinter der doppelten Stacheldrahtumzäunung die Hauptstraße des Lagers vor sich, mit den Pappeln zu den Seiten.

Ich steige die Böschung hinauf auf die Decke des Krematoriums. Die hölzernen, mit Teerpappe benagelten Deckel lassen sich von den Einwurfslöchern heben. Darunter liegt das Verlies. Sanitäter mit Gasmasken öffneten die grünen Blechbüchsen, schütteten den Inhalt hinab auf die emporgestreckten Gesichter, legten schnell wieder den Deckel auf.

Weiter. Ich bin noch außerhalb des Lagers. Der Galgen steht auf den Grundmauern der Vernehmungsbaracke, in der es ein Zimmer gab mit einem Holzgestell und einem Eisenrohr darüber. An dem Eisenrohr hingen sie und wurden geschaukelt und mit dem Ochsenziemer zerschlagen.

Die Kasernengebäude stehen dicht aneinander, das Verwaltungsgebäude, das Kommandanturgebäude, das Revier der Wachleute. Hohe Fensterfronten über dem Krematoriumbunker. Überall Einsicht auf das flache Dach, auf das die Sanitäter stiegen. In unmittelbarer Nähe die Barackenfenster, durch die die Schläge und das Schreien aus der Schaukelstube zu hören waren.

Alles eng, zusammengedrängt. An den Betonpfeilern vorbei, die in doppelter Reihe die Stacheldrähte tragen. Elektrische Isolatoren daran. Schilder mit der Aufschrift VORSICHT HOCHSPANNUNG. Rechts Schuppen und stallähnliche Bauwerke, ein paar Wachtürme, links eine Bude mit einem Kioskfenster, daran ein Brett unter dem vorspringenden Dach, zur Abstempelung von Papieren, dann plötzlich das Tor, mit dem gußeisernen Textband, in dem das mittlere Wort MACHT sich am höchsten emporwölbt. Ein rot-weiß gestreifter Schlagbaum ist hochgestellt, ich trete ein in das Geviert, das sich Stammlager nennt.

Viel darüber gelesen und viel darüber gehört. Über sie, die hier frühmorgens zur Arbeit marschierten, in die Kiesgruben, zum Straßenbau, in die Fabriken der Herren, und abends zurückkehrten, in Fünferreihen, ihre Toten tragend, zu den Klängen eines Orchesters, das dort unter den Bäumen spielte. Was sagt dies alles, was weiß ich davon? Jetzt weiß ich nur, wie diese Wege aussehen, mit Pappeln bestanden, schnurgerade gezogen, mit rechtwinklig dazu verlaufenden Seitenwegen, dazwischen die ebenmäßigen vierzig Meter langen zweistöckigen Blöcke aus rotem Ziegel, numeriert von 1 bis 28. Eine kleine eingekerkerte Stadt mit zwangsmäßiger Ordnung, völlig verlassen. Hier und da ein Besucher im wäßrigen Nebel, unzugehörig zu den Häusern aufblickend. Entfernt an einer Ecke die Kinder vorbeiziehend, vom Lehrer geführt.

Hier die Küchengebäude am Hauptplatz, und davor ein holzgezimmertes Schilderhäuschen, mit aufgetürmtem Dach und Wetterfahne, lustig mit Steinfugen bemalt, wie aus einem Burgenbaukasten. Es ist das Häuschen des Rapportführers, von dem aus der Appell überwacht wurde. Ich wußte einmal von diesen Appellen, von diesem stundenlangen Stehen im Regen und Schnee. Jetzt weiß ich nur von diesem leeren lehmigen Platz, in dessen Mitte drei Balken in die Erde gerammt sind, die eine Eisenschiene tragen. Auch davon wußte ich, wie sie hier unter der Schiene auf Schemeln standen und wie dann die Schemel unter ihnen weggestoßen wurden und wie die Männer mit den Totenkopfmützen sich an ihre Beine hängten, um ihnen das Genick zu brechen. Ich hatte es vor mir gesehen, als ich davon hörte und davon las. Jetzt sehe ich es nicht mehr.

Vorherrschend der Eindruck, daß alles viel kleiner ist, als ich es mir vorgestellt hatte. Von jedem Punkt aus ist die Umgrenzung zu sehen, die hellgraue, aus Betonblöcken zusammengefügte Mauer hinter den Stacheldrähten. An der äußeren rechten Ecke der Block Zehn und Elf, verbunden mit Mauern, vorn in der Mitte das offene Holztor zum Hof mit der Schwarzen Wand.

Diese Schwarze Wand, zu deren Seiten sich kurze Bohlenstücke vorschieben zum Kugelfang, ist jetzt mit Korkplatten und Kränzen verkleidet. Vierzig Schritte vom Tor zur Wand. Ziegelstücke in den Sandboden gestampft. Am Saumstein des linken Gebäudes, dessen Fenster mit Brettern verschalt sind, läuft die Abflußrinne, in der sich das Blut der aufgehäuften Erschossenen sammelte. Im Laufschritt, nackt, kamen sie rechts aus der Tür, die sechs Stufen hinab, je zwei, vom Bunkerkapo an den Armen gehalten. Und hinter den zugenagelten Fenstern im Block gegenüber lagen die Frauen, deren Gebärmutter angefüllt wurde mit einer weißen zementartigen Masse.

Hier ist der Waschraum des Block Elf. Hier legten sie, die zur Wand mußten, ihre erbärmlichen blaugestreiften Kleider ab, hier in diesem kleinen schmutzigen Raum, zur unteren Hälfte geteert, zur oberen gekalkt, voll rostiger und schwärzlicher Flecken und Spritzer, umlaufen von einem blechernen Waschtrog, durchstoßen von schwarzen Rohren, quer durchspannt von einer Duschleitung, standen sie, ihre Nummern mit Tintenstift auf die Rippen geschrieben.

Hier der Waschraum, hier der steinerne Gang, geteilt von Eisengittern, vorn die Blockführerstube, mit Schreibtisch, Feldbett und Spinden, an der Wand der Wahlspruch EIN VOLK EIN REICH EIN FÜHRER, ein Gitternetz vor der Tür, ein Einblick in einen Schaukasten. Ein Panoptikum auch das Gerichtszimmer gegenüber, mit dem langen Sitzungstisch, den Protokollheften auf der grauen Decke, denn hin und wieder wurden die Todesurteile auch ausgesprochen, von Männern, die heute redlich leben und ihre bürgerlichen Ehren genießen.

Hier die Treppe, die hinabführt zu den Bunkern. Man hat sich die Mühe gegeben, die Wände mit einem Saum von flimmriger Marmorierung zu bemalen. Der Mittelgang, und rechts und links die Seitengänge mit Zellen, etwa drei mal zweieinhalb Meter groß, mit einem Kübel in einem Holzkasten und einem winzigen Fenster. Manche auch ohne Fenster, nur mit einem Luftloch oben in der Ecke. Bis zu vierzig Mann waren sie hier, kämpften um einen Platz an der Türritze, rissen sich die Kleider ab, brachen zusammen. Es gab solche, die noch lebten nach einer Woche ohne Nahrung. Es gab solche, deren Schenkel die Spuren von Zähnen trugen, deren Finger abgebissen waren, als man sie herauszog.

Ich blicke in diese Räumlichkeiten, denen ich selbst entgangen bin, stehe still zwischen den fossilen Mauern, höre keine Stiefelschritte, keine Kommandorufe, kein Stöhnen und Wimmern.

Hier, an diesem schmalen Vorraum, befinden sich die vier Stehzellen. Da ist die Luke am Boden, einen halben Meter hoch und breit, dahinter noch Eisenstäbe, da krochen sie hinein, und standen dort zu viert, in einem Schacht von neunzig zu neunzig Zentimetern. Oben das Luftloch, kleiner als die Fläche einer Hand. Standen dort fünf Nächte lang, zehn Nächte lang, zwei Wochen lang jede Nacht, nach der schweren Tagesarbeit.

An der Außenwand des Blocks sind vorgebaute Betonkästen mit einem kleinen perforierten Blechdeckel. Von hier dringt die Luft durch den langen Mauerschacht hinab in die Zellen, in denen sie standen, den Rücken, die Knie am Stein. Sie starben im Stehen, mußten morgens unten herausgekratzt werden.

Seit Stunden gehe ich jetzt im Lager umher. Ich weiß mich zu orientieren. Ich bin im Hof gestanden vor der Schwarzen Wand, ich habe die Bäume gesehen hinter der Mauer, und die Schüsse des Kleinkalibergewehrs, die aus nächster Nähe in den Hinterkopf abgefeuert wurden, habe ich nicht gehört. Ich habe die Dachbalken gesehen, an denen sie an den rücklings gebundenen Händen aufgehängt wurden, einen Fußbreit über dem Boden. Ich habe die Räume mit den verdeckten Fenstern gesehen, in denen den Frauen durch Röntgenstrahlen die Eierstöcke verbrannt wurden. Ich habe den Korridor gesehen, in dem sie alle standen, Zehntausende, und langsam vorrückten ins Arztzimmer, und hingeführt wurden einer nach dem andern, hinter den graugrünen Vorhang, wo sie auf einen Schemel gedrückt wurden und den linken Arm heben mußten und die Spritze ins Herz bekamen, und durchs Fenster sah ich den Hof draußen, auf dem die hundertneunzehn Kinder aus Zamosc warteten, und noch mit einem Ball spielten, bis sie an der Reihe waren.

Ich habe die Zeichnung gesehen vom Dach des alten Küchengebäudes, auf das mit großen Buchstaben gemalt war ES GIBT EINEN WEG ZUR FREIHEIT – SEINE MEILENSTEINE HEISSEN GEHORSAM FLEISS SAUBERKEIT EHRLICHKEIT WAHRHAFTIGKEIT NÜCHTERNHEIT UND LIEBE ZUM VATERLAND. Ich habe den Berg des abgeschnittenen Haares im Schaukasten gesehen. Ich habe die Reliquien der Kinderkleider gesehen, die Schuhe, Zahnbürsten und Gebisse. Es war alles kalt und tot.

Ständig gegenwärtig ist das Klirren und Rollen der Güterzüge, das Puffen aus den Schornsteinen der Lokomotiven, das langgezogene Pfeifen. Züge rollen in Richtung Birkenau durch die weite flache Landschaft. Hier, wo der lehmige Weg zum Bahndamm ansteigt und ihn überquert, standen die Herren mit ausgestreckten Händen und zeigten auf die offenen Felder und bestimmten die Gründung des Verbannungsortes, der jetzt wieder einsinkt in die sumpfige Erde.

Ein einzelnes Geleise zweigt ab von der Fahrtstrecke. Läuft durch das Gras, hier und da auseinandergebrochen, weit hin zu einem verblichenen langgestreckten Bau, zu einer Scheune mit zerborstenem Dach, zerfallendem Turm, läuft mitten durch das gewölbte Scheunentor.

So wie im andern Lager alles eng und nahe war, so ist hier alles endlos ausgebreitet, unüberblickbar.

Rechts bis zu den Waldstreifen hin die unzähligen Schornsteine der abgetragenen und verbrannten Baracken. Nur einzelne Reihen stehen noch von diesen Ställen für Hunderttausende. Links, ausgerichtet und im Dunst verschwindend, die steinernen Behausungen der gefangenen Frauen. In der Mitte, einen Kilometer lang, die Rampe. Noch im Zerfall ist das Prinzip der Ordnung und Symmetrie zu erkennen. Hinter dem Scheunentor, an der Weiche, teilt sich das Gleis nach rechts und links. Gras wächst zwischen den Schwellen. Gras wächst im Schotter der Rampe, die sich kaum über die Schienen erhebt. Es war hoch zu den aufgerissenen Türen der Güterwagen. Anderthalb Meter mußten sie herabspringen auf das scharfkantige Geröll, ihr Gepäck und ihre Toten hinabwerfen. Nach rechts kamen die Männer, die noch eine Weile leben durften, nach links die Frauen, die zur Arbeit fähig befunden wurden, geradeaus den Weg zogen die Alten, Kranken und Kinder, den beiden rauchenden Schloten entgegen.

Die Sonne, nah über dem Horizont, bricht aus dem Gewölk und spiegelt sich in den Fenstern der Wachtürme. Rechts und links am Ende der Rampe liegen Ruinenklumpen zwischen den Bäumen, die Pappeln an der rückwärtigen Umgitterung stehen reglos, weit weg in einem Gehöft schnattern Gänse. Rechts, da ist das Birkenwäldchen. Ich sehe das Bild vor mir von den Frauen und Kindern die dort lagern, eine Frau trägt den Säugling an der Brust, und im Hintergrund zieht eine Gruppe zu den unterirdischen Kammern. An dem riesigen Steinhaufen, mit den verbogenen Eisenträgern und herabgestürzten Betondecken, läßt sich die Architektur der Anlagen noch feststellen. Hier führt die schmale Treppe hinab in den etwa 40 Meter langen Vorraum, in dem sich Bänke befanden und numerierte Haken an den Wänden, zum Aufhängen der Schuhe und Kleidungsstücke. Hier standen sie nackt, Männer, Frauen und Kinder, und es wurde ihnen befohlen, sich ihre Nummern zu merken, damit sie ihre Kleider wiederfänden nach dem Duschen.

Diese langen steinernen Gruben, durch die Millionen von Menschen geschleust wurden, in die rechtwinklig abzweigenden Räume mit den durchlöcherten Blechsäulen, und dann hinaufbefördert wurden zu den Feueröfen, um als brauner süßlich stinkender Rauch über die Landschaft zu treiben. Diese Steingruben, zu denen Stufen hinabführen, die abgenutzt sind von Millionen Füßen, leer jetzt, sich zurückverwandelnd zu Sand und Erde, friedlich liegend unter der sinkenden Sonne.

Hier sind sie gegangen, im langsamen Zug, kommend aus allen Teilen Europas, dies ist der Horizont, den sie noch sahen, dies sind die Pappeln, dies die Wachtürme, mit den Sonnenreflexen im Fensterglas, dies ist die Tür, durch die sie gingen, in die Räume, die in grelles Licht getaucht waren und in denen es keine Duschen gab, sondern nur diese viereckigen Säulen aus Blech, dies sind die Grundmauern zwischen denen sie verendeten in der plötzlichen Dunkelheit, im Gas, das aus den Löchern strömte. Und diese Worte, diese Erkenntnisse sagen nichts, erklären nichts. Nur Steinhaufen bleiben, vom Gras überwuchert. Asche bleibt in der Erde, von denen, die für nichts gestorben sind, die herausgerissen wurden aus ihren Wohnungen, ihren Läden, ihren Werkstätten, weg von ihren Kindern, ihren Frauen, Männern, Geliebten, weg von allem Alltäglichen, und hineingeworfen wurden in das Unverständliche. Nichts ist übriggeblieben als die totale Sinnlosigkeit ihres Todes.

Stimmen. Ein Omnibus ist vorgefahren, und Kinder steigen aus. Die Schulklasse besichtigt jetzt die Ruinen. Eine Weile hören die Kinder dem Lehrer zu, dann klettern sie auf den Steinen umher, einige springen schon herab, lachen und jagen einander, ein Mädchen läuft eine lange ausgehöhlte Spur entlang, die sich neben Schienenresten über ein Betonbruchstück erstreckt. Dies war die Schleifbahn, auf der die toten Leiber zu den Loren rutschten. Zurückblickend auf meinem Weg zum Frauenlager sehe ich die Kinder noch zwischen den Bäumen und höre, wie der Lehrer in die Hände klatscht, um sie zu sammeln.

Im Augenblick, in dem die Sonne versinkt, steigen die Bodennebel auf und schwelen um die niedrigen Baracken. Die Türen stehen offen. Irgendwo trete ich ein. Und dies ist jetzt so: hier ist das Atmen, das Flüstern und Rascheln noch nicht ganz von der Stille verdeckt, diese Pritschen, in drei Stockwerken übereinander, an den Seitenwänden entlang und entlang des Mittelteils, sind noch nicht ganz verlassen, hier im Stroh, in den schweren Schatten, sind die tausend Körper noch zu ahnen, ganz unten, in Bodenhöhe, auf dem kalten Beton, oben, unter dem schräg aufsteigenden Dach, auf den Brettern, in den Fächern, zwischen den gemauerten Tragwänden, dicht aneinander, sechs in jedem Loch, hier ist die Außenwelt noch nicht ganz eingedrungen, hier ist noch zu erwarten, daß es sich regt da drinnen, daß ein Kopf sich hebt, eine Hand sich vorstreckt.

Doch nach einer Weile tritt auch hier das Schweigen und die Erstarrung ein. Ein Lebender ist gekommen, und vor diesem Lebenden verschließt sich, was hier geschah. Der Lebende, der hierherkommt, aus einer andern Welt, besitzt nichts als seine Kenntnisse von Ziffern, von niedergeschriebenen Berichten, von Zeugenaussagen, sie sind Teil seines Lebens, er trägt daran, doch fassen kann er nur, was ihm selbst widerfährt. Nur wenn er selbst von seinem

Tisch gestoßen und gefesselt wird, wenn er getreten und gepeitscht wird, weiß er, was dies ist. Nur wenn es neben ihm geschieht, daß man sie zusammentreibt, niederschlägt, in Fuhren lädt, weiß er, wie dies ist.

Jetzt steht er nur in einer untergegangenen Welt. Hier kann er nichts mehr tun. Eine Weile herrscht die äußerste Stille.

Dann weiß er, es ist noch nicht zuende.

[1964]

Alfred Andersch

Erinnerung an eine Utopie

azur   rostrot   meerblau
der indianersommer des orlogs
rhode island oder die klarheit aus herbst

die bucht   der wind   das gras
im freien hören die gefangenen
die lehre von der gewalten-trennung

teddy wilsons klavier
call me joe sagte der oberstleutnant
professor jones ironisiert poe

im osten die toten
hier der neue plan aus den ahorn-wäldern
die ära des großen gelähmten

oktober nostalgie
nach der charta des bilderbuch-meeres
dem leuchtturm so weiß von narragansett

[1966]

Wolfdietrich Schnurre

Jenö war mein Freund

Als ich Jenö kennenlernte, war ich neun; ich las Edgar Wallace und Conan Doyle, war eben sitzengeblieben und züchtete Meerschweinchen.

Jenö traf ich zum ersten Mal auf dem Stadion am Faulen See beim Grasrupfen; er lag unter einem Holunder und sah in den Himmel. Weiter hinten spielten sie Fußball und schrien manchmal "Tooooooor!" oder so was. Jenö kaute an einem Grashalm; er hatte ein zerrissenes Leinenhemd an und trug eine Manchesterhose, die nach Kokelfeuer und Pferdestall roch.

Ich tat erst, als sähe ich ihn nicht und rupfte um ihn herum; aber dann drehte er doch ein bißchen den Kopf zu mir hin und blinzelte schläfrig und fragte, ich hätte wohl Pferde.

"Nein", sagte ich, "Meerschweinchen."

Er schob sich den Grashalm in den anderen Mundwinkel und spuckte aus. "Schmecken nicht schlecht."

"Ich eß sie nicht", sagte ich; "dazu sind sie zu nett."

"Igel", sagte Jenö und gähnte, "die schmecken auch nicht schlecht."

Ich setzte mich zu ihm. "Igel –?"

"Tooooooor!" schrien sie hinten.

Jenö sah wieder blinzelnd in den Himmel. Ob ich Tabak hätte.

"Hör mal", sagte ich, "ich bin doch erst neun."

"Na und –", sagte Jenö; "ich bin acht".

Wir schwiegen und fingen an, uns leiden zu mögen.

Dann mußte ich gehen. Doch bevor wir uns trennten, machten wir aus, uns möglichst bald wiederzutreffen.

Vater hatte Bedenken, als ich ihm von Jenö erzählte. "Versteh mich recht", sagte er, "ich hab nichts gegen Zigeuner; bloß –"

"Bloß –?" fragte ich.

"Die Leute –", sagte Vater und seufzte. Er nagte eine Weile an seinen Schnurrbartenden herum. "Unsinn", sagte er plötzlich; "schließlich bist du jetzt alt genug, um dir deine Bekannten selbst auszusuchen. Kannst ihn ja mal zum Kaffee mit herbringen."

Das tat ich dann auch. Wir tranken Kaffee und aßen Kuchen zusammen, und Vater hielt sich auch wirklich hervorragend.

Obwohl Jenö wie ein Wiedehopf roch und sich auch sonst ziemlich seltsam benahm – Vater ging drüber weg. Ja, er machte ihm sogar ein Katapult aus echtem Vierkantgummi und sah sich obendrein noch alle unsere neuerworbenen Konversationslexikonbände mit uns an.

Als Jenö weg war, fehlte das Barometer über dem Schreibtisch.

Ich war sehr bestürzt; Vater gar nicht so sehr.

"Sie haben andere Sitten als wir", sagte er; "es hat ihm eben gefallen. Außerdem hat es sowieso nicht mehr viel getaugt."

"Und was ist", fragte ich, "wenn er es jetzt nicht mehr rausrückt?"

"Gott", sagte Vater, "früher ist man auch ohne Barometer ausgekommen."

Trotzdem, das mit dem Barometer, fand ich, ging ein bißchen zu weit. Ich nahm mir jedenfalls vor, es Jenö wieder abzunehmen.

Aber als wir uns das nächste Mal trafen, hatte Jenö mir ein so herrliches Gegengeschenk mitgebracht, daß es unmöglich war, auf das Barometer zurückzukommen. Es handelte sich um eine Tabakspfeife, in deren Kopf ein Gesicht geschnitzt war, das einen Backenbart aus Pferdehaar trug.

Ich war sehr beschämt, und ich überlegte lange, wie ich mich revanchieren könnte. Endlich hatte ich es: ich würde Jenö zwei Meerschweinchen geben. Es bestand dann zwar die Gefahr, daß er sie aufessen würde, aber das durfte einen jetzt nicht kümmern; Geschenk war Geschenk.

Und er dachte auch gar nicht daran, sie zu essen; er lehrte sie Kunststücke. Innerhalb weniger Wochen liefen sie aufrecht auf zwei Beinen; und wenn Jenö ihnen Rauch in die Ohren blies, legten sie sich hin und überkugelten sich. Auch Schubkarrenschieben und Seiltanzen lehrte er sie. Es war wirklich erstaunlich, was er aus ihnen herausholte; Vater war auch ganz beeindruckt.

Ich hatte damals außer Wallace und Conan Doyle auch gerade die zehn Bände vom Doktor Dolittle durch, und das brachte mich auf den Gedanken, mit Jenö zusammen so was wie einen Meerschweinchenzirkus aufzumachen.

Aber diesmal hielt Jenö nicht durch. Schon bei der Vorprüfung der geeigneten Tiere verlor er die Lust. Er wollte lieber auf Igeljagd gehen, das wäre interessanter.

Tatsächlich, das war es. Obwohl – mir war immer ziemlich mulmig dabei. Ich hatte nichts gegen Igel, im Gegenteil, ich fand sie sympathisch. Aber es wäre sinnlos gewesen, Jenö da beeinflussen zu wollen; und das lag mir auch gar nicht.

Er hatte sich für die Igeljagd einen handfesten Knüppel besorgt, der unten mit einem rauhgefeilten Eisenende versehen war; mit dem stach er in Laubhaufen rein oder stocherte auf Schutthalden unter alten Eimern herum. Er hat so oft bis zu vier Stück an einem Nachmittag harpuniert; keine Ahnung, wie er sie aufspürte; er mußte sie gerochen haben, die Burschen.

Jenös Leute hausten in ihren Wohnwagen. Die standen zwischen den Kiefern am Faulen See, gleich hinter dem Stadion. Ich war oft da; viel häufiger als in der Schule, wo man jetzt doch nichts Vernünftiges mehr lernte.

Besonders Jenös Großmutter mochte ich gut leiden. Sie war unglaublich verwahrlost, das stimmt. Aber sie strahlte so viel Würde aus, daß man ganz andächtig wurde in ihrer Nähe. Sie sprach kaum; meist rauchte sie nur schmatzend ihre Stummelpfeife und bewegte zum Takt eines der Lieder, die von den Lagerfeuern erklangen, die Zehen.

Wenn wir abends mit Jenös Beute dann kamen, hockte sie schon immer am Feuer und rührte den Lehmbrei an. In den wurden die Igel jetzt etwa zwei Finger dick eingewickelt. Darauf legte Jenö sie behutsam in die heiße Asche, häufelte einen Glutberg auf über ihnen, und wir kauerten uns hin, schwiegen, spuckten ins Feuer und lauschten darauf, wie das Wasser in den Lehmkugeln langsam zu singen anfing. Ringsum hörte man die Maulesel und Pferde an ihren Krippen nagen, und manchmal klirrte leise ein Tamburin auf oder mit einer hohen, trockenen Männerstimme zusammen, begann plötzlich hektisch ein Banjo zu schluchzen.

Nach einer halben Stunde waren die Igel gar. Jenö fischte sie mit einer Astgabel aus der Glut. Sie sahen jetzt wie kleine, etwas zu scharf gebackene Landbrote aus; der Lehm war steinhart geworden und hatte Risse bekommen, und wenn man ihn abschlug, blieb der Stachelpelz an ihm haften, und das rostrote Fleisch wurde sichtbar. Man aß grüne Paprikaschoten dazu oder streute rohe Zwiebelkringel darauf; ich kannte nichts, das aufregender schmeckte.

Aber auch bei uns zu Hause war Jenö jetzt oft. Wir sahen uns in Ruhe die sechs Bände unseres neuen Konversationslexikons an; ich riß die Daten der Nationalen Erhebung aus meinem Diarium und schrieb rechts immer ein deutsches Wort hin, und links malte Jenö dasselbe Wort auf Rotwelsch daneben. Ich habe damals eine Menge gelernt; von Jenö meine ich, von der Schule rede ich jetzt nicht.

Später stellte sich auch heraus, es verging kein Tag, an dem die Hausbewohner sich nicht beim Blockwart über Jenös Besuche beschwerten; sogar zur Kreisleitung ist mal einer gelaufen. Weiß der Himmel, wie Vater das jedesmal abbog; mir hat er nie was davon gesagt.

Am meisten hat sich Jenö aber doch für meine elektrische Eisenbahn interessiert; jedesmal, wenn wir mit ihr gespielt hatten, fehlte ein Waggon mehr. Als er dann aber auch an die Schienenteile, die Schranken und die Signallampen ging, fragte ich doch mal Vater um Rat.

"Laß nur", sagte er; "kriegst eine neue, wenn Geld da ist."

Am nächsten Tag schenkte ich Jenö die alte. Aber merkwürdig, jetzt wollte er sie plötzlich nicht mehr; er war da komisch in dieser Beziehung.

Und dann haben sie sie eines Tages *doch* abgeholt; die ganze Bande; auch Jenö war dabei. Als ich früh hinkam, hatten SA und SS das Lager schon umstellt, und alles war abgesperrt, und sie scheuchten mich weg.

Jenös Leute standen dicht zusammengedrängt auf einem Lastwagen. Es war nicht herauszubekommen, was man ihnen erzählt hatte, denn sie lachten und schwatzten, und als Jenö mich sah, steckte er zwei Finger in den Mund und pfiff und winkte rüber zu mir.

Bloß seine Großmutter und die übrigen Alten schwiegen; sie hatten die Lippen aufeinandergepreßt und sahen starr vor sich hin. Die anderen wußten es nicht. Ich habe es damals auch nicht gewußt; ich war nur traurig, daß Jenö jetzt weg war. Denn Jenö war mein Freund.

[1958]

Ernst Jandl

markierung einer wende

1944	1945
krieg	krieg
krieg	krieg
krieg	krieg
krieg	krieg
krieg	mai
krieg	
krieg	
krieg	
krieg	
krieg	
krieg	
krieg	

[1966]

Alfred Döblin

Als ich wiederkam

[...] Am Bahnhofsplatz in Straßburg sehe ich Ruinen wie im Inland: Ruinen, das Symbol der Zeit.

Und da der Rhein. Was taucht in mir auf? Ich hatte für ihn geschwärmt, er war ein Wort voller Inhalte. Ich suche die Inhalte. Mir fällt Krieg und strategische Grenze ein, nur Bitteres. Da liegt wie ein gefällter Elefant die zerbrochene Eisenbahnbrücke im Wasser. Ich denke an die Niagarafälle, die ich zuletzt drüben, dahinten in dem verschwundenen großen, weiten Amerika, sah, die beispiellos sich hinwalzenden Flutmassen. – Still, allein im Coupé fahre ich über den Strom [...]

Du siehst die Felder, wohlausgerichtet, ein ordentliches Land. Man ist fleißig, man war es immer. Sie haben die Wiesen gesäubert, die Wege glatt gezogen. Der deutsche Wald, so viel besungen! Die Bäume stehen kahl, einige tragen noch ihr buntes Herbstlaub (seht euch das an, ihr Californier, ihr träumtet von diesen Buchen und Kastanien unter den wunderbaren Palmen am Ozean. Wie ist euch? Da stehen sie).

Hier wird es deutlicher: Trümmerhaufen, Löcher, Granaten- oder Bombenkrater. Da hinten Reste von Häusern. Dann wieder (bunte Reihe) Obstbäume, kahl, mit Stützen. Ein Holzschneidewerk intakt, die Häuser daneben zerstört.

Auf dem Feld stehen Kinderchen und winken dem Zug zu. Der Himmel bezieht sich. Wir fahren an Gruppen zerbrochener und verbrannter Wagen, verbogenen und zerknitterten Gehäusen vorbei. Drüben erscheint eine dunkle Linie, das sind Berge, der Schwarzwald, wir fahren weit entfernt von ihm an seinem Fuße hin.

Dort liegen in sauberen Haufen blauweiße Knollen beieinander, auch ausgezogene Rüben. Dieser Ort heißt "Achern". Da stehen unberührt Fabriken mit vielen Schornsteinen, aber keiner raucht. Es macht alles einen trüben, toten Eindruck. Hier ist etwas geschehen, aber jetzt ist es vorbei.

Schmucke Häuschen mit roten Schindeldächern. Der Dampf der Lokomotive bildet vor meinem Fenster weiße Ballen, die sich in Flocken auflösen und verwehen. Wir fahren durch einen Ort "Ottersweiler", ich lese auf einem Blechschild "Kaiser's Brustkaramellen", friedliche Zeiten, in denen man etwas gegen den Husten tat. Nun große Häuser, die ersten Menschengruppen, ein Trupp französischer Soldaten, eine Trikolore weht. Ich lese "Steinbach, Baden", "Sinzheim", "Baden-Oos". Der Bahnhof ist fürchterlich zugerichtet; viele steigen um: Baden-Baden; ich bin am Ziel.

Am Ziel; an welchem Ziel? Ich wandere mit meinem Koffer durch eine deutsche Straße (Angstträume während des Exils: ich bin durch einen Zauber auf diesen Boden versetzt, ich sehe Nazis, sie kommen auf mich zu, fragen mich aus).

Ich fahre zusammen: man spricht neben mir deutsch. Daß man auf der Straße deutsch spricht!

[1946]

Günter Eich

Inventur

Dies ist meine Mütze,
dies ist mein Mantel,
hier mein Rasierzeug
im Beutel aus Leinen.

Konservenbüchse:
Mein Teller, mein Becher,
ich hab in das Weißblech
den Namen geritzt.

Geritzt hier mit diesem
kostbaren Nagel,
den vor begehrlichen
Augen ich berge.

Im Brotbeutel sind
ein paar wollene Socken
und einiges, was ich
niemand verrate,

so dient es als Kissen
nachts meinem Kopf.
Die Pappe hier liegt
zwischen mir und der Erde.

Die Bleistiftmine
lieb ich am meisten:
Tags schreibt sie mir Verse,
die nachts ich erdacht.

Dies ist mein Notizbuch,
dies meine Zeltbahn,
dies ist mein Handtuch,
dies ist mein Zwirn.

[1948]

Peter Weiss

Das schwarze Leben

Berlin im Juli

Es gibt hier zwei Währungssysteme: den offiziellen Mark-Kurs und den allgemeinen Inflations-Kurs. Der Lohnempfänger erhält seinen Lohn zum Vorkriegswert, lebt jedoch zum Wert der Inflations-Mark. Verdient er zum Beispiel 400 Mark, so reicht dies nicht einmal zu einem Sack Kartoffeln. Im übrigen gehen von diesen 400 Mark sogleich 120 an die Steuer ab, und Kartoffeln bekommt er ohnehin nicht, weil es seit 4 Wochen keine mehr gegeben hat. Die Preise für die Waren, die er gemäß Rationierungskarte kaufen kann, sind unter Kontrolle gestellt, dafür reicht sein Lohn. Wenn er nicht Vorteile der Grubenarbeiter oder der politischen Kulturarbeiter besitzt, wäre er gezwungen, pro Tag mit folgendem durchzukommen:

4 Kartoffeln (wenn es gibt),

4-5 Brotscheiben (wenn es gibt),
1/2 Teelöffel Zucker,
1/2 Teelöffel Speisefett,
1 Eßlöffel synthetischer Nahrungsersatz.

Aber die 1000 Kalorien (wenn es so viele werden) vermögen ihn nicht auf den Beinen zu halten. Er benötigt zumindest 1000 dazu, das bedeutet: er muß ca. 2000 Mark im Monat zusätzlich aufbringen, wenn er nicht verhungern will. Dies ist seine schwarze Nahrungsliste:

1 Laib Brot: 60 Mark,
1 Pfund Butter: 350 Mark,
1 Ei: 15 Mark,
1 Pfund Mehl: 35 Mark,
1 Pfund Zucker: 85 Mark,
1 Flasche Schnaps: 140 Mark,
1 Pfund Kaffee: 600 Mark,
1 Sack Kartoffeln: 500 Mark,
20 Zigaretten: 150 Mark.

Ein Paar Schuhe kostet ihn 1000 Mark. Eine Uhr 2000. Ein Anzug 5000 Mark.

Er ist also gezwungen, selbst etwas zu verkaufen oder zu tauschen. Solange er noch genug Möbel oder andere Wertgegenstände besitzt, gibt es Lebensmöglichkeiten für ihn. Aber nach zwei Jahren intensiver Tauschgeschäfte oder nach zwei Jahren Handels, mit an und für sich wertlosen Alliierten-Zigaretten, wird das Ende immer spürbarer. Durch indirekte Reparationseintreibungen trugen die alliierten Sergeanten zur Versorgung ihrer Familien bei, möglicherweise zum Nachteil der eigenen Steuerbehörde. Für 10 Schachteln Zigaretten erhält die Frau des Sergeanten eine Pelzjacke. Die Rokokouhr einer alten Dame, die früher die Wohnzimmerkommode schmückte, segelt westwärts, während der eingetauschte Kaffeetopf eine vorübergehende Erleichterung spendet.

Strikt jedoch halten die Okkupationsbehörden an der Mark-Stabilität fest, wenn sie Villen und Möbel beschlagnahmen. Ein Schrank, der heute einen Wert von 3000 Mark hat und seinem Besitzer über den Existenzkampf eines Monats hinweghelfen könnte, wird für 50 Mark übernommen. Hingegen sind sie großzügig gegenüber der Putzfrau, die in der alliierten Messe saubermacht. Sie erhielte eigentlich 10 Mark pro Tag, doch man gibt ihr 5 Zigaretten: also 40 Mark. Sei uns nun dankbar, Alte! Und sie ist dankbar für einige Pfennige.

Niemand kommt zur Besinnung oder zu geistiger Aktivität. Immer mehr wird die positive Arbeit erstickt. Ehrlichkeit und Moral – sind keine gängigen Münzen. Schieber sei dein Beruf! Der Gulaschbaron baut seine schwarzen Mode-, Antiquitäten- und Teppichgeschäfte direkt in die Ruinen des Kurfürstendamms. Hier gibt es Glasscheiben und Zement, die Tausende kosten, während die Bevölkerung Pappe vor die leeren Fensterrahmen klebt. Es lohnt sich nicht, Kraft für eine anständige Arbeit zu sammeln, wenn man durch einen bequemen Betrug in kürzester Zeit reicher werden kann. Nur die Allerbesten halten aus. Der Rest wird proletarisiert. Die Anarchie ist die unausweichliche Konsequenz. Aber nicht eine durchdachte, von Freiheit erfüllte Anarchie, sondern die Anarchie der Abstumpfung, der Sinnlosigkeit und der üblen Instinkte.

So wie die Diktatur der Angst diese Menschen während des Krieges beherrschte, so werden sie nun beherrscht von einem einzigen Gedanken: was kann ich mir eintauschen? Der Student, der vor der Vorlesung synthetischen Zucker verkauft und damit sein Leben riskiert (denn synthetischer Zucker ist kriegswichtig, und sein Besitz wird als Waffenschmuggel bestraft), ist kein Ausnahmefall. Penizillin und Insulin, die in den Krankenhäusern fehlen, werden auf Schmuggelwegen für 100-200 Mark pro Spritze verkauft, was ein Bild vermittelt von der verzweifelten Lage der Zuckerkranken.

Aber was spielt ein Toter mehr oder weniger für eine Rolle in diesem Ausverkauf von Menschenleben!

Mit seinen Karren und Säcken zieht man hinaus aufs Land, um etwas Gemüse oder Früchte zu ergattern, doch kehrt man mit einigen kostbaren Kirschen oder einem Salatkopf nach Hause zurück, wartet für die meisten die Polizei am Bahnhof und konfisziert die Waren. Es heißt, daß sie Krankenhäusern übergeben werden sollen. Aber dort hat noch nie jemand einen Schimmer davon gesehen.

Dieser Sommer ist wie ein aufflammendes Fieber nach der schweren Krankheit des Winters. Aber keine Besserung ist in Sicht. Und in ein paar Monaten ist es wieder Winter.

Wir fahren mit der Berliner S-Bahn. Neben mir sitzt ein Arbeiter und vor mir ein junges Mädchen, das hin und wieder verstohlen in ihre Tasche langt und eine Kirsche in ihren Mund schmuggelt. Die Glückliche! Wir betrachten sie, von Neid erfüllt. Sie bemerkt unsere Aufmerksamkeit und errötet. Alle lachen wir verlegen. Noch einmal gibt sie der Versuchung nach und zieht eine Kirsche hervor. Dann sitzt sie hilflos und unruhig da. An einer Station steckt sie plötzlich die Hand in die Tasche und reicht mir und meinem Nachbarn eine Handvoll Kirschen, erhebt sich und verläßt hastig den Zug. Dankbar genießen wir die frischen, saftigen Früchte. Mein Blick fällt auf einen kleinen Jungen, der mit hungrigen Augen neben mir steht. Und ich habe nur noch eine einzige Kirsche übrig! Er bekommt sie. Sogleich will er sie in den Mund stecken, aber seine Mutter ruft: teile mit der Schwester! Und er beißt die Hälfte ab, nimmt auch den Kern und saugt an ihm, während seine kleine Schwester die andere Hälfte erhält.

Ich hätte die Kirsche nicht weggeben sollen. Der Geschmack einer halben Kirsche brennt im Mund wie eine Fäulnis.

[1947]

Wolfgang Borchert

Nachts schlafen die Ratten doch

Das hohle Fenster in der vereinsamten Mauer gähnte blaurot voll früher Abendsonne. Staubgewölke flimmerte zwischen den steilgereckten Schornsteinresten. Die Schuttwüste döste.

Er hatte die Augen zu. Mit einmal wurde es noch dunkler. Er merkte, daß jemand gekommen war und nun vor ihm stand, dunkel, leise. Jetzt haben sie mich! dachte er. Aber als er ein bißchen blinzelte, sah er nur zwei etwas ärmlich behoste Beine. Die standen ziemlich krumm vor ihm, daß er zwischen ihnen hindurchsehen konnte. Er riskierte ein kleines Geblinzel an den Hosenbeinen hoch und erkannte einen älteren Mann. Der hatte ein Messer und einen Korb in der Hand. Und etwas Erde an den Fingerspitzen.

Du schläfst hier wohl was? fragte der Mann und sah von oben auf das Haargestrüpp herunter. Jürgen blinzelte zwischen den Beinen des Mannes hindurch in die Sonne und sagte: Nein, ich schlafe nicht. Ich muß hier aufpassen. Der Mann nickte: So, dafür hast du wohl den großen Stock da?

Ja, antwortete Jürgen mutig und hielt den Stock fest.

Worauf paßt du denn auf?

Das kann ich nicht sagen. Er hielt die Hände fest um den Stock. Wohl auf Geld, was? Der Mann setzte den Korb ab und wischte das Messer an seinem Hosenboden hin und her.

Nein, auf Geld überhaupt nicht, sagte Jürgen verächtlich. Auf ganz etwas anderes.

Na, was denn?

Ich kann es nicht sagen. Was anderes eben.

Na, denn nicht. Dann sage ich dir natürlich auch nicht, was ich hier im Korb habe. Der Mann stieß mit dem Fuß an den Korb und klappte das Messer zu.

Pah, kann mir denken, was in dem Korb ist, meinte Jürgen geringschätzig, Kaninchenfutter.

Donnerwetter, ja! sagte der Mann verwundert, bist ja ein fixer Kerl. Wie alt bist du denn?

Neun.

Oha, denk mal an, neun also. Dann weißt du ja auch, wieviel drei mal neun sind, wie?

Klar, sagte Jürgen, und um Zeit zu gewinnen, sagte er noch: Das ist ja ganz leicht. Und er sah durch die Beine des Mannes hindurch. Dreimal neun, nicht? fragte er noch mal, siebenundzwanzig. Das wußte ich gleich.

Stimmt, sagte der Mann, genau soviel Kaninchen habe ich.

Jürgen machte einen runden Mund: Siebenundzwanzig?

Du kannst sie sehen. Viele sind noch ganz jung. Willst du?

Ich kann doch nicht. Ich muß doch aufpassen, sagte Jürgen unsicher.

Immerzu? fragte der Mann, nachts auch?

Nachts auch. Immerzu. Jürgen sah an den krummen Beinen hoch. Seit Sonnabend schon, flüsterte er.

Aber gehst du denn gar nicht nach Hause? Du mußt doch essen.

Jürgen hob einen Stein hoch. Da lag ein halbes Brot. Und eine Blechschachtel.

Du rauchst? fragte der Mann, hast du denn eine Pfeife?

Jürgen faßte seinen Stock fest an und sagte zaghaft: Ich drehe. Pfeife mag ich nicht.

Schade, der Mann bückte sich zu seinem Korb, die Kaninchen hättest du ruhig mal ansehen können. Vor allem die Jungen. Vielleicht hättest du dir eines ausgesucht. Aber du kannst hier ja nicht weg.

Nein, sagte Jürgen traurig, nein nein.

Der Mann nahm den Korb und richtete sich auf. Na ja, wenn du hierbleiben mußt – schade. Und er drehte sich um. Wenn du mich nicht verrätst, sagte Jürgen da schnell, es ist wegen den Ratten.

Die krummen Beine kamen einen Schritt zurück: Wegen den Ratten?

Ja, die essen doch von Toten. Von Menschen. Da leben sie doch von.

Wer sagt das?

Unser Lehrer.

Und du paßt nun auf die Ratten auf? fragte der Mann.

Auf die doch nicht! Und dann sagte er ganz leise: Mein Bruder, der liegt nämlich da unten. Jürgen zeigte mit dem Stock auf die zusammengesackten Mauern. Unser Haus kriegte eine Bombe. Mit einmal war das Licht weg im Keller. Und er auch. Wir haben noch gerufen. Er war viel kleiner als ich. Erst vier. Er muß hier ja noch sein. Er ist doch viel kleiner als ich.

Der Mann sah von oben auf das Haargestrüpp. Aber dann sagte er plötzlich: Ja, hat euer Lehrer denn nicht gesagt, daß die Ratten nachts schlafen?

Nein, flüsterte Jürgen und sah mit einmal ganz müde aus, das hat er nicht gesagt.

Na, sagte der Mann, das ist aber ein Lehrer, wenn er das nicht mal weiß. Nachts schlafen die Ratten doch. Nachts kannst du ruhig nach Hause gehen. Nachts schlafen sie immer. Wenn es dunkel wird, schon.

Jürgen machte mit seinem Stock kleine Kuhlen in den Schutt.

Lauter kleine Betten sind das, dachte er, alles kleine Betten. Da sagte der Mann (und seine krummen Beine waren ganz unruhig dabei): Weißt du was? Jetzt füttere ich schnell meine Kaninchen und wenn es dunkel wird, hole ich dich ab. Vielleicht kann ich eins mitbringen. Ein kleines oder, was meinst du?

Jürgen machte kleine Kuhlen in den Schutt. Lauter kleine Kaninchen. Weiße, graue, weißgraue. Ich weiß nicht, sagte er leise und sah auf die krummen Beine, wenn sie wirklich nachts schlafen.

Der Mann stieg über die Mauerreste weg auf die Straße. Natürlich, sagte er von da, euer Lehrer soll einpacken, wenn er das nicht mal weiß.

Da stand Jürgen auf und fragte: Wenn ich eins kriegen kann? Ein weißes vielleicht?

Ich will mal versuchen, rief der Mann schon im Weggehen, aber du mußt hier solange warten. Ich gehe dann mit dir nach Hause, weißt du? Ich muß deinem Vater doch sagen, wie so ein Kaninchenstall gebaut wird. Denn das müßt ihr ja wissen.

Ja, rief Jürgen, ich warte. Ich muß ja noch aufpassen, bis es dunkel wird. Ich warte bestimmt. Und er rief: Wir haben auch noch Bretter zu Hause. Kistenbretter, rief er.

Aber das hörte der Mann schon nicht mehr. Er lief mit seinen krummen Beinen auf die Sonne zu. Die war schon rot vom Abend und Jürgen konnte sehen, wie sie durch die Beine hindurchschien, so krumm waren sie. Und der Korb schwenkte aufgeregt hin und her. Kaninchenfutter war da drin. Grünes Kaninchenfutter, das war etwas grau vom Schutt.

[1947]

Heinrich Böll

Bekenntnis zur Trümmerliteratur

Die ersten schriftstellerischen Versuche unserer Generation nach 1945 hat man als Trümmerliteratur bezeichnet, man hat sie damit abzutun versucht. Wir haben uns gegen diese Bezeichnung nicht gewehrt, weil sie zu Recht bestand: tatsächlich, die Menschen, von denen wir schrieben, lebten in Trümmern, sie kamen aus dem Kriege, Männer und Frauen in gleichem Maße verletzt, auch Kinder. Und sie waren scharfäugig: sie sahen. Sie lebten keineswegs in völligem Frieden, ihre Umgebung, ihr Befinden, nichts an ihnen und um sie herum war idyllisch, und wir als Schreibende fühlten uns ihnen so nahe, daß wir uns mit ihnen identifizierten. Mit Schwarzhändlern und den Opfern der Schwarzhändler, mit Flüchtlingen und allen denen, die auf andere Weise heimatlos geworden waren, vor allem natürlich mit der Generation, der wir angehörten und die sich zu einem großen Teil in einer merk- und denkwürdigen Situation befand: sie kehrte heim. Es war die Heimkehr aus einem Krieg, an dessen Ende kaum noch jemand hatte glauben können.

Wir schrieben also vom Krieg, von der Heimkehr und dem, was wir im Krieg gesehen hatten und bei der Heimkehr vorfanden: von Trümmern; das ergab drei Schlagwörter, die der jungen Literatur angehängt wurden: Kriegs-, Heimkehrer- und Trümmerliteratur.

Die Bezeichnungen als solche sind berechtigt: es war Krieg gewesen, sechs Jahre lang, wir kehrten heim aus diesem Krieg, wir fanden Trümmer und schrieben darüber. Merkwürdig, fast verdächtig war nur der vorwurfsvolle, fast gekränkte Ton, mit dem man sich dieser Bezeichnung bediente: man schien uns zwar nicht verantwortlich zu machen dafür, daß Krieg gewesen, daß alles in Trümmern lag, nur nahm man uns offenbar übel, daß wir es gesehen hatten und sahen, aber wir hatten keine Binde vor den Augen und sahen es: ein gutes Auge gehört zum Handwerkszeug des Schriftstellers. [...]

Nehmen wir an, das Auge des Schriftstellers sieht in einen Keller hinein: dort steht ein Mann an einem Tisch, der Teig knetet, ein Mann mit mehlbestaubtem Gesicht: der Bäcker. Er sieht ihn dort stehen, wie Homer ihn gesehen hat, wie er Balzacs und Dickens' Augen nicht entgangen ist – den Mann, der unser Brot backt, so alt wie die Welt, und seine Zukunft reicht bis ans Ende der Welt. Aber dieser Mann dort unten im Keller raucht Zigaretten, er geht ins Kino, sein Sohn ist in Rußland gefallen, dreitausend Kilometer weit liegt er begraben am Rande eines Dorfes; aber das Grab ist eingeebnet, kein Kreuz steht drauf, Traktoren ersetzen den Pflug, der diese Erde sonst gepflügt hat. Das alles gehört zu dem bleichen und sehr stillen Mann dort unten im Keller, der unser Brot backt – dieser Schmerz gehört zu ihm, wie auch manche Freude dazugehört.

Und hinter den verstaubten Scheiben einer kleinen Fabrik sieht das Auge des Schriftstellers eine kleine Arbeiterin, die an einer Maschine steht und Knöpfe ausstanzt, Knöpfe, ohne die unsere Kleider keine Kleider mehr wären, sondern lose an uns herunterhängende Stoffetzen, die uns weder schmücken noch wärmen würden: diese kleine Arbeiterin schminkt sich die Lippen, wenn sie Feierabend hat, auch sie geht ins Kino, raucht Zigaretten; sie geht mit einem jungen Mann spazieren, der Autos repariert oder die Straßenbahn fährt. Und es gehört zu diesem jungen Mädchen, daß ihre Mutter irgendwo unter einem Trümmerhaufen begraben liegt: unter einem Berg schmutziger Steinbrocken, die mit Mörtel gemengt sind, unten tief irgendwo liegt die Mutter des Mädchens, und ihr Grab ist ebensowenig mit einem Kreuz geschmückt wie das Grab des Bäckersohnes. Nur hin und wieder – einmal im Jahr – geht das junge Mädchen hin und legt Blumen auf diesen schmutzigen Trümmerhaufen, unter dem seine Mutter begraben liegt.

Diese beiden, der Bäcker und das Mädchen, gehören unserer Zeit an, sie hängen in der Zeit, Jahreszahlen sind um sie geschlungen wie ein Netz; sie aus dem Netz zu lösen hieße, ihnen ihr Leben zu nehmen, aber der Schriftsteller braucht Leben, und wer anders könnte diesen beiden ihr Leben erhalten als die Trümmerliteratur? Der Blindekuh-Schriftsteller sieht nach innen, er baut sich eine Welt zurecht. [...]

Wer Augen hat zu sehen, der sehe! Und in unserer schönen Muttersprache hat Sehen eine Bedeutung, die nicht mit optischen Kategorien allein zu erschöpfen ist: wer Augen hat, zu sehen, für den werden die Dinge durchsichtig – und es müßte ihm möglich werden, sie zu durchschauen, und man kann versuchen, sie mittels der Sprache zu durchschauen, in sie hineinzusehen. Das Auge des Schriftstellers sollte menschlich und unbestechlich sein: man braucht nicht gerade Blindekuh zu spielen, es gibt rosarote, blaue, schwarze Brillen – sie färben die Wirklichkeit jeweils so, wie man sie gerade braucht. Rosarot wird gut bezahlt, es ist meistens sehr beliebt – und der Möglichkeiten zur Bestechung gibt es viele –, aber auch Schwarz ist hin und wieder beliebt, und wenn es gerade beliebt ist, wird auch Schwarz gut bezahlt. Aber wir wollen es so sehen, wie es ist, mit einem menschlichen Auge, das normalerweise nicht ganz trocken und nicht ganz naß ist, sondern feucht – und wir wollen daran erinnern, daß das lateinische Wort für Feuchtigkeit Humor ist –, ohne zu vergessen, daß unsere Augen auch trocken werden können oder naß; daß es Dinge gibt, bei denen kein Anlaß für Humor besteht. Unsere Augen sehen täglich viel: sie sehen den Bäcker, der unser Brot backt, sehen das Mädchen in der Fabrik – und unsere Augen erinnern sich der Friedhöfe; und unsere Augen sehen Trümmer: die Städte sind zerstört, die Städte sind Friedhöfe, und um sie herum sehen unsere Augen Gebäude entstehen, die uns an Kulissen erinnern, Gebäude, in denen keine Menschen wohnen, sondern Menschen verwaltet werden, verwaltet als Versicherte, als Staatsbürger, Bürger einer Stadt, als solche, die Geld einzahlen oder Geld entleihen – es gibt unzählige Gründe, um derentwillen ein Mensch verwaltet werden kann.

Es ist unsere Aufgabe, daran zu erinnern, daß der Mensch nicht nur existiert, um verwaltet zu werden – und daß die Zerstörungen in unserer Welt nicht nur äußerer Art sind und nicht so geringfügiger Natur, daß man sich anmaßen kann, sie in wenigen Jahren zu heilen.

Der Name Homer ist der gesamten abendländischen Bildungswelt unverdächtig: Homer ist der Stammvater europäischer Epik, aber Homer erzählt vom Trojanischen Krieg, von der Zerstörung Trojas und von der Heimkehr des Odysseus – Kriegs-, Trümmer- und Heimkehrerliteratur –, wir haben keinen Grund, uns dieser Bezeichnung zu schämen.

[1952]

2. Wiederaufbau und Wirtschaftswunder

400 Millionen Kubikmeter Schuttmassen lagen auf Deutschland, und Fachleute schätzten, dass der Wiederaufbau ungefähr ein halbes Jahrhundert dauern würde. 45 Jahre nach Kriegsende weiß man, dass es sehr viel schneller ging. Die Geschwindigkeit, mit der man sich der Trümmer der Vergangenheit entledigte, forderte allerdings ihren Tribut. Nicht zuletzt aus zeitlichen Gründen baute man die Städte nach Plänen auf, die im Dritten Reich entstanden und von dessen Geist geprägt waren. Dieser Aspekt des Wiederaufbaus nach 1945 wird in Wolfgang Koeppens Roman "Das Treibhaus" (1953) und Heinrich Bölls "Billard um halbzehn" (1959) kritisiert. Das Prinzip der Restauration blieb aber maßgebend. In Politik und Wirtschaft setzten sich im Westen zunehmend Führungseliten durch, die auch schon vor 1945 das Geschehen bestimmt hatten. Eine Auseinandersetzung mit den vergangenen zwölf Jahren fand in weiten Kreisen nicht statt.

Die Orientierung an den westlichen Siegermächten, besonders an den USA, wurde in der 1949 gegründeten Bundesrepublik zum beherrschenden Ziel. Während die Sowjetunion das Angebot der Wiedervereinigung zumindest nach außen hin bis 1955 aufrechthielt, hatte sich die CDU-Regierung Konrad Adenauers längst auf das westliche Bündnis eingeschworen. In der DDR, die ihrerseits schnell in den Warschauer Pakt integriert wurde, hatten nach 1945 kommunistische Exil-Politiker die Führung ergriffen. Die faschistische Vergangenheit der eigenen Bevölkerung wurde von ihnen allerdings völlig ausgeblendet.

Hüben wie drüben ging folglich der Wiederaufbau mit einer Verleugnung der jüngsten Vergangenheit einher. Das Phänomen der deutschen "Unfähigkeit zu trauern" beschrieben später die Psychologen Alexander und Margarete Mitscherlich anhand der westdeutschen Verhältnisse sehr genau. Das Streben nach Wohlstand erleichterte es dem einzelnen im Westen fraglos, einer unliebsamen Erinnerung an die Vergangenheit aus dem Wege zu gehen. Schon vor ihrer Formulierung in einer sozialpsychologischen Theorie thematisierten Schriftsteller wie Böll, Koeppen oder Schnurre diese Verleugnung in ihren Werken.

Ein weiteres Thema der Literatur wurde die Wirtschaftswunder-Mentalität in der Bundesrepublik. Mit der Währungsreform von 1948 war die Grundlage für die wirtschaftliche Neuordnung im Westen Deutschlands geschaffen. Nach der Devise "Wohlstand für alle" setzte die CDU mit ihrem Minister Ludwig Erhard das Prinzip der "sozialen Marktwirtschaft" gegen die Bedenken von Sozialdemokraten und Gewerkschaften durch. Leistungs- und Profitstreben beherrschten die

Wirtschaft, in zunehmendem Maße aber auch das gesellschaftliche Leben insgesamt.

Von den Autoren wurden solche Themen seit den fünziger Jahren aufgegriffen. Gerd Gaiser zeichnete 1958 mit seinem Roman "Schlußball" ein treffendes Bild einer neureichen, von geistiger Leere gekennzeichneten Nachkriegsgesellschaft. Die Brüchigkeit dieser Gesellschaft zeigt auch Martin Walser in seinem Roman "Ehen in Philippsburg" (1957) auf. Hier wird besonders deutlich, dass das Streben nach Wohlstand und Einfluss normale menschliche Beziehungen schwer belastete. In den sechziger Jahren kritisierte die Literatur die Verführbarkeit der Menschen durch Konsumgüter und die alles beherrschende Werbung. Beispielhaft dafür sind Texte wie Wolfgang Koeppens "Wahn" oder Wolfgang Hildesheimers Groteske "Eine größere Anschaffung".

Heinrich Böll

An der Brücke

Die haben mir meine Beine geflickt und haben mir einen Posten gegeben, wo ich sitzen kann: ich zähle die Leute, die über die neue Brücke gehen. Es macht ihnen ja Spaß, sich ihre Tüchtigkeit mit Zahlen zu belegen, sie berauschen sich an diesem sinnlosen Nichts aus ein paar Ziffern, und den ganzen Tag, den ganzen Tag geht mein stummer Mund wie ein Uhrwerk, indem ich Nummer auf Nummer häufe, um ihnen abends den Triumph einer Zahl zu schenken.

Ihre Gesichter strahlen, wenn ich ihnen das Ergebnis meiner Schicht mitteile, je höher die Zahl, um so mehr strahlen sie, und sie haben Grund, sich befriedigt ins Bett zu legen, denn viele Tausende gehen täglich über ihre neue Brücke...

Aber ihre Statistik stimmt nicht. Es tut mir leid, aber sie stimmt nicht. Ich bin ein unzuverlässiger Mensch, obwohl ich es verstehe, den Eindruck von Biederkeit zu erwecken.

Insgeheim macht es mir Freude, manchmal einen zu unterschlagen und dann wieder, wenn ich Mitleid empfinde, ihnen ein paar zu schenken. Ihr Glück liegt in meiner Hand. Wenn ich wütend bin, wenn ich nichts zu rauchen habe, gebe ich nur den Durchschnitt an, manchmal unter dem Durchschnitt, und wenn mein Herz aufschlägt, wenn ich froh bin, lasse ich meine Großzügigkeit in einer fünfstelligen Zahl verströmen. Sie sind ja so glücklich! Sie reißen mir förmlich das Ergebnis jedesmal aus der Hand, und ihre Augen leuchten auf, und sie klopfen mir auf die Schulter. Sie ahnen ja nichts! Und dann fangen sie an zu multiplizieren, zu dividieren, zu prozentualisieren, ich weiß nicht was. Sie rechnen aus, wieviel heute jede Minute über die Brücke gehen und wieviel in zehn Jahren über die Brücke gegangen sein werden. Sie lieben das zweite Futur, das zweite Futur ist ihre Spezialität – und doch, es tut mir leid, daß alles nicht stimmt...

Wenn meine kleine Geliebte über die Brücke kommt – und sie kommt zweimal am Tage -, dann bleibt mein Herz einfach stehen. Das unermüdliche Ticken meines Herzens setzt einfach aus, bis sie in die Allee eingebogen und verschwunden ist. Und alle, die in dieser Zeit passieren, verschweige ich ihnen. Diese zwei Minuten gehören mir, mir ganz allein, und ich lasse sie mir nicht nehmen. Und auch wenn sie abends wieder zurückkommt aus ihrer Eisdiele, wenn sie auf der anderen Seite des Gehsteiges meinen stummen Mund passiert, der zählen, zählen muß, dann setzt mein Herz wieder aus, und ich fange erst wieder an zu zählen, wenn sie nicht mehr zu sehen ist. Und alle, die das Glück haben, in diesen Minuten vor meinen blinden Augen zu defilieren, gehen nicht in die Ewigkeit der Statistik ein: Schattenmänner und Schattenfrauen, nichtige Wesen, die im zweiten Futur der Statistik nicht mitmarschieren werden...

Es ist klar, daß ich sie liebe. Aber sie weiß nichts davon, und ich möchte auch nicht, daß sie es erfährt. Sie soll nicht ahnen, auf welche ungeheure Weise sie alle Berechnungen über den Haufen wirft, und ahnungslos und unschuldig soll sie mit ihren langen braunen Haaren und den zarten Füßen in ihre Eisdiele marschieren, und sie soll viel Trinkgeld bekommen. Ich liebe sie. Es ist ganz klar, daß ich sie liebe.

Neulich haben sie mich kontrolliert. Der Kumpel, der auf der anderen Seite sitzt und die Autos zählen muß, hat mich früh genug gewarnt, und ich habe höllisch aufgepaßt. Ich habe gezählt wie verrückt, ein Kilometerzähler kann nicht besser zählen. Der Oberstatistiker selbst hat sich drüben auf die andere Seite gestellt und hat später das Ergebnis einer Stunde mit meinem Stundenplan verglichen. Ich hatte nur einen weniger als er. Meine kleine Geliebte war vorbeigekommen, und niemals im Leben werde ich dieses hübsche Kind ins zweite Futur transponieren lassen, diese meine kleine Geliebte soll nicht multipliziert und dividiert und in ein prozentuales Nichts verwandelt werden. Mein Herz hat mir geblutet, daß ich zählen mußte, ohne ihr nachsehen zu können, und dem Kumpel drüben, der die Autos zählen muß, bin ich sehr dankbar gewesen. Es ging ja glatt um meine Existenz.

Der Oberstatistiker hat mir auf die Schulter geklopft und hat gesagt, daß ich gut bin, zuverlässig und treu. "Eins in der Stunde verzählt", hat er gesagt, "macht nicht viel. Wir zählen sowieso einen gewissen prozentualen Verschleiß hinzu. Ich werde beantragen, daß Sie zu den Pferdewagen versetzt werden."

Pferdewagen ist natürlich die Masche. Pferdewagen ist ein Lenz wie nie zuvor. Pferdewagen gibt es höchstens fünfundzwanzig am Tage, und alle halbe Stunde einmal in seinem Gehirn die nächste Nummer fallen zu lassen, das ist ein Lenz!

Pferdewagen wäre herrlich. Zwischen vier und acht dürfen überhaupt keine Pferdewagen über die Brücke, und ich könnte spazierengehen oder in die Eisdiele, könnte sie mir lange anschauen oder sie vielleicht ein Stück nach Hause bringen, meine kleine ungezählte Geliebte...

[1948]

Wolfgang Koeppen

Wahn

Ich kann nach bayerischer Überlieferung, aber ich kann auch nach italienischer, balkanesischer, chinesischer Manier essen, und heute Abend denke ich an ein Menü nach französischem Geschmack. Ich habe die Wahl. Die Austern sind von der Air France hergeflogen. Gestern schwammen sie noch im grünen Meer vor Arcachon oder wohnten auf bretonischen Klippen, heute werden sie mir von einem liebenswürdigen Franzosen, der deutsche Philosophie studiert, auf Eis zu einem herben Landwein von den Schlössern der Loire serviert. Das Lokal ist burgundischer als Burgund. Ich habe, während ich die Austern esse und auf die Straße blicke, kein schlechtes soziales Gewissen. Der Taxichauffeur rechts könnte sich, wie ich, die Muscheln und den Wein gelegentlich leisten, wenn er wollte. Er will nicht, er zieht eine Schweinshaxe vor; es ist eine Frage der Beschränkung oder des Geschmacks. Die Trecks sind angekommen, die Vertriebenen sind untergebracht, sie leben wie die Verschonten – eine bewundernswerte Leistung unserer Gemeinschaft. Die Apotheke links blinkt in Chrom und Kristall. Die Neonschriften versprechen verlorene Schlankheit. Die hübsche Apothekerin löscht gerade, wie eine Dame der Bühne, den goldenen Regen werbenden Lichtes. Ihr Freund wartet vor der, von einem Schüler Picassos entworfenen Tür. Der Freund fährt einen weißen Sportwagen. Das Verdeck ist zurückgeklappt. Der Abend ist mild. Das Radio spielt eine amerikanische Weise von der Schönheit Virginias. Die Mädchen sind angezogen wie in New York oder Paris, sie sind frisiert und geschminkt wie in London oder in Rom. Es sind keine BDM-Mädchen. Sie sind nicht spießig. Wir alle sind nicht spießig. Niemand scheint zu hungern; doch auch niemand scheint sich zu erinnern, warum er aus seiner Heimat vertrieben wurde. Ich lebe in der Bundesrepublik. Lebe ich im Paradies?

Ich bin dick geworden. Ich habe das nicht erwartet. Wenn ich in den Spiegel blicke, bin ich mir unheimlich. Ich sehe Caliban, das Ungeheuer, oder ich sehe den Braten, der für Caliban gemästet wird. Ich beklage mich nicht. Ich schaue die anderen Gäste an, ich betrachte wieder die draußen Promenierenden, und ich fühle, daß wir alle schlachtreif sind. Nun gut. Nach den Austern esse ich eine Ente à la rouennaise. Der Vogel ist zart und fett. Aber wer hatte Mitleid mit dem armen Tier? Haben sich nicht alle Erwartungen erfüllt? Wenn es in der Frühe klingelt, sollte es der Milchmann sein. Es ist nicht der Milchmann, der ist ein König und kommt nicht ins Haus, aber es ist auch nicht in biederem Loden der Mann vom Verfassungsschutz. Es ist der Telegrafenbote, und er bringt die Frage: wie leben Sie in der Bundesrepublik, antworten Sie gegen Honorar. Der Schriftsteller gehört in Deutschland nicht zu den Idolen der Nation, aber er trägt zu ihrem geistigen Stoffwechsel bei.

Ich lebe also gut. Bin ich Hans im Glück oder das beste Persil, das es je gab? Selbst die Verleger und Redaktionen honorieren mir meinen öffentlich anerkannten Nonkonformismus. Warum also noch Unbehagen? Ein Kritiker meinte, ich leide an einem Überschuß an Magensäure. Aber ganz und gar nicht! Meine Krankheit ist zuviel fröhliches Dem-Tage-Vertrauen. Selbst diesen Kritiker schließe ich noch in meine Sanftmut ein.

Ich habe einen guten Paß, und die Reisegesellschaften meiner Landsleute überschwemmen die Erde. Sehen sie etwas, erleben sie was, lernen sie? Der Markusplatz ist ein deutsches Kaffeehaus, das Mittelmeer ein wahres mare germanicum, und zu Pfingsten gehört uns endlich Paris. Kraft durch Freude noch zu Füßen der Akropolis, Wochenendausflüge nach Madrid und bald nach Florida, keine Legion Condor, die Lufthansa breitet die Schwingen, und der Chef jagt auf der Safari das Rhinozeros. Ich freue mich, wenn ich von einer Reise in die Heimat zurückkehre. Ich freue mich, weil ich keine Angst habe. Die SS-Leute tragen nicht mehr den Totenkopf am Hut. Die Beamten sind höflich. Aber da sind die Stimmen! Auf dem Flughafen in Frankfurt, einer Kreuzung der Zauberteppiche, wird die Muttersprache penetrant. Hinter jedem Schalter läßt man die Welt am deutschen Wesen genesen. Es sind nicht die Worte, es ist der Klang. Man steht sehr klein im Universum und sieht es nicht ein. Man hätte die gute Chance, David zu sein, aber man mimt unentwegt den Goliath. Auf allen Reisen kauft man gegen feste deutsche Mark die alte Lüge, der Nabel der Welt zu sein. Man lebt verzweifelt irreal. Ein Wunder ist geschehen, das allzu oft zitierte Wirtschaftsglück. Nun hüllt man den Kopf in teure Tücher. Man leugnet, was war, man ahnt nicht, was wird. Vergessen sind die Toten, vergeben ist den Mördern, unsere Städte sind, versprachs nicht der Unhold, schöner denn je wiedererstanden: die Trümmer, die Ausstoßung, sie sind ein böser Traum, sie sind nicht wahr. Auch Fakten sind nicht wahr: Polen wurde viermal und für Jahrhunderte geteilt, Deutschland ist als Folge des Krieges und der Vermessenheit seit fünfzehn Jahren zerrissen; die große Hoffnung, die wir pflegen sollten, könnte Europa oder gar die Vereinigte Welt sein, aber unsere Redner fordern am Sonntag die Grenzen von 1938 und blikken gelassen und phantasielos auf eine tote Menschheit. Niemand bewegt ernstlich die Frage. Der Minister mag reden, was er will. Wir essen Austern oder Schweinshaxen. Wir sind nicht gerade begeistert, wir sind nüchtern geworden, aber unsere jungen Leute, unsere verschrieenen Trotzköpfe gehen brav in die Kasernen. Ein Notstandsgesetz mit allen Schrecklichkeiten der Diktatur wird erwogen. Für welchen Notstand? Der Verteidigungsminister erklärt, Rußland fürchte den Krieg. Gegen wen also will er uns verteidigen? Warum rüstet er? Der rote Führer fordert Abrüstung bis zum letzten Soldaten. Wir lachen hämisch und schreien: Utopie! Erregt uns solche Zukunft nicht? Glauben wir nur an das Schlechte? Warum nehmen wir den Kommunisten nicht beim Wort? Das Gesicht des roten Führers ist ernst. Seine Augen scheinen das große Leichenfeld zu sehen, zu dem uns Verwirrung machen kann. Vielleicht lügt der Russe. Ich weiß es nicht. Aber wenn er nicht lügt, bietet er den Frieden, und unser Lachen ist auf jeden Fall nur dämlich.

"Aber wollen Sie nicht ihre Austern verteidigen, die schöne Apothekerin, den Sportwagen, den guten Paß, mit dem Sie überall hinreisen können, die das freie Wort nicht scheuenden Verleger und Redaktionen, das Recht, Ihren Beitrag zu veröffentlichen?" Gewiß will ich das, ich werde all diese Rechte bis zum letzten Atemzug verteidigen, aber ich halte nichts davon, als Volk wieder den Tiger zu spielen. Die Waffen haben uns zweimal geschlagen, die Generäle haben uns zweimal ruhmvoll in den Tod geführt. Sie haben nachher ihre Pensionen gefordert, in ihren Memoiren ihr Unterliegen in eine Gloire verwandelt, und in der "Soldatenzeitung" rufen sie zu neuem Sterben auf und schmähen den schlappen Staat, der ihren Altersschwachsinn bezahlt. Sollten wir es nicht einmal mit Freundlichkeit versuchen? Und sollte man nicht auch zu seinen Nachbarn hilfreich sein? Eine Doktrin, die nach einem Herrn Hallstein heißt, leugnet mit Morgenstern, daß nicht sein kann, was nicht sein darf.

Ich lebe in der Bundesrepublik, ein stiller Bürger, eine schon überholte Spezies. Ich glaube nicht, daß ich noch lange so leben werde. Wunder sind nicht beständig. Schonfristen enden nach dem Kalender. Es schreckte nicht, wäre es nur Zukunft und Notwendigkeit. Aber ich entsetze mich, an anderer Leute Einsichtslosigkeit zu sterben. Ich mag bei uns manche Gesichter nicht, vom Teufel geholte, von der Zeit zerbrochene Masken des Todes, wie man hoffte, und wenn ich an 1945 denke, meine ich, daß von dort und damals eine Bewegung der Geschlagenen hätte ausgehen können, ein Glaube der Gewaltabsager, der Reumütigen, der Fahnenlosen, der Übernationalen, endlich der brüderlichen Menschen guten Willens schlechthin. Unser reproduziertes Biedermeier, wie es sich in Filmen, Illustriertenromanen, Heiratsanzeigen, Couleurbändern, rheinischen Narrenkappen und wieder eingeknickten Leutnantsmützen zeigt, ist so absurd wie widerlich. Manchmal möchte ich über die zarte Pflanze unserer Demokratie weinen; und in den stolzen An- und Abflügen, den hehren Begrüßungen und siegverkündenden Ansprachen von Wahn scheint mir doch Nomen Omen zu sein. Ich bin Schriftsteller. Ein deutscher Schriftsteller. Ich möchte nichts anderes sein. Doch Hermann Kesten vergleicht unser bundesdeutsches schriftstellerisches Treiben mit einer Abendröte. Kündet sie die Nacht an? Bringt sie heitern Tag? Ich wage nicht, Kesten zu widersprechen; ich glaube nicht an den heiteren Tag.

[1960]

Inge Müller

UNTERM SCHUTT III

Als ich Wasser holte fiel ein Haus auf mich
Wir haben das Haus getragen
Der vergessene Hund und ich.
Fragt mich nicht wie
Ich erinnere mich nicht.
Fragt den Hund wie.

[ca. 1961]

Gottfried Benn

Teils – Teils

In meinem Elternhaus hingen keine Gainsboroughs
wurde auch kein Chopin gespielt
ganz amusisches Gedankenleben
mein Vater war einmal im Theater gewesen
Anfang des Jahrhunderts
Wildenbruchs "Haubenlerche"
davon zehrten wir
das war alles.

Nun längst zu Ende
graue Herzen, graue Haare
der Garten in polnischem Besitz
die Gräber teils-teils
aber alle slawisch,
Oder-Neiße-Linie
für Sarginhalte ohne Belang
die Kinder denken an sie
die Gatten auch noch eine Weile
teils-teils
bis sie weitermüssen
Sela, Psalmenende.

Heute noch in einer Großstadtnacht
Caféterrasse
Sommersterne,

vom Nebentisch
Hotelqualitäten in Frankfurt
Vergleiche,
die Damen unbefriedigt
wenn ihre Sehnsucht Gewicht hätte
wöge jede drei Zentner.

Aber ein Fluidum! Heiße Nacht
à la Reiseprospekt und
die Ladies treten aus ihren Bildern:
unwahrscheinliche Beauties
langbeinig, hoher Wasserfall
über ihre Hingabe kann man sich gar nicht erlauben
nachzudenken.

Ehepaare fallen demgegenüber ab,
kommen nicht an, Bälle gehn ins Netz,
er raucht, sie dreht ihre Ringe
überhaupt nachdenkenswert
Verhältnis von Ehe und Mannesschaffen
Lähmung oder Hochbetrieb.

Fragen, Fragen! Erinnerungen in einer Sommernacht
hingeblinzelt, hingestrichen,
in meinem Elternhaus hingen keine Gainsboroughs
nun alles abgesunken
teils-teils das Ganze
Sela, Psalmenende.

[1954]

Helmut Heißenbüttel

Kalkulation über was alle gewußt haben

natürlich haben alle was gewußt der eine dies und der andere das aber niemand mehr als das und es hätte schon jemand sich noch mehr zusammenfragen müssen wenn er das gekonnt hätte aber das war schwer weil jeder immer nur an der oder der Stelle dies oder das zu hören kriegte heute weiß es jeder weil jeder es weiß aber da nützt es nichts mehr weil jeder es weiß heute bedeutet es nichts mehr als daß es damals etwas bedeutet hat als jeder nicht alles sondern nur dies oder das zu hören kriegte usw.

einige haben natürlich etwas mehr gewußt das waren die die sich bereit erklärt hatten mitzumachen und die auch insofern mitmachten als sie halfen die andern zu Mitmachern zu machen mit Gewalt oder mit Versprechungen denn wer geholfen hat hat natürlich auch was wissen müssen es hat zwar vor allen verheimlicht werden können aber nicht ganz vor allen usw.

und dann gab es natürlich welche die schon eine ganze Menge wußten die mittlere Garnitur die auf dem einen oder dem anderen Sektor was zu sagen hatten da haben sie zwar nur etwas verwalten können was organisiert war denen waren gewisse Einzelheiten bekannt sie hätten sich vielleicht auch das Ganze zusammenreimen können oder haben es vielleicht sogar getan aber sie trauten sich nicht und vor allem fehlte ihnen eins und das war der springende Punkt was sie hätten wissen müssen wenn sie wirklich usw.

die da oben wußten natürlich das meiste auch untereinander denn wenn sie nichts voneinander gewußt hätten hätten sie es nicht machen können und es hätte garnichts geklappt denn soetwas mußte funktionieren und was nicht und wo einer nicht funktionierte da mußte er erledigt werden wie sich schon gleich zu Anfang und noch deutlicher später gegen Ende gezeigt hat usw.

und natürlich wußten die paar die fast alles wußten auch schon fast alles und wie es funktionierte und wie durch Mitwissen Mitwisser und Mitwisser zu Mittätern Mittäter zu Übelwissern Übelwisser zu Übeltätern usw. denn die fast alles wußten waren so mächtig daß sie fast alles tun konnten auch Mitwisser zu Mittätern Mittäter zu Übelwissern Übelwisser zu Übeltätern usw. die haben es schon gewußt und weil sie es gewußt haben sind sie bei der Stange geblieben denn es war ihre Angelegenheit usw. und weil man sagen kann daß die es schon gewußt haben sagt man heute oft daß die es waren die dies aber das das stimmt nicht völlig denn sie haben nicht gewußt obs auch funktioniert und das

denn das hat natürlich nur ein einziger gewußt aber wenn er es gewußt hat den springenden Punkt sozusagen daß es auch funktioniert und daß es weils funktioniert auch passiert und das ist ja auch genau passiert usw. das was alle gewußt haben das hat er natürlich nicht gewußt denn das konnte er nicht wissen er hatte ja keine Ahnung davon was alle dachten und sich überlegten usw. aber gerade daran lag es schließlich daß es funktionierte daß alle was gewußt haben aber nur einer obs funktionierte aber nicht wußte daß es nur deshalb funktionierte weil er nicht wußte was alle wußten usw. die etwas mehr wußten konnten nichts machen ohne die die etwas wußten die schon eine ganze Menge wußten konnten nichts machen ohne die die etwas mehr wußten die fast alles wußten konnten nichts machen ohne die die schon eine ganze Menge wußten usw. aber weil alle bis auf den einen nicht wußten obs auch wirklich funktionierte konnten sie nichts machen ohne den der schon wußte daß es funktionierte aber nicht wußte was alle wußten nämlich daß sie nicht wußten obs auch funktionierte

und so hat das funktioniert

[1965]

Hans Magnus Enzensberger

middle class blues

Wir können nicht klagen.
Wir haben zu tun.
Wir sind satt.
Wir essen.

Das Gras wächst,
das Sozialprodukt,
der Fingernagel,
die Vergangenheit.

Die Straßen sind leer.
Die Abschlüsse sind perfekt.
Die Sirenen schweigen.
Das geht vorüber.

Die Toten haben ihr Testament gemacht.
Der Regen hat nachgelassen.
Der Krieg ist noch nicht erklärt.
Das hat keine Eile.

Wir essen das Gras.
Wir essen das Sozialprodukt.
Wir essen die Fingernägel.
Wir essen die Vergangenheit.

Wir haben nichts zu verheimlichen.
Wir haben nichts zu versäumen.
Wir haben nichts zu sagen.
Wir haben.

Die Uhr ist aufgezogen.
Die Verhältnisse sind geordnet.
Die Teller sind abgespült.
Der letzte Autobus fährt vorbei.

Er ist leer.

Wir können nicht klagen.

Worauf warten wir noch?

[1964]

Ingeborg Bachmann

Reklame

Wohin aber gehen wir
ohne sorge sei ohne sorge
wenn es dunkel und wenn es kalt wird
sei ohne sorge
aber
mit musik
was sollen wir tun
heiter und mit musik
und denken
heiter
angesichts eines Endes
mit musik
und wohin tragen wir
am besten
unsre Fragen und den Schauer aller Jahre
in die Traumwäscherei ohne sorge sei ohne sorge
was aber geschieht
am besten
wenn Totenstille

eintritt

[1956]

Wolfgang Hildesheimer

Eine größere Anschaffung

Eines Abends saß ich im Dorfwirtshaus vor (genauer gesagt, hinter) einem Glas Bier, als ein Mann gewöhnlichen Aussehens sich neben mich setzte und mich mit gedämpft-vertraulicher Stimme fragte, ob ich eine Lokomotive kaufen wolle. Nun ist es zwar ziemlich leicht, mir etwas zu verkaufen, denn ich kann schlecht nein sagen, aber bei einer größeren Anschaffung dieser Art schien mir doch Vorsicht am Platze. Obgleich ich wenig von Lokomotiven verstehe, erkundigte ich mich nach Typ, Baujahr und Kolbenweite, um bei dem Mann den Anschein zu erwecken, als habe er es hier mit einem Experten zu tun, der nicht gewillt sei, die Katze im Sack zu kaufen. Ob ich ihm wirklich diesen Eindruck vermittelte, weiß ich nicht; jedenfalls gab er bereitwillig Auskunft und zeigte mir Ansichten, die das Objekt von vorn, von hinten und von den Seiten darstellten. Sie sah gut aus, diese Lokomotive, und ich bestellte sie, nachdem wir uns vorher über den Preis geeinigt hatten. Denn sie war bereits gebraucht, und obgleich Lokomotiven sich bekanntlich nur sehr langsam abnützen, war ich nicht gewillt, den Katalogpreis zu zahlen.

Schon in derselben Nacht wurde die Lokomotive gebracht. Vielleicht hätte ich dieser allzu kurzfristigen Lieferung entnehmen sollen, daß dem Handel etwas Anrüchiges innewohnte, aber arglos, wie ich war, kam ich nicht auf die Idee. Ins Haus konnte ich die Lokomotive nicht nehmen, die Türen gestatteten es nicht, zudem wäre es wahrscheinlich unter der Last zusammengebrochen, und so mußte sie in die Garage gebracht werden, ohnehin der angemessene Platz für Fahrzeuge. Natürlich ging sie der Länge nach nur etwa halb hinein, dafür war die Höhe ausreichend; denn ich hatte in dieser Garage früher einmal meinen Fesselballon untergebracht, aber der war geplatzt.

Bald nach dieser Anschaffung besuchte mich mein Vetter. Er ist ein Mensch, der, jeglicher Spekulation und Gefühlsäußerung abhold, nur die nackten Tatsachen gelten läßt. Nichts erstaunt ihn, er weiß alles, bevor man es ihm erzählt, weiß es besser und kann alles erklären. Kurz, ein unausstehlicher Mensch. Wir begrüßten einander, und um die darauffolgende peinliche Pause zu überbrücken, begann ich: "Diese herrlichen Herbstdüfte..." – "Welkendes Kartoffelkraut", entgegnete er, und an sich hatte er recht. Fürs erste steckte ich es auf und schenkte mir von dem Cognak ein, den er mitgebracht hatte. Er schmeckte nach Seife, und ich gab dieser Empfindung Ausdruck. Er sagte, der Cognak habe, wie ich auf dem Etikett ersehen könne, auf den Weltausstellungen in Lüttich und Barcelona große Preise, in St. Louis gar die goldene Medaille erhalten, sei daher gut. Nachdem wir schweigend mehrere Cognaks getrunken hatten, beschloß er, bei mir zu übernachten, und ging den Wagen einstellen. Einige Minuten darauf kam er zurück und sagte mit leiser, leicht zitternder Stimme, daß in meiner Garage eine große Schnellzugslokomotive stünde. "Ich weiß", sagte ich ruhig und nippte von meinem Cognak, "ich habe sie mir vor kurzem angeschafft". Auf seine zaghafte Frage, ob ich öfters damit fahre, sagte ich, nein, nicht oft, nur neulich, nachts, da hätte ich eine benachbarte Bäuerin, die ein freudiges Ereignis erwartete, in die Stadt ins Krankenhaus gefahren. Sie hätte noch in derselben Nacht Zwillingen das Leben geschenkt, aber das habe wohl mit der nächtlichen Lokomotivfahrt nichts zu tun. Übrigens war das alles erlogen, aber bei solchen Gelegenheiten kann ich der Versuchung nicht widerstehen, die Wirklichkeit ein wenig zu schmücken. Ob er es geglaubt hat, weiß ich nicht, er nahm es schweigend zur Kenntnis, und es war offensichtlich, daß er sich bei mir nicht mehr wohl fühlte. Er wurde ganz einsilbig, trank noch ein Glas Cognak und verabschiedete sich. Ich habe ihn nicht mehr gesehen.

Als kurz darauf die Meldung durch die Tageszeitungen ging, daß den französischen Staatsbahnen eine Lokomotive abhanden gekommen sei (sie sei eines Nachts vom Erdboden – genauer gesagt vom Rangierbahnhof – verschwunden), wurde mir natürlich klar, daß ich das Opfer einer unlauteren Transaktion geworden war. Deshalb begegnete ich auch dem Verkäufer, als ich ihn kurz darauf im Dorfgasthaus sah, mit zurückhaltender Kühle. Bei dieser Gelegenheit wollte er mir einen Kran verkaufen, aber ich wollte mich in ein Geschäft mit ihm nicht mehr einlassen, und außerdem, was soll ich mit einem Kran?

[1974]

Arno Schmidt

Der Tag der Kaktusblüte

Innerhalb einer Woche war der Auswuchs mehr als fingerlang und -dick geworden, vorn verheißungsvoll geschwollen, die weichen schlammgrünen Schuppen dehnten sich prächtig schwanger – : und heute früh hatte sich die Blüte aufgetan, ein Grammophontrichter älteren Stils, und natürlich violett : Melodien meinte man daraus zu hören, Ipecacuanha; ich wehrte entrüstet den Brummer ab, der sich breit, car tel est notre plaisir, hineinspreizen wollte, und nahm unterm Schreibmaschinengeklapper wieder eine Portion des schwach bitteren Rüchleins.

Klingeln : ich erschrak gebührend ob der Uniform; und kam mit hinunter, wo endlich der geheimnisvolle Briefkasten geöffnet werden sollte. Finanzsekretär Meißner vom dritten Stock hatte es nicht länger ertragen, und dem Postamt schriftlich Meldung erstattet : wie sich da in dem zwölften der eingebauten Briefkästen geheimnisvoll die Postwurfsendungen stauten. (Wir waren nur elf Mieter, und der Hauswirt hatte der Symmetrie halber zwei mal sechs, undsoweiter undsoweiter). Es war jedenfalls das Hausgespräch gewesen, noch ehe mein Kaktus anfing zu treiben.

Immerhin waren wir außer dem Beamten jetzt nur fünf Zeugen; denn es war Vormittag, und die meisten auf Arbeit. Also der Alte von tausend Monaten, aus dem das übliche Wortgewölle quoll; der Kleine des Anstreichermeisters, Frau Findeisen, ganz Vierzigerin mit frischerneuertem Bronzehaar; Gudrun Lauenstein (siebzehn Jahre); und ich, moi même. Ich begrüßte mit dem linken Auge die strahlende Neufrisierte, mit dem rechten blinkte ich Gudrun an (ich bin Junggeselle und darf das !) : die stand finster auf nadelschwarzen Beinen, und tat wie ein Schicksal. Ein rotkäppiges Kind, einen dürren Zweig in der Hand, galoppierte an der offenen Haustür vorbei, zart schreiend, vom Asphalt immer wieder hochgeschnellt, hochgeschnellt, hochgeschnellt.

Der Beamte probierte Schlüssel und Dietriche ('Und dann von vorn: es geht nicht, es geht nicht' !) : Aahh die buntbedruckte Fülle ! (Gudrun schob mir blitzschnell einen Zettel in die Hand: 'Die Sonne ist weg!'. – Ich verstand gleich : sie hatte beschlossen, Schriftstellerin zu werden, und pflegte mir von Zeit zu Zeit Themen zur Begutachtung vorzulegen. Sie las rasend schnell, alles Gedruckte, und identifizierte sich mit der Heldin; einmal einen Kriminalroman, wo der treulose Gatte sorgfältig gehaßt wurde: noch drei Tage danach war ihr Benehmen mir gegenüber seltsam fläzig, und ihre ohnehin schon bedenkliche Frigidät gletscherhaft. Ich schüttelte auch jetzt abfällig den Mund : zu gewaltsame Erfindung, dies pereat mundus fiat poesia : Nichts !).

Also die Postwurfsendungen : Neueröffnung eines Selbstbedienungsgeschäftes; der vollelektrische Haushalt; kauft Margarine Rama-Hautana : barbarische Namen, ich machte mir keine Hoffnung, sie je im Kopf zu behalten. Ah, hier eine adressierte Drucksache : "Komm, Holofernes !" (der sächsische Malermeister hatte einmal den Kleinen losgeschickt, "Hol' Fernes !", also 'Firnis'; und der Unselige hieß seitdem und für alle Zeiten so).

Nach links lugen : einen Busen hatte Frau Findeisen, mindestens Größe Neun ! Draußen jaulte der Streifen-(Überfall-??)-wagen der Polizei straßenentlang; wir sahen ihm behaglich nach, und stellten Vermutungen an : Größe Neun?

(Gudrun hatte sorgfältig meinen Tasteblick verfolgt; kritzelte, und stieß mir den Zettel in die Finger : 'Eine Seuche bricht aus, die alle Menschen über Siebzehn hinrafft !'. Ich konzentrierte mich auf das rechte Auge; ich flüsterfragte kokett : "Mich auch ?!". Sie schrieb, eisig über dürren Beinträgern : "Dich auch !!").

Unterdes quollen mehr Drucksachen heraus : alte Zeitungen; eine essener Firma bot atomsichere Mäntel an, mit Kapuze 10% mehr ; der Haushalt auf Vollgas umgestellt. Da!: ein Brief an die Witwe Margarete Selbner, Herrenweg 3 (und ein halbes Dutzend Fragezeichen darauf; die armen Luder von Briefträgern hatten sich keinen Rat mehr gewußt, und das Ding blindlings in den namenlosen Schlitz gestopft). Aber jetzt wurde es ernst; der Beamte notierte den Fall finster und übereinandergepreßten Mundes. Ich tat auch noch, als machte ich Notizen : ich bin Journalist, hatte ich ihm rasch erklärt. Und er stöhnte durch die Nase : auch das noch !

Ein Lotterielos; der 'Bund der Deutschen' war aktiv; ich entschied mich heute doch lieber für Gudrun. "Religion besteht mehr in Furcht vor dem Teufel, als in Liebe zu Gott", wehrte ich Frau Findeisen ab. "Der Kluge hält überlegene Kenntnisse so geheim, wie einen Leistenbruch" pflichtete ich dem sorglichen Beamten bei. Auf der Treppe lehrte ich Gudrun eine unfehlbare Methode, Dichter in ihrer Häuslichkeit kennen zu lernen : als Schornsteinfeger verkleiden; das Gesicht schwärzen; so Öfen und Herde kontrollieren: "Hier müssen Sie noch ein Blech davor legen; dreißig mal fünfundvierzig, neue Bestimmung!".

Dann, oben bei mir, erklärte ich ihr noch die Kaktusblüte – sie hörte allerdings eine ganz andere Melodie, (ungefähr wie 'Apoxyomenos', sehr merkwürdig !) – und ihr Schichtunterricht begann erst 14 Uhr 45.

[1956]

Kurt Bartsch

Sozialistischer Biedermeier

Zwischen Wand- und Widersprüchen
machen sie es sich bequem.
Links ein Sofa, rechts ein Sofa,
in der Mitte ein Emblem.

Auf der Lippe ein paar Thesen,
Teppiche auch auf dem Klo.
Früher häufig Marx gelesen.
Aber jetzt auch so schon froh.

Denn das "Kapital" trägt Zinsen:
eignes Auto. Außen rot.
Einmal in der Woche Linsen.
Dafür Sekt zum Abendbrot.

Und sich noch betroffen fühlen
von Kritik und Ironie.
Immer eine Schippe ziehen,
doch zur Schippe greifen nie.

Immer glauben, nur nicht denken
und das Mäntelchen im Wind.
Wozu noch den Kopf verrenken,
wenn wir für den Frieden sind?

Brüder, seht die rote Fahne
hängt bei uns zur Küche raus.
Außen Sonne, innen Sahne -
nun sieht Marx wie Moritz aus.

[1971]

Felix Pollak

Niemalsland

Wir haben es niemals gewußt.
Wir sind es niemals gewesen.
Das hat es niemals gegeben.

Das ist uns niemals gelungen.
Das haben wir niemals versucht.
Das wurde uns niemals bewiesen.

Protestiert? Das haben wir niemals.
Wir waren ja niemals dagegen.
Wir waren auch niemals dafür.

Die Lügen glaubten wir niemals.
Der Ausgang stand niemals in Zweifel.
Denn Frevel lohnt sich doch niemals.

Wir haben niemals gefrevelt.
Wir krümmten niemals ein Haar.
Des hat man uns niemals bezichtigt.

Ja, im Niemalsland lebt sich's behaglich.
Man erinnert sich niemals an nichts.
Uns selber hat's niemals gegeben.

Trotzdem sind wir niemals ganz glücklich.
Wir können halt niemals vergessen
All das, was hier niemals geschah.

[1987]

Volker Braun

FRAGEN EINES REGIERENDEN ARBEITERS

So viele Berichte.
So wenig Fragen.
Die Zeitungen melden unsere Macht.
Wie viele von uns
Nur weil sie nichts zu melden hatten
Halten noch immer den Mund versteckt
Wie ein Schamteil?
Die Sender funken der Welt unsern Kurs.
Wie, an den laufenden Maschinen, bleibt
Uns eine Wahl zwischen zwei Hebeln?
Auf den Plätzen stehn unsere Namen.
Steht jeder auf dem Platz
Die neuen Beschlüsse
Zu verfügen? Viele verfügen sich nur
In die Fabriken. Auf den Thronen sitzen
Unsre Leute: fragt ihr uns
Oft genug? Warum
Reden wir nicht immer?

[1979]

Martin Walser

Die Klagen über meine Methoden häufen sich

Der Mut, den man braucht, Sparkassenräuber zu werden, auf blankem Steinboden in die taghelle Schalterhalle einzudringen, dieser Mut fehlte mir, als ich von meinen Erziehern gedrängt wurde, einen Beruf zu wählen. Gerne wäre ich auch Förster geworden; aber selbst für diesen Beruf, so schien es mir, brauchte man den Mut eines Sparkassenräubers. Fast für alle Berufe, wenn man sie näher betrachtet, braucht man diesen Mut eines Mannes, der in die Schalterhalle eindringt, alle mit einer geladenen oder noch öfters mit einer ungeladenen Pistole im Bann hält, bis er hat, was er will, der dann noch lächelt und rückwärts gehend plötzlich verschwindet.

Schließlich entschied ich mich, Pförtner zu werden. Und ich wurde Pförtner in einer Spielzeugfabrik. Ich kann mir vorstellen, daß viele meiner Kollegen durch diesen Beruf hochmütig werden, daß sie auch nach Feierabend noch mit kaltem Gesicht herumlaufen und abweisende Handbewegungen um sich her streuen.

Ich bin nicht so geworden, obwohl ich mich nach Kräften bemühe, meinen Dienst tagsüber gewissermaßen unbarmherzig zu tun. Ich fühlte mich von Anfang an zu Hause in meiner gläsernen Loge. Die Knöpfe, mit denen ich die mir anvertrauten Türen öffnen kann, wurden mir ein einziges Mal zu Handhabung erklärt, und schon hatte ich alles verstanden; das Verzeichnis der Telephonanschlüsse im Haus kannte ich auswendig, kaum daß ich's einmal durchgelesen hatte. Den ersten Besuchern gegenüber war ich – das gebe ich zu – ein bißchen scheu: ich befürchtete Fragen, die ich nicht beantworten konnte, ich war noch nicht sicher, ob mir die Formulierung meiner Auskünfte in jedem Augenblick so gelingen würde, wie es der Besucher erwarten darf. Wie leicht kann doch ein Pförtner scheitern! Da kommen Herren der vornehmsten Art in die Fabrik, und der Pförtner weiß nicht, ob es seinen Vorgesetzten im Haus lieb ist, gerade diesen oder jenen Herrn zu empfangen. Und jeder im Haus glaubt, er sei der Vorgesetzte des Pförtners. Der Pförtner hat keine Kollegen, er hat nur Vorgesetzte. Und er muß es allen recht machen. Nun meint man, der Pförtner müsse ja nur zum Haustelephon greifen, hinaufrufen in die Büros und fragen, ob der Herr Soundso willkommen sei oder nicht. Aber die in den Büros sind so empfindlich, daß sie oft schon durch eine telephonische Anfrage in schreckliche Erregung versetzt werden können; dann schreien sie den Pförtner durchs Telephon nieder, daß der Mühe hat, seine Fassung zu bewahren und nicht in Tränen auszubrechen. Das darf er nicht, weil doch vor ihm, den Kopf dicht an der Scheibe und ganz auf den Pförtner konzentriert, der Besucher steht, dem er gleich Antwort geben muß. Diese Antwort wiederum darf nichts von dem Geschrei verraten, das der feinnervige und hochbezahlte Herr aus dem Büro gerade in die Ohren des Pförtners prasseln ließ, nein, des Pförtners Aufgabe ist es, diesen Wutschrei des gestörten Herrn sofort zu übersetzen in ein bedauerndes Lächeln, in eine höfliche Geste, die den Besucher so sehr tröstet, daß er, wenn er gleich zur Türe hinausgeht, schon vergessen hat, daß er abgewiesen wurde. Solche Dolmetscherarbeit will gelernt sein, das darf man mir glauben. Oft muß ich darüber hinaus noch den Kopf mit dem Hörer weit weit zurückbiegen bis in das dämpfende Futter meines Mantels hinein, der hinter mir hängt, um die gereizte Stimme aus dem Büro vor den Ohren des Besuchers zu verbergen, denn es besteht eine Anordnung von der allerhöchsten Geschäftsleitung, vom Besitzer selbst nämlich, daß kein Besucher, wer es auch immer sei, schroff behandelt werden dürfe. Obwohl diese Anordnung der Direktion für alle gilt, ist es doch der Pförtner, der ihr in der Praxis Geltung zu verschaffen hat. Ich habe dies immer mit Freuden getan, weil ich gerade diese Anordnung mehr billige als irgendein anderes Gesetz des Betriebes.

Deshalb habe ich mir angewöhnt, so selten wie möglich zum Telephon zu greifen. Ich prüfe die Besucher selbst und entscheide, ob sie mit Recht verlangen, mit dem Einkaufschef, mit dem Prokuristen, dem Leiter der Entwurfsabteilung, mit der Kantinenpächterin oder gar mit einem der Direktoren oder dem Personalchef sprechen zu dürfen.

Mag sein, daß ich am Anfang meiner Tätigkeit manchen zu rasch wegschickte. Aber allmählich habe ich mir eine Fähigkeit erworben, jeden so lange zu fragen, unauffällig, gar nicht wie ein Detektiv oder sonst ein Schnüffler, ganz beiläufig, im Gange einer für beide Teile recht erquicklichen Unterhaltung, aber doch mit aller nützlichen Gründlichkeit, daß ich am Ende dieser Unterhaltung so genau informiert bin über die Wichtigkeit dieses Besuches für unsere Firma, daß ich die Entscheidung darüber, ob ich ihn abzuweisen habe oder nicht, mit einem vollkommen ruhigen Gewissen fällen kann. Wenn ich einen Besucher aber abweise – und die meisten muß ich abweisen -, dann weiß ich ihn während dieser Unterhaltung davon zu überzeugen, daß es für ihn ganz sinnlos wäre, mit dem Herrn unserer Firma, bei dem ich ihn anmelden sollte, zu sprechen. Ich habe mir in allen Fachgebieten, die bei uns vorkommen, so viele Kenntnisse erworben, daß ich einem Vertreter, der wegen Weißblechlieferung mit dem Einkaufsleiter sprechen will, genau Bescheid geben kann, ob seine Angebote Aussicht auf Erfolg haben oder nicht. Ebenso habe ich gelernt, protestierende Einzelhändler, die den Verkaufschef sprechen wollen, zu befriedigen, oder Landleute, die unsere Kantine beliefern wollen, oder bleichsüchtige Erfinder, die in Rudeln zu dreien und vieren den Leiter unserer Entwurfsabteilung überfallen wollen, um ihm ihre unverwertbaren Spielzeugerfindungen aufzuschwatzen, sogar entschlossen blickende Schriftsteller und Maler, die sich an unserem Reklamechef für die vielen Absagebriefe rächen wollen, vermag ich vom Schlimmsten zurückzuhalten, obwohl gerade die Erfinder und die Künstler – das muß ich den Landleuten und Vertretern zu Ehren sagen – am schwersten durch vernünftiges Reden zu überzeugen sind.

So vertrete ich also – ich kann es nicht anders sagen – alle leitenden Herren des Hauses an der Pforte, und die immer rascher steigenden Umsätze sind nicht zuletzt dem Umstand zu verdanken, daß ich die leitenden Persönlichkeiten unserer Firma – sie sind ja die verletzlichsten – vor lästigen Besuchern schütze. Leider wird dies von eben diesen Herren überhaupt nicht bemerkt. Vor allem verstehen diese Persönlichkeiten nicht, daß ich Zeit brauche, um die einzelnen Besucher wirklich und ohne alle Schroffheit von der Nutzlosigkeit ihrer Besuche zu überzeugen. Die langwierigen Unterhaltungen, die ich durch mein Logenfenster mit den hartnäckigen Besuchern führen muß, haben zur Folge, daß schon eine halbe Stunde nach Geschäftsbeginn eine von Minute zu Minute länger werdende Schlange vor meinem Schalter steht. Sei es nun, daß da mal einer ungezogen genug war, die versammelte Menschenmenge als Tarnung zu benutzen, und unangemeldet ins Haus schlüpfte, sei es, daß einmal einer der leitenden Herren rasch aus dem Haus wollte und durch die Schlange der Wartenden eine Sekunde Zeit verlor, auf jeden Fall häufen sich im Haus die Klagen über meine Methode, Besucher zu behandeln. Ich arbeitete zu langsam, zu schwerfällig, zu wenig sachlich...das muß ich hören! So kurzsichtig sind all diese Vorwürfe und Klagen, so wenig Kenntnis meines Berufs beweisen sie, daß ich mich eigentlich gar nicht verteidigen kann. Ich möchte sehen, was geschehen würde, wenn ich die Besucher kurz und barsch abfertigen würde! Dann wäre die Vorhalle zwar immer leer, aber in der Direktion würden die Telephone vor Protestanrufen nicht mehr aufhören zu klingeln, der Ruf der Firma würde leiden, der Umsatz sinken. Die Anordnung der Direktion, keinen Besucher vor den Kopf zu stoßen, ist nicht umsonst erlassen. Ich kann natürlich nicht zum Direktor rennen und ihn bitten, denen, die gegen mich klagen, den Mund zu stopfen. Er würde mir einfach sagen, ich müsse das eine tun, dürfe aber das andere nicht lassen. Wie aber soll ich die Besucher höflich davon überzeugen, daß die Firma sie nicht empfangen kann, wenn ich sie rasch abfertigen soll? Davon, daß einer das große Los gewonnen hat, kann man ihn mit einem einzigen Satz überzeugen. Einem aber wirklich beizubringen, daß seine Erfindung oder sein Werbetext oder sein Blech oder Gemüse für die Firma nicht in Frage kommen – und ihm das so beizubringen, daß er mit einem Loblied auf die Firma das Haus verläßt –, das soll mir einer meiner Gegner einmal in zwei Minuten vormachen. Aber was soll ich tun?

Die Menschenschlange vor meiner Loge wird täglich länger; weil ich die Gefahr, in die sie mich bringt, jetzt kenne, macht sie mich unruhig, unsicher auch, meine Rede fließt nicht mehr wie ehedem, ich schwitze, stammle, brauche länger als früher, erreiche nie mehr das Maß an Tröstung, das ich sonst in jedem Fall erreicht hatte, schon kommt es vor, daß manche mir einen Fluch zuwerfen, die Türe zuschlagen und wütend hinausstürzen, was soll ich tun? Ich kann nichts mehr ändern. Ich muß es endlich eingestehen, warum ich die Entwicklung, die ich in meinem Beruf genommen habe, so ausführlich aufzeichne: zur Rechtfertigung nämlich, um irgendwo außerhalb meines Betriebes wenigstens Verständnis zu erlangen, denn für morgen bin ich zum Personalchef geladen. Erst dachte ich, es handle sich bloß um eine Mahnung, um eine Art Vorwarnung. Das glaube ich nicht mehr. In der Schlange, die gestern vor meinem Schalter stand, war einer, ein grober Mann mit einem lippenlosen Mund, der forderte mich auf, ihn beim Personalchef zu melden, er sei bestellt. Ich fragte, als mein Finger schon über der Wählscheibe schwebte, in welcher Angelegenheit er den Personalchef denn sprechen wolle: er bewerbe sich um die ausgeschriebene Pförtnerstelle, sagte er.

Ich wählte die Nummer der Personalabteilung gleich auf das erste Mal richtig und meldete ihn an, mein Zeigefinger allerdings, mit dem ich die Wählscheibe gedreht hatte, war danach wie erfroren.

Der Mann ging ins Haus, nach einer halben Stunde kehrte er fröhlich zurück. Er pfiff sogar vor sich hin. Ich sah ihm voller Bewunderung nach. Seinen Mut müßte man haben, dachte ich. Oder überhaupt Mut. Da hatte ich mich die ganze Zeit ein bißchen geschämt, weil ich bloß Pförtner geworden war. Jetzt sah ich ein, daß man sogar dazu den Mut eines Sparkassenräubers braucht. Jenen Mut, den ich bei mir immer noch vergeblich suche.

[1955]

Ilse Aichinger

Wo ich wohne

Ich wohne seit gestern einen Stock tiefer. Ich will es nicht laut sagen, aber ich wohne tiefer. Ich will es deshalb nicht laut sagen, weil ich nicht übersiedelt bin. Ich kam gestern abends aus dem Konzert nach Hause, wie gewöhnlich Samstag abends, und ging die Treppe hinauf, nachdem ich vorher das Tor aufgesperrt und auf den Lichtknopf gedrückt hatte. Ich ging ahnungslos die Treppe hinauf – der Lift ist seit dem Krieg nicht in Betrieb -, und als ich im dritten Stock angelangt war, dachte ich: "Ich wollte, ich wäre schon hier!" und lehnte mich für einen Augenblick an die Wand neben der Lifttür. Gewöhnlich überfällt mich im dritten Stock eine Art von Erschöpfung, die manchmal so weit führt, daß ich denke, ich müßte schon vier Treppen gegangen sein. Aber das dachte ich diesmal nicht, ich wußte, daß ich noch ein Stockwerk über mir hatte. Ich öffnete deshalb die Augen wieder, um die letzte Treppe hinaufzugehen, und sah in demselben Augenblick mein Namensschild an der Tür links vom Lift. Hatte ich mich doch geirrt und war schon vier Treppen gegangen? Ich wollte auf die Tafel schauen, die das Stockwerk bezeichnete, aber gerade da ging das Licht aus.

Da der Lichtknopf auf der anderen Seite des Flurs ist, ging ich die zwei Schritte bis zu meiner Tür im Dunkeln und sperrte auf. Bis zu meiner Tür? Aber welche Tür sollte es denn sein, wenn mein Name daran stand? Ich mußte eben doch schon vier Treppen gegangen sein.

Die Tür öffnete sich auch gleich ohne Widerstand, ich fand den Schalter und stand in dem erleuchteten Vorzimmer, in meinem Vorzimmer, und alles war wie sonst: die roten Tapeten, die ich längst hatte wechseln wollen, und die Bank, die daran gerückt war, und links der Gang zur Küche. Alles war wie sonst. In der Küche lag das Brot, das ich zum Abendessen nicht mehr gegessen hatte, noch in der Brotdose. Es war alles unverändert. Ich schnitt ein Stück Brot ab und begann zu essen, erinnerte mich aber plötzlich, daß ich die Tür zum Flur nicht geschlossen hatte, als ich hereingekommen war, und ging ins Vorzimmer zurück, um sie zu schließen.

Dabei sah ich in dem Licht, das aus dem Vorzimmer auf den Flur fiel, die Tafel, die das Stockwerk bezeichnete. Dort stand: Dritter Stock. Ich lief hinaus, drückte auf den Lichtknopf und las es noch einmal. Dann las ich die Namensschilder auf den übrigen Türen. Es waren die Namen der Leute, die bisher unter mir gewohnt hatten. Ich wollte dann die Stiegen hinaufgehen, um mich zu überzeugen, wer nun neben den Leuten wohnte, die bisher neben mir gewohnt hatten, ob nun wirklich der Arzt, der bisher unter mir gewohnt hatte, über mir wohnte, fühlte mich aber plötzlich so schwach, daß ich zu Bett gehen mußte.

Seither liege ich wach und denke darüber nach, was morgen werden soll. Von Zeit zu Zeit bin ich immer noch verlockt, aufzustehen und hinaufzugehen und mir Gewißheit zu verschaffen. Aber ich fühle mich zu schwach, und es könnte auch sein, daß von dem Licht im Flur da oben einer erwachte und herauskäme und mich fragte: "Was suchen Sie hier?" Und diese Frage, von einem meiner bisherigen Nachbarn gestellt, fürchte ich so sehr, daß ich lieber liegen bleibe, obwohl ich weiß, da es bei Tageslicht noch schwerer sein wird, hinaufzugehen.

Nebenan höre ich die Atemzüge des Studenten, der bei mir wohnt; er ist Schiffsbaustudent, und er atmet tief und gleichmäßig. Er hat keine Ahnung von dem, was geschehen ist. Er hat keine Ahnung, und ich liege hier wach. Ich frage mich, ob ich ihn morgen fragen werde. Er geht wenig aus, und wahrscheinlich ist er zu Hause gewesen, während ich im Konzert war. Er müßte es wissen. Vielleicht frage ich auch die Aufräumefrau.

Nein. Ich werde es nicht tun. Wie sollte ich denn jemanden fragen, der mich nicht fragt? Wie sollte ich auf ihn zugehen und ihm sagen: "Wissen Sie vielleicht, ob ich nicht gestern noch eine Treppe höher wohnte?" Und was soll er darauf sagen? Meine Hoffnung bleibt, daß mich jemand fragen wird, daß mich morgen jemand fragen wird: "Verzeihen Sie, aber wohnten Sie nicht gestern noch einen Stock höher?" Aber wie ich meine Aufräumefrau kenne, wird sie nicht fragen. Oder einer meiner früheren Nachbarn: "Wohnten Sie nicht gestern noch neben uns?" Oder einer meiner neuen Nachbarn. Aber wie ich sie kenne, werden sie alle nicht fragen. Und dann bleibt mir nichts übrig, als so zu tun, als hätte ich mein Leben lang schon einen Stock tiefer gewohnt.

Ich frage mich, was geschehen wäre, wenn ich das Konzert gelassen hätte. Aber diese Frage ist von heute an ebenso müßig geworden wie alle anderen Fragen. Ich will einzuschlafen versuchen.

Ich wohne jetzt im Keller. Es hat den Vorteil, daß meine Aufräumefrau sich nicht mehr um die Kohlen hinunterbemühen muß, wir haben sie nebenan, und sie scheint ganz zufrieden damit. Ich habe sie im Verdacht, daß sie deshalb nicht fragt, weil es ihr so angenehmer ist. Mit dem Aufräumen hat sie es niemals allzu genau genommen; hier erst recht nicht. Es wäre lächerlich, von ihr zu verlangen, daß sie den Kohlenstaub stündlich von den Möbeln fegt. Sie ist zufrieden, ich sehe es ihr an. Und der Student läuft täglich pfeifend die Kellertreppe hinauf und kommt abends wieder. Nachts höre ich ihn tief und regelmäßig atmen. Ich wollte, er brächte eines Tages ein Mädchen mit, dem es auffällig erschiene, daß er im Keller wohnt, aber er bringt kein Mädchen mit.

Und auch sonst fragt niemand. Die Kohlenmänner, die ihre Lasten mit lautem Gepolter links und rechts in den Kellern abladen, ziehen die Mützen und grüßen, wenn ich ihnen auf der Treppe begegne. Oft nehmen sie die Säcke ab und bleiben stehen, bis ich an ihnen vorbei bin. Auch der Hausbesorger grüßt freundlich, wenn er mich sieht, ehe ich zum Tor hinausgehe. Ich dachte zuerst einen Augenblick lang, daß er freundlicher grüße als bisher, aber es war eine Einbildung. Es erscheint einem manches freundlicher, wenn man aus dem Keller steigt.

Auf der Straße bleibe ich stehen und reinige meinen Mantel vom Kohlenstaub, aber es bleibt nur wenig daran haften. Es ist auch mein Wintermantel, und er ist dunkel. In der Straßenbahn überrascht es mich, daß der Schaffner mich behandelt wie die übrigen Fahrgäste und niemand von mir abrückt. Ich frage mich, wie es sein soll, wenn ich im Kanal wohnen werde. Denn ich mache mich langsam mit diesem Gedanken vertraut.

Seit ich im Keller wohne, gehe ich auch an manchen Abenden wieder ins Konzert. Meist samstags, aber auch öfter unter der Woche. Ich konnte es schließlich auch dadurch, daß ich nicht ging, nicht hindern, daß ich eines Tages im Keller war. Ich wundere mich jetzt manchmal über meine Selbstvorwürfe, über all die Dinge, mit denen ich diesen Abstieg zu Beginn in Beziehung brachte. Zu Beginn dachte ich immer: "Wäre ich nur nicht ins Konzert gegangen oder hinüber auf ein Glas Wein!" Das denke ich jetzt nicht mehr. Seit ich im Keller bin, bin ich ganz beruhigt und gehe um Wein, sobald ich danach Lust habe. Es wäre sinnlos, die Dämpfe im Kanal zu fürchten, denn dann müßte ich ja ebenso das Feuer im Innern der Erde zu fürchten beginnen – es gibt zu vieles, wovor ich Furcht haben müßte. Und selbst wenn ich immer zu Hause bliebe und keinen Schritt mehr auf die Gasse täte, würde ich eines Tages im Kanal sein.

Ich frage mich nur, was meine Aufräumefrau dazu sagen wird. Es würde sie jedenfalls auch des Lüftens entheben. Und der Student stiege pfeifend durch die Kanalluken hinauf- und wieder hinunter. Ich frage mich auch, wie es dann mit dem Konzert sein soll und mit dem Glas Wein. Und wenn es dem Studenten gerade dann einfiele, ein Mädchen mitzubringen? Ich frage mich, ob meine Zimmer auch im Kanal noch dieselben sein werden. Bisher sind sie es, aber im Kanal hört das Haus auf. Und ich kann mir nicht denken, daß die Einteilung in Zimmer und Küche und Salon und Zimmer des Studenten bis ins Erdinnere geht.

Aber bisher ist alles unverändert. Die rote Wandbespannung und die Truhe davor, der Gang zur Küche, jedes Bild an der Wand, die alten Klubsessel und die Bücherregale – jedes Buch darinnen. Draußen die Brotdose und die Vorhänge an den Fenstern.

Die Fenster allerdings, die Fenster sind verändert. Aber um diese Zeit hielt ich mich meistens in der Küche auf, und das Küchenfenster ging seit jeher auf den Flur. Es war immer vergittert. Ich habe keinen Grund, deshalb zum Hausbesorger zu gehen, und noch weniger wegen des veränderten Blicks. Er könnte mir mit Recht sagen, daß ein Blick nicht zur Wohnung gehöre, die Miete beziehe sich auf die Größe, aber nicht auf den Blick. Er könnte mir sagen, daß mein Blick meine Sache sei.

Und ich gehe auch nicht zu ihm, ich bin froh, solange er freundlich ist. Das einzige, was ich einwenden könnte, wäre vielleicht, daß die Fenster um die Hälfte kleiner sind. Aber da könnte er mir wiederum entgegnen, daß es im Keller nicht anders möglich sei. Und darauf wüßte ich keine Antwort. Ich könnte ja nicht sagen, daß ich es nicht gewohnt bin, weil ich noch vor kurzem im vierten Stock gewohnt habe. Da hätte ich mich schon im dritten Stock beschweren müssen. Jetzt ist es zu spät.

[1952]

3. Teilung und Wiedervereinigung

Die Teilung Deutschlands (und der Hauptstadt Berlin) in vier Besatzungszonen wurde bereits während des Krieges von den USA, Großbritannien und der UdSSR beschlossen, um das vormalige Deutsche Reich nachhaltig zu schwächen. Mit der Bildung der sogenannten "Bizone", eines britisch-amerikanischen Wirtschaftsraums, wurden 1947 schließlich die Weichen für eine Zweiteilung gestellt. Auch in der SBZ (Sowjetische Besatzungszone) ordnete die Besatzungsmacht die Verhältnisse nach dem eigenen Vorbild. Die Währungsreform im Westen (1948), die Proklamationen zweier Verfassungen im Mai 1949 sowie schließlich die Gründung der Bundesrepublik Deutschland (August 1949) bzw. der Deutschen Demokratischen Republik (Oktober 1949) verfestigten die deutsche Zweistaatlichkeit, auch wenn die Sowjetunion bis 1955 verschiedentlich Angebote einer Wiedervereinigung unterbreitete.

Die wirtschaftlichen Unterschiede zwischen Ost und West wurden indessen immer gravierender. Im geteilten Berlin war der Kontrast zwischen Wirtschaftswunderwelt und Mangelwirtschaft besonders deutlich und provozierend. Nachdem die DDR-Regierung erhöhte Arbeitsnormen (bzw. Lohnkürzungen) verkündet hatte, begann am 16. und 17. Juni 1953 ein Aufstand der Arbeiterschaft, der auch Protest gegen die allgemeine politische Unterdrückung artikulierte. Nach offiziellen Angaben kam es in mehr als 250 Orten zu Streiks und Demonstrationen, die – teilweise mit Hilfe sowjetischer Panzer – blutig niedergeschlagen wurden. Die Zahl der Todesopfer blieb umstritten.

Die offene Grenze zu Westberlin und damit zum Westen überhaupt blieb ein Problem für die DDR, die dringend benötigte Arbeitskräfte verlor. Um den Strom der Flüchtlinge – bis zu zweitausend pro Tag – zu unterbinden, riegelte Walter Ulbrichts Regierung in der Nacht vom 12. zum 13. August 1961 die Westgrenze ab. Auch Berlin wurde von Stacheldrahtzäunen durchschnitten, die man später durch die zwei Meter hohe "Mauer" ersetzte – das Symbol der deutschen Teilung schlechthin... Bei Fluchtversuchen an der streng bewachten Grenze verloren in den folgenden Jahren über zweihundert Menschen das Leben, nachdem die Grenzsoldaten der DDR einen "Schießbefehl" erhalten hatten.

Die fast völlige Abschottung der beiden deutschen Staaten wirkte sich zunehmend auf die Mentalität der Menschen aus. Im Westen prägte bis in die sechziger Jahre ein militanter Antikommunismus das öffentliche Klima; westliche Wohlstandsbürger schauten mitleidig auf den ärmlichen Lebensstandard im Osten. Für DDR-Bürger erschien der "goldene Westen", dessen innere Probleme sie kaum wahrnahmen, allzuoft als Schlaraffenland. Daneben bildeten sich, besonders in den siebziger Jahren, aber auch jeweils eigene Identitäten heraus. In der Bundesrepublik spielten Westintegration und Protestkultur eine prägende Rolle, in der DDR das "antifaschistische Erbe" und der Stolz auf eigene soziale und kulturelle Leistungen. Zu diesem Sonderbewusstsein trugen auch die Literaturen in Ost und West bei, die ihr jeweils eigenes Land zum Schauplatz wählten; die deutsche Teilung war insgesamt seltener Thema als man erwarten könnte.

Erst die Konsequenzen der von Willy Brandt begonnenen "Neuen Ostpolitik", die globale Entspannung in der Ära Michail Gorbatschows, aber auch der zunehmende Unwille der DDR-Bevölkerung, der eine starrsinnige und repressive Führung Reise-, Meinungs- und Konsumfreiheit vorenthielt, führten im Sommer 1989 zu jener friedlichen Revolution, die das sang- und klanglose Ende der DDR und damit der deutschen Zweistaatlichkeit bedeutete. Die unvorhergesehene Dynamik der Entwicklung – auch über das Datum der politischen Einigung am 3. Oktober 1991 hinaus – hat außerordentlich breite und heftige Debatten provoziert, an denen sich Schriftsteller aus Ost und West mit sehr kontroversen Beiträgen beteiligen.

Thomas Mann

Aus der "Ansprache im Goethejahr 1949"

[...] Ich weiß, daß der Emigrant in Deutschland wenig gilt, – er hat noch nie viel gegolten in einem von politischen Abenteuern heimgesuchten Lande. Es versteht sich wohl, daß diese Ablehnung eines jeden, der sich lossagte, nicht wenig beitrug zu der Scheu, die mich vier Jahre nach der Vollendung des Unheils von Deutschland ferngehalten hat. Und auch sonst mag es Erklärungen geben für diese Scheu. Man zögert, die Grenze eines Landes wieder zu überschreiten, das einem durch lange Jahre ein Alpdruck war; von dessen Fahne, wo sie sich im Auslande zeigte, man mit Grauen den Blick wandte und wo, wäre man dorthin verschleppt worden, ein elender Tod einem sicher gewesen wäre. Dergleichen wirkt nach, es ist nicht so leicht aus dem Blut zu bringen. Die Sorge der Entfremdung, der Gedanke an die Verschiedenartigkeit der Erlebnisweise, des Lebensstandpunktes, die Furcht, daß man nicht mehr dieselbe Sprache spreche, daß die Verständigung schwer geworden sein möchte zwischen euch drinnen und uns draußen, – dies alles trägt bei zu der Scheu, die mich fesselte und die mit Unversöhnlichkeit, feindseliger Überheblichkeit und bösen Wünschen so gar nichts zu tun hatte. [...]

Klar muß ich mir sein darüber, und bei jedem Schritt, den ich hier tue, springt es mir in die Augen, daß die Umstände der Genesung Deutschlands, seinem Weg nach Europa weit eher entgegen sind, als daß sie sie begünstigten. Trümmer umgeben mich, welche die nationale Katastrophe sinnfällig zurückgelassen, und ich finde das Land zerrissen und aufgeteilt in Zonen der Siegermächte, und ich verstehe nur zu wohl den patriotischen Gram, die bittere Ungeduld, aus der, laut oder leise, das Wort `Fremdherrschaft' bricht. Lassen wir es wahr sein, daß die Herrschaft des Ungeistes, die zwölf Jahre lang über Deutschland lag und aus der dies alles hervorging, schlimmere Fremdherrschaft war. Was nun ist, schmerzt und reizt und lastet doch schwer genug, und die Sehnsucht, es möchte enden, wäre keinem Volke auf Erden fremd. Eines Tages muß und wird es enden. Mir aber, wie ich hier stehe, gilt es schon heute nicht. Ich kenne keine Zonen. Mein Besuch gilt Deutschland selbst, Deutschland als Ganzem, und keinem Besatzungsgebiet. Wer sollte die Einheit Deutschlands gewährleisten und darstellen, wenn nicht ein unabhängiger Schriftsteller, dessen wahre Heimat, wie ich sagte, die freie, von Besatzungen unberührte deutsche Sprache ist? Gewähren Sie, meine Zuhörer, dem Gast aus Kalifornien diese Repräsentation und lassen Sie ihn den Augenblick unbekümmert vorwegnehmen, den Goethe's Faust seinen letzt-höchsten nennt: den Augenblick, wo der Mensch, wo auch der Deutsche "auf freiem Grund mit freiem Volke steht"! [...]

[1949]

Bertolt Brecht

DEUTSCHLAND 1952

O Deutschland, wie bist du zerrissen
Und nicht mit dir allein!
In Kält' und Finsternissen
Läßt eins das andre sein.
Und hätt'st so schöne Auen
Und reger Städte viel;
Tät'st du dir selbst vertrauen
Wär alles Kinderspiel.

[1952]

Bertolt Brecht

DIE LÖSUNG

Nach dem Aufstand des 17. Juni
Ließ der Sekretär des Schriftstellerverbands
In der Stalinallee Flugblätter verteilen
Auf denen zu lesen war, daß das Volk
Das Vertrauen der Regierung verscherzt habe
Und es nur durch verdoppelte Arbeit
Zurückerobern könne. Wäre es da
Nicht doch einfacher, die Regierung
Löste das Volk auf und
Wählte ein anderes?

[1953]

Oskar Maria Graf

Was mich abhält, nach Deutschland zurückzukehren

Der Grund, weshalb ich nach dem letzten Weltkrieg nicht nach Deutschland zurückkehrte und die freiwillige Emigration oder vielmehr eine selbstgewählte Diaspora wählte, war der, daß ich nicht in ein Land gehen wollte, das von den Siegermächten und den von ihnen eingesetzten, gutgeheißenen und in jeder Hinsicht abhängigen Regierungen regiert wurde, was sich – meiner Meinung nach – bis heute nicht sonderlich verändert hat. Ich will mich nicht gleicherzeit von mehreren Regierungen regieren lassen, mir genügt eine einzige vollauf.

Niemand kann bezweifeln, daß die Zweiteilung des Landes in der Mentalität meiner Landsleute zum chronischen Zustand geworden ist. Man schreit in einem fort nach der Wiedervereinigung, denkt aber von oben bis ganz hinunter: "Hoffentlich bleibt uns dieses Übel erspart". Der sichtbarste Beweis dafür, daß sich seither sozusagen auch innerlich eine Zweiteilung der Deutschen gefestigt hat; die Gattung besteht aus Bundesdeutschen und Zonendeutschen, die beide eine verschiedene Sprache sprechen. Der eine sagt "party" und meint damit Vergnügen, der andere versteht darunter "Partei" und empfindet sie als Last. Beide bemißtrauen sich, beide distanzieren sich voneinander wie arglistige Feinde, und das Tolle, das Erschreckende an diesem Feindsein ist, daß es ihnen von anderen aufgepfropft wird. Ich beobachtete während meiner letztjährigen Deutschlandbesuche oft und oft wohlgenährte Westberliner an der Sektorengrenze. Sie schauten auf die von ihrer Arbeit im Westsektor heimradelnden Männer und Frauen wie auf völlig Fremde, etwa wie auf Menschen, die in einer Wildnis leben. Mit dem überheblichen Mitleidsblick des Satten auf den zerschlampten, unappetitlichen Bettler schauten sie auf diese Heimkehrenden [...]

[1962]

Klaus Schlesinger

Der Tod meiner Tante

Meine Tante starb, als ich vierzehn war. Sie hinterließ zwei gleichlautende Abschiedsbriefe: "Bitte, verzeiht mir!" schrieb sie. "Ich kann nicht mehr weiter. Eure Euch liebende Hedwig."

Der erste Brief war an meine Mutter gerichtet und trug als Nachsatz die Worte: "Ich kann nicht, kann nicht, kann nicht."

Der zweite war für ihren Sohn und hatte die fast unleserliche, im Schriftbild stark nach unten abfallende Beifügung: "Gott wird mir verzeihen."

Ihr Tod kam für uns überraschend. Wir kannten sie als eine energische und lebenslustige Frau. Sie war die jüngste Schwester meines Vaters und mit dem Elektriker Kurt P. verheiratet, dessen Spuren sich, wie die meines Vaters, in den letzten Monaten des Krieges verloren hatten. Damals hofften wir, mein Vater und mein Onkel wären in die Gefangenschaft geraten und würden eines Tages überraschend vor der Tür stehen.

Meine Tante hatte sich, wie meine Mutter, zu Lebzeiten ihres Ehemannes um den Haushalt und die Kindererziehung gekümmert. In den ersten Jahren nach dem Krieg arbeiteten beide als Trümmerfrauen, später in der Fabrik Elektroapparatewerke J.W. Stalin, Berlin-Treptow; meine Mutter als Skalenzeichnerein, meine Tante als Bohrerin.

Meine Tante fand sich mit den veränderten Bedingungen des Nachkriegs besser ab als meine Mutter. Sie fuhr am Wochenende oft mit dem Rucksack über Land, tauschte die kleinen Wertsachen der Städter gegen Nahrungsmittel und teilte sie mit uns. Öfter sprach sie meiner Mutter, die zur Skepsis neigte, Mut zu: "Trudchen", sagte sie, "man darf nie die Hoffnung verlieren", ließ sich das Romméspiel geben und begann Karten zu legen. Immer stand dann Herzkönig ins Haus.

Meine Tante war zeit ihres Lebens bemüht gewesen, als rechtschaffene, in geordneten Verhältnissen lebende Frau zu gelten. Von ihrer Umwelt wollte sie sich, wie sie sagte, vorteilhaft abheben. Nachlässigkeiten duldete sie nicht. Selbst in den chaotischen Wochen nach dem Kriegsende ließ sie mich – wenn ich bei ihr wohnen durfte – nicht zum Spielen gehen, bevor ich mir nicht die Schuhe geputzt und die Haare gekämmt hatte. "Du willst doch kein Straßenkind werden", sagte sie warnend.

An eine hervorstechende Eigenart meiner Tante erinnere ich mich noch genau. Mitten im Zimmer stehend, begann sie plötzlich die Hände aneinanderzureiben, wobei sie ihr Gesicht auf unbeschreiblich komische Weise verzog. Diese Geste war Ausdruck ihres höchsten Wohlbefindens. Noch heute habe ich das eigentümlich flirrende Geräusch ihrer aneinanderreibenden Hände im Ohr.

Meine Tante hatte einen Sohn, der sich nach einer unerwiderten Liebe zu einer bekannten Filmschauspielerein kurz vor Abschluß des Abiturs freiwillig an die Front gemeldet hatte. Als Fähnrich der deutschen Wehrmacht geriet er im Januar 1945 in amerikanische Gefangenschaft, aus der er zweieinhalb Jahre später entlassen wurde. In Bayern hatte er ein Mädchen kennengelernt, das er im Frühjahr 1949, nachdem er auf Wunsch seiner Braut zum Katholizismus konvertiert war, heiratete. Es war der größte Wunsch meiner Tante, daß der Sohn mit seiner Frau nach Berlin ziehen möge, aber er schrieb in einem Brief, dies sei ihm unmöglich, solange die Russen noch dort stünden. Vorläufig wolle er sich hier, in Freising/Obb., dem Wohnort seiner Frau, eine neue Existenz aufbauen.

Daraufhin entschloß sich meine Tante, persönlich mit ihm zu sprechen. Sie wollte über die grüne Grenze gehen, von der sowjetischen zur amerikanischen Besatzungszone. Meine Mutter riet ihr heftig davon ab. Nach allem, was man hörte, war eine solche Reise für eine Frau Anfang vierzig kein ungefährliches Unternehmen, aber meine Tante war von ihrem Vorhaben nicht abzubringen, und sie rieb sich, in Vorfreude auf das erste Wiedersehen mit ihrem einzigen Sohn nach fünf Jahren, die Hände.

Der Grenzübertritt vollzog sich reibungslos. Bei ihrer Rückkehr schien meine Tante durchaus zufrieden und berichtete, ihr Sohn leide zwar unter beruflichen und finanziellen Schwierigkeiten, "er hat doch nichts gelernt!", habe aber eine nette und gute Frau gefunden und wolle es sich mit der Rückkehr nach Berlin noch einmal überlegen.

Tatsächlich erschien er im folgenden Sommer mit seiner Frau in Berlin. Er war bewundernswert groß, spielte, wie er mir erzählte, bei München 1860 als Torwart in der 2. Männermannschaft und war, was seinen sportlichen Aufstieg betraf, zuversichtlich.

"Warte ab", sagte er zu mir, "in der nächsten Saison stehe ich in der Ersten."

Die Frau meines Cousins hieß Toni, trug ein Dirndlkleid und konnte auf zwei Fingern pfeifen.

Mein Cousin wollte zwei Wochen bleiben, fuhr aber – für uns alle, auch für meine Tante überraschend – nach drei Tagen wieder zurück. Er habe sich hier, bei den Russen, nicht sicher gefühlt. Die Angst habe ihm immer im Nakken gesessen, berichtete meine Tante und fügte mit besorgtem Gesicht hinzu: "Wer weiß, was er im Krieg erlebt hat."

Anscheinend begann mein Cousin auch seine beruflichen Chancen zuversichtlicher zu werten, denn meine Tante freundete sich mehr und mehr mit dem Gedanken an, daß er sich endgültig in Freising/Obb. niederlassen wollte. "Er hat da als Katholischer auch mehr Möglichkeiten", sagte sie einmal, "und die Gegend ist ja wie ein Traum."

Im Winter 1950 beantragte meine Tante die Genehmigung für eine vierwöchige Reise in die amerikanische Zone, die ihr für das kommende Frühjahr zugebilligt wurde. Selten habe ich meine Tante in größerer Zufriedenheit gesehen. Zu meinem vierzehnten Geburtstag im Januar schenkte sie mir die Jahrgänge 1948 und 1949 der Zeitschrift "Natur und Technik", die sie nach längerem Bemühen in einem Antiquariat erstanden hatte, und dazu zwei Bücher aus der kleinen Bibliothek meines Cousins. "Jörg Jenatsch" von Conrad Ferdinand Meyer und eine Nettelbeck-Biografie. Außerdem stellte sie mir fürs nächste Osterfest das Luftdruckgewehr meines Cousins in Aussicht. Ich wurde rot vor Freude. Meine Tante verzog das Gesicht, rieb ihre Hände und lächelte dann.

Als ich ihr vierzehn Tage vor ihrer Abreise die Wohnungstür öffnete, erkannte ich sie nicht wieder. Sie war totenblaß, ging wie abwesend an mir vorbei und setzte sich wortlos auf einen Sessel. Meine Mutter lief erschrocken im Zimmer umher, beschwor sie, um Gottes Willen zu erzählen, was denn passiert sei, "mein Gott, Hete, nun sag doch schon was!", aber meine Tante brach in Tränen aus und war erst nach einer Viertelstunde fähig, einen Satz zu sprechen. "Ich wollte Manfred doch keine unnötigen Kosten machen", sagte sie unter Tränen.

Geschehen war folgendes: Meine Tante hatte, die Reise in die Westzone vor Augen, sich alter, auf dem Hängeboden lagernder Materialbestände ihres Mannes erinnert. Einem Hinweis der Nachbarin folgend, hatte sie ein paar Kilo des Buntmetalls in den Westsektor der Stadt gebracht und dort bei einem Altwarenhändler für einen überraschend hohen Westmarkpreis verkaufen können. Heute hatte sie nun den größeren Teil, siebeneinhalb Kilogramm Bleirohr, über die Grenze bringen wollen. Sie hatte das Material über dem Gasherd zu kleinen Barren verschmolzen, in der Einkaufstasche verstaut und sich in die Straßenbahnlinie 4 gesetzt, die damals noch durch die Bernauer Straße fuhr, deren eine Seite zum französischen und deren andere zum sowjetischen Sektor gehörte.

An der Eberswalder Straße, kurz vor der Sektorengrenze, waren die erst seit kurzer Zeit tätigen Kontrolleure durch den Wagen gegangen. Wie beim ersten Mal hatte meine Tante die Tasche unauffällig neben sich gestellt, und – sagte sie unter Tränen – es hätte auch diesmal nichts passieren können, wäre nicht einer der Kontrolleure mit dem Fuß zufällig gegen die Tasche gestoßen. Er habe dann gefragt, sein Gesicht unter Schmerzen verziehend, ob ihr diese Tasche gehöre, und meine Tante habe nicht gewagt zu verneinen.

Sie habe aussteigen und sich in einem Raum der nahegelegenen Post einer Kontrolle der Tasche und einer Leibesvisitation unterziehen müssen. Dann habe man sie mit dem Polizeiauto zum Präsidium in die Neue Königsstraße gefahren, wo sie von einem Kriminalpolizisten verhört worden sei. Sie habe gleich alles zugegeben. Man habe ihr allerdings nicht geglaubt, daß sie es erst zum zweiten Mal getan habe. Dann seien ihr – und an dieser Stelle ihrer Erzählung begann sie wieder hemmungslos zu weinen, so daß meine Mutter lange und beruhigend auf sie einreden mußte, ehe meine Tante in der Lage war weiterzuerzählen -, dann seien ihr Fingerabdrücke abgenommen worden und anschließend sei sie in einen Raum gebracht worden, in dem man sie von allen Seiten fotografiert habe. "Von allen Seiten", wiederholte sie ungläubig und schluchzend, "wie ein Verbrecher."

Sie schwieg und starrte an meiner Mutter vorbei aus dem Fenster. Ich erinnere mich nicht, meine Tante je fassungsloser gesehen zu haben als in jenem Moment.

In den folgenden zwei Wochen kam sie jeden Abend zu uns. Sie saß auf einem der beiden Sessel, gegenüber meiner Mutter, redete kaum, und wenn doch, dann nur über ein Thema: was nun, um Gottes willen, geschehen würde, sie hätte ihr ganzes Leben nie etwas mit der Polizei zu tun gehabt: "Wie soll ich denn dem Jungen unter die Augen treten?"

"Aber Hete", sagte meine Mutter dann und gab ihrer Stimme einen möglichst sorglosen Klang, "du bist doch kein Schieber. Es war doch dein persönliches Eigentum. Laß dir mal keine grauen Haare wachsen."

Meine Tante schwieg dann meist und schien beruhigt. Doch je öfter meine Mutter die sorgenvollen Bedenken meiner Tante zerstreuen wollte, desto verschlossener wurde sie. Die Veränderung, die in ihr vorging, war widersprüchlich. Einerseits trieb sie die Vorbereitungen für die Reise zu ihrem Sohn voran. Sie kaufte sich einen neuen Mantel und erschien zwei Tage vor ihrem Reisetermin mit einer neuen Frisur. Andererseits trug sie die wenigen Äußerungen über ihre – wie sie sich ausdrückte – Angelegenheit weitaus gefaßter und – wie mir heute scheint – der möglichen Konsequenzen bewußter vor. Was mir schon damals auffiel: sie sah mir nicht mehr in die Augen, wenn sie mit mir sprach.

Einmal, sie saß bei uns am Abendbrottisch, ohne etwas zu essen, hob sie den Kopf und sagte: "Trudchen, ich werde beobachtet."

"Aber Hete!" sagte meine Mutter.

"Doch", sagte meine Tante, und sie schien sich ihrer Sache vollkommen sicher zu sein. "Gestern abend stand im Hausflur gegenüber ein Mann. Er hat dauernd hoch gesehen."

Meine Mutter schüttelte ungläubig den Kopf.

"Doch", sagte meine Tante beharrlich, "ich habe ihn auch in der S-Bahn getroffen. Er hat mich beobachtet."

"Hete, du täuschst dich bestimmt", sagte meine Mutter beschwörend.

"Nein", sagte meine Tante, "so kann man sich nicht täuschen."

"Du redest dir etwas ein", sagte meine Mutter. "Bestimmt grübelst du zuviel."

"Trudchen", sagte meine Tante, "sie werden mich ins Gefängnis stecken." Sie schlug die Hände vor ihr Gesicht, offenbar erschrocken über ihren Mut, etwas auszusprechen, was man in unseren Kreisen – auf sich selbst bezogen – nicht einmal zu denken wagte. Ich weiß noch, daß dieses Wort ein ähnlich befremdliches Gefühl in mir auslöste wie das Wort Pest, wenn ich es in einem Buch las. Ich erinnere mich auch noch an den entsetzten Ausdruck, der in das Gesicht meiner Mutter trat, wie wenn jemand ins Zimmer gekommen wäre und den Tod meines als vermißt geltenden Vaters bekanntgegeben hätte. Aber selbst das, scheint mir heute, wäre für sie begreifbarer gewesen als dieses Wort, das für sie, wie für meine Tante, der Beginn einer unauslöschlichen Schande, eines untilgbaren Fluchs zu sein schien.

"Aber Hete!" rief meine Mutter, als sie sich wieder in der Gewalt hatte, "du mußt doch nicht mit dem Schlimmsten rechnen. Fahr erst mal zu Manfred und laß alles andere auf dich zukommen."

Als meine Tante an jenem Tag nach Hause ging, sahen wir ihr, wie jedes Mal, aus dem Fenster hinterher und winkten, wenn sie sich umdrehte, so lange, bis sie um die Ecke gebogen war.

Meine Tante wohnte im vierten Stockwerk des Hauses Nr. 38 in der früheren Weißenburger Straße. Am nächsten Vormittag, ihrem Reisetag, habe sie, erzählte man uns, die Aufmerksamkeit einiger Passanten erregt, indem sie, auf dem Fensterbrett stehend, Anstalten machte herunterzuspringen. Es habe sich schnell eine Menschenmenge angesammelt und man habe ihr durch Gesten und durch lautes Rufen bedeutet, sie solle zurücktreten. Tatsächlich sei sie vom Fensterbrett heruntergestiegen und habe das Fenster geschlossen.

Eine Nachbarin, durch den Lärm auf der Straße aufmerksam geworden und schon im Besitz des zweiten Wohnungsschlüssels, den meine Tante ihr für die Dauer ihrer Reise wegen der fälligen Ablesung des Gaszählers überlassen hatte, klingelte an der Tür und betrat dann, da niemand öffnete, die Wohnung. Im Zimmer, das zur Straße hinausging, sei niemand gewesen, erzählte sie uns später. Als sie aber die Tür der zum Hof liegenden Küche öffnete, habe sie meine Tante auf dem Fensterbrett sitzen gesehen, mit dem Rücken zu ihr, die Beine in der Luft baumelnd. Noch bevor sie, die Nachbarin, ein Wort über die Lippen gebracht habe, sei meine Tante hinuntergesprungen.

Die Ärzte stellten am Leichnam meiner Tante einen doppelten Schädelbasisbruch, Frakturen beider Oberschenkel und Verletzungen der wichtigsten inneren Organe fest.

Zwei Wochen später bekam meine Mutter Post aus Freising/Obb. Sie enthielt detaillierte Angaben über die Art und Weise, in der die Beerdigung stattfinden solle, und legte die Gründe dar, weshalb es meinem Cousin unmöglich sei, an der Feierlichkeit teilzunehmen, wollte er nicht seine berufliche Existenz gefährden.

Der Brief schloß mit den Sätzen: "Alle meine Gedanken sind bei Euch. Wenn ich auch den Freitod meiner geliebten Mutter aus Gründen des Glaubens niemals werde billigen können, so ehre ich doch ihr Motiv, sich und mir das Schlimmste ersparen zu wollen."

[1977]

Peter Huchel

Ophelia

Später, am Morgen,
gegen die weiße Dämmerung hin,
das Waten von Stiefeln
im seichten Gewässer,
das Stoßen von Stangen,
ein rauhes Kommando,
sie heben die schlammige
Stacheldrahtreuse.

Kein Königreich,
Ophelia,
wo ein Schrei
das Wasser höhlt,
ein Zauber
die Kugel
am Weidenblatt zersplittern läßt.

[1972]

Wolf Biermann

Deutschland. Ein Wintermärchen (Kapitel I)

Im deutschen Dezember floß die Spree
Von Ost- nach Westberlin
Da schwamm ich mit der Eisenbahn
Hoch über die Mauer hin

Da schwebte ich leicht übern Drahtverhau
Und über die Bluthunde hin
Das ging mir so seltsam ins Gemüt
Und bitter auch durch den Sinn

Das ging mir so bitter in das Herz
- da unten, die treuen Genossen -
So mancher, der diesen gleichen Weg
Zu Fuß ging, wurde erschossen

Manch einer warf sein junges Fleisch
In Drahtverhau und Minenfeld
Durchlöchert läuft der Eimer aus
Wenn die MP von hinten bellt

Nicht jeder ist so gut gebaut
Wie der Franzose Franz Villon
Der kam in dem bekannten Lied
Mit Rotweinflecken davon

Ich dachte auch kurz an meinen Cousin
Den frechen Heinrich Heine
Der kam von Frankreich über die Grenz
Beim alten Vater Rheine

Ich mußte auch denken, was allerhand
In gut hundert Jahren passiert ist
Daß Deutschland inzwischen glorreich geeint
Und nun schon wieder halbiert ist

Na und? Die ganze Welt hat sich
In Ost und West gespalten
Doch Deutschland hat – wie immer auch –
Die Position gehalten:

Die Position als Arsch der Welt
Sehr fett und sehr gewichtig
Die Haare in der Kerbe sind
Aus Stacheldraht, versteht sich

Daß selbst das Loch – ich mein' Berlin -
In sich gespalten ist
Da haben wir die Biologie
Beschämt durch Menschenwitz

Und wenn den großen Herrn der Welt
Der Magen drückt und kneift
Dann knallt und stinkt es ekelhaft
In Deutschland. Ihr begreift:

Ein jeder Teil der Welt hat so
Sein Teil vom deutschen Steiß
Der größre Teil ist Westdeutschland
Mit gutem Grund, ich weiß.

Die deutschen Exkremente sind
Daß es uns nicht geniert
In Westdeutschland mit deutschem Fleiß
poliert und parfümiert

Was nie ein Alchemist erreicht
- sie haben es geschafft
Aus deutscher Scheiße haben sie
Sich hartes Gold gemacht

Die DDR, mein Vaterland
Ist sauber immerhin
Die Wiederkehr der Nazizeit
Ist absolut nicht drin

So gründlich haben wir geschrubbt
Mit Stalins hartem Besen
Daß rot verschrammt der Hintern ist
Der vorher braun gewesen
[...]

[1972]

Uwe Kolbe

Dichterlesung, hamburgische

Und als auch ich in Hamburg angekommen,
und auch, dem Biermann nach, schon dreißig war,
da fand ich, wie erwartet, einen Narr
vor mir im Spiegel, den ich mitgenommen

aus Preußen, wo wir beide losgeschwommen.
Hier wär, daß alles gleich gilt, die Gefahr
für einen Dichter, kommt er gerad von da
ist er dem Mauersyndrom erst entronnen.

So hörte ich es gleich von schicken Damen,
als ich hochfahrend das Wort Freiheit meinte
und auch das Unvergleichliche zugab
der beiden Welten mit dem Deutsch im Namen.

Recht wär, daß wohlgesetzt man hier vorweinte
und zöge ohne Forderungen wieder ab.

[1988]

Arnfrid Astel

OSTKONTAKTE

Als mein Freund kürzlich
wieder nach Weimar fuhr,
bat ich ihn,
mir den Baum zu fotografieren,
auf dem wir als Kinder
Burgen gebaut hatten.
Er brachte mir
eine Fotografie mit,
darauf waren Kinder zu sehen,
die auf unserem Baum
eine Burg bauten.

[1968]

Uwe Johnson

Nachtrag zur S-Bahn

Die Berliner S-Bahn habe ich gelernt an den Linien, die sie den Reisenden vor die Stadt entgegenschickte. Immer wieder, wenn die bulligen Wagen an den Fernzügen entlangrasselten, bei Hohen-Neuendorf oder am Grünauer Kreuz, sah man den Berlinern im Abteil das Ende des Heimwehs an. Für sie war die S-Bahn die erste Begrüßung mit ihrer Stadt, jetzt waren sie wieder zu Hause, nun ging es los mit Berlin. Und es war die S-Bahn, die den Zuwanderer bekannt machte mit der Stadt. Sie zog ihn aus den Fernbahnhöfen in die städtischen Provinzen, mit ausstrahlenden Radialen und einem riesigen Ring, so brachte sie ihm einen räumlichen Begriff dieser Gegend bei, bevor sie ihn entließ nach Köpenick, nach Friedenau oder, leider, nach Marienfelde. Das war früher, da hielt die S-Bahn auch noch die zerstrittenen Städte Berlin zusammen, da lag Baumschulenweg neben Köllnische Heide und Staaken bei Spandau. Nun ist der Ring zerbrochen. Die Vorortlinien, die Einladungen der Stadt an die Städte, an Potsdam, Oranienburg, Königs Wusterhausen, sind abgesagt. Mitten in der Stadt enden Geleise an Prellböcken, da sind echte, wirkliche, tatsächliche Bahndämme weggeräumt, und kein Fremder glaubt uns, daß auf solchen sinnlosen Erdwülsten eine Schnellbahn hinüberging. Wem das noch nicht reicht, dem zeigen wir einen exterritorialen Bahnsteig mitten in Ostberlin, wo wir aus der Richtung Nord-Süd nach Westen umsteigen, wohin aber unsere Freunde, womöglich auf dem Bahnsteig daneben, nicht können, und auch die Sicht auf sie ist zugebaut. Die S-Bahn muß das Ihrige tun, um uns an die Lage der Stadt zu erinnern. Aber sie ist ein Teil, ein lebendes Glied der Stadt geblieben, auch der halben Stadt. Es ist ja nicht nur, daß uns die Eisenbahn fehlt, und die S-Bahn dafür aufkommen muß mit einer halben Stunde Reisegefühls von einem Zaun zum anderen, auf den Doppelbänken von damals. Nach wie vor erkennen die alten wie die neuen Berliner einander daran, daß sie nicht von der Stadtbahn reden, wenn sie in der Ringbahn sitzen, und wer den Unterschied nicht kennt zwischen der Zehlendorfer und der Wannseebahn, der muß von auswärts sein. Die S-Bahn gehört zu unseren Intimitäten. Das ist unsers, das Rätselraten über den besonderen alten Farbton rund um die Wagen, das Dunkelkarmin, das Ochsenblutrot, das behäbige Gelb darüber. Wir erkennen das Geräusch ohne Nachdenken, die klirrende Durchfahrt, nachts das atmende Bremsen und Anfahren, singende Beschleunigung. Die grünen Transparente an den Brücken und Bahnhöfen, das weiße S: Stadtbahn: es gehört uns, wir wissen, wo wir sind. Die weiten Bahnsteige gehören zur Landschaft der Stadt, und da wird auf uns gewartet. Wir sind an sie gewöhnt, so daß uns das Ausrufen von Station und Abfahrt lieber war als die Abfertigung durch Funk. Wir sind da vertraulich bis zur Aufsässigkeit, sie will uns das Rauchen aberziehen, und wir rauchen doch. Die Stadtbahn, ihre gußeisernen Pfosten, ihre Gewächshausaufgänge, ihr verjährtes Emaille, es hält uns die Vergangenheit der Stadt im Gedächtnis. Und wir sehen sie immer, und aus ihren Fenstern sehen wir die Stadt: hier ist ein Fensterplatz noch was wert. Es gibt Leute, die wollen sie abschaffen. Es gibt andere, die wünschen sich die alten Zeiten neu und mehr vernünftig, eine Zeit mit Fahrkarten von überallher, darauf steht nicht bloß Berlin Ost oder Berlin West, sondern: Berliner Stadtbahn. Da ist die Wahl leicht.

[1970]

Martin Walser

11. November 1989

Zum erstenmal in diesem Jahrhundert, daß deutsche Geschichte gut verläuft. Zum erstenmal, daß eine deutsche Revolution gelingt. Die Deutschen in der DDR haben eine Revolution geschaffen, die in der Geschichte der Revolutionen wirklich neu ist: die sanfte Revolution. Das ist eine Revolution, die die Leute selbst vollbringen, ohne importierte Theorie. Diese sanfte Revolution wird die Welt davon überzeugen, daß die Deutschen eine neue politische Form brauchen. Nachkriegszeit und Kalter Krieg haben gedauert bis zum 9. November 1989. Wir sind jetzt friedfertig. Und kämen jetzt alle Deutschen herüber, sie wären alle willkommen. Wir haben etwas gutzumachen an ihnen. Wo jeder schließlich bleibt, wird sich finden. Jetzt ist es wichtig, daß wir mit unseren Landsleuten vollkommen solidarisch sind. Zuerst richten wir uns jetzt das deutsche Zimmer ein, bevor wir vom europäischen Haus reden. Und wenn es zwei Zimmer werden sollten, so müßten sie doch enger miteinander verbunden sein als die anderen Zimmer dieses Hauses. Jetzt ist die Zeit, glücklich zu sein, sich zu freuen, daß Deutschen auch einmal Geschichte gelingt.

[1989]

Günter Grass

Kurze Rede eines vaterlandslosen Gesellen

Als ich kurz vor Weihnachten, von Göttingen kommend, auf dem Hamburger Hauptbahnhof nach Lübeck umsteigen wollte, kam ein junger Mann auf mich zu, stellte mich regelrecht, nannte mich einen Vaterlandsverräter, ließ mich mit diesem nachhallenden Wort stehen, kam, nachdem ich mir einigermaßen gelassen eine Zeitung gekauft hatte, abermals auf mich zu, um nicht etwa leise drohend, vielmehr freiheraus anzukündigen, daß es nun Zeit sei, mit meinesgleichen aufzuräumen.

Nach erstem Ärger, den ich noch auf dem Bahnsteig abzuschütteln verstand, fuhr ich nachdenklich nach Lübeck. "Vaterlandsverräter!" Ein Wort, das, gepaart mit den "vaterlandslosen Gesellen", zum Sprachschatz deutscher Geschichte gehört. Hatte der junge Mann nicht recht, als aus ihm kalte Wut sprach? Kann mir jenes Vaterland, zu dessen Gunsten mit meinesgleichen aufgeräumt werden soll, nicht gestohlen bleiben?

Es ist so: Ich fürchte mich nicht nur vor dem aus zwei Staaten zu einem Staat vereinfachten Deutschland, ich lehne den Einheitsstaat ab und wäre erleichtert, wenn er – sei es durch deutsche Einsicht, sei es durch Einspruch der Nachbarn – nicht zustande käme.

Natürlich ist mir bewußt, daß mein Standpunkt gegenwärtig Widerspruch auslöst, mehr noch, geeignet ist, Aggressionen von der Kette zu lassen, wobei ich nicht nur an den jungen Mann vom Hamburger Hauptbahnhof denke. Viel subtiler macht zur Zeit die *Frankfurter Allgemeine Zeitung* mit Leuten, die sie kategorisch Linksintellektuelle nennen läßt, kurzen Prozeß. Es reicht ihren Herausgebern nicht, daß der Kommunismus bankrott ist, mit ihm soll auch der Demokratische Sozialismus, samt Dubceks Traum vom Sozialismus mit menschlichem Gesicht, am Ende sein. Das hatten Kapitalisten und Kommunisten immer gemein: die vorbeugende Verdammung eines dritten Weges. Deshalb wird jeder Hinweis auf die nunmehr erstrittene Eigenständigkeit der DDR und ihrer Bürger sogleich mit Umsiedlerzahlen verschüttet. Selbstbewußtsein, das sich trotz vierzig Jahre währender Unterdrückung leidend entwickelt und schließlich revolutionär behauptet hat, darf nur kleingedruckt Platz beanspruchen. So soll der Eindruck entstehen, daß in Leipzig und Dresden, in Rostock und Ost-Berlin nicht das Volk der DDR, sondern auf ganzer Linie der westliche Kapitalismus gesiegt hat. Und schon wird Beute gemacht. Kaum hat die eine Ideologie ihren Griff gelockert, dann aufgeben müssen, da greift die andere Ideologie wie altgewohnt zu. Notfalls zeigt man die marktwirtschaftlichen Folterinstrumente. Wer nicht spurt, kriegt nix. Nicht mal Bananen.

Nein, ein so unanständig auftrumpfendes, durch Zugriff vergrößertes Vaterland will ich nicht, wenngleich mir, außer einigen Gedanken, nichts zu Gebote steht, solche Spottgeburt zu verhindern. Schon befürchte ich, daß es – unter welchem Tarnnamen auch immer – zwangsläufig zur Wiedervereinigung kommt. Die starke D-Mark wird dafür sorgen; die Springerpresse, nunmehr im Bunde mit Rudolf Augsteins leichtfertigen Montagsepisteln, wird auflagenstark dafür sorgen; und deutsche Vergeßlichkeit wird dem Sorge tragen.

Am Ende werden wir knapp achtzig Millionen zählen. Wir werden wieder einig, stark und – selbst beim Versuch, leise zu sprechen – laut vernehmlich sein. Schließlich – weil genug nie genug ist – wird es uns gelingen, mit bewährt harter D-Mark – und nach Anerkennung der polnischen Westgrenze – ein gut Stück Schlesien, ein Stückchen Pommern wirtschaftlich untertänig zu machen und – nach deutschem Bilderbuchmuster – wieder einmal zum Fürchten und isoliert sein.

Dieses Vaterland verrate ich jetzt schon; mein Vaterland müßte vielfältiger, bunter, nachbarlicher, durch Schaden klüger und europäisch verträglicher sein.

Alptraum steht gegen Traum. Was hindert uns, der Deutschen Demokratischen Republik und ihren Bürgern durch einen gerechten, längst fälligen Lastenausgleich dergestalt zu helfen, daß der Staat sich wirtschaftlich und demokratisch festigen kann und seine Bürger weniger Mühe haben, daheim zu bleiben? Warum muß der deutschen Konföderation, die unseren Nachbarn erträglich sein könnte, immer wieder eins draufgesattelt werden, mal nach vagem Paulskirchen-Konzept als Bundesstaat, dann wieder, als müßte das so sein, in Gestalt einer Groß-Bundesrepublik? Ist denn eine deutsche Konföderation nicht mehr, als wir jemals erhoffen konnten? Sind denn umfassende Einheit, größere Staatsfläche, geballte Wirtschaftskraft ein erstrebenswerter Zuwachs? Ist das nicht alles wiederum viel zuviel?

In Reden und Aufsätzen habe ich mich seit Mitte der sechziger Jahre gegen die Wiedervereinigung und für eine Konföderation ausgesprochen. Hier gebe ich abermals Antwort auf die deutsche Frage. Nicht in zehn, in fünf Punkten will ich mich kurzfassen:

Erstens: Eine deutsche Konföderation hebt das Nachkriegsverhältnis der beiden deutschen Staaten von Ausland zu Ausland auf, legt eine nichtswürdige, auch Europa trennende Grenze nieder und nimmt dennoch Rücksicht auf die Besorgnisse oder gar Ängste ihrer Nachbarn, indem sie in verfassungsgebender Versammlung auf die Wiedervereinigung als Einheitsstaat verzichtet.

Zweitens: Eine Konföderation der beiden deutschen Staaten tut weder der nachkriegsgeschichtlichen Entwicklung des einen noch des anderen Staates Gewalt an, sie erlaubt vielmehr Neues: eigenständige Gemeinsamkeit; und sie ist zugleich souverän genug, den jeweils eingegangenen Bündnisverpflichtungen nachzukommen und so dem europäischen Sicherheitskonzept zu entsprechen.

Drittens: Eine Konföderation der beiden deutschen Staaten steht dem europäischen Einigungsprozeß näher als ein übergewichtiger Einheitsstaat, zumal das geeinte Europa ein konföderiertes sein wird und deshalb die herkömmliche Nationalstaatlichkeit überwinden muß.

Viertens: Eine Konföderation der beiden deutschen Staaten geht den Weg eines anderen, wünschenswert neuen Selbstverständnisses. Der deutschen Geschichte gegenüber trägt sie als Kulturnation gemeinsam Verantwortung. Dieses Verständnis von Nation nimmt die gescheiterten Bemühungen der Paulskirchen-Versammlung auf, versteht sich als erweiterter Kulturbegriff unserer Zeit und eint die Vielfalt deutscher Kultur, ohne nationalstaatliche Einheit proklamieren zu müssen.

Und fünftens: Eine Konföderation der beiden deutschen Staaten einer Kulturnation gäbe durch ihre konfliktlösende Existenz Anstoß für die Lösung weltweit unterschiedlicher und dennoch vergleichbarer Konflikte, sei es in Korea, in Irland, auf Zypern und auch im Nahen Osten, überall dort, wo nationalstaatliches Handeln aggressiv Grenzen gesetzt hat oder erweitern will. Die Lösung der Deutschen Frage durch Konföderation könnte beispielhaft werden.

Dazu einige Anmerkungen: Den deutschen Einheitsstaat hat es in wechselnder Größe nur knapp fünfundsiebzig Jahre lang gegeben: als Deutsches Reich unter preußischer Vorherrschaft; als von Anbeginn vom Scheitern bedrohte Weimarer Republik; schließlich bis zur bedingungslosen Kapitulation, als Großdeutsches Reich. Uns sollte bewußt sein, unseren Nachbarn ist bewußt, wieviel Leid dieser Einheitsstaat verursachte, welch Ausmaß Unglück er anderen und uns gebracht hat. Das unter dem Begriff Auschwitz summierte und durch nichts zu relativierende Verbrechen Völkermord lastet auf diesem Einheitsstaat.

Niemals – bis dahin – hatten sich Deutsche während ihrer Geschichte in solch furchterregenden Verruf gebracht. Sie waren nicht besser, nicht schlechter als andere Völker. Komplexgesättigter Größenwahn hat die Deutschen dazu verleitet, ihre Möglichkeit, sich als Kulturnation in einem Bundesstaat zu finden, nicht zu verwirklichen, und statt dessen mit aller Gewalt den Einheitsstaat als Reich zu erzwingen. Er war die früh geschaffene Voraussetzung für Auschwitz. Er wurde latentem, auch anderswo üblichem Antisemitismus zur Machtbasis. Der deutsche Einheitsstaat verhalf der nationalsozialistischen Rassenideologie zu einer entsetzlich tauglichen Grundlage.

An dieser Erkenntnis führt nichts vorbei. Wer gegenwärtig über Deutschland nachdenkt und Antworten auf die deutsche Frage sucht, muß Auschwitz mitdenken. Der Ort des Schreckens, als Beispiel genannt für das bleibende Trauma, schließt einen zukünftigen deutschen Einheitsstaat aus. Sollte er, was zu befürchten bleibt, dennoch ertrotzt werden, wird ihm das Scheitern vorgeschrieben sein.

In Tutzing wurde vor mehr als zwei Jahrzehnten das Wort "Wandel durch Annäherung" geprägt; eine lange umstrittene, schließlich bestätigte Formel. Annäherung gehört mittlerweile zum politischen Alltag. Gewandelt hat sich durch den revolutionären Willen ihres Volkes die Deutsche Demokratische Republik; noch nicht gewandelt hat sich die Bundesrepublik Deutschland, deren Volk den Anstrengungen drüben teils bewundernd, teils herablassend zuschaut: "Wir wollen euch ja nicht dreinreden, aber..."

Und schon ist Einmischung üblich. Hilfe, wirkliche Hilfe wird nur nach westdeutschen Konditionen gegeben. Eigentum ja, heißt es, aber kein Volkseigentum bitte. Die westliche Ideologie des Kapitalismus, die jeden anderen ideologischen Ismus ersatzlos gestrichen sehen will, spricht sich wie hinter vorgehaltener Pistole aus: entweder Marktwirtschaft oder ...

Wer hebt da nicht die Hände und ergibt sich den Segnungen des Stärkeren, dessen Unanständigkeit so sichtbar durch Erfolg relativiert wird. Ich fürchte, daß wir Deutschen auch die zweite Möglichkeit der Selbstbestimmung ausschlagen werden. Kulturnation in konföderierter Vielfalt zu sein, ist uns offenbar zuwenig; und "Annäherung durch Wandel" ist – weil nur kostspielig – einfach zuviel verlangt. Doch auf Mark und Pfennig berechnet, wird die Deutsche Frage nicht zu beantworten sein.

Was sagte der junge Mann auf dem Hamburger Hauptbahnhof? – Recht hat er. Man zähle mich gegebenenfalls zu den vaterlandslosen Gesellen.

[1990]

Volker Braun

DAS EIGENTUM

Da bin ich noch: mein Land geht in den Westen.
KRIEG DEN HÜTTEN FRIEDE DEN PALÄSTEN.
Ich selber habe ihm den Tritt versetzt.
Es wirft sich weg und seine magre Zierde.
Dem Winter folgt der Sommer der Begierde.
Und ich kann *bleiben wo der Pfeffer wächst.*
Und unverständlich wird mein ganzer Text.
Was ich niemals besaß wird mir entrissen.
Was ich nicht lebte, werde ich ewig missen.
Die Hoffnung lag im Weg wie eine Falle.
Mein Eigentum, jetzt habt ihrs auf der Kralle.
Wann sag ich wieder *mein* und meine alle.

[1990]

Heiner Müller

FERNSEHEN

[...]
1 GEOGRAFIE
Gegenüber der HALLE DES VOLKES
Das Denkmal der toten Indianer
Auf dem PLATZ DES HIMMLISCHEN FRIEDENS
Die Panzerspur

2 DAILY NEWS NACH BRECHT 1989
Die ausgerissenen Fingernägel des Janos Kadar
Der die Panzer gegen sein Volk rief als es anfing
Seine Genossen Folterer an den Füßen aufzuhängen
Sein Sterben als der verratene Imre Nagy
Ausgegraben wurde oder der Rest von ihm
BONES AND SHOES das Fernsehn war dabei
Verscharrt mit dem Gesicht zur Erde 1956
WIR DIE DEN BODEN BEREITEN WOLLTEN
FÜR FREUNDLICHKEIT
Wieviel Erde werden wir fressen müssen
Mit dem Blutgeschmack unserer Opfer
Auf dem Weg in die bessere Zukunft
Oder in keine wenn wir sie ausspein

3 SELBSTKRITIK
Meine Herausgeber wühlen in alten Texten
Manchmal wenn ich sie lese überläuft es mich kalt Das
Habe ich geschrieben IM BESITZ DER WAHRHEIT
Sechzig Jahre vor meinem mutmaßlichen Tod
Auf dem Bildschirm sehe ich meine Landsleute
Mit Händen und Füßen abstimmen gegen die Wahrheit
Die vor vierzig Jahren mein Besitz war
Welches Grab schützt mich vor meiner Jugend
[...]

[1990]

Christoph Hein

Die Mauern von Jerichow

[...] Eine kleine Stadt, versteckt an der See, versteckt im Weizen, mit Namen Jerichow.

Uwe Johnson, der die DDR verlassen mußte, aber diese Stadt in Wahrheit nie verließ, hat sie unermüdlich und immer wieder beschrieben. Und einmal auch, um das Jahr 1972 wohl, gab er einer Denkmöglichkeit nach, einem geradezu verrückt wirkenden Einfall. Er läßt sein geliebtes Jerichow vollständig, eingerechnet das Vieh, beitreten. Jerichow wird Beitrittsgebiet und damit bundesdeutsch, allerdings nur Jerichow. [...]

Nun ist, Uwe Johnson hat es nicht mehr erlebt, Jerichow beigetreten, aber zusammen mit Wismar und Bad Kleinen, wo man früher in den Interzonenzug nach Hamburg umsteigen mußte. Und beigetreten ist ganz Mecklenburg und Vorpommern und vier weitere Bundesländer, die, so alt sie auch sind, nun "neue Bundesländer" heißen. In Jerichow hat die Dresdner Bank eine Filiale eröffnet. Das Kaufhaus Magnet zieht immer noch an, aber es heißt nun Karstadt. Auch der Sportwagen mit dem Überrollbügel steht vor der Tür. Und es gibt die Bundeswehroffiziere und auch die neuen guten Familien. Und für die CDU kandidiert nicht nur der überlebende Adel.

Und noch eins ist zu spüren, fast zu greifen, ist allgegenwärtig vorhanden, was in der Eile und im Jubel übersehen wurde. Die aus Jerichow und die aus Travemünde waren einander recht fremd geworden. [...]

Die Fremde war früh vermeldet worden, von den Künsten beispielsweise, aber das galt nie viel. Heinrich Böll sprach davon, daß es in der Welt wohl kaum zwei Literaturen gibt, die "weiter voneinander entfernt (sind), als die der beiden Hälften Deutschlands, von denen man nur in sentimentalen Augenblicken sagen kann, daß sie die gleiche Sprache sprächen". In verschiedenen Sprachen sprach man nicht nur in der Literatur, die Kunst konnte den Unterschied nur früher benennen, was ihr aber, wie landesüblich, nur Prügel einbrachte. Nun ist offensichtlich, man spricht deutsch miteinander und versteht sich nicht. Um einen Satz von Mark Twain zu paraphrasieren: Westdeutschland und Ostdeutschland sind durch eine gemeinsame Sprache getrennt. [...]

Das Unbehagen der Deutschen aneinander hat vielfältige Formen, die aber doch immer nur wieder das Gleiche ausdrücken. Im jeweils anderen deutschen Teil können wir in der Boulevardpresse wie in den sogenannten seriösen Blättern, in der Kneipe wie in der Familie, im alltäglichen Geschäftsleben wie auch bereits im Kino und auf der Bühne ein Kompendium unserer gegenseitigen Vorurteile finden, die um so erfolgreicher sind und auf Resonanz stoßen, wie das Fremdsein verspürt und durch ein teilweise recht schmerzhaftes Sich-aneinander-Reiben wahrgenommen wird. Es ist im Grunde ein Unbehagen an der Geschichte, an deren überraschendem Verlauf, der weder von den

Deutschen noch von der Welt vorauszusehen war. Die Vorurteile – lange, aber eher unterschwellig gehegt, auf jeden Fall kaum öffentlich ausgesprochen – wurden durch die jüngste Geschichte der Deutschen potenziert, brachen auf und erfüllen nun lärmend den deutschen Alltag.

Vielleicht ist es notwendig und hilfreich, daß dieses Geschwür aufbrach, auch wenn es viele in Deutschland und sehr viele im Ausland erschreckt. Vielleicht fördert diese Eruption gegenseitig vorgetragener Anklagen, Beschwerden, Mißbilligungen, Beschuldigungen und Vorwürfe die Vereinigung, vielleicht ist es das Unwetter, das die Atmosphäre zu reinigen vermag. Die so lauten Klagen auf beiden Seiten der ehemaligen Grenze sind aber auch lästig und belästigend, vor allem sind sie lächerlich. Sie beweisen, daß die Deutschen wieder mal Schwierigkeiten haben, mit ihrer stattfindenden Geschichte zu leben. Der Einigungsprozeß wird sich vollziehen, nicht in vier bis fünf Jahren, wie uns Politiker zweckoptimistisch und wahltagsorientiert verkünden, eine wirkliche Einheit wird Deutschland wohl erst in vier bis fünf Jahrzehnten erreichen. Die heute klagend vorgetragenen Vorurteile beider Seiten werden nichts daran ändern, sie werden es allenfalls dem Individuum erschweren, mit der eigenen Geschichte zu leben, mit sich selbst. Das mag man dann als ein unglückliches Bewußtsein der Deutschen diagnostizieren, es ist vor allem ein lächerliches Bewußtsein.

Die Diskussion in Deutschland und das Bild der Westdeutschen von den Ostdeutschen ist seit zwei Jahren von den Auseinandersetzungen über den Geheimdienst der DDR, die Staatssicherheit, gekennzeichnet. Die vollständige Auflösung des Staates ermöglichte den Zugang zu sämtlichen Akten und damit Einsicht in jene finsterste und blutigste Ecken eines Staates, die weltweit gewöhnlich als Staatsgeheimnisse gewertet und für Jahrzehnte oder auch Jahrhunderte verschlossen werden. Da ein Kriegsgegner, ein Gegner im Kalten Krieg, die Auflösung betreibt, besteht diesmal Aussicht, daß die üblicherweise unzugänglichen Akten und Unterlagen gewöhnlicher und ungewöhnlicher Staatskriminalität vollständig aufgedeckt werden. Mit einer Ausnahme selbstverständlich: jene Dokumente, die eigene Verfehlungen und Verstrikkungen erkennen lassen könnten, werden gewiß zu neuen Geheimhaltungsverpflichtungen führen, und jene Personen, die um sie wissen, denen man verpflichtet war und noch ist oder die man weiterhin benötigt, werden kaum zu einer unerwünschten Rechenschaftslegung genötigt. [...]

Die Chancen für eine bessere Aufarbeitung der jüngsten Geschichte sind nach dieser Wende günstiger als bei den vorangegangenen Wenden in diesem Jahrhundert. Die Weimarer Republik wagte es nicht, die Kaiserzeit aufzuarbeiten, sie war zu sehr durchsetzt von den alten Beamten. Die Nazis arbeiteten nur auf, was ihnen paßte, sie arbeiteten also nichts auf, sondern rechneten mit dem Gegner ab. Durchaus damit vergleichbar war nach 1945 die Aufarbeitung im Osten Deutschlands: der unbequeme Rest verschwand unter dem Antifaschismus, dessen man sich zu Recht rühmen konnte und der dann zu Unrecht, und neues Unrecht schaffend, mißbraucht wurde. Im Westen Deutschlands rechnete man mit einer Diktatur ab, die man als Totalitarismus verachtete, aber deren Antikommunismus man durchaus teilte. Der Historiker Ernst Nolte meinte nach dem Zusammenbruch des sozialistischen Systems nun auch Adolf Hitler eine späte Rechtfertigung zu schulden, und er schrieb, daß Hitler ein "Vorkämpfer der westlichen Welt" sei, dem man "die Aufrichtigkeit seines Antibolschewismus und Antimarxismus nicht abstreiten" sollte. Diese Aufrichtigkeit will ich bei Hitler durchaus nicht bezweifeln, aber spätestens an dem Tag, da in Deutschland ein Antrag auf seine Heiligsprechung gestellt wird, werde ich die Gültigkeit meines Reisepasses überprüfen, dann doch immerhin dankbar, in einem Land zu leben, in dem man einen Reisepass bekommt. [...]

Ich halte es für falsch, den Staatssicherheitsdienst der DDR mit irgendeinem anderen Geheimdienst in dieser Welt zu vergleichen. Eine Besonderheit dieser Behörde war zweifellos die ungeheure Akribie, diese aufgeblähte Bürokratie, die, eine Mischung aus Kafkas und Orwells Welten, geradezu alles archivierte und maßlos war in der aberwitzigen Vervollständigung der Akten. Unvergleichlich ist auch ihr praktizierter und geplanter Umgang mit dem Gegner, der als sogenannter innerer Feind angesehen wurde. Ein Vergleich verbietet sich aber vor allem, weil dieser Geheimdienst vollständig aufgelöst und uns seine Funktion und Struktur offenbar wurde. Das ist die eigentliche Besonderheit dieses Geheimdienstes, der jeden Vergleich mit einem anderen verbietet.

Der Staatssicherheitsdienst hatte, wie wir ahnten und jetzt erfahren, neben seinem Heer von Mitarbeitern noch Spitzel in seinem Sold, kleine Informanten, die irgendwie, durch Versprechungen, Drohungen, Erpressungen, für diese schmutzige Tätigkeit gewonnen wurden. Die Erregung speziell über diese Spitzel ist in der Bevölkerung sehr groß, fast so groß wie im deutschen Feuilleton. Ich verachte den Geheimdienst, ich verachte seine Spitzel, aber ich weiß auch, der Stasi-Spitzel, das war nur die spezielle Form eines politischen Opportunismus in der DDR. Und ich denke, es wäre zur Aufarbeitung der Geschichte in ganz Deutschland hilfreicher, auch diesen Aspekt mit dem Namen Stasi und Stasi-Spitzel unter das übergreifende Thema Anpassung, Anpassungsdruck, Anpassungsbereitschaft oder Verweigerung zu stellen. [...]

Wir werden auch künftig von Anpassung nicht verschont bleiben, dazu ist der Anpassungsdruck zu groß und gewiß auch die Anpassungsbereitschaft. Daß es staatlich sanktionierte Verbrechen wie in der DDR nochmals geben wird, wollen wir im Vertrauen auf die Demokratie ausschließen. Freilich, der Boden, auf dem unsere Demokratie wächst, ist noch dünn und rissig. Unsere Demokratie ist nicht so alt und gefestigt, um sich mit anderen Demokratien in Europa vergleichen zu können. Ein Grund für ihre Brüchigkeit ist wohl der Tatsache geschuldet, daß sie den Deutschen gegen ihren Willen und von feindlichen Siegermächten aufgezwungen und nur langsam angenommen wurde.

In Ostdeutschland wurde die nach 1945 erzwungene Diktatur zwar aus eigener Kraft beseitigt, aber auch diese vergleichsweise einzigartige Leistung – wann hat es das in Deutschland je gegeben? – ist noch keine Garantie für ein demokratisches Selbstverständnis. Die Schuldigen zu entdecken und zu richten, ist notwendig und eine Voraussetzung für einen demokratischen Weg. Mit Selbstgerechtigkeit jedoch werden wir nichts aufarbeiten, sondern dem nächsten Unrecht den Weg bahnen. Wer also den berühmten ersten Stein werfen will, sollte sich zuvor befragen, wie er seinem Anpassungsdruck begegnete, wie es um seine Anpassungsbereitschaft bestellt war und ist, welchen Preis er für eine sich bietende Karriere zu zahlen bereit war und wozu er fähig war, um ein drohendes Ende einer Karriere abzuwenden. Die Obrigkeit, der wir unterstellt sind und die diese Anpassung wünscht, muß kein Führungsoffizier der Stasi und die Anpassungsbereitschaft muß nicht immer die Bereitschaft zum Spitzel sein. Die Namen sind austauschbar, da ist die Moral gnadenlos und unterscheidet nicht.

Und der, der sich dann dennoch berechtigt fühlt, den Stein zu werfen, muß wissen, daß er nun nicht mehr Opfer ist, sondern Täter oder doch Opfer und Täter. Er ist zum Richter geworden. Einen Menschen hinrichten kann ich, wie Heinrich Zille sagte, nicht nur mit dem Beil, sondern auch mit einer Wohnung, oder, wie wir es lernen mußten, mit einer Schlagzeile. Ich sage dies nicht aus Sorge um die Täter, sie sollen und müssen zur Verantwortung gezogen werden. Ich sorge mich um die Opfer. Denn wenn die Opfer über die Täter richten, beginnt – wie Gerhard Strate sagte – die Barbarei. Das ist ein schrecklicher Satz, ein Satz, bei dem sich alles in uns empört. Aber dieser Satz ist mehr als 2000 Jahre alt und führte dazu, daß das Römische Recht entstand, eine Rechtsverfassung, auf der unsere Rechtsprechung noch immer ruht.

Dieses Recht war geschaffen worden, um der Barbarei zu wehren. Das sogenannte "gesunde Volksempfinden" und vielleicht auch unser Gefühl für Recht und Gerechtigkeit verlangen danach, der fürchterlichen Konsequenz dieses Satzes zu widersprechen. Aber wenn wir diesem Gefühl nachgeben, werden wir vielleicht schneller zu einer Art von Sühne kommen und möglicherweise verhindern, daß etwas ungesühnt bleibt. Aber ungewollt werden wir auch wieder das Rad des Unrechts in Bewegung setzen. Und auch wenn frühere Täter dann die ersten Opfer dieses Unrechts sein werden, wird es ein Recht im Namen des Unrechts sein. Und dieses Rad, einmal in Bewegung gesetzt, wird schwerlich aufzuhalten sein. Wir haben es in diesem Jahrhundert mehrmals erlebt, wie mit Gewalt mehr Gerechtigkeit geschaffen werden sollte und wie eine entsetzliche Barbarei entstand. Nochmals: Ich plädiere nicht für die Täter, ich plädiere für Rechtsstaatlichkeit. Vielleicht werden die Gerechten diese Welt erlösen, die Selbstgerechten aber, bestrebt, ihre Gerechtigkeit durchzusetzen, werden unser aller Untergang und das Ende der so vielfach gefährdeten Welt befördern. [...]

In den Tages- und Wochenzeitungen können wir unentwegt von schlimmen Verbrechen des DDR-Staates und der Stasi lesen, aber auch von schweren Beschuldigungen, für die es keine Beweise gibt. Selbst ehemals liberale Blätter verzichten inzwischen darauf, nach Beweisen zu fragen. Vielleicht verführte sie das Unmaß der aufgedeckten Stasi-Verbrechen dazu, nicht mehr sorgfältig zu recherchieren und nachzufragen, auf den Unterschied zwischen einem Verdacht und einem Beweis zu verzichten und fast jede Denunziation ungeprüft zu übernehmen. Es gab auch in der Bundesrepublik eine Zeit, in der es als ehrenrührig galt, unbewiesene Beschuldigungen auszusprechen. Das ist vorbei. Der Chef der Wochenzeitung "Der Spiegel" formulierte diese neue deutsche Haltung mit den Worten, daß es, um einen Menschen zu beschuldigen, durchaus ausreichend sei, wenn man die Beweise in der Nase habe. Da möge Gott uns nun alle schützen, denn einen anderen Schutz haben wir anscheinend nicht mehr. Und ich hoffe für diesen Zeitungschef, daß nicht eines Tages irgendein Minister sich dieses neuen Rechtsgrundsatzes bedient und gegen ihn vorgeht, weil er beispielsweise einen Verdacht auf Landesverrat in seiner Nase hat. [...]

Wenn es uns nicht gelingt, zum Rechtsstaat zurückzukehren, wenn die einst seriösen Blätter fortfahren, über Beschuldigte ohne Beweise zu richten, wenn von ihnen immer nur dann Rechtsstaatlichkeit eingeklagt wird, wenn ein ihnen politisch Nahestehender verdächtigt wird, dann spielen wir mit der Demokratie und könnten sie verspielen. Eine Bereitschaft, das Recht in die eigenen Hände zu nehmen und auf den Rechtsstaat zu pfeifen, war in Deutschland stets vorhanden. Freiheit war hier nie die Freiheit der Andersdenkenden.

Der Zusammenbruch des Liberalismus in Deutschland setzte diesmal mit dem Golfkrieg ein. Kontroverse Diskussionen dazu gab es auch in anderen Ländern, aber nur in Deutschland wurden die Kriegsgegner mit den schlimmsten Schimpfworten der Deutschen in diesem Jahrhundert belegt, sie wurden völlig absurd und denunziatorisch als Antisemiten bezeichnet. Nach dem Golfkrieg versuchte man in anderen Ländern das Geschehene aufzuarbeiten, in Frankreich entschuldigte sich eine Zeitung bei ihren Lesern für die Desinformationen über diesen Krieg, und in den Vereinigten Staaten versuchen die Zeitungen und Bürger unermüdlich und schonungslos die Kriegsursachen, die Vorgeschichte und den Verlauf dieses Krieges aufzuklären. In Deutschland schweigen die Blätter über ihre falschen Berichte und ihre Denunziationen, sie zogen es vor, sich alsbald ebenso grimmig auf den nächsten Gegner zu stürzen, das ersparte ihnen den fatalen Blick zurück. Neben der Wahrheit gehört die Sprache zu den ersten Opfern solcher Schlachten, das zeigt ein Blick in die Zeitungen. Die Fäkaliensprache zog bereits im Feuilleton ein.

Deutschland hat sich verändert, Deutschland verändert sich. Die kleine Stadt Jerichow zeigt sich nun so, wie Uwe Johnson es sich ausmalte. Aber es gibt auch Veränderungen, die er nicht beschrieb, nicht beschreiben wollte oder konnte.

"Die Fremde", schrieb Johnson, "die in der Apotheke nach der chemischen Reinigung fragt, würde nicht nur an das Haus 'gegenüber der Shell-Tankstelle' verwiesen; sie bekäme auch gleich ein mündliches Gutachten über Dauer und Güte der Behandlung. Das wäre geblieben."

Ich bin nicht sicher, ob es so geblieben ist. Entscheidend dafür ist eher, wie fremd diese Fremde ist, die in der Apotheke nachfragt. Und wie sie fragt, in ihrer deutschen Muttersprache, in dem schönen Dialekt der Jerichower, oder in einem gebrochenen Deutsch, einem Deutsch mit fremden Akzent. Wer als Fremder eine freundliche Auskunft bekommen will, sollte in Deutschland nicht mehr zu fremd sein. Das Wort Fremdenfeindlichkeit will ich für dieses veränderte Deutschland nicht gebrauchen. Es ist zu ungenau und generalisiert etwas, was differenzierter erfolgt. Hier wird sehr wohl unterschieden zwischen Ausländern und Ausländern. Es gibt Ausländer, die durchaus gern oder doch nicht feindlich empfangen werden, aus Ländern, die man schätzt und achtet.

Ich fürchte, der Grund für diese Veränderungen in Deutschland ist schlimmer und hat eine noch finsterere Tradition als das Wort Ausländerfeindlichkeit erfassen kann. Dieses Wort wirkt geradezu beschönigend für die tatsächliche Ursache. Ich fürchte, der eigentliche Grund für diesen neuen Haß und diese neue Gewalt ist die uralte deutsche Unterscheidung zwischen "Herrenmenschen" und "Untermenschen". [...]

Zwischen 1904 und 1907 rottete das deutsche Heer das Volk der Hereros aus. Unmittelbar nach Beginn der Nazizeit begann die Vernichtung der geistig Behinderten in Deutschland, und wenige Jahre später erfolgte der Völkermord an den Juden. All diesen Morden lag eine verbrecherische Hierarchie der Menschheit zugrunde, die von einem großen Teil der Deutschen akzeptiert wurde. Es wurde ein "lebenswertes" und ein "unwertes", ein "zu vernichtendes" Leben dekretiert, und dies wurde vom deutschen Volk zumindest geduldet, wenn nicht sogar angenommen. Erstaunlicherweise spielte diese deutsche Tradition beim Historikerstreit um die Nazizeit und Vernichtung der Juden überhaupt keine Rolle, wurde diese Tradition einer Haltung und Erziehung, die schon in der Kaiserzeit einen Völkermord ermöglichte, vollständig ausgespart. Aber sie war 1904 und 1933 und 1942 vorhanden, und sie ist noch immer vorhanden, auch heute, auch 1992.

Der Satz, daß man stolz sei, ein Deutscher zu sein, klingt merkwürdig, weil er von einem Stolzsein auf etwas erzählt, was man nicht bewirkte, was kein eigenes Verdienst ist. Man ist lediglich auf einen Zufall stolz, auf den Zufall der Geburt. Beunruhigend ist der Satz, weil nach 100 Jahren deutscher Politik etwas mitklingt von einem Stolzsein auf den deutschen "Herrenmenschen".

Die Demokratie in Deutschland ist noch immer eine sehr zarte Pflanze. Achten wir auf den Nachtfrost.

[1992]

Botho Strauß

Wann war das und wo?

Kein Deutschland gekannt zeit meines Lebens.
Zwei fremde Staaten nur, die mir verboten,
je im Namen eines Volkes der Deutsche zu sein.
Soviel Geschichte, um so zu enden?

Man spüre einmal: das Herz eines Kleist und
die Teilung des Lands. Man denke sich: welch ein Reunieren,
wenn einer, in uns, die Bühne der Geschichte aufschlüg!

Vielleicht, wer deutsch ist, lernt sich ergänzen.
Und jedes Bruckstück Verständigung
gleicht einer Zelle im nationellen Geweb,
die immer den Bauplan des Ganzen enthält.

[1985]

4. Gewalt und Gegengewalt

Mitte der sechziger Jahre griff eine studentische Oppositionsbewegung auf die Bundesrepublik über, die in den USA begonnen hatte. Zentrale Kritikpunkte waren die atomare Bewaffnung der Bundeswehr, der amerikanische Krieg in Vietnam, autoritäre Strukturen im Erziehungswesen, auch an den Universitäten, und die Weiterbeschäftigung von Nazi-Beamten in Politik und Justiz.

Mit Demonstrationen, Sitzstreiks und "teach-ins" protestierten die Studenten gegen diese gesellschaftlichen Mißstände. Die Reaktionen von Behörden, Polizei und Politik wurden aggressiver. Zu schweren Auseinandersetzungen kommt es am 2. Juni 1967 in Berlin beim Besuch des Schahs von Persien: Dort wird der unbeteiligte Student Benno Ohnesorg von einem Polizisten erschossen. Diese Tat, von den Behörden zunächst vertuscht, führt zur Radikalisierung der Studenten. Andererseits wurde die öffentliche Stimmung gegen die "Radikalen" und "Langhaarigen" von den Zeitungen des Springer-Konzerns angeheizt. Besonders die "Bild-Zeitung" diffamiert auch linke und liberale Intellektuelle, die Verständnis für die Studenten zeigten.

Bei einer Kundgebung des Springer-Konzerns im Februar 1968 werden vierzig verdächtige "Linke" zusammengeschlagen; scheinbar zwangsläufig rollt bald darauf eine Welle von Gegengewalt gegen die Springer-Gebäude in mehreren Städten. Im April 1968 explodieren auch in einem Frankfurter Kaufhaus Brandsätze, mit denen Andreas Baader und Gudrun Ensslin gegen "die Gleichgültigkeit der Gesellschaft gegenüber den Morden in Vietnam" protestieren. Wenige Tage später wird der Studentenführer Rudi Dutschke durch den Revolverschuss eines Rechtsradikalen lebensgefährlich verletzt. Gewalt und Gegengewalt eskalieren, die Regierung zeigt sich unfähig zu einer angemessenen Reaktion. Nach dem Scheitern ihres Bundeskanzlers Ludwig Erhard hatte die CDU bereits 1966 eine Große Kalition mit der SPD gebildet. Kanzler Kurt Georg Kiesinger und sein Stellvertreter Willy Brandt provozieren mit ihrem Festhalten an sogenannten "Notstandgesetzen", die die bürgerlichen Grundrechte einschränken sollten, weitere Proteste. Im Mai 1968 kommt es, wie zur gleichen Zeit in Paris, zu Massendemonstrationen, Universitätsbesetzungen und Straßenschlachten.

Ende der sechziger Jahre brechen die studentischen Oppositionsgruppen mehr und mehr auseinander. Der Staat findet hingegen Mittel und Wege, um unliebsame Kritiker aus dem öffentlichen Dienst fernzuhalten. 1972 setzt die inzwischen gebildete sozial-liberale Regierung unter Kanzler Brandt den "Radikalenerlaß" durch. Er bestimmt, daß z.B. als Lehrer, Professor, Jurist oder Postbeamter nur eingestellt werden darf, wer ohne Zweifel für die "freiheitlich-demokratische Grundordnung" eintritt. Diese Regelung führt für viele Aktivisten der Studentenbewegung (aber auch für Mitglieder der DKP) zu Überprüfungen und "Berufsverboten".

Diese Entwicklungen trugen dazu bei, dass einzelne und ganze Gruppen sich zu terroristischen Aktionen entschlossen. In den siebziger Jahren verbreitete die sog."Rote Armee Fraktion" (RAF) um Baader, Ensslin u.a. mit ihren Attentaten Angst und Schrecken. Auf der Gegenseite war die Verfolgung der Terroristen mit weitreichender Gesinnungsschnüffelei und Hetze gegen angebliche "Sympathisanten" verbunden. Kritische Wissenschaftler wie der Psychologe Peter Brückner mussten sie ebenso erfahren wie der Nobelpreisträger Heinrich Böll. Nachdem ihn die "Bild-Zeitung" als Sympathisanten der RAF diffamiert hatte, mussten er und seine Familie Hausdurchsuchung und Polizeiüberwachung erdulden. In literarisch gebrochener Form hat Böll das Thema von Gewalt und Gegengewalt in der Erzählung "Die verlorene Ehre der Katharina Blum" (1974) gestaltet, die zu einem der meistgelesenen Texte der deutschen Nachkriegsliteratur geworden ist.

Ungleich perfidere – weil nicht von einer kritischen Gegenöffentlichkeit kontrollierbare – Strukturen staatlicher Gewalt zeichneten den anderen deutschen Staat aus. Die Omnipräsenz eines alle Lebensbereiche durchdringenden Überwachungsapparates (Ministerium für Staatssicherheit) prägte den Alltag in der DDR und wurde zum Stoff für zahlreiche, in der Regel im Lande selbst allerdings nicht publizierbare, literarische Texte.

Ernst Jandl

lichtung

manche meinen
lechts und rinks
kann man nicht
velwechsern.
werch ein illtum!

[1966]

Horst Bienek

Anweisung für Zeitungsleser

I

Prüft jedes Wort
prüft jede Zeile
vergeßt niemals
man kann
mit einem Satz
auch den Gegen-Satz ausdrücken

II

Mißtraut den Überschriften
den fettgedruckten
sie verbergen das Wichtigste
mißtraut den Leitartikeln
den Inseraten
den Kurstabellen
den Leserbriefen
und den Interviews am Wochenende

Auch die Umfragen der Meinungsforscher
sind manipuliert
die Vermischten Nachrichten
von findigen Redakteuren erdacht
Mißtraut dem Feuilleton
den Theaterkritiken Die Bücher
sind meist besser als ihre Rezensenten
lest das was sie verschwiegen haben
Mißtraut auch den Dichtern
bei ihnen hört sich alles
schöner an auch zeitloser
aber es ist nicht wahrer nicht gerechter

III

Übernehmt nichts
ohne es geprüft zu haben
nicht die Wörter und nicht die Dinge
nicht die Rechnung und nicht das Fahrrad
nicht die Milch und nicht die Traube
nicht den Regen und nicht die Sätze
faßt es an schmeckt es dreht es nach allen Seiten
nehmt es wie eine Münze zwischen die Zähne
hält es stand? taugt es? seid ihr zufrieden?

IV

Ist Feuer noch Feuer und Laub noch Laub
ist Flugzeug Flugzeug und Aufstand Aufstand
ist eine Rose noch eine Rose noch eine Rose?

Hört nicht auf
euren Zeitungen zu mißtrauen
auch wenn die Redakteure
oder Regierungen wechseln

[1974]

Peter Handke

Die drei Lesungen des Gesetzes

1.
Jeder Staatsbürger hat das Recht –
Beifall
seine Persönlichkeit frei zu entfalten –
Beifall
insbesondere hat er das Recht auf:
Arbeit-
Beifall
Freizeit –
Beifall
Freizügigkeit –
Beifall
Bildung-
Beifall
Versammlung –
Beifall
sowie auf Unantastbarkeit der Person –
starker Beifall.

2.
Jeder Staatsbürger hat das Recht –
Beifall
im Rahmen der Gesetze seine Persönlichkeit frei zu entfalten –
Rufe: Hört! Hört!
insbesondere hat er das Recht auf:
Arbeit entsprechend den gesellschaftlichen Erfordernissen –
Unruhe, Beifall

auf Freizeit nach Maßgabe seiner gesellschaftlich notwendigen Arbeitskraft –
Zischen, Beifall, amüsiertes Lachen, Unruhe
auf Freizügigkeit, ausgenommen die Fälle, in denen eine ausreichende Lebensgrundlage nicht vorhanden ist und der Allgemeinheit daraus besondere Lasten entstehen würden –
schwacher Beifall, höhnisches Lachen, Scharren, Unruhe
auf Bildung, soweit die ökonomischen Verhältnisse sie sowohl zulassen als auch nötig machen –
starke Unruhe, Murren, unverständliche Zwischenrufe, Türenschlagen, höhnischer Beifall
auf Versammlung nach Maßgabe der Unterstützung der Interessen der Mitglieder der Allgemeinheit –
Pultdeckelschlagen, Pfeifen, allgemeine Unruhe, Lärm, vereinzelte Bravorufe, Protestklatschen, Rufe wie: Endlich! oder: Das hat uns noch gefehlt!, Trampeln, Gebrüll, Platzen von Papiertüten
sowie auf Unantastbarkeit der Person –
Unruhe und höhnischer Beifall.

3.
Jeder Staatsbürger hat das Recht,
im Rahmen der Gesetze und der guten Sitten seine
Persönlichkeit frei zu entfalten,
insbesondere hat er das Recht auf Arbeit entsprechend den
wirtschaftlichen und sittlichen Grundsätzen der Allgemeinheit –
das Recht auf Freizeit nach Maßgabe der allgemeinen wirtschaftlichen Erfordernisse und den Möglichkeiten eines durchschnittlich leistungsfähigen Bürgers –
das Recht auf Freizügigkeit, ausgenommen die Fälle, in denen eine ausreichende Lebensgrundlage nicht vorhanden ist und der Allgemeinheit dadurch besondere Lasten entstehen würden oder aber zur Abwehr einer drohenden Gefahr für den Bestand der Allgemeinheit oder zum Schutz vor sittlicher und leistungsabträglicher Verwahrlosung oder zur Erhaltung
eines geordneten Ehe-, Familien- und Gemeinschaftslebens –
das Recht auf Bildung, soweit sie für den wirtschaftlich-sittlichen Fortschritt der Allgemeinheit sowohl zuträglich als auch erforderlich ist und soweit sie nicht Gefahr läuft, den Bestand der Allgemeinheit in ihren Grundlagen und Zielsetzungen zu gefährden –
das Recht auf Versammlung
nach Maßgabe sowohl der Festigung als auch
des Nutzens der Allgemeinheit und unter Berücksichtigung
von Seuchengefahr, Brandgefahr und drohenden Naturkatastrophen –
sowie das Recht auf Unantastbarkeit der Person:
Allgemeiner stürmischer, nichtendenwollender Beifall.

[1968]

Erich Arendt

Nach den Prozessen

Steingrauer Tag,
der sein Lid senkt.
Knie nicht
in den Schatten!

Spreu
schleifen die Stunden,
Spreu, abermillion, die
halt nicht machen

vor deiner Stirn
– Trauerschafott –,
schneller und
schneller, ohne
Geheimnis, und –
kein blutender Kern.

Verzweifelt die
chimärischen Fahnen,
sie blichen im jäh
verdämmernden
Rot.

Gleichgeschaltet
mit abwaschbaren
Handschuhn
gleichgeschaltet durch die
gezeichneten Finger
das erschöpfte
tausendströmige Herz.

Die da
handeln, an Tischen,
mit deiner Hinfälligkeit,
allwissenden Ohrs,
ledernen
Herzens ihr Gott, sie
haben das Wort:

Worte,
gedreht und
gedroschen: Hülsen
gedroschen, der
zusammengekehrte Rest.

Gehend im Kreis
der erschoßnen Gedanken
– wie war
doch der Atem groß –
halt versiegelt den Mund, daß
der Knoten
Blut
nicht Zeugnis ablege!

Wo Freude und Recht
gemeuchelt lag,
an der Wand
der Geschichte
stets noch: Du!

Gehend im Kreis – doch
der Meteor
Verfinsterung jagt
am ummauerten Himmel.
knie nicht –

Blutwimper, schwarz:
das Jahrhundert.

[1961]

Hans Magnus Enzensberger

Verteidigung der Wölfe gegen die Lämmer

Soll der Geier Vergißmeinnicht fressen?
Was verlangt ihr vom Schakal,
daß er sich häute, vom Wolf? Soll
er sich selber ziehen die Zähne?
was gefällt euch nicht
an Politruks und an Päpsten,
was guckt ihr blöd aus der Wäsche
auf den verlogenen Bildschirm?

Wer näht denn dem General
den Blutstreif an seine Hose? Wer
zerlegt vor dem Wucherer den Kapaun?
Wer hängt sich stolz das Blechkreuz
vor den knurrenden Nabel? Wer
nimmt das Trinkgeld, den Silberling,
den Schweigepfennig? Es gibt
viel Bestohlene, wenig Diebe; wer
applaudiert ihnen denn, wer
steckt die Abzeichen an, wer
lechzt nach der Lüge?

Seht in den Spiegel: feig,
scheuend die Mühsal der Wahrheit,
dem Lernen abgeneigt, das Denken
überantwortend den Wölfen,
der Nasenring euer teuerster Schmuck,
keine Täuschung zu dumm, kein Trost
zu billig, jede Erpressung
ist für euch noch zu milde.

Ihr Lämmer, Schwestern sind,
mit euch verglichen, die Krähen:
ihr blendet einer den andern.
Brüderlichkeit herrscht
unter den Wölfen:
sie gehn in Rudeln.

Gelobt sein die Räuber: ihr,
einladend zur Vergewaltigung,

werft euch aufs faule Bett
des Gehorsams. Winselnd noch
lügt ihr. Zerrissen
wollt ihr werden. Ihr
ändert die Welt nicht.

[1957]

Peter Schneider

Über die Mühen des Kampfes in Deutschland

Wenn ich lese daß im März
dreihundert Vietcong getötet wurden
nachdem sie den Imperialisten Schaden zufügten
und im gleichen Zeitraum bei uns
ungefähr gleichviele Autofahrer
kämpfend für was, was hinterlassend?

Oder die großen Städte jenseits des Ozeans
in Flammen aufgehen weil ihre Erbauer
nicht länger Hauswart spielen wollen
während bei uns ein Warenhausbrand
weil einer vergaß, das Licht auszumachen

Oder in einem persischen Dorf die Leute
sich von einer Plage ernähren den Heuschrecken
und der König der Könige seine Staatskarosse
aus Wien einfliegen läßt
während bei uns eine vorvorrevolutionäre Stimmung entsteht
weil sich der Schweinefleischpreis um 10 Pfennig erhöhte

Oder Regis Debray die Kybernetik
der amerikanischen Bomber durcheinanderbringt
mit ein paar hastig geäußerten Gedanken
vom anderen Ende der Welt her
während wir hier Bibliotheken
über den Untergang des Kapitalismus vollschreiben
und uns dann ein Prozeß wegen übler Nachrede gemacht wird

Ja wenn ich lese daß die Analphabeten in Amerika
Gewehre kaufen dann Bücher
und aus ihrem Haß einen Bürgerkrieg machen

während wir hier sitzen, lesend
unsere Wut in uns hineinfressen
romantisch vor Ohnmacht und wenn es hochkommt
dann fliegt mal ein Stein

wenn ich das alles lese und wiederlese, Genossen
verliere ich oft den Mut

Sollen wir denn kämpfen für die Zukunft derer
die ihre Zukunft für dreimal versichert halten
Hungerstreiks machen für Leute
denen nichts weiter fehlt als der Mangel
unsere Guitarren ins Leihhaus tragen
um Konzertabonnenten die Kultur zu bringen
agitieren statt für die Befreiung
für das Bedürfnis nach Befreiung
sollen wir da nicht lieber dorthin gehen
wo wir nicht Gelehrte sein müssen
um die revolutionäre Klasse zu finden?

Nein. Denn bei uns ist es wo die großen Bomber
ihre Lasten aufnehmen und starten
zu den weit entfernten Schauplätzen der Kriege
dort werfen sie ihre Last nur ab und zu uns
kehren sie leer und wehrlos zurück.
Unsere Väter sind es doch
die dem Klamottenkaiser von Persien
das Öl des persischen Volkes abkaufen
als wäre das alles eine Art
persönlicher Ausscheidung seiner Majestät
und mit ihren Wechseln bezahlt er seine Killer

Der Stein, den wir in die amerikanische Botschaft werfen
ist soviel wert wie eine Flugzeugrakete in Vietnam
und ein wilder Streik bei Siemens AEG Dow Chemical
ist wie eine im voraus gewonnene Vietcongoffensive

[um 1970]

Volker Braun

Alte Texte

Kunze referierte in einem kleinen unbehaglichen Raum jahrelang über den Sozialismus, über den Fortschritt, über die Intensivierung geht alle an. Die alten Texte also. Als der Fortschritt einmal eintrat, wagte Kunze nicht, ihm ins Gesicht zu blicken. Sah er aus, wie man es vorschrieb? Was sollte man zu ihm sagen, was war nun zu tun, wie mußte man sich vor ihm benehmen? Kunze fühlte sich überflüssig. Zum Glück blieb der Fortschritt nicht, er hatte Wichtigeres vor, oder spürte, daß er ungelegen kam. Kunze referierte weiter. Aber der Fortschritt erschien wieder, sprang unvermutet in den Reihen der Zuhörer auf und fiel Kunze in den Rücken, warf das Pult um, sah grinsend auf die entgeisterte Klasse. Kunze, Kunze sein Lehrer, erkannte den Burschen nicht, er rief die Polizei, bevor er den Unterricht fortsetzte.

Hinze, der in der hintersten Reihe alles beobachtet hatte, erzählte in der Pause folgende fernerliegende Kleinigkeit: Als Rudi Dutschke, ein Führer der linken Jugend in den westlichen Metropolen, nach dem Attentat langsam wieder sprechen lernte, las er die letzte Feuerbach-These so: Die Philosophen haben die Welt nur verschieden interpretiert, es kommt darauf an, *sich* zu verändern.

[1983]

Heinrich Böll

Du fährst zu oft nach Heidelberg

Für Klaus Staeck, der weiß, daß die Geschichte von Anfang bis Ende erfunden ist und doch zutrifft.

Abends, als er im Schlafanzug auf der Bettkante saß, auf die Zwölf-Uhr-Nachrichten wartete und noch eine Zigarette rauchte, versuchte er im Rückblick den Punkt zu finden, an dem ihm dieser schöne Sonntag weggerutscht war. Der Morgen war sonnig gewesen, frisch, maikühl noch im Juni, und doch war die Wärme, die gegen Mittag kommen würde, schon spürbar: Licht und Temperatur erinnerten an vergangene Trainingstage, an denen er zwischen sechs und acht, vor der Arbeit, trainiert hatte.

Eineinhalb Stunden lang war er radgefahren am Morgen, auf Nebenwegen zwischen den Vororten, zwischen Schrebergärten und Industriegelände, an grünen Feldern, Lauben, Gärten, am großen Friedhof vorbei bis zu den Waldrändern hin, die schon weit jenseits der Stadtgrenze lagen; auf asphaltierten Strecken hatte er Tempo gegeben, Beschleunigung, Geschwindigkeit getestet, Spurts eingelegt und gefunden, daß er immer noch gut in Form war und vielleicht doch wieder einen Start bei den Amateuren riskieren konnte; in den Beinen die Freude übers bestandene Examen und der Vorsatz, wieder regelmäßig zu trainieren. Beruf, Abendgymnasium, Geldverdienen, Studium – er hatte wenig dran tun können in den vergangenen drei Jahren; er würde nur einen neuen Schlitten brauchen; kein Problem, wenn er morgen mit Kronsorgeler zurechtkam, und es bestand kein Zweifel, daß er mit Kronsorgeler zurechtkommen würde.

Nach dem Training Gymnastik auf dem Teppichboden in seiner Bude, Dusche, frische Wäsche, und dann war er mit dem Auto zum Frühstück zu den Eltern hinausgefahren: Kaffee und Toast, Butter, frische Eier und Honig auf der Terrasse, die Vater ans Häuschen angebaut hatte; die hübsche Jalousie – ein Geschenk von Karl, und im wärmer werdenden Morgen der beruhigende, stereotype Spruch der Eltern: "Nun hast du's ja fast geschafft; nun hast du's ja bald geschafft." Die Mutter hatte "bald", der Vater "fast" gesagt, und immer wieder der wohlige Rückgriff auf die Angst der vergangenen Jahre, die sie einander nicht vorgeworfen, die sie miteinander geteilt hatten: über den Amateurbezirksmeister und Elektriker zum gestern bestandenen Examen, überstandene Angst, die anfing, Veteranenstolz zu werden; und immer wieder wollten sie von ihm wissen, was dies oder jenes auf spanisch hieß: Mohrrübe oder Auto, Himmelskönigin, Biene und Fleiß, Frühstück, Abendbrot und Abendrot, und wie glücklich sie waren, als er auch zum Essen blieb und sie zur Examensfeier am Dienstag in seine Bude einlud: Vater fuhr weg, um zum Nachtisch Eis zu holen, und er nahm auch noch den Kaffee, obwohl er eine Stunde später bei Carolas Eltern wieder würde Kaffee trinken müssen; sogar einen Kirsch nahm er und plauderte mit ihnen über seinen Bruder Karl, die Schwägerin Hilda, Elke und Klaus, die beiden Kinder, von denen sie einmütig glaubten, sie würden verwöhnt – mit all dem Hosen- und Fransen- und Rekorderkram, und immer wieder dazwischen die wohligen Seufzer "Nun hast du's ja bald, nun hast du's ja fast geschafft." Diese "fast", diese "bald" hatten ihn unruhig gemacht. Er hatte es geschafft! Blieb nur noch die Unterredung mit Kronsorgeler, der ihm von Anfang an freundlich gesinnt gewesen war. Er hatte doch an der Volkshochschule mit seinen Spanisch-, am spanischen Abendgymnasium mit seinen Deutschkursen Erfolg gehabt.

Später half er dem Vater beim Autowaschen, der Mutter beim Unkrautjäten, und als er sich verabschiedete, holte sie noch Mohrrüben, Blattspinat und einen Beutel Kirschen in Frischhaltepackungen aus ihrem Tiefkühler, packte es ihm in eine Kühltasche und zwang ihn, zu warten, bis sie für Carolas Mutter Tulpen aus dem Garten geholt hatte; inzwischen prüfte der Vater die Bereifung, ließ sich den laufenden Motor vorführen, horchte ihn mißtrauisch ab, trat dann näher ans heruntergekurbelte Fenster und fragte: "Fährst du immer noch so oft nach Heidelberg – und über die Autobahn?" Das sollte so klingen, als gelte die Frage der Leistungsfähigkeit seines alten, ziemlich klapprigen Autos, das zweimal, manchmal dreimal in der Woche diese insgesamt achtzig Kilometer schaffen mußte.

"Heidelberg? Ja, da fahr ich noch zwei-, dreimal die Woche hin – es wird noch eine Weile dauern, bis ich mir einen Mercedes leisten kann."

"Ach, ja, Mercedes", sagte der Vater "da ist doch dieser Mensch von der Regierung, Kultur, glaube ich, der hat mir gestern wieder seinen Mercedes zur Inspektion gebracht. Will nur von mir bedient werden. Wie heißt er doch noch?"

"Kronsorgeler?"

"Ja, der. Ein sehr netter Mensch – ich würde ihn sogar ohne Ironie vornehm nennen."

Dann kam die Mutter mit dem Blumenstrauß und sagte: "Grüß Carola von uns, und die Herrschaften natürlich. Wir sehen uns ja am Dienstag." Der Vater trat, kurz bevor er startete, noch einmal näher und sagte: "Fahr nicht zu oft nach Heidelberg – mit dieser Karre!"

Carola war noch nicht da, als er zu Schulte-Bebrungs kam. Sie hatte angerufen und ließ ausrichten, daß sie mit ihren Berichten noch nicht fertig war, sich aber beeilen würde; man sollte mit dem Kaffee schon anfangen.

Die Terrasse war größer, die Jalousie, wenn auch verblaßt, großzügiger, eleganter das Ganze, und sogar in der kaum merklichen Verkommenheit der Gartenmöbel, dem Gras, das zwischen den Fugen der roten Fliesen wuchs, war etwas, das ihn ebenso reizte wie manches Gerede bei Studentendemonstrationen; solches und Kleidung, das waren ärgerliche Gegenstände zwischen Carola und ihm, die ihm immer vorwarf, zu korrekt, zu bürgerlich gekleidet zu sein. Er sprach mit Carolas Mutter über Gemüsegärten, mit ihrem Vater über Radsport, fand den Kaffee schlechter als zu Hause und versuchte, seine Nervosität nicht zu Gereiztheit werden zu lassen. Es waren doch wirklich nette, progressive Leute, die ihn völlig vorurteilslos, sogar offiziell, per Verlobungsanzeige akzeptiert hatten; inzwischen mochte er sie regelrecht, auch Carolas Mutter, deren häufiges "entzückend" ihm anfangs auf die Nerven gegangen war.

Schließlich bat ihn Dr. Schulte-Bebrung – ein bißchen verlegen, wie ihm schien – in die Garage und führte ihm sein neu erworbenes Fahrrad vor, mit dem er morgens regelmäßig ein "paar Runden" drehte, um den Park, den Alten Friedhof herum; ein Prachtschlitten von einem Rad; er lobte es begeistert, ganz ohne Neid, bestieg es zu einer Probefahrt rund um den Garten, erklärte Schulte-Bebrung die Beinmuskelarbeit (er erinnerte sich, daß die alten Herren im Verein immer Krämpfe bekommen hatten!), und als er wieder abgestiegen war und das Rad in der Garage an die Wand lehnte, fragte Schulte-Bebrung ihn: "Was denkst du, wie lange würde ich mit diesem Prachtschlitten, wie du ihn nennst, brauchen, um von hier nach – sagen wir Heidelberg zu fahren?" Es klang wie zufällig, harmlos, zumal Schulte-Bebrung fortfuhr: "Ich habe nämlich in Heidelberg studiert, hab auch damals ein Rad gehabt, und von dort bis hier habe ich damals – noch bei jugendlichen Kräften – zweieinhalb Stunden gebraucht." Er lächelte wirklich ohne Hintergedanken, sprach von Ampeln,

Stauungen, dem Autoverkehr, den es damals so nicht gegeben habe; mit dem Auto, das habe er schon ausprobiert, brauche er ins Büro fünfunddreißig, mit dem Rad nur dreißig Minuten. "Und wie lange brauchst du mit dem Auto nach Heidelberg?" "Eine halbe Stunde."

Daß er das Auto erwähnte, nahm der Nennung Heidelbergs ein bißchen das Zufällige, aber dann kam gerade Carola, und sie war nett wie immer, hübsch wie immer, ein bißchen zerzaust, und man sah ihr an, daß sie tatsächlich todmüde war, und er wußte eben nicht, als er jetzt auf der Bettkante saß, eine zweite Zigarette noch unangezündet in der Hand, er wußte eben nicht, ob seine Nervosität schon Gereiztheit gewesen, von ihm auf sie übergesprungen war, oder ob sie nervös und gereizt gewesen war – und es von ihr auf ihn übergesprungen war. Sie küßte ihn natürlich, flüsterte ihm aber zu, daß sie heute nicht mit ihm gehen würde. Dann sprachen sie über Kronsorgeler, der ihn so sehr gelobt hatte, sprachen über Planstellen, die Grenzen des Regierungsbezirks, über Radfahren, Tennis, Spanisch, und ob er eine Eins oder nur eine Zwei bekommen würde. Sie selbst hatte nur eine knappe Drei bekommen. Als er eingeladen wurde, zum Abendessen zu bleiben, schützte er Müdigkeit und Arbeit vor, und niemand hatte ihn besonders gedrängt, doch zu bleiben; rasch wurde es auf der Terrasse wieder kühl; er half, Stühle und Geschirr ins Haus zu tragen, und als Carola ihn zum Auto brachte, hatte sie ihn überraschend heftig geküßt, ihn umarmt, sich an ihn gelehnt und gesagt: "Du weißt, daß ich dich sehr, sehr gern habe, und ich weiß, daß du ein prima Kerl bist, du hast nur einen kleinen Fehler: du fährst zu oft nach Heidelberg."

Sie war rasch ins Haus gelaufen, hatte gewinkt, gelächelt, Kußhände geworfen, und er konnte noch im Rückspiegel sehen, wie sie immer noch da stand und heftig winkte.

Es konnte doch nicht Eifersucht sein. Sie wußte doch, daß er dort zu Diego und Teresa fuhr, ihnen beim Übersetzen von Anträgen half, beim Ausfüllen von Formularen und Fragebögen; daß er Gesuche aufsetzte, ins reine tippte; für die Ausländerpolizei, das Sozialamt, die Gewerkschaft, die Universität, das Arbeitsamt; daß es um Schul- und Kindergartenplätze ging, Stipendien, Zuschüsse, Kleider, Erholungsheime; sie wußte doch, was er in Heidelberg machte, war ein paar Mal mitgefahren, hatte eifrig getippt und eine erstaunliche Kenntnis von Amtsdeutsch bewiesen; ein paar Mal hatte sie sogar Teresa mit ins Kino und ins Café genommen und von ihrem Vater Geld für einen Chilenen-Fonds bekommen.

Er war statt nach Hause nach Heidelberg gefahren, hatte Diego und Teresa nicht angetroffen, auch Raoul nicht, Diegos Freund; war auf der Rückfahrt in eine Autoschlange geraten, gegen neun bei seinem Bruder Karl vorbeigefahren, der ihm Bier aus dem Eisschrank holte, während Hilde ihm Spiegeleier briet; sie sahen gemeinsam im Fernsehen eine Reportage über die Tour de Suisse, bei der Eddy Merckx keine gute Figur machte, und als er wegging, hatte Hilde ihm einen Papiersack voll abgelegter Kinderkleider gegeben für "diesen spirrigen netten Chilenen und seine Frau."

Nun kamen endlich die Nachrichten, die er mit halbem Ohr nur hörte: er dachte an die Mohrrüben, den Spinat und die Kirschen, die er noch ins Tiefkühlfach packen mußte; er zündete die zweite Zigarette doch an: irgendwo – war es Irland? – waren Wahlen gewesen: Erdrutsch; irgendeiner – war es wirklich der Bundespräsident? – hatte irgendwas sehr Positives über Krawatten gesagt; irgendeiner ließ irgendwas dementieren; die Kurse stiegen; Idi Amin blieb verschwunden.

Er rauchte die zweite Zigarette nicht zu Ende, drückte sie in einen halb leergegessenen Yoghurtbecher aus; er war wirklich todmüde und schlief bald ein, obwohl das Wort Heidelberg in seinem Kopf rumorte.

Er frühstückte frugal: nur Brot und Milch, räumte auf, duschte und zog sich sorgfältig an; als er die Krawatte umband, dachte er an den Bundespräsidenten – oder war's der Bundeskanzler gewesen? Eine Viertelstunde vor der Zeit saß er auf der Bank vor Kronsorgelers Vorzimmer, neben ihm saß ein Dicker, der modisch und salopp gekleidet war; er kannte ihn von den Pädagogikvorlesungen her, seinen Namen wußte er nicht. Der Dicke flüsterte ihm zu: "Ich bin Kommunist, du auch?"

"Nein", sagte er, "nein, wirklich nicht – nimm's mir nicht übel."

Der Dicke blieb nicht lange bei Kronsorgeler, machte, als er herauskam eine Geste, die wohl "aus" bedeuten sollte. Dann wurde er von der Sekretärin hineingebeten; sie war nett, nicht mehr ganz so jung, hatte ihn immer freundlich behandelt – es überraschte ihn, daß sie ihm einen aufmunternden Stubs gab, er hatte sie für zu spröde für so etwas gehalten. Kronsorgeler empfing ihn freundlich; er war nett, konservativ, aber nett; objektiv; nicht alt, höchstens Anfang vierzig. Radsportanhänger, hatte ihn sehr gefördert, und sie sprachen erst über die Tour de Suisse; ob Merckx geblufft habe, um bei der Tour de France unterschätzt zu werden, oder ob er wirklich abgesunken sei; Kronsorgeler meinte, Merckx habe geblufft; er nicht, er meinte, Merckx sei wohl wirklich fast am Ende, gewisse Erschöpfungsmerkmale könne man nicht bluffen. Dann über die Prüfung; daß sie lange überlegt hätten, ob sie ihm doch eine Eins geben könnten; es sei an der Philosophie gescheitert; aber sonst: die vorzügliche Arbeit an der VHS, am Abendgymnasium; keinerlei Teilnahme an Demonstrationen, nur gäbe es – Kronsorgeler lächelte wirklich liebenswürdig – einen einzigen, einen kleinen Fehler.

"Ja, ich weiß", sagte er, "ich fahre zu oft nach Heidelberg." Kronsorgeler wurde fast rot, jedenfalls war seine Verlegenheit deutlich; er war ein zartfühlender, zurückhaltender Mensch, fast schüchtern, Direktheiten lagen ihm nicht.

"Woher wissen Sie?"

"Ich höre es von allen Seiten. Wohin ich auch komme, mit wem ich auch spreche. Mein Vater, Carola, deren Vater, ich höre nur immer: Heidelberg. Deutlich höre ich's, und ich frage mich: wenn ich die Zeitansage anrufe oder die Bahnhofs-Auskunft, ob ich nicht hören werde: Heidelberg."

Einen Augenblick sah es so aus, als ob Kronsorgeler aufstehen und ihm beruhigend die Hände auf die Schulter legen würde, erhoben hatte er sie schon, senkte die Hände wieder, legte sie flach auf seinen Schreibtisch und sagte: "Ich kann Ihnen nicht sagen, wie peinlich mir das ist. Ich habe Ihren Weg, einen schweren Weg mit Sympathie verfolgt – aber es liegt da ein Bericht über diesen Chilenen vor, der nicht sehr günstig ist. Ich darf diesen Bericht nicht ignorieren, ich darf nicht. Ich habe nicht nur Vorschriften, auch Anweisungen, ich habe nicht nur Richtlinien, ich bekomme auch telefonische Ratschläge. Ihr Freund – ich nehme an, er ist Ihr Freund?"

"Ja."

"Sie haben jetzt einige Wochen lang viel freie Zeit. Was werden Sie tun?"

"Ich werde viel trainieren – wieder radfahren, und ich werde oft nach Heidelberg fahren."

"Mit dem Rad?"

"Nein, mit dem Auto."

Kronsorgeler seufzte. Es war offensichtlich, daß er litt, echt litt. Als er ihm die Hand gab, flüsterte er: "Fahren Sie nicht nach Heidelberg, mehr kann ich nicht sagen." Dann lächelte er und sagte: "Denken Sie an Eddy Merckx."

Schon als er die Tür hinter sich schloß und durchs Vorzimmer ging, dachte er an Alternativen: Übersetzer, Dolmetscher, Reiseleiter, Spanischkorrespondent bei einer Maklerfirma. Um Profi zu werden, war er zu alt, und Elektriker gab's inzwischen genug. Er hatte vergessen, sich von der Sekretärin zu verabschieden, ging noch eimal zurück und winkte ihr zu.

[1979]

Thomas Bernhard

Angst

Im Juni des Vorjahres war ein Tiroler vor Gericht gestanden, der wegen Mordes an einem Imster Schulkind angeklagt gewesen war und zu lebenslänglichem Kerker verurteilt worden ist. Der Tiroler, von Beruf Schriftsetzer und seit drei Jahrzehnten zur Zufriedenheit der Besitzer, in einer Innsbrucker Druckerei beschäftigt, hatte sich dahingehend verantwortet, daß er vor dem Imster Schulkind Angst gehabt habe, was ihm von den Geschworenen aber nicht geglaubt worden war, denn der Schriftsetzer, der tatsächlich aus Schwaz gebürtig gewesen ist und dessen Vater als Innungsmeister der Tiroler Fleischhauer in Tirol zu höchstem Ansehen gekommen war, hatte eine Körpergröße von einsneunzig und war, wie die Geschworenen sich im Gerichtssaal überzeugen hatten lassen, imstande gewesen, eine aus Eisen gegossene hunderfünfzig Kilogramm schwere Kugel auf zwei Meter Höhe zu heben, ohne zu scheitern. Der Tiroler hatte das Imster Schulkind mit einem sogenannten *Maurerfäustl* erschlagen.

[1978]

Christof Wackernagel

Viva Maria

Ihre Zuversicht war einfach unverwüstlich. Wie man mit den Leuten hier an der Strassenbahnhaltestelle jemals die Revolution machen sollte, war zwar völlig unklar, aber man musste eben nur anfangen. Genauso wie es regnete und schliesslich irgendwann wieder mal die Sonne scheinen wird. Naja, das klingt jetzt wie Udo Jürgens – aber stimmen tuts, dachte sie trotzig. Mit ihren braunen, traurig staunenden Kulleraugen schaute sie freundlich angriffslustig um sich. Es wurden ja auch immer mehr, die erkannten, dass es so nicht weitergehen konnte. Sicher, die meisten dachten noch, es liesse sich innerhalb des Systems was ändern, aber zum Teil belehrte sie der Staat selbst ja immer mehr eines besseren. Und der andere Teil ist unsere Aufgabe! Der Kaffee, den sie eben noch viel zu schnell in sich hineingeschüttet hatte, weil sie den Wecker wieder einmal nicht ernst genug genommen hatte, war wohl doch etwas arg stark gewesen. Mehrmals musste sie tief Luft holen. Diese Diskutiererei aber auch immer die halbe Nacht! Und dann soll man morgens aufstehen, als sei nichts, und zur Arbeit gehen. Allerdings immer noch besser als die meisten, die um sie herum standen und auch nicht viel ausgeschlafener aussahen. Die hatten wohl Fernsehn geglotzt und dachten am frühen Morgen schon an den Feierabend. Naja, ich auch, aber ich hab wenigstens was zu tun hinterher! Wieviele von denen hier an der Haltestelle wohl beim Volkszählungsboykott mitmachten? Warum konnte man denn hier jetzt nicht einfach 'ne Diskussion anfangen? In anderen Ländern gabs sowas doch auch! Immer dieses stiere Sichanöden. Da konnte es einem fast vergehen. Dass sie aber auch niemanden traf heute morgen? Sie schaute sich noch aufmerksamer um, ob nicht irgendwo jemand Bekanntes zu sehen war. Lauter muffige Gesichter. Sie gähnte. Sofort erteilte sie sich eine scharfe Rüge. Man darf sich davon nicht anstecken lassen! Zum Teil können sie ja nichts dafür, die Leute, da muss man mit gutem Beispiel vorangehen. Schade, dass man den Nulltarif nicht auch so öffentlich machen konnte wie den Volkszählungsboykott. Wieviele hier wohl keinen Fahrschein hatten? Mehr als man denkt, versicherte sie sich und fühlte sich in ihrer Zuversicht bestärkt. Die meisten wissen, dass alles Scheisse ist und dass die Politiker sie nur betrügen, sie wissen nur nicht, dass man was dagegen machen kann! Wieder schaute sie sich die Leute ganz genau an. Bei wem bestünde wohl die Chance, ihm das klarzumachen? Zumindest bei den meisten Jungen müsste da was drin sein. Sahen doch ganz nett aus! Sie hatten nur noch nicht die Gelegenheit zu erfahren, wie es ist, gemeinsam was zu machen, dieses unheimlich gute, starke Gefühl, wenn man zusammen die Absichten der Herren durchkreuzte! Ungeduldig wechselte sie das Standbein. Diese Power von kollektivem Widerstand! Dieses befreite Gefühl, wenn man merkte, dass die eigene alte Scheisse zu überwinden war! Überall in den kleinen Dingen des Alltags musste man es praktizieren und so auch die Macht solidarischen Handelns vermitteln. Es ist möglich alles, dachte sie entschlossen. Wann kommt denn die scheiss Strassenbahn? Rechtzeitig würde sie eh nicht mehr ankommen, aber zuuu spät sollte es ja nun auch nicht werden! Ein Mann in einem hellen Lodenmantel trat an die Haltestelle. Sieht aus wie Genscher, dachte sie. Bestimmt ein Bullenschwein. Oder ein Fahrkartenkontrolleur. Sie überlegte, ob sie nicht doch einen Fahrschein lösen sollte. Ach Scheisse, man muss es riskieren!

Endlich kam die Strassenbahn.

Sie stieg extra als letzte ein, um das Verhalten des Mannes im Lodenmantel beobachten zu können. Bevor die Tür zu war, würde er zwar nichts machen, aber er schnappte sich gleich einen der letzten Sitzplätze, und das sprach nicht gerade für Kontrolleur. Wahrscheinlich doch eher ein Bulle.

Sie drehte sich um und schaute nochmal raus. Eine junge Frau kam angerannt. Sie hatte ein liebes, frisches Gesicht, eine beige Lederjacke und eine Jutetasche.

Da klingelte es, und die Türen gingen zu. Ohne zu zögern, stieg sie entschlossen auf das Trittbrett, um die Abfahrt zu blockieren. Sie sah so nett aus.

Keuchend stürmte die junge Frau herein und bedankte sich mit einem kurzen Kopfnicken. Kaum war der Wagen angefahren und hatte sie wieder Luft geholt, griff sie in ihre Lederjacke, holte etwas heraus, zeigte es ihrem Nachbarn und sagte:

"Die Fahrkarte, bitte!"

[1984]

Wolf Biermann

Ermutigung

Peter Huchel gewidmet

Du, laß dich nicht verhärten
In dieser harten Zeit
Die all zu hart sind, brechen
Die all zu spitz sind, stechen
und brechen ab sogleich

Du, laß dich nicht verbittern
In dieser bittren Zeit
Die Herrschenden erzittern
- sitzt du erst hinter Gittern -
Doch nicht vor deinem Leid

Du, laß dich nicht erschrecken
In dieser Schreckenszeit
Das wolln sie doch bezwecken
Daß wir die Waffen strecken
Schon vor dem großen Streit

Du, laß dich nicht verbrauchen
Gebrauche deine Zeit
Du kannst nicht untertauchen
Du brauchst uns, und wir brauchen
Grad deine Heiterkeit

Wir wolln es nicht verschweigen
In dieser Schweigezeit
Das Grün bricht aus den Zweigen
Wir wolln das allen zeigen
Dann wissen sie Bescheid

[1968]

Peter Rühmkorf

Bleib erschütterbar und widersteh

Also heut: zum Ersten, Zweiten, Letzten:
Allen Durchgedrehten, Umgehetzten,
was ich, kaum erhoben, wanken seh,
gestern an und morgen abgeschaltet:
Eh dein Kopf zum Totenkopf erkaltet:
Bleib erschütterbar – doch widersteh!

Die uns Erde, Wasser, Luft versauen
– Fortschritt marsch! mit Gas und Gottvertrauen –
Ehe sie dich einvernehmen, eh
du im Strudel bist und schon im Solde,
wartend, daß die Kotze sich vergolde:
Bleib erschütterbar – und widersteh.

Schön, wie sich die Sterblichen berühren -
Knüppel zielen schon auf Hirn und Nieren,
daß der Liebe gleich der Mut vergeh ...
Wer geduckt steht, will auch andre biegen.
(Sorgen brauchst du dir nicht selber zuzufügen;
alles, was gefürchtet wird, wird wahr!)
Bleib erschütterbar.
Bleib erschütterbar – doch widersteh.

Widersteht! im Siegen Ungeübte,
zwischen Scylla hier und dort Charybde
schwankt der Wechselkurs der Odyssee ...
Finsternis kommt reichlich nachgeflossen;
aber du mit – such sie dir! – Genossen!
teilst das Dunkel, und es teilt sich die Gefahr,
leicht und jäh – – –
Bleib erschütterbar!
Bleib erschütterbar – und widersteh.

[1979]

Hans Joachim Schädlich

Versuchte Nähe

Ein Feiertag; immerhin ist es ein Feiertag, ein heller Anzug rechtfertigt sich; und er geht später, wird später als sonst zu seinem Platz gefahren.

Die Fahrt ist nicht das einzige an diesem Morgen, einem sonnigen, wie er bemerkt hat zu früher Stunde; es täuschen sich manche und würden nicht tauschen mit vierzehnstündiger Beschäftigung täglich, auch an einem Feiertag.

Vor der Fahrt, die ihn entspannt, wenn er, zurückgelehnt, dem Zentrum der Stadt sich nähert durch fahnenreiche Straßen: Gespräche, in denen er, schnell wechselnd, anordnet, wünscht, empfiehlt, rät, unterrichtet wird in umfassender Weise, aber kurz, geordnet nach den Wichtigkeiten; vor den Gesprächen, vor einfachem Frühstück, das dem Rat von Ärzten folgt wie alle Mahlzeiten – heute mit Grund reicher: der Besuch des Arztes, des Blutdruckes wegen und der Dosierung einiger Medikamente, und: Schwimmen nach Vorschrift, einhundert Meter wenigstens, im Hausbad, gesellig begleitet von Mitarbeitern, denen es ehrenvoll und vergnüglich.

Die Fahrt ist schön; er ißt eine Apfelsine, vorsichtig trotz der Serviette, er trägt einen hellen Anzug; noch kauend schlägt er die Zeitung auf, das Bekannte, er weiß es, und doch.

Auch dem Fahrer gefallen diese Fahrten mit ihm, sein aufmunterndes Wort, seine Aufgeräumtheit, die übertragbar ist.

Er ist nicht der erste am Ziel, soll es nicht sein, zahlloses Personal ist längst eingetroffen, und auch die anderen, seine Kollegen, die ihn begrüßen, gut gelaunt. Noch ist die Runde nicht vollzählig, Gäste aus dem Landesinneren und Fremdländer werden erwartet, die Gelegenheit erhalten sollen, geehrt zu werden und zu ehren. Die ihn persönlich kennen, Gäste, unternehmen bei ihrer Ankunft zu seiten des Podestes den Versuch, herüberzuwinken, lächelnd, freundschaftlich. Meist kann er zurückgrüßen, auch, wenn er mit einem Kollegen ein Wort wechselt gerade.

Es ist warm, man sieht Blumen am Rande des Podestes, die trennende Ordnung der Arbeit ist noch außer Kraft, die Gelöstheit läßt manches Gespräch zu, das nicht möglich wäre anders für manchen.

So ist es immer an diesem Tag, er mag ihn, und er mag ihn nicht. Die große Anstrengung, drei Stunden, vier, in der Sonne, sichtbar zu sein allen. Doch unleugbar ist auch Erheiterung, Belebung, Stärkung durch die Nähe der vielen, so daß Lust und Scheu einander widerstreiten.

Der Gedanke, er könnte fehlen an diesem Tag, kann nicht gedacht werden. Sogar Krankheit, allerdings leichtere, darf kein Grund sein. Unbeachtet können bleiben, die Unpäßlichkeit als Vorwand für Streit ansehen wollen und nur gelten lassen als Krankheit von Größerem. Die aber einfache Sorge spüren müßten um ihn und Sorge also um Größeres, in seiner Krankheit selber sich geschwächt fühlend, sollen unbesorgt bleiben und wollen es.

Viele außer diesen, Feiertagsgäste auf der Suche nach Erzählbarem, auch Kinder, wären bloß enttäuscht. Auf Bilder verwiesen, die ihn zwar deutlicher zeigen als er sich selbst zeigt aus einiger Entfernung für Zuschauer. Es ist aber der Satz *Ich habe ihn gesehen von unerklärtem Gewicht und muß gesagt werden können.*

Und andere Gründe als Krankheit gibt es: die Geschäfte, denen er fernbleibt für drei, vier Stunden; auch die anderen, die die Geschäfte lenken mit ihm, sind versammelt. Nie hat man ihn von seinem erhöhten Platz aus, unter den Augen Tausender, hinter der blumengeschmückten Umrandung, telefonieren sehen. Nie ist bemerkt worden, daß Boten ihm Nachrichten übermitteln und forteilen mit seiner Weisung. Nicht einmal sprechen sieht man ihn, nachdem die Glockenschläge erschallt sind, die Fanfare ertönt ist, den Beginn anzuzeigen. Ein Scherzwort vielleicht, dem Nachbarn zur Linken oder Rechten zugeworfen, gewiß nicht die Geschäfte betreffend. Nur mit den Vorüberziehenden spricht er, später. Verläßliche Männer an seiner Stelle müssen die Ordnung in Gang halten solange, gestützt von Personal wie an jedem Tag.

Das Podest, welches die Passanten und Zuschauer mehrfach überragt, ist von einem Seil umgeben unten, etwa in Hüfthöhe. In kurzen Abständen ist hinter oder vor dem Seil Personal postiert, das zum Schutz dient und auch wie Schmuck ist. Die jungen Männer, uniformiert und leichtbewaffnet, werden für die Dauer des Vorbeizugs nicht ausgetauscht. Sie haben andere abgelöst, die vor ihnen dort standen und andere abgelöst haben; so, daß das Podest geschützt ist seit zwei Tagen.

Andere, nicht uniformiert, sind zahlreich unter die Zuschauer gemischt, haben sich auf Dächern nahegelegener Häuser eingerichtet und sitzen an Fenstern, die des schönen Wetters wegen geöffnet sind. Die Leiter des Personals stehen selbst auf dem Podest, müssen aber in dieser Minute keine Mühe auf die Arbeit ihrer Leute verwenden, da jede Möglichkeit mehrfach besprochen wurde und hohe Verantwortliche für diesen Tag benannt sind.

Eine Ansprache ist zu halten, so ist es Brauch, und ein aufstrebender Kollege, jüngst in den engsten Kreis aufgenommen, tritt an die Mikrofone. Der Redner sagt, was auch er gesagt hätte, daß nämlich den Tätigen gedankt werde für Leistung.

Nicht vollbracht zu seinem Nutzen oder dem des Redners, sondern zum Nutzen der Tätigen selbst und des großen Vorhabens. Wenn also gedankt wird, so ist es das Vorhaben, das Sprache gewinnt durch den Mund eines Redners, und es danken sich die Tätigen durch den Dank des Redners selbst.

Der Beifall ist stark nach kurzer Rede, auch er und seine Kollegen klatschen, und der Redner auch, die Lautsprecher übertragen es. Den Beifall des Redners, obwohl mißdeutbar, versteht der Vertrautere als Beifall für etwas.

Aus großer Höhe sieht man nicht, daß er nach links blickt, ohne den Kopf zu drehen, links steht der General, dem von unten, vom Platz her, der umsäumt ist von Tausenden, gemeldet wird, dies nach neuerlichem Fanfarenstoß, daß alles angetreten sei. Er sieht hinunter auf dieses ausgezeichnete Bild. Ein schwer widerstehliches Verlangen, sich hinunterzubeugen, den Kopf seitwärts auf den Fußboden zu legen, das rechte Auge ungefähr in der Höhe der Köpfe, den Geräuschen der Fahrzeuge, ihrem Geruch, Lack, Blech, Gummi, ganz nahe.

Sie sehen herüber, in der kurzen Stille, der Tag ist sonnig, für eine Sekunde schließt er die Augen, atmet tief ein, der Gedanke an ihre Stärke, solch einen Augenblick hat dieser Tag.

Stärkender als starkes Kampfgerät ihr Blick, obgleich Schüler noch, des Generals, aber die das Leben geringachten vor dem großen Vorhaben, und zahllosen Männern, sehr jungen, vorgesetzt sein sollen nach beendeter Lehre. Andere, ausgelernt, Barette kühn auf ihren Köpfen, ausgerüstet mit dem Mut von Falken, auf schwebenden Halt Vertrauende, die vom Himmel sich stürzen auf den Feind, sehen ihn an. Er möchte die Hand auf ihre Schulter legen: Ihr, meine Festen.

Allen. Diesen und anderen, auf dem Lande, dem Wasser und am Himmel. Unvermögend wäre das teuere Kampfgerät ohne sie. Unzulässige Selbstverleugnung ist es, freilich sympathische, daß ihr Mund den neuen Panzer, den aufsehenerregenden, "Kampfmaschine" getauft hat.

Doch auch umgekehrt, denkt er; was vermöchten sie ohne Maschinen, fahrende, schwimmende, fliegende?

Freunde aus Fleisch und Freunde aus Stahl, keinem kann der Vorzug gegeben werden, vorzüglich sind beide, und unübertrefflich, wenn sie vereint.

Es weckt ihn aus solchen Gedanken der Zug der Tätigen, dessen Spitze den Blick schon passiert hat. Die schöne Ordnung ist abgelöst, er bedauert es und bedauert es nicht über dem Anblick der Vielfalt.

Auf eigens gezimmerten Stellagen, die von vier Personen getragen werden, nähern sich hoch über den Köpfen die Porträts bärtiger Männer. Hinter ihnen, in mehreren Reihen, tragen starke Jünglinge Fahnen, die sie leicht hin- und herschwenken. Auf kunstvoll drapierten Lastwagen, die im Schrittempo vorbeirollen, haben die Tätigen Zeichen der Tätigkeit plaziert: eine Maschine für den Landbau, von der es heißt, sie sei die soundsoviel Tausendste; ein großes Zahnrad, von einem breiten weißen Band umgürtet, auf dem zu lesen steht, wie die Erbauer von Zahnrädern vorankommen wollen; eine Kabeltrommel, deren Kabel die Stelle allen Kabels vertritt, das erzeugt wurde. Die Zeichen rühren ihn, er sieht sie gern, doch weiß er, daß Erklärung von Absicht und sprichwörtlicher Eifer nicht ausreichen.

Die Tätigen begleiten die Wagen und folgen ihnen; Väter, Söhne auf ihren Schultern, zeigen ihren Söhnen ihn. Die Kinder schwenken Papierfähnchen in den Landesfarben oder Sträußchen.

Trotz der Entfernung bis zu denen, die vorbeiziehen, sind ihre Gesichter zu erkennen, und, er hat ein gutes Auge. Es ihnen gleichzutun, die lachen, winken, ist leicht. Aber daß so viele ihn sehen und sich einprägen, möchte er aufwiegen und sieht in die Gesichter, die, ihm am nächsten, herankommen und fortgehen, um sie zu behalten. Seine Augen wandern unablässig von rechts nach links; einzelne Züge, die ihm auffallen, will er sich merken, doch sie wechseln zu schnell für diese Absicht. Er stellt, sein Gedächtnis zu stützen, Vergleiche an, Namen murmelnd wie Notizen, vergleicht, die er sieht, mit seinen Kollegen, Mitarbeitern, und sieht, da es seinem Auge mühselig wird, der Menge zu folgen, nur die, die er kennt.

Fragt sich, hat Zeit heute, was andere sonst für ihn sich fragen und andere, wie er den vielen, die ihn sehen, erscheint. Zuerst: wer sind die, sie tragen eine Adresse voran auf einem Schild oder Band, aber nie eines einzelnen, und er, den sie sehen als einen einzelnen, will einzelne: wo wohnt der, der dort lacht, wann ist der losgegangen zu einer Straßenecke, die ihm jemand genannt hat, und: warum geht der dort unten, will er, daß er ist, wie er sein soll, damit er, wie er ist, sein will?

Warum sagt ihm niemand, fragt er, wie es ist, wenn einer dort geht und ihn sieht. Und, warum versetzt ihn keiner in den da, der dort geht, daß er eins wäre mit dem, wie er an der Straßenecke, weit entfernt von hier, ankommt, seine Kollegen, die schon da sind, begrüßt, oder begrüßt wird von denen, die kommen, eine Zigarette raucht, wartet, und losgeht endlich, langsam, der Zug stockt und geht weiter, schon hört er den Lautsprecher, der Grüße übermittelt den Ankommenden, wendet den Kopf nach links, dem Podest entgegen, lacht hinüber und winkt sich zu.

Sieht, als er sagen will, So also, daß er, ohne verstanden zu werden, aber es ist vom Mund ablesbar, ein Wort vertrauter Verbundenheit ruft, und ruft es.

Er folgt der Lust, weiterzuziehen mit den vielen, die sich bald verlieren am Ende der großen Straße, nach diesem feiertäglichen Vorbeigang ist er durstig und kauft wie andere an einem Kiosk zwei Biere, die er schnell trinkt, muß aber bleiben, hinunterblicken, lachen, winken, den Vorbeiziehenden öfter freundschaftliche Neigung bekundend, unterstützt von seinen Händen, die er vor der Brust zusammenlegt als wolle er sie waschen, bis in Kopfhöhe anhebt und wie schüttelnd hin- und herbewegt auf einer kurzen Strecke zwischen sich und den Passanten. Er kann nicht fortgehen und nach gleicher Zeit wie die Vorübergehenden, die nicht länger als zwei Stunden unterwegs sind von ihrer Straßenecke bis zu den Kiosken am unteren Ende der Allee, Bier trinken, oder essen. Und anderes, wozu den anderen, denen er mit einem Strauß Blumen jetzt zuwinkt, die also vor ihm gelegen haben müssen, Gelegenheit gegeben ist am Ende der Straße, ist ihm verwehrt, und er muß es bedenken am Morgen.

Leichter ist es, zwei Stunden, drei, unter sonnigem Himmel die asphaltierte Straße entlangzugehen im Gespräch mit anderen, von Musik, wenngleich lauter, begleitet, als diese Zeit und länger in der Sonne zu stehen, fast unbewegt, von den Händen abgesehen und dem jetzt häufigeren Wechsel des Standbeins, und ganz ohne Erfrischung.

Willkommen in solcher Lage ist der Anblick von Festwagen, auf welchen sportliche Jünglinge Handstände vollführen oder längere Zeit auf dem Kopf stehen und junge Mädchen, in roten oder schwarzen Trikots, wie die Jünglinge das Zeichen des Landes auf der Brust, seidene Tücher schwingen im Rhythmus angedeuteten Tanzes oder mit Reifen umgehen nach Art von Jongleuren.

Er winkt den Gelehrten, die, so sagt er, der Absicht und dem Eifer die Einsicht hinzufügen, und winkt ihnen wie älteren Brüdern. Ihre Eigenart, Dingen nachzudenken ohne täglichen Zweck, sondern um des Einsehens willen, ist nützlich dem großen Vorhaben, weiß er, und hat sich dessen versichert.

Jetzt schon zum zweitenmal, während er die Linke zum Gruß erhebt, sieht er auf seine Armbanduhr, von plötzlicher Müdigkeit befallen, die vor allem sich ausdrückt in dem Wunsch, einige Minuten zu sitzen, und ungern bedenkt er, daß, nach vorgesehener, aber doch kurzer Mittagspause der Besuch fremdländischer Gäste erwartet wird, der, nach der Ordnung, wieder nur stehend, und aber herzlich, empfangen werden muß.

Nur von den Bühnenkünstlern kommt noch Aufmunterung. Viele kennt er, nicht nur aus der Entfernung der Loge, sondern bei anderer Gelegenheit sind sie ihm begegnet, und er hat sie ins Gespräch gezogen aus Sympathie für die Kunst der Verwandlung. Hauptsächlich zieht ihn an gesungenes Handeln oder handelnder Gesang. Denen zu lauschen, die dem Wort zweifachen Klang verleihen und also zweifache Kraft! Und gehört werden noch, wenn die Sprache, deren sie sich bedienen, unverstehbar, Italienisch oder gestört. Bedauern muß er, daß ihm das Amt versagt, starker Neugier auf die Maschinerie unter, über und hinter der Bühne nachzugeben, jene verästelte Apparatur, die in der Hand geschickter Leute jedes gewünschte Bild herzustellen vermag. Er erlaubt sich die Vorstellung, die Bühnenkünstler zögen in Kostümen jener Gestalten vorüber, die ihm besonders wert.

Die am längsten gewartet haben an einer Straßenecke und jetzt, zu den letzten zählend, vorübergehen, schon eilig, sind kaum noch zu Reihen geordnet; manche, bemüht, ihre Kinder zum Gehen anzuhalten oder in lebhaftem Gespräch mit dem Nachbarn, blicken nicht mehr herauf. Der Vorbeizug hat für sie geendet nach mehrstündiger Dauer, unerachtet des Podestes.

Solche Achtlosigkeit ist ihm, obgleich selber müde, unbehaglich. Es stört ihn die Beobachtung, daß die Vorüberziehenden, wie er, zu Aufmerksamkeit sich zwingen müssen. Daß die Unbehaglichkeit, je weniger Tätige, meist achtlos, vorüberziehen, sich steigert zu Nervosität, registriert er mit dem Wunsch nach vernünftiger Erklärung. Sogar Unsicherheit gibt er sich zu angesichts der wenigen, die die Straße vor dem Podest noch passieren, und hätte doch ehestens unsicher sein sollen vor den vielen davor, dem Unübersehbaren, das vorbeugender Kontrolle vielköpfig sich zu entziehen scheint. Niemand nimmt wahr, daß kurze Verlorenheit sich seiner bemächtigt. Auch seinen Kollegen, die in unmittelbarer Nähe stehen, etwas hinter ihm, und stets noch fröhlich winken gelegentlich, bleibt es verschlossen.

Jetzt stört es ihn, daß er nicht jeden Mann des Personals, das ringsum verteilt ist, von Angesicht kennt, um jeden mit eigenen Augen aufsuchen, von den Passanten und Zuschauern unterscheiden zu können. Stellte er sich den Platz als berechenbar vor, sollte am Ende des Vorbeizuges nur Personal zurückbleiben, das den Blick von dem Zug der Tätigen endlich abwendet und von allen Seiten zu ihm herüberblickt: Es ist nichts. Auch über dir der Himmel ist sauber.

Sehr kurze Zeit will er denken, das eigene Personal, bewaffnet, starre ihn an: aus der Menge, die verschwunden ist, von Häuserdächern herab und aus geöffneten Fenstern, die leichten, entsicherten Waffen auf *ihn* richtend; ein Bild, das er, lächelnd, winkend noch einmal, sogleich abweist.

Wenig später gibt ein Offizier, dem aufgetragen ist, das Ende anzuzeigen, ein vereinbartes Zeichen; aus den Lautsprechern kommt ein Lied, das immer ertönt am Ende des Vorbeizuges, und wer kann, singt mit, ausgenommen das Personal auf den Dächern.

[1977]

Lutz Rathenow

Böse Geschichte mit gutem Ende

Der Spitzel, um den es geht, war kein gewöhnlicher Spitzel, sondern der beste des Landes. Er säuberte fünf Mal am Tag die Ohren und konnte drei Gespräche gleichzeitig mitschreiben. Aus siebenhundert Meter Entfernung hörte er, wenn einer gegen den Wind hustete oder nur so vor sich hin fluchte. Sein außerordentliches Riechvermögen erlaubte ihm festzustellen, ob man mit der gerade dem Briefkasten entnommenen Tageszeitung das Feuer anzündete, ohne sie also vorher mit gebührender Gründlichkeit studiert zu haben.

Wenn dieser Spitzel lautlos die Straßen entlangschlich, sah ihn keiner, jedenfalls nicht in seiner normalen Gestalt, die er selbst kaum noch kannte, da Namen und Aussehen täglich mehrfach wechselten. Anfangs imitierte er Straßenkehrer, mürrische Greise, Debile, Kindergärtnerinnen, Sarghändler; später verwandelte er sich in Gegenstände, tarnte sich als Papierkorb, Parkbank oder Strauch, um eine Unterhaltung unbemerkt zu verfolgen. Seine Fähigkeit, stundenlang als Gegenstand auszuharren, vervollkommnete er zusehends. Selbst gelegentliche Tritte, ihre Notdurft verrichtende

Hunde, vermochten ihn nicht aus der Ruhe zu bringen. Einmal sträubte er sich allerdings gegen den Abtransport durch zwei Männer, die vor Verblüffung fast erstarrten, als ihr vermeindliches Stück Schrott, dessen genaue Beschaffenheit sie gerade prüfen wollten, sich als eine Person entpuppte, die, ohne sie eines Blickes zu würdigen, davoneilte.

In der Regel verlief sein Dienst ohne Komplikationen. Seine Berichte schätzte der Regierer so, daß er stets persönlich zum Landeshöchsten vorgelassen wurde. Natürlich unter Wahrung strenger Geheimhaltung; selbst Minister sollte es geben, die anderes beabsichtigten als sie zu tun vorgaben. So wurde der Spitzel auf Grund seiner Begabung nur in höchsten Kreisen eingesetzt und erhielt vom Regierer den Auftrag, vor allem den Geheimdienstchef zu überprüfen: schließlich lebe man in einer Demokratie, jeder sei zu kontrollieren. Sein unmittelbarer Vorgesetzter, der Geheimdienstchef, befahl wiederum, schwerpunktmäßig das Verhalten des Regierers zu beobachten: Demokratie bedeute, keinen von der Observation auszunehmen.

Leider konnte der Spitzel diese ungemein reizvolle Situation nicht in ihrer ganzen Pikanterie auskosten. Sein sich weiter verfeinerndes Gespür für eine Tarnung in geschlossenen Räumen behinderte eine umfassende Erfüllung der Aufträge. So sprach er nicht mehr, war kaum noch in der Lage zu flüstern, hörbar einen Raum zu betreten – ja, anderen als Mensch gegenüberzutreten. Er hielt sich als Möbelstück im Zimmer auf, man saß auf ihm, stellte Teller ab, drückte Zigaretten aus.

Anfangs knarrten die Dielen lauter als gewöhnlich, wenn er seine Stellung veränderte; das war die Zeit seiner in Landessprache verfaßten Berichte, die in den Diensträumen der Vorgesetzten deponiert wurden, wo man ihm die neuen Weisungen hinterlegte.

Später benutzte der mehrfach mit dem "Goldenen Ohr" dekorierte Kundschafter ausgeklügelte Codes, um möglichen Mißbrauch zu vermeiden. Er verzichtete schließlich ganz auf das Schreiben und punktierte die Informationen auf Mikrofilm, den er an wechselnden Orten versteckte, so daß Regierer und Geheimdienstchef nur durch Zufall in Besitz der ohnehin kaum zu entschlüsselnden Daten gelangten. Der Spitzel recherchierte mit einer Sorgfalt, die ihn zu diesem Zeitpunkt nicht mehr ängstigte, obwohl er Wochen reglos als Klappstuhl im Zimmer des Regierenden weilte und über eine absolut sichere Form der Berichterstattung nachdachte, bei der er weder zu sprechen, zu schreiben, noch sich zu bewegen brauchte. So etwas wie Gedankenübertragung, was letztlich an der mangelnden konspirativen Sensibiliät seiner Auftraggeber scheiterte.

Regierer und Geheimdienstchef vergaßen die Existenz ihres fähigsten Informanten und ließen in dessen Akte einen Vermerk anbringen: vermißt, vermutlich bei einem der Straßenkämpfe gefallen. Der Sache nachzugehen blieb keine Zeit. Die Führung des Staates wurde vom in immer größerer Zahl demonstrierenden Volk bedrängt und gestürzt.

Jetzt das angekündigte gute Ende: schöne Zeiten begannen, ohne Geheimdienst und Regierer, die Angst um ihre Macht haben mußten. Der Spitzel aber, durch mangelndes Bedürfnis an Denunziation des Sinns seiner Tätigkeit beraubt, der ihm wirklicher Antrieb zu stets ausgetüftelteren Tarnungsmethoden gewesen war, dieser Spitzel degenerierte allmählich zu einem Menschen, der erkannte, überflüssig geworden zu sein.

Er trat in einem Variete auf und zeigte der staunenden Öffentlichkeit, wie man sich in einen Tisch oder Garderobenständer verwandelte. Doch starker Applaus verhinderte nicht die zunehmende Lustlosigkeit seiner Darbietungen. Eines Tages weigerte er sich, weiter als Kuriosum der Öffentlichkeit präsentiert zu werden.

Es blieb sein noch immer beachtliches Geruchs- und Gehörvermögen, er durfte in einer Klinik arbeiten. Nach Erlangung gewisser Routine vermochte er anhand des bloßen Mundgeruches die Diagnose bei Magenerkrankungen zu stellen. Ferner beauftragte man ihn, allen Patienten den Brustkorb abzuhören, ob da ein Geräusch wider die Vorschrift sei. Er brauchte dazu nur seine Ohren. Unnötig zu erwähnen, daß er seinen Dienst korrekt versah.

[1980]

5. Arbeit und Freizeit

1961 beklagte der Literaturwissenschaftler Walter Jens, die deutsche Gegenwartsliteratur spare alle Probleme aus, die mit der Welt der Industrie zusammenhingen, und verdränge die Realität des Arbeitslebens der großen Mehrheit der Bevölkerung. Tatsächlich zeigte sich erst in den sechziger Jahren ein neues Interesse an der Literatur der Arbeitswelt. Es ist auf das Zusammentreffen der Studentenbewegung mit der wirtschaftlichen Rezession in den Jahren 1966/67 zurückzuführen. Literatur von Arbeitern über Arbeiter und für Arbeiter wurde von den Studenten als Mittel gesehen, um das proletarische Bewusstsein kennenzulernen bzw. politisch zu beeinflussen. Die von den kritischen Studenten angestrebte Allianz mit der Arbeiterschaft blieb allerdings eine einseitige Illusion.

In den sechziger Jahren kam es zu ersten organisatorischen Zusammenschlüssen der Arbeiterschriftsteller, z.B. in der Dortmunder "Gruppe 61". Einer ihrer prominentesten Autoren war der ehemalige Bergarbeiter Max von der Grün. Ziel der Gruppe war die Auseinandersetzung mit der industriellen Arbeitswelt der Gegenwart und ihren sozialen Problemen. 1970 kam es nach politischen Differenzen zur Spaltung der Gruppe und zur Gründung des "Werkkreises Literatur der Arbeitswelt". International wohl bekanntestes Mitglied des Werkkreises war Günter Wallraff. Seine "Industriereportagen", die allgemeines Interesse und den Unwillen der Unternehmer erregten, sind zugleich ein Beleg für die formale Vielfalt der Literatur der Arbeitswelt. Während von der Grüns Romane sich traditioneller Erzählmuster bedienen, knüpfen Wallraffs genau kalkulierte, meist durch verdeckte Beobachtung zustande gekommenen Reportagen an Schreib-Traditionen der zwanziger Jahre (Egon E. Kisch) an.

Bereits im Laufe der siebziger Jahre verliert sich die Wirkung der Literatur der Arbeitswelt aufgrund innenpolitischer Veränderungen (Reformpolitik der sozialliberalen Regierung). Während die Autoren des Werkkreises sich seitdem auf ein gewerkschaftliches Publikum konzentrierten, setzte sich in der breiteren literarischen Öffentlichkeit ein Trend zu Subjektivismus und Innerlichkeit durch.

Die angesprochenen Probleme existieren allerdings weiterhin und stellen keineswegs ein typisch deutsches Phänomen dar. Die verheerenden Auswirkungen der Fließbandarbeit auf Körper und Seele des Menschen werden auch von dem Schweizer Kurt Marti eindringlich geschildert. Ein weiteres allgemeines Problem ist die Ausländerfeindlichkeit, die sich artikulierte, nachdem man eine große Zahl südeuropäischer Arbeiter ins Land geholt hatte. Obwohl man auf diese Menschen angewiesen war und ist, bestimmen – wie Franz Josef Degenhardt in "Tonio

Schiavo" und Max Frisch in "Überfremdung I" aufzeigen – nur allzu leicht Vorurteile und Hass das Verhalten ihnen gegenüber.

Seit den fünfziger Jahren wird aber auch die "Freizeit" als gesellschaftspolitisches, soziologisches und literarisches Thema immer wichtiger. Die Unfähigkeit der Menschen, nach der zermürbenden Arbeit ihre freie Zeit zu gestalten, wird teils karikiert (Loriot), teils in ihrer traurigen Phantansielosigkeit vorgeführt (Born, Brinkmann). An die Stelle einer konstruktiven Gestaltung der "Freizeit" tritt vorzugsweise der sinnlose Konsum, die Flucht der Menschen vor der inneren Leere.

Kurt Marti

Neapel sehen

Er hatte eine Bretterwand gebaut. Die Bretterwand entfernte die Fabrik aus seinem häuslichen Blickkreis. Er haßte die Fabrik. Er haßte die Maschine, an der er arbeitete. Er haßte das Tempo der Maschine, das er selber beschleunigte. Er haßte die Hetze nach Akkordprämien, durch welche er es zu einigem Wohlstand, zu Haus und Gärtchen gebracht hatte. Er haßte seine Frau, so oft sie ihm sagte, heut nacht hast du wieder gezuckt. Er haßte sie, bis sie es nicht mehr erwähnte. Aber die Hände zuckten weiter im Schlaf, zuckten im schnellen Stakkato der Arbeit. Er haßte den Arzt, der ihm sagte, Sie müssen sich schonen, Akkord ist nichts mehr für Sie. Er haßte den Meister, der ihm sagte, ich gebe dir eine andere Arbeit, Akkord ist nichts mehr für dich. Er haßte so viele verlogene Rücksicht, er wollte kein Greis sein, er wollte keinen kleineren Zahltag, denn immer war das die Hinterseite von so viel Rücksicht, ein kleinerer Zahltag. Dann wurde er krank, nach vierzig Jahren Arbeit und Haß zum ersten Mal krank. Er lag im Bett und blickte zum Fenster hinaus. Er sah sein Gärtchen. Er sah den Abschluß des Gärtchens, die Bretterwand. Weiter sah er nicht. Die Fabrik sah er nicht, nur den Frühling im Gärtchen und eine Wand aus gebeizten Brettern. Bald kannst du wieder hinaus, sagte die Frau, es steht alles in Blust. Er glaubte ihr nicht. Geduld, nur Geduld, sagte der Arzt, das kommt schon wieder. Er glaubte ihm nicht. Es ist ein Elend, sagte er nach drei Wochen zu seiner Frau, ich sehe immer das Gärtchen, sonst nichts, nur das Gärtchen, das ist mir zu langweilig, immer dasselbe Gärtchen, nehmt einmal zwei Bretter aus dieser verdammten Wand, damit ich was anderes sehe. Die Frau erschrak. Sie lief zum Nachbarn. Der Nachbar kam und löste zwei Bretter aus der Wand. Der Kranke sah durch die Lücke hindurch, sah einen Teil der Fabrik. Nach einer Woche beklagte er sich, ich sehe immer das gleiche Stück Fabrik, das lenkt mich zu wenig ab. Der Nachbar kam und legte die Bretterwand zur Hälfte nieder. Zärtlich ruhte der Blick des Kranken auf seiner Fabrik, verfolgte das Spiel des Rauches über dem Schlot, das Ein und Aus der

Autos im Hof, das Ein des Menschenstromes am Morgen, das Aus am Abend. Nach vierzehn Tagen befahl er, die stehengebliebene Hälfte der Wand zu entfernen. Ich sehe unsere Büros nie und auch die Kantine nicht, beklagte er sich. Der Nachbar kam und tat, wie er wünschte. Als er die Büros sah, die Kantine und so das gesamte Fabrikareal, entspannte ein Lächeln die Züge des Kranken. Er starb nach einigen Tagen.

[1965]

Günter Wallraff

Am Fließband

[...] "Das Band frißt Menschen und spuckt Autos aus", hatte mir ein Werkstudent gesagt, der selbst lange Zeit am Band gearbeitet hatte. Wie das gemeint war, sollte ich bald erfahren. Alle anderthalb Minuten rollt ein fertiger Wagen vom Band. Ich bin am letzten Bandabschnitt eingesetzt. Muß kleinere Lackfehler ausbessern, die es an jedem Wagen noch gibt. 'Da ist weiter nichts dabei', denke ich anfangs, als ich sehe, wie langsam das Band vorwärtskriecht.

Eine Frau arbeitet mich ein. Sie ist schon vier Jahre am Band und verrichtet ihre Arbeit 'wie im Schlaf', wie sie selbst sagt. Ihre Gesichtszüge sind verhärtet.

Linke Wagentür öffnen. Scharniersäule nachstreichen. Das abgeschliffene Scharnier neu streichen. Griff für die Kühlerhaube herausziehen. (Er klemmt oft.) Kühlerhaube aufklappen. Wagennummer mit Lack auslegen. Rechte Wagentür wie bei der linken. Kofferraum öffnen und nach eventuellen Lackfehlern suchen. Zusätzlich noch auf sonstige Lackfehler achten, die bei sorgfältiger Prüfung immer zu finden sind. Mit zwei Pinseln arbeiten. Der große für die Scharniersäule, die von der Wagentür halb verdeckt ist und an die man schlecht herankommt; der kleine für feinste Lackfehler zum Auslegen, was besonders viel Zeit in Anspruch nimmt. Außerdem immer wieder zu den Lacktöpfen zurücklaufen, Pinsel säubern und Farbtöpfe wechseln, weil die Wagen auf dem Band in kunterbunter Reihe erscheinen. Zusätzlich auf den Laufzetteln der Wagen meine Kontrollnummer vermerken.

Noch arbeiten wir zu zweit. Ich begreife nicht, wie die Frau allein damit fertig geworden ist. Nach zwei Tagen Einarbeiten wird die Frau versetzt, zum Wagenwaschen. Damit ist sie nicht einverstanden. Sie fürchtet um ihre Hände, die vom Benzin ausgelaugt werden. Aber danach fragt keiner. Der Meister geht ihr aus dem Weg.

Ich frage sie, ob sie sich nicht an einen 'Vertrauensmann' wenden kann, aber von dessen Existenz weiß sie nichts.

Allein werde ich mit der Arbeit nicht fertig. Ich übersehe kleine Lackschäden, aber man ist nachsichtig. "Mit der Zeit haut das schon hin."

Punkt 15.10 Uhr rückt das Band an. Nach drei Stunden bin ich selbst nur noch Band. Ich spüre die fließende Bewegung des Bandes wie einen Sog in mir.

Wenn das Band einmal einen Augenblick stillsteht, ist das eine Erlösung. Aber um so heftiger, so scheint es, setzt es sich danach wieder in Gang, wie um die verlorene Zeit aufzuholen.

Die Bandarbeit ist wie das Schwimmen gegen einen starken Strom. Man kann ein Stück dagegen anschwimmen. Das ist erforderlich, wenn man einmal zur Toilette muß oder im gegenüberliegenden Automaten einen Becher Cola oder heißen Kaffee ziehen will. Drei, vier Wagen kann man vorarbeiten. Dann wird man unweigerlich wieder abgetrieben.

J., vom Band nebenan, 49 Jahre alt, erinnert sich an frühere Zeiten: "Da war noch Luft drin. Wo früher an einem Band drei Fertigmacher standen, arbeiten heute an zwei Bändern vier. Hin und wieder kommt der Refa-Mann mit der Stoppuhr und beobachtet uns heimlich. Aber den kenne ich schon. Dann weiß ich: bald wird wieder jemand eingespart oder es kommt Arbeit dazu."

Aber J. beklagt sich nicht. "Man gewöhnt sich daran. Hauptsache, ich bin noch gesund. Und jede Woche in paar Flaschen Bier."

Jeden Tag nach Schichtende, 23.40 Uhr, setzt er noch ein paar Überstunden dran und kehrt mit zwei andern unseren Hallenabschnitt aus. Ich bin nach acht Stunden erledigt. Die Frühschicht soll besser sein, hat man mir gesagt. "Man gewöhnt sich mit der Zeit an alles."

Einer von meinem Bandabschnitt erzählt, wie der dauernde Schichtwechsel "langsam, aber sicher" seine Ehe kaputtmacht. Er ist jungverheiratet – ein Kind -, seit drei Monaten neu am Band. "Wenn ich nach Hause komme, bin ich so durchgedreht und fertig, daß mich jeder Muckser vom Kind aufregt. Für meine Frau bin ich kaum mehr ansprechbar. Ich sehe kommen, daß sie sich scheiden läßt. Bei der Spätschicht ist es am schlimmsten. Meine Frau ist jetzt für eine Zeitlang mit dem Kind zu ihrer Mutter gezogen. Das ist mir fast lieber so."

Wer am Band mein Meister ist, weiß ich nicht. Es kam einmal jemand vorbei – an seinem hellbraunen Kittel ein Schildchen: "Meister Soundso" – und fragte nach meinem Namen. Er sagte: "Ich weiß, Sie sind neu. Ich komme jeden Tag hier mal vorbei. Falls Sie was haben sollten, fragen Sie nur." Von ihm erfahre ich auch, daß ich "Fertigmacher" werden soll. Was das ist, erfahre ich nicht. Und wie man so etwas wird und wie lange es dauert, verrät er auch nicht.

Die vor mir am Band arbeiten und die hinter mir, kenne ich nicht. Ich weiß auch nicht, was sie tun. Manchmal begegnen wir uns am Band im gleichen Wagen. Sie sind mit der Montage an ihrem Abschnitt nicht fertig geworden und in mein Revier abgetrieben – oder umgekehrt. Dann sind wir uns gegenseitig im Weg.

Da schlägt mir einer eine Wagentür ins Kreuz, oder ich beschütte einen mit Lack. Sich entschuldigen, ist hier nicht drin. Jeder wird so von seinen Handgriffen in Anspruch genommen, daß er den andern übersieht.

Das Zermürbende am Band ist das ewig Eintönige, das Nichthaltmachenkönnen, das Ausgeliefertsein. Die Zeit vergeht quälend langsam, weil sie nicht ausgefüllt ist. Sie erscheint leer, weil nichts geschieht, was mit dem wirklichen Leben zu tun hat.

Ungefähr alle zehn Minuten ein Blick auf die Hallenuhr. Wenn wenigstens jede Stunde das Band für einige Minuten stillstünde, man hätte etwas, worauf man hinarbeiten könnte. Die Zeit von 6.40 Uhr bis zur Mittagspause 12.00 Uhr und von 12.30 Uhr bis Schichtende 15.10 Uhr ist zu lang.

Man hat mir von einem Arbeiter erzählt, der sich auf seine Art gegen das Band zu wehren wußte. Er soll am vorderen Bandabschnitt eingesetzt gewesen sein. Um eine einzige Zigarette rauchen zu können, beging er Sabotage am Band. Statt seinen Preßluftbohrer an die vorgesehene immer gleiche Stelle der Karosserie zu halten, bohrte er kurz ins Band hinein, und alles stand augenblicklich still: Tausende Mark Ausfall für das Werk, für ihn drei bis fünf Minuten Pause, die er sich nahm, weil das Werk sie ihm nicht gab. Drei- oder viermal hatte er's innerhalb von zwei Wochen getan, dann kam's heraus, und er flog. [...]

[1966]

Nicolas Born

Sonntag

Es ist Sonntag
die Mädchen kräuseln sich und Wolken
ziehen durch Wohnungen -
wir sitzen auf hohen Balkonen.
Heute lohnt es sich
nicht einzuschlafen
das Licht geht langsam über in etwas
Bläuliches
das sich still auf die Köpfe legt
hier und da fällt einer
zusehends ab
die anderen nehmen sich
zusammen.
Diese Dunkelheit mitten im Grünen
dieses Tun und Stillsitzen
    dieses alles ist
der Beweis für etwas anderes

[1972]

Franz Josef Degenhardt

Tonio Schiavo

Das ist die Geschichte von Tonio Schiavo,
geboren, verwachsen im Mezzo-giorno.
Frau und acht Kinder, und drei leben kaum,
und zweieinhalb Schwestern in einem Raum.
Tonio Schiavo ist abgehaun.
Zog in die Ferne,
ins Paradies,
und das liegt irgendwo bei Herne.

Im Kumpelhäuschen oben auf dem Speicher
mit zwölf Kameraden vom Mezzo-giorno
für hundert Mark Miete und Licht aus um neun,
da hockte er abends und trank seinen Wein.
Und manchmal schienen durchs Dachfenster rein
richtige Sterne
ins Paradies,
und das liegt irgendwo bei Herne.

Richtiges Geld schickte Tonio nach Hause.
Sie zählten's und lachten im Mezzo-giorno.
Er schaffte und schaffte für zehn auf dem Bau.
Und dann kam das Richtfest, und alle waren blau.
Der Polier, der nannte ihn "Itaker-Sau".
Das hört er nicht gerne
im Paradies,
und das liegt irgendwo bei Herne.

Tonio Schiavo, der zog sein Messer,
das Schnappmesser war's aus dem Mezzo-giorno.
Er hieb's in den harten Bauch vom Polier,
und daraus floß sehr viel Blut und viel Bier.
Tonio Schiavo, den packten gleich vier.
Er sah unter sich Herne,
das Paradies,
und das war gar nicht so ferne.

Und das ist das Ende von Tonio Schiavo,
geboren, verwachsen im Mezzo-giorno:
Sie warfen ihn zwanzig Meter hinab.
Er schlug auf das Pflaster, und zwar nur ganz knapp

vor zehn dünne Männer, die waren müde und schlapp,
die kamen grad aus der Ferne – aus dem Mezzo-giorno –
ins Paradies,
und das liegt irgendwo bei Herne.

[1966]

Max Frisch

Überfremdung I

Ein kleines Herrenvolk sieht sich in Gefahr: man hat Arbeitskräfte gerufen, und es kommen Menschen. Sie fressen den Wohlstand nicht auf, im Gegenteil, sie sind für den Wohlstand unerläßlich. Aber sie sind da. Gastarbeiter oder Fremdarbeiter? Ich bin fürs letztere: sie sind keine Gäste, die man bedient, um an ihnen zu verdienen; sie arbeiten, und zwar in der Fremde, weil sie in ihrem eigenen Land zur Zeit auf keinen grünen Zweig kommen. Das kann man ihnen nicht übelnehmen. Sie sprechen eine andere Sprache. Auch das kann man nicht übelnehmen, zumal die Sprache, die sie sprechen, zu den vier Landessprachen gehört. Aber das erschwert vieles. Sie beschweren sich über menschenunwürdige Unterkünfte, verbunden mit Wucher, und sind überhaupt nicht begeistert. Das ist ungewohnt. Aber man braucht sie. Wäre das kleine Herrenvolk nicht bei sich selbst berühmt für seine Humanität und Toleranz und so weiter, der Umgang mit den fremden Arbeitskräften wäre leichter; man könnte sie in ordentlichen Lagern unterbringen, wo sie auch singen dürften, und sie würden nicht das Straßenbild überfremden. Aber das geht nicht; sie sind keine Gefangenen, nicht einmal Flüchtlinge. So stehen sie denn in den Läden und kaufen, und wenn sie einen Arbeitsunfall haben oder krank werden, liegen sie auch noch in den Krankenhäusern. Man fühlt sich überfremdet. Langsam nimmt man es ihnen doch übel. Ausbeutung ist ein verbrauchtes Wort, es sei denn, daß die Arbeitgeber sich ausgebeutet fühlen. Sie sparen, heißt es, jährlich eine Milliarde und schicken sie heim. Das war nicht der Sinn. Sie sparen. Eigentlich kann man ihnen auch das nicht übelnehmen. Aber sie sind einfach da, eine Überfremdung durch Menschen, wo man doch, wie gesagt, nur Arbeitskräfte wollte. Und sie sind nicht nur Menschen, sondern anders: Italiener. Sie stehen Schlange an der Grenze; es ist unheimlich. Man muß das kleine Herrenvolk schon verstehen. Wenn Italien plötzlich seine Grenze sperren würde, wäre es auch unheimlich. Was tun? Es geht nicht ohne strenge Maßnahmen, die keinen Betroffenen entzücken, nicht einmal den betroffenen Arbeitgeber. Es herrscht Konjunktur, aber kein Entzücken im Lande. Die Fremden singen. Zu viert in einem Schlafraum. Der Bundesrat verbittet sich die Einmischung durch einen italienischen Minister; schließlich ist man unabhängig, wenn auch angewiesen auf fremde Tellerwäscher und Maurer und

Handlanger und Kellner und so weiter, unabhängig (glaube ich) von Habsburg wie von der EWG. Ganz nüchtern: 500 000 Italiener, das ist ein Brocken, so groß wie der Neger-Brocken in den Vereinigten Staaten. Das ist schon ein Problem. Leider ein eigenes. Sie arbeiten brav, scheint es, sogar tüchtig; sonst würde es sich nicht lohnen, und sie müßten abfahren, und die Gefahr der Überfremdung wäre gebannt. Sie müssen sich schon tadellos verhalten, besser als Touristen, sonst verzichtet das Gastland auf seine Konjunktur. Diese Drohung wird freilich nicht ausgesprochen, ausgenommen von einzelnen Hitzköpfen, die nichts von Wirtschaft verstehen. Im allgemeinen bleibt es bei einer toleranten Nervosität. Es sind einfach zu viele, nicht auf der Baustelle und nicht in der Fabrik und nicht im Stall und nicht in der Küche, aber am Feierabend, vor allem am Sonntag sind es plötzlich zu viele. Sie fallen auf. Sie sind anders. Sie haben ein Auge auf Mädchen und Frauen, solange sie die ihren nicht in die Fremde nehmen dürfen. Man ist kein Rassist; es ist schließlich eine Tradition, daß man nicht rassistisch ist, und die Tradition hat sich bewährt in der Verurteilung französischer oder amerikanischer oder russischer Allüren, ganz zu schweigen von den Deutschen, die den Begriff von den Hilfsvölkern geprägt haben. Trotzdem sind sie einfach anders. Sie gefährden die Eigenart des kleinen Herrenvolkes, die ungern umschrieben wird, es sei denn im Sinn des Eigenlobs, das die andern nicht interessiert; nun umschreiben uns aber die andern.

Wollen wir das lesen?

Ein Buch dieser Art, das nicht eine These vorlegt, sondern Material, läßt sich nach verschiedenen Richtungen lesen, vielleicht am ergiebigsten, wenn ich es nicht als Schweizer lese, beispielsweise ganz literarisch: wie tönt es, wenn einfache Leute von sich selbst erzählen? Da gibt es Stellen fast in jedem Gespräch, die an die Bibel erinnern, in der Umständlichkeit des Vortrags so lapidar-konkret, daß ich aufhorche, selbst wenn mir die Tatbestände bekannt sind. Was erleben sie? Der Mensch als Arbeitskraft in einer Gesellschaft des freien Unternehmertums, gewiß, aber ihre Erfahrung bleibt durchaus unpolitisch, ein Gefühl, das sich als Heimweh versteht. Da spricht kein einziger Revolutionär. Das hat etwas Rührendes. Alle sprechen von der Familie. Das ist ihr Ethos, ein christliches Ethos, auch ein sehr mittelmeerländisches. Trennung von der Familie, Sparen für die Familie, Wohnen mit der Familie, die Hoffnung auf ein kleines Haus nicht in der Fremde, sondern in Sardinien oder in der Romagna oder in Sizilien, davon ist immer wieder die Rede. Manchmal tönt es fast antikisch. Kultur kommt nicht als Bildung, sondern als praktisches Erbe; Humanität nicht als Theorie. Da spricht ein Menschenschlag, der höflich ist noch in der Beschwerde. Keine Welt-Erzieher. Und Geld als Geld ist kein Maß, nicht einmal bei den Dümmeren; auch wenn sie kaum wissen, was ihr anderes Maß ist, so haben sie es und sind nicht gefaßt darauf, daß andere es nicht kennen. Ein seltsamer Menschenschlag: eigentlich sehr demütig, naiv, nicht untertänig und nicht knechtisch, aber auch nicht arrogant, nur nicht auf Demütigung gefaßt, übrigens wenig nationalistisch noch in der Diaspora, nicht machtsüchtig, lebensgläubig wie Kinder erschrecken viele über den Schnee im fremden Land und brauchen lange Zeit, bis sie merken, welcher Art die Kälte ist, die sie erschreckt.

Die andere Seite ist uns bekannt:

der Mythos, den die Schweiz sich selber gibt, und die Tatsache, daß der Mythos keine Probleme löst; daher die Hysterie der Hilflosigkeit; jedes Problem, das wir selbst zu bewältigen haben, schickt den Begriff der Schweiz in die Reparatur.

Hoffentlich gelingt sie.

[1965]

Gernot Wolfgruber

Neu im Büro

[...] Schon in den ersten Tagen hatte Klein den Eindruck, daß im Bürogebäude komplizierte Verhältnisse zu herrschen schienen. Hier gab es anscheinend die klaren Fronten nicht mehr, die es draußen in den Hallen gegeben hatte. Draußen war es einfach gewesen: auf der einen Seite die Arbeiter und ihnen gegenüber alle anderen: Vorarbeiter, Werkmeister, Betriebsleitung, überhaupt alles, was im Bürogebäude aus und ein ging, was in einem grauen, schwarzen oder weißen Arbeitsmantel herumlief oder einfach einen Anzug als allereindeutigste Uniform anhatte. Im Bürogebäude war ihm alles unübersichtlich. Seine frühere Vorstellung, daß ein Angestellter so gut und viel wie ein anderer sei, merkte er, war kindisch gewesen. So kindisch wie, sich alle Erwachsenen, Eltern, Lehrer Gesellen, Meister, private und militärische Feldwebel einfach nur als Menschen vorzustellen. Überall gab es Obere und Untere. Aber das Hüben und Drüben, das in den Fabrikshallen alles so klar, so übersichtlich gemacht hatte, gab es hier nicht mehr. Stillschweigend vorausgesetzt standen alle im Bürogebäude auf der Seite des Plohberger. Auch wenn sie dabei nicht an ihn selbst dachten, sondern von der Firma, vom Betrieb redeten. Diese Sächlichkeit, die sich vor den Plohberger schob, die er selber in Weihnachtsfeieransprachen als Tarnkappe benutzte, schien es allen Angestellten ganz leicht zu machen, für ihn zu sein. Aber daß sie auf seiner Seite standen, machte die Verhältnisse im Bürogebäude nicht durchsichtiger. Schließlich standen sie verschieden hoch, und Gräben gab es hier genauso, nur war es Klein unklar, wie sie verliefen. Aus den Gesprächen, die hinter ihm im Zimmer geführt wurden, konnte er sich lange nichts zusammenreimen. Eine Abteilung schien gegen die andere zu sein, aber nicht jede gegen jede, unerklärliche Bündnisse gab es da, Fronten und Feindschaften und Nebeneinander, zwischen den Angestellten und den Abteilungsleitern und den Abteilungen und den Stockwerken. Nicht einmal Titel, stellte Klein fest, waren eine sichere Orientierung, auch wer wen zuerst grüßte, wer vor wem buckelte, war kein eindeutiger Hinweis. Obwohl alles so sauber und ordentlich und gesichert aussah, schien es ein ungeheures Durcheinander zu sein, und die größte Schwierigkeit, meinte Klein, würde wahrscheinlich darin bestehen, sich als Neuer hier zurechtzufinden. Am wahrscheinlichsten war ihm noch die Erklärung, daß jeder gegen jeden war und, wo es nicht danach aussah, wahrscheinlich nur unter Höflichkeit versteckt. Andererseits kam es ihm unmöglich vor, daß hier, wo die Menschen gewöhnt waren zu denken, mit den Köpfen zu arbeiten, eine solche Verrücktheit herrschen könnte. [...]

Seine Meinung über die Bildung der Angestellten hat Klein ziemlich schnell ändern müssen. Die Gespräche, die von ihnen während der Mittagspause und zwischen den Arbeiten geführt wurden, waren zwar anders, als er sie von den Hallen und den Scheißhäusern gewohnt war, aber was von den Angestellten geredet wurde, war längst nicht das, was er erwartet hatte. Da war keine Spur von *hochgeistigen* Gesprächen, die er sich erhofft, vor denen er sich aber auch ein wenig gefürchtet hatte. Dieselben Alltäglichkeiten kamen daher. Übers Hausbauen wurde geredet, über Fußball und über Autos und über Urlaub und übers Fernsehen. Auffällig war nur, daß das Thema Nummer eins von draußen: Weiber, fehlte. Zumindest wurde nicht so offen darüber geredet, sondern nur in so und so auslegbaren Andeutungen. Und ihr *Privat*leben schienen sie regelrecht mit den zugezogenen Krawatten in sich eingesperrt zu haben. Was in ihren eigenen vier Wänden geschah, schien jeder für etwas so Besonderes, Individuelles zu halten, daß keiner ein Wort darüber herausließ. So als hätten sie sonst nichts mehr, wenn sie darüber geredet hätten. Niemand redete von seiner *Alten*, der er wieder einmal den Herrn gezeigt hatte. Keiner hatte offenbar *Erlebnisse*. Keiner hatte, wie Kleins frühere Kollegen, es einer Frau *ordentlich* besorgt, um damit prahlen zu können. Klein konnte sich seine neuen Kollegen auch gar nicht beim Vögeln vorstellen. Das war ihm einfach absurd, so absurd, wie ihm früher manchmal die Vorstellung gewesen war, daß sein Vater die Mutter besteige. Überhaupt war es für Klein seltsam, daß er auch nach einigen Tagen noch kaum etwas über seine neuen Kollegen hätte sagen können. Wie waren denn die wirklich? Kaum auseinanderzuhalten, wenn er vom Äußeren absah. Dabei hatte er sie sich als die allerausgeprägtesten Persönlichkeiten vorgestellt. [...]
Dafür kam seinen neuen Kollegen in ihren Gesprächen ständig die Arbeit dazwischen. Sogar während der Mittagspause war dauernd von Arbeit die Rede. Was zu machen und wie es zu machen sei. Wie man etwas am besten mache. Und was, ah, da fällt mir gerade ein, schon zu machen gewesen wäre.

[...]

Dazu kam, daß Wörter und Sätze, die er jahrelang verwendet, die er automatisch von sich gegeben hatte, auf einmal unbrauchbar waren und durch andere ersetzt werden mußten. Als sei er, obwohl er den Ort nicht verlassen hatte, in ein anderes Land geraten, wo er die Sprache erst erlernen muß. Nicht einmal die Grußformeln paßten mehr. Grüß Gott statt Guten Tag. Lange glaubte er, das nicht über die Lippen bringen zu können. Doch es mußte sein, kam ihm vor, auch wenn er sich noch so schämte dabei und er das Gefühl hatte, den Pfaffen damit, ohne es überhaupt zu wollen, einen Gefallen zu tun. [...]

Und bevor jemand angesprochen, eine Frage gestellt werden konnte, waren umständliche Einleitungsformeln notwendig, für die draußen in den Hallen gar nicht genug Zeit gewesen wäre. Er konnte nicht mehr einfach sagen, geh, schau einmal her, du. Nun hatte es zu heißen, Entschuldigung, haben Sie einen Moment Zeit?, Entschuldigung, darf ich Sie einen Augenblick stören? [...]

Außerhalb des Bürogebäudes von Arbeit zu reden, Arbeitsbeginn, Arbeitsschluß, Arbeitszeit, Arbeitengehen zu sagen, war auch nicht mehr möglich. Jeder mußte dann glauben, meinte Klein, er habe es noch immer mit einem Arbeiter zu tun. Zumindest den ehemaligen Arbeiter werde man daran erkennen können. Wenn Klein bemerkte, daß er gerade vom Arbeiten geredet hatte, dann hängte er immer noch schnell einen Satz an, in dem statt des Wortes "Arbeit" das Wort "Büro" stand. Bürobeginn, Büroschluß, ins Büro gehen, sagte er dann. Selbst bei denen hat er sich schnell verbessert, die schon wußten, daß er nicht mehr in *die Fabrik* ging. Aber obwohl er dabei nicht die Unwahrheit sagte, hatte er lange Zeit, wenn er diese neue Bezeichnung verwendete, das Gefühl, er übertreibe, er schneide auf, und ist dann so verlegen geworden, daß er schnell drüber hinwegredete, daß er sich genau darüber hinwegredete, worauf er eben noch hatte hinweisen wollen. Vor lauter Scham ist er dann oft so geschwätzig geworden, daß er wirklich anfing zu übertreiben, hat er so geredet, als sei er auch im Büro jemand Besonderer, bis er so verwirrt war, daß er ganz sicher sein konnte, nun glaube man ihm überhaupt nichts mehr. (Es hat lang gedauert – und lang noch hat es Rückschläge gegeben -, bis es ihm ganz selbstverständlich war, vom Büro zu reden, bis er sich das Wort *Arbeit* endlich abgewöhnt hatte.) [...]

[1978]

Hugo Loetscher

Der Waschküchenschlüssel

Der Waschküchenschlüssel ist in diesem Lande nicht einfach ein Gebrauchsgegenstand, welcher jenen Raum öffnet, den man Waschküche nennt und wo die Maschinen stehen, welche den Vorgang erleichtern, der "waschen" heißt.

O nein. Der Waschküchenschlüssel erschließt hierzulande einen ganz anderen Bereich; er bietet Zugang zu Tieferem.

Und dies nicht nur, weil der Waschtag einen hohen Stellenwert im Ritualleben der schweizerischen Hausfrau einnimmt – demnach kommen nicht Hemden und Blusen, Socken oder Unterhosen auf die Leine, sondern es werden Flaggen der Sauberkeit gehißt.

Nein – der Waschküchenschlüssel hat Bedeutung über seine bloße Funktion hinaus, eine Tür zu öffnen; er ist ein Schlüssel für demokratisches Verhalten und ordnungsgerechte Gesinnung.

Um das zu verstehen, muß ich mit einer Geschichte ausholen, die zwar Jahre zurückliegt. Aber die neuerliche Erzählung eines Bekannten, die in gleicher Richtung zielte, bewies, daß es sich beim Waschküchenschlüssel um eine Grunderfahrung helvetischen Verhaltens handelt.

In meinem Fall spielte sich die Geschichte in einem jener Mietshäuser ab, in denen es nicht nur Wohnungen, Dachböden, Kellerräume, Vorräume und Abstellräume gibt, sondern auch eine Kollektiv-Waschküche und dazu einen gemeinsamen Schlüssel. Diesen Schlüssel reichte man nach einem Terminplan von Wohnung zu Wohnung und von Etage zu Etage weiter; wenn der Schlüssel ganz oben rechts angelangt war, fing er seinen Rundgang durchs Haus unten links wieder an.

Da ich Junggeselle war, brauchte ich diesen Schlüssel nicht, denn ich besorgte die Wäsche nicht selber. Aber ich mußte bald erfahren, daß es nicht nur ein Recht auf den Waschküchenschlüssel gibt, sondern auch eine Pflicht ihm gegenüber.

Gemäß der Hausordnung, die mir per eingeschriebenem Brief zugestellt worden war, klingelte eines Abends eine Frau und überreichte mir einen Schlüssel. Als ich sagte, ich brauche ihn nicht, sie solle ihn doch gleich der Mieterin über mir weitergeben, sah mich die Frau vor der Tür recht verdutzt an: wie sie dazu komme, mir den Weg ins obere Stockwerk abzunehmen.

Als ich das nächste Mal Waschtag hatte, klingelte eine junge Frau, die Mutter von zwei Kleinkindern, die froh war, zwischendurch mal rasch die Waschküche benutzen zu können; ich überließ ihr den Schlüssel und bat sie, ihn gleich weiterzugeben, womit sie ohne weiteres einverstanden war.

Aber zwei Tage darauf klingelte die Frau von der oberen Etage, die Nachfolgerin in der Waschküchenschlüssel-Ordnung; sie reklamierte, es sei an mir persönlich, den Waschküchenschlüssel weiterzugeben, und obendrein sei die

Waschküche nicht sauber gewesen. Ich entschuldigte mich und erklärte, daß ich gar nicht selber gewaschen hätte.

Doch die Frau machte mich darauf aufmerksam, daß ich verantwortlich sei für die Sauberkeit der Waschküche. Ihr Bruder arbeitete bei der Polizei, von dem wußte sie, daß man als Wagenbesitzer auch für den Zustand des Autos verantwortlich ist, selbst wenn man es einem dritten überläßt.

Als ich der jungen Frau, der ich den Schlüssel gegeben hatte, auf der Treppe begegnete, erzählte ich ihr lachend, was geschehen war. An einem der nächsten Morgen stand ihr Mann vor meiner Tür: er fände es unverschämt von mir, herumzuerzählen, seine Frau sei eine Schlampe, und er drohte, er würde alle notwendigen Schritte unternehmen.

Dennoch fragte mich die junge Mutter wieder, ob sie meinen Waschküchenschlüssel haben könne. Kurz danach erkundigte sich auch die vom Parterre rechts, ob sie mal rasch in die Waschküche könne, ich bräuchte sie ja nicht. Als ich sagte, ich hätte den Schlüssel bereits der Frau vom vierten Stock links gegeben, lächelte sie nur.

Ich wurde suspekt (ohne es vorerst zu merken); nun hieß es im Haus, was der – und das war ich – wohl mit der jungen Aeschlimann habe, daß er ihr immer den Waschküchenschlüssel zuhalte.

Da beschloß ich, den Schlüssel in Empfang zu nehmen und ihn in einer Schublade ruhen zu lassen, bis meine Waschtage um waren. Um nicht behelligt zu werden, schloß ich mich während dieser Tage ein, ging nicht an die Türe, wenn es klingelte, und legte im Hinblick auf die Waschtage Vorräte an.

Zudem entschloß ich mich, mit der Hausverwaltung Verbindung aufzunehmen, damit sie mich vom Weiterreichen des Waschküchenschlüssels befreie. Doch der Mann am Telefon sagte, das gehe aus grundsätzlichen Überlegungen nicht, man müsse nur an einen eventuellen Wohnungswechsel denken, was da passieren könnte ... – nein, ich solle die Waschküche benutzen, er sei bereit, mir die Waschmaschine zu erklären, er kenne viele Junggesellen, die ihre Wäsche selber besorgten.

Also packte ich beim nächsten Waschtag meine schmutzige Wäsche in einen Korb und trug ihn hinunter, als die Nachbarin mit einer andern auf der Treppe stand. Aber noch ehe ich die Bedienungsvorschrift der Waschmaschine gelesen hatte, war es mir verleidet. Ich ließ die Schmutzwäsche stehen und trug sie erst am Ende meiner Waschtage heimlich in die Wohnung, um sie dann im Koffer in eine Wäscherei zu bringen, die nicht in der Nähe des Mietshauses lag.

Aber dann stellte mich die Frau vom dritten Stock links: wann ich eigentlich wasche; sie würde auch gern zwischendurch einmal die Waschmaschine benutzen "wie die andern", sie habe ein paar Mal am Abend bei mir geklingelt, aber ich sei ja gewöhnlich nicht zuhause und morgens früh traue sie sich nicht, weil ich doch regelmäßig erst nach Mitternacht heimkäme.

Es bot sich nur eine Möglichkeit, dem allem auszuweichen: Ich legte meine kurzen Reisen auf meine Waschtage, ich hielt als Journalist Ausschau nach Ereignissen, die dann stattfanden, wenn in der Hausordnung meine Waschtage vorgesehen waren.

Auf diese Weise war ich weg, und die andern blieben mit meinen Waschtagen zurück. Sie stritten, wer über den Schlüssel verfügen dürfe, ob die, welche vor mir dran war, oder die nach mir. So viele Parteien und Fraktionen sich auch bildeten, in einem Punkt waren sich alle einig: "Da könnte jeder kommen und einfach verreisen."

Ich hatte völlig falsche Vorstellungen gehabt vom Waschküchenschlüssel. Ich hatte gemeint, das sei ein Schlüssel für eine Waschküche, aber der Waschküchenschlüssel war etwas ganz anderes: Er war der integrierende Bestandteil einer Hausordnung, angesichts der die Waschküche selber an Bedeutung verlor. Wir benutzen die Waschküche wie unsere Demokratie – nicht so sehr als Boden für Freiheiten, dafür um so lieber als Fundament für eine Hausordnung.

Was für ein weites Feld ist da schon der Alltag. Und wenn darob auch Unglück entsteht, entscheidend ist nur, ob die Mehrheit an der Aufrechterhaltung der Waschordnung beteiligt ist oder nicht – zumal keiner der Unglücklichen behaupten kann, er sei nicht zu seinem Waschküchenschlüssel gekommen.

[1983]

Loriot

Fernsehabend

Ein Ehepaar sitzt vor dem Fernsehgerät. Obwohl die Bildröhre ausgefallen ist und die Mattscheibe dunkel bleibt, starrt das Ehepaar zur gewohnten Stunde in die gewohnte Richtung.

SIE Wieso geht der Fernseher denn grade heute kaputt?

ER Die bauen die Geräte absichtlich so, daß sie schnell kaputtgehen ...
(*Pause*)

SIE Ich muß nicht unbedingt fernsehen ...

ER Ich auch nicht ... nicht nur, weil heute der Apparat kaputt ist ... ich meine sowieso ... ich sehe sowieso nicht gern Fernsehen ...

SIE Es ist ja auch wirklich nichts im Fernsehen, was man gern sehen möchte ...
(*Pause*)

ER Heute brauchen wir Gott sei Dank überhaupt nicht erst in den blöden Kasten zu gucken ...

SIE Nee ... (*Pause*) ... Es sieht aber so aus, als ob du hinguckst ...

ER Ich?

SIE Ja...

ER Nein ... ich sehe nur ganz allgemein in diese Richtung ... aber du guckst hin ... Du guckst da immer hin!

SIE Ich? Ich gucke da hin? Wie kommst du denn darauf?

ER Es sieht so aus ...

SIE Das *kann* gar nicht so aussehen ... ich gucke nämlich vorbei ... ich gucke *absichtlich* vorbei ... und wenn du ein kleines bißchen mehr auf mich achten würdest, hättest du bemerken können, daß ich absichtlich vorbeigucke, aber du interessierst dich ja überhaupt nicht für mich ...

ER (*fällt ihr ins Wort*) Jaaa ... jaaa ... jaaa ... jaaa ...

SIE Wir können doch einfach mal ganz woandershin gucken ...

ER Woanders? ... Wohin denn?

SIE Zur Seite ... oder nach hinten ...

ER Nach hinten? Ich soll nach hinten sehen? ... Nur weil der Fernseher kaputt ist, soll ich nach hinten sehen? Ich laß mir doch von einem Fernsehgerät nicht vorschreiben, wo ich hinsehen soll! (*Pause*)

SIE Was wäre denn heute für ein Programm gewesen?

ER Eine Unterhaltungssendung ...

SIE Ach ...

ER Es ist schon eine Un-ver-schämtheit, was einem so Abend für Abend im Fernsehen geboten wird! Ich weiß gar nicht, warum man sich das überhaupt noch ansieht! ... Lesen könnte man statt dessen, Kartenspielen oder ins Kino gehen ... oder ins Theater ... statt dessen sitzt man da und glotzt auf dieses blöde Fernsehprogramm!

SIE Heute ist der Apparat ja nu kaputt ...

ER Gott sei Dank!

SIE Ja ...

ER Da kann man sich wenigstens mal unterhalten ...

SIE Oder früh ins Bett gehen ...

ER Ich gehe nach den Spätnachrichten der Tagesschau ins Bett ...

SIE Aber der Fernseher ist doch kaputt!

ER (*energisch*) Ich lasse mir von einem kaputten Fernseher nicht vorschreiben, wann ich ins Bett zu gehen habe!

[1981]

Ludwig Harig

herum gezogen flanken lauf zum

herum
gezogen flanken lauf zum
gassen ball und stoßen durch mit ab
satz trick im freien raum und kombiniert der
steile paß zum rechten halb und außen links mit reih
und spann im mittel kreis herumgezogen flanken ball zum gas
sen durch und stoßen trick mit absatz raum im freien paß und kom
biniert der steile halb zum rechten links und außen spann mit reih
und kreis im mittel lauf herumgezogen flanken durch zum gassen trick
und stoßen raum mit absatz im freien halb und kombiniert der steile
links zum rechten spann und außen kreis mit reih und lauf im mittel ball
herumgezogen flanken trick zum gassen raum und stoßen paß mit absatz halb
im freien links und kombiniert der steile spann zum rechten kreis und au
ßen lauf mit reih und ball im mittel durch herumgezogen flanken raum
zum gassen paß und stoßen halb mit absatz links im freien spann und
kombiniert der steile kreis zum rechten lauf und außen ball mit
reih und durch im mittel trick herumgezogen flanken paß zum
gassen halb und stoßen links mit absatz spann im freien
kreis und kombiniert der steile lauf zum rechten
ball und außen durch mit reih und trick im
mittel raum herumgezogen flanken halb
zum gassen links und stoßen spann
mit absatz kreis im freien
lauf

[1968]

Rolf Dieter Brinkmann

Einen jener klassischen

schwarzen Tangos in Köln, Ende des
Monats August, da der Sommer schon

ganz verstaubt ist, kurz nach Laden
Schluß aus der offenen Tür einer

dunklen Wirtschaft, die einem
Griechen gehört, hören, ist beinahe

ein Wunder: für einen Moment eine
Überraschung, für einen Moment

Aufatmen, für einen Moment
eine Pause in dieser Straße,

die niemand liebt und atemlos
macht, beim Hindurchgehen. Ich

schrieb das schnell auf, bevor
der Moment in der verfluchten

dunstigen Abgestorbenheit Kölns
wieder erlosch.

[1975]

Alexander Kluge

Pförtls Reise

Überfallartig kommen nach der Hetze der vergangenen Wochen für die Arbeiter Heilmeyer, Buttler, Schmidt und Pförtl die "heiligen Tage", Karfreitag bis Ostermontag – *jetzt hat aber alles zu*. Die Fernstraßen sind verstopft.

Pförtl hat noch in der Nacht zum Karfreitag seinen Wagen gewaschen und fährt seit fünf Uhr früh mit Freundin Hella Mengering, die bei *Telefonbau und Normalzeit* arbeitet, in Richtung Brenner. Sie müssen durchkommen, ehe der volle Osterverkehr einsetzt, und trinken unterwegs Kaffee, um sich fahrtüchtig zu halten. Bis Ostersamstag 14 Uhr sind sie auf dem Apenninenkamm. Sie kommen in Viareggio an, fahren auf der Küstenstraße. Sie versuchen zu baden, trotz der Kälte des Wassers ist das möglich. Sie werden von Bademeistern angeschrien, weil man hier nicht baden darf. Sie haben in dieser Gegend keine Bekannten und fahren noch nach Florenz, wo man aber Ostersonntag nichts Interessantes kaufen kann. Schlauerweise durchfahren sie diesmal die Brennerstrecke in der Nacht von Sonntag auf Ostermontag. Es ist doch wesentlich weniger Verkehr als in der Nacht zum Karfreitag. Ab Montag mittag schlafen sie durch – es war alles sehr teuer, obwohl sie nichts einkaufen mußten, und sie müssen Dienstag früh fit sein.

[1973]

Sarah Kirsch

Katzenleben

Aber die Dichter lieben die Katzen
Die nicht kontrollierbaren sanften
Freien die den Novemberregen
Auf seidenen Sesseln oder in Lumpen
Verschlafen verträumen stumm
Antwort geben sich schütteln und
Weiterleben hinter dem Jägerzaun
Wenn die besessenen Nachbarn
Immer noch Autonummern notieren
Der Überwachte in seinen vier Wänden
Längst die Grenzen hinter sich ließ.

[1984]

Franz Fühmann

Drei nackte Männer

Sie waren nicht oft in der Sauna, ich glaube im ganzen vier- oder fünfmal, doch ich bin durchaus in der Lage, sie genau zu beschreiben. Sie kamen und gingen und bewegten sich zwischen Kommen und Gehen stets in der gleichen Weise, und ich bin fest überzeugt, daß, kämen sie auch erst nach Jahren wieder, sie sich genauso aufführen würden wie das erste Mal, selbst wenn es dann gar nicht dieselben drei nackten Männer mehr wären.

Zwei waren von durchschnittlicher Größe, der eine ein wenig länger, der andere ein klein wenig kürzer als mittleres Mittelmaß, und auch ihr Gewicht mochte noch dem Normalen entsprechen, wenngleich ein Anflug von Schwammigkeit, vor allem in den Gesichtern, darauf hinwies, daß sie, jetzt Anfang der Vierzig, sicher bald Mühe haben würden, es zu halten. Der Mann in ihrer Mitte war voll im Fleisch. Er war einen ganzen Kopf kleiner, gedrungen, feist, doch erstaunlich gelenkig, und über und über mit einer grauschwarzen kräusligen Wolle bewachsen, auch über die Schultern und rund ums Knie. Wenn er in Schweiß geriet, glänzte er silbrig. Auch sein Haupthaar war dicht, wiewohl er Mitte der Fünfzig sein mußte; es war graubraun, ein wenig gewellt und, zurückgekämmt, recht kurz gehalten; er trug auch weder Bart noch Koteletten und sah stets aus, als habe er sich soeben rasiert. Vielleicht aber war sein Bartwuchs schwach, was ja bei Leibbepelzten häufig vorkommt, denn die Haut zeigte vom Kinn bis zu den Schläfen nicht jenes lästige Violett, wie es nach vielem Rasieren auftritt. So leuchteten die Backen nachtweiß und voll über dem Moos der Schulter; der Hals war sehr kurz, das Gesicht fast faltenlos, auch die – nicht sehr hohe – Stirn beinah glatt, nur das Kinn von einer herzförmigen Delle gezeichnet, deren Spitze sich in den Kiefergrund zog. Kleiner Mund, kleine Ohren, der Nacken fest; auf die Augen komme ich noch zu sprechen. Seine Hände wirkten, trotz der stumpfen Fingerkuppen, zart, die Nägel, auch die Zehennägel, waren glatt, gleichmäßig rund gefeilt, ohne Einriß, rosig, mit deutlichen Halbmonden, und die Hand- und Fußsohlen ohne Hornhaut weich, ja fast weiberhaft. Peinlichste Sauberkeit; kaum merkbare Spuren von Parfüm oder sehr guter Seife. Breite Brust, durchaus ein Bauch, bedeutend sogar, aber fleischig, nicht fett, und gewölbt, statt hängend, gedrungene Beine, gedrungenes Geschlechtsteil, das Schamhaar von der Wolle des Bauchs und der Brust kaum abgehoben. Massiver Trauring, das Gebiß kräftig, und Gold auch hier; der Atem rein, keine Brille. Man sieht so viel Gesundheit in diesem Alter nicht oft.

Nun seine Augen. Sie waren hellbraun und kugelrund, und auch die Lidrandung rund, und sie waren, wenn er sprach, auf eine Art in Bewegung, von der man versucht ist zu sagen "sie wanderten", wäre diese Bewegung ruhig, und "mausartig", wäre sie scheu gewesen. Es war ein Mustern, doch auch dieser Ausdruck ist ungenau, denn dies Mustern geschah nicht durch prüfendes Hingleiten übers Objekt, sondern durch ruckartige Sprünge zuerst des Kopfs und hernach der Blicke; es war eine Summe von Momentaufnahmen genau fixierter Partien, Facettenbilder eines in die Zeit gekästelten Insektenauges, und zwar seltsamerweise immer um die Pole ihres Gegenstandes. So betrachtete er von einem Menschen nur den Kopf und die Füße, immer nur Kopf und Füße, von jedem, und dies mit einer so ungeheuerlich ungenierten, sich als so selbstverständliches Recht gebenden Sicherheit, daß sie schon nicht mehr als Flegelei empfunden wurde, ja man hätte es vielleicht sogar hingenommen, wenn er solcherart die Penisse gemustert hätte. Nie verheimlichte er einen Blick, nie wandte er ihn verlegen ab, wenn man aufsah, und nie hätte er sich stören lassen; mir ist allerdings dazu auch kein Versuch bewußt.

Obwohl ich mir vornahm, seine Bekleidung zu erkunden, versäumte ich jedesmal die Gelegenheit. Man kommt ja von außen, von der Straße oder den mediziischen Bädern, in die Sauna herauf, geht in die Umkleideräume, drei enge Gänge zwischen vier Wänden schmaler Blechspinde, und betritt dann nackt durch eine selbsttätig schließende Glastür den Vorderraum mit dem kalten Becken und den Duschen, von dem rechter Hand die Tür in die eigentliche Sauna und linker Hand die in den Ruheraum führt. Nun sind die Badezeiten, in vier Schichten zwischen Mittag und Abend festgelegt, äußerst knapp bemessen, man will seine Zeit nicht beim Umziehn vertun, und da die drei immer etwas später kamen und stets etwas früher gingen, sah ich sie eben erst, wenn sie den Vorraum betraten, und da waren sie natürlich schon kleiderlos. Ihr Eintritt vollzog sich jedesmal im gleichen Gänsemarsch. Über den Kopf des Wolligen zurück überwies, durch ein Nachstoßen mit den Fingerspitzen, der vorangehende Längere die zur Garderobe hin aufgezogene, schon wieder ins Schloß schwingende Tür dem beschließenden Kürzeren, dessen vorschnellende Hand sie überm Kopf des Wolligen auffing und nochmals zurückriß; ein kompliziert zu beschreibendes Entree, das jedoch kein Aufsehen erregte, auch wenn es sich, mit zweckgebotnen Abweichungen natürlich, bei jeder Tür wiederholte: zur Sauna, aus der Sauna, zum Ruheraum, aus dem Ruheraum, und dies dreimal, und zum Schluß in den Umkleideraum zurück, und so bei jedem der fünf Besuche. Nie brauchte der Wollige eine Tür anzufassen, aber auch nie wurde sie vor ihm devot aufgetan; nie betrat er anmaßend einen Raum als erster, doch stets tat nach dem Passieren der Tür der Vorausgehende einen Spreizschritt zur Seite, der Letzte schloß auf, und die beiden wahrten ihren halben Schritt Abstand hinter dem solcherart an die Spitze gekommenen Mittleren auch beim Langsamerwerden und Stehenbleiben. Das alles sah völlig natürlich aus und lief ab, als sei es lang eingeübt, obwohl solche Riten gewiß nicht exerziert werden können, ja wahrscheinlich nicht einmal einer Weisung entspringen. Sie ergeben sich; sie sind einfach die Form, die ein Vorgang von einiger Wichtigkeit annehmen muß, und also sind sie doch natürlich: die Natur der Gesellschaft drückt sich darin aus. Zu dieser Zeit gerade in ästhetisch-theoretische Grübeleien um eine Apologie der Form versponnen, nahm ich diese Erkenntnis mit Genugtuung auf.

In der Tat: den Unterschied zwischen lebendiger und erstarrter Form, den ich bei meiner Arbeit durch einen Vergleich zweier Sonette – Texte verwandter Thematik von Gryphius und Emanuel Geibel etwa – oder auch, was allerdings schwieriger, aber auch eindrucksvoller gewesen wäre, durch einen Vergleich zweier Terzinen analoger Autoren herauszuarbeiten gedachte, ich hätte ihn, was die lebendige Form anlangte, kaum besser studieren können als eben hier, und besonders dann, wenn die drei den Saunaraum betraten. Gegen ein Zeremoniell feierlichen Eintritts würden wir uns empört haben, denn das hätte die Tür ungebührlich lang offengehalten, und da waren wir alle sehr empfindlich. Mit Recht: die Ofenleistung war mit einem Maximum von fünfundsiebzig Grad durchaus unzulänglich, und wir hatten uns kurz zuvor sogar mit einer Bande von Rowdys angelegt, die eine Kraftprobe versuchten und die Tür für ihren Einzug sperrangelweit aufstießen – da hatten wir kräftige Worte gefunden, und da wären wir auch einer Prügelei nicht aus dem Weg gegangen, doch die drei gaben uns kein Ärgernis. Kaum hatte der Längere die Tür aufgeklinkt, war auch der Wollige schon hindurch und der Kürzere schloß: schneller hätten sie auch auf andere Weise nicht passieren können. Sie hielten sich überhaupt strikt an die Regeln. Daß sie die Badezeiten nicht überschritten, sagte ich schon; daß sie weder lärmten noch rauchten noch Alkohol tranken, war selbstverständlich, und als der Wollige – es geschah dies nur beim ersten Besuch – eine Handbürste mit in die Schwitzstube brachte, ließ er sie nach einem Blick auf eines der Verbotsschilder unbenutzt, wiewohl nur wenige Badegäste auf den Bänken saßen und keiner davon unmittelbar neben ihm. Er sprang – gegen welche Anstandsregel sonst sehr viele sündigten – auch niemals ins Kaltwasserbecken, wenn jemand in der Nähe stand, den er hätte bespritzen können, und selbstverständlich duschte er vorher, was auch nicht jeder tat. – Ins Kaltbecken sprang er stets in der Hocke, mit hochgezogenen Knien, aber nie die Beine mit den Armen umfaßt, was in solcher Unvollkommenheit etwas Rührendes hatte. Von seinen Begleitern folgte ihm keiner. Hasenherzigkeit? Je nun – die zwei standen mit solch wacher Lässigkeit vor den beiden zugänglichen Beckenumrandungen (die beiden anderen gingen in die rechten hinteren Eckwände des Vorraums über), daß jeder einen Bogen ums Becken machte, doch sie ließen mich anstandslos die Stufen in die Kälte hinab, als sich einmal der Wollige noch darin tummelte. Es lag mir natürlich fern, sie zu erproben; ich hatte geschwitzt, geduscht und wollte mich abkühlen, das war alles, und da ich wußte, daß der Wollige länger als wir alle im Becken aushielt, wich ich von meiner Gewohnheit ab und stieg zu ihm. Sonst warte ich nämlich stets, bis das Becken frei ist; ich pflege nur rasch einzutunken und mich dabei am Stufengeländer festzuhalten, und da man im kalten Wasser im Nu bis ins Mark friert, will ich niemand den Rückweg versperren und warte eben. Beim Wolligen aber wußte ich, daß er verweilte. Nach dem Einsprung (in der Hocke, man erinnert sich) blieb er stets einen Augenblick untergetaucht, dann schwoll er, sich kräftig vom Grund abstoßend, senkrecht bis über die Leisten herauf, warf die Arme über den Kopf und fiel aufplatschend nieder und hüpfte in diesem Auf und Ab prustend und um sich schlagend das Becken hindurch bis zum armdick einschießenden Frischwasserstrahl, unter dem er gehöhlten Kreuzes die Schultern dehnte und renkte, bis die Lippen blau anliefen, um dann, immer noch hoch- und niederfahrend, der Wuschlichkeit des gelbweißen Flauschtuchs entgegenzueilen, mit dem ihn der Längere zu seiten des Einstiegs erwartete. Nun stand er vorm Wasserstrahl und schien nichts als Behagen zu empfinden: Er plantschte wie ein Kind; das Glück des Leibs strahlte unverdrängt und ungebrochen von seinen Backen, und da es mir ebenso ging, geschah es, daß ich ihn für einen Badegast gleich uns hielt und mit irgendeiner der Floskeln ansprechen wollte, die man bei dieser Gelegenheit äußert und die, wenn sie auch nicht mehr besagen als ein gemeinsames Lächeln oder Schmunzeln zufällig zusammengeführter Alltagsgefährten, eben doch einem gemeinsamen Erlebnis entspringen und Ausdruck dieser Gemeinsamkeit sind. Ein Wohlgefühl, und daraus ein naiver, kaum artikulierbarer Mitteilungsdrang, mehr Geste als Wort, und so stieg ich nach dem Unterducken nicht gleich die Stufen wieder hinauf, sondern wandte mich dem nun auch mir sich Zuwendenden zu, um ihn anzureden, da spürte ich den Blick im Nacken und ließ es sein. Es war einer der Blicke, die durch jede Arglosigkeit unter die Haut dringen; ich fuhr herum, und da stand der Kürzere lässig zwischen dem Beckenrand und den Steinbänken, darauf man die Badesachen ablegt; er stand lässiger als sonst, das Gewicht ganz aufs linke Bein verlagert, die rechte Ferse auf der Steinbank, die Hände überm Gesäß, den Unterkiefer vorgeschoben und den Blick gleichmütig zwischen mir und dem Wolligen auf dem grünen Wasser. Er rührte sich nicht, doch in diesem Augenblick fühlte ich von der Steinbank aus einen körperlosen Schatten zwischen mich und den Wolligen springen; lautloses Aufklatschen; Eiseskälte; ich tat fröstelnd einen Schritt zurück ins Becken und sah den Wolligen über die Stufen steigen, ins Tuch sich hüllend und, vom Kürzeren gefolgt, in den Ruheraum treten, dessen Tür der Längere vor ihm aufstieß.

Im Ruheraum ruhte er wie immer konzentriert, doch hier war, wie ebenfalls immer, die Ruhe schon nicht mehr Genuß. Er versuchte angestrengt, sich zu entspannen, und so ruhte er ohne auszuruhn. Er lag (man konnte durch die Glastür alle fünf Pritschen beschauen), er lag zwar unbewegt auf dem Rücken, die Knie durchgedrückt, die Hände unter dem Nacken verschränkt und die Augen geschlossen, allein er lag wie in einer Schablone vollkommen symmetrisch, und spätestens nach einer Minute begann er im grübelnden Selbstgespräch die Lippen zu bewegen und die Stirn zu runzeln, dann schien er sich bei diesem unerlaubten Nicht-Ruhn zu ertappen und kniff den Mund zu und lag die nächste Minute vollkommen steif. – In den Ruheraum begleitete ihn meist nur der Längere; der Kürzere seifte sich in dieser Zeit ab, was der Längere selten und der Wollige nie tat. Das Glück, das der Wollige im Kaltbecken erlebte, geschah dem Kürzeren unter der warmen Dusche: Er ließ, träg sich räkelnd, den körnigen Strahl minutenlang auf sich niedersausen, dann seifte er sich von der Stirnglatze bis zu den Knöcheln ab, brauste, seifte sich abermals schaumig, rieb mit dem Waschlappen herunter, wusch, im Kauern, die Füße und seifte ein drittes Mal die Partien, die er besonders zu säubern gedachte: das Gesicht, den Nacken, die Leistenbeuge, den Penis und die Afterspalte, und die, in breiter Grätsche gebückt, noch ein viertes Mal. Nach dem Abseifen drehte er die Dusche, so heiß er's ertrug, und stand wohlig schnaufend, dann packte er, aus allen Poren dampfend, die rosa Seife ins Schälchen, und dann kam meist auch der Wollige mit dem Längeren zurück, und sie gingen schwitzen. Diesmal, wie gesagt, waren sie zu dritt im Ruheraum: der Längere dösend, der Wollige angespannt sich entspannend, der Kürzere mit seitlich von der Pritsche herabhängenden Armen und Beinen, und als sie wieder den Vorraum betraten, pfiff er, der Kürzere, vor sich hin.

Und dann geschah das Unerwartete.

Im Schwitzraum (ich war gleich nach den dreien hineingeschlüpft) lud der Wollige noch, wie üblich, seine Begleiter, die wie immer eine Bank unter ihm Platz genommen hatten, durch ermunterndes Nicken und mehrmaliges Hochrucken der seitwärts der Hüften abgewinkelten und nach oben geöffneten Hände zu sich herauf, und wie üblich tat er dies, nachdem er schon die ersten Worte eines Gesprächs begonnen, will sagen, ihnen mit verhaltener Stimme einige uns Umsitzenden unverstehbare, von den beiden Emporlauschenden aber mit beflissenem Nicken oder Schmunzeln quittierte Worte zugesprochen hatte, und wie immer glitt nach dieser Erhebung ein Lächeln begnadeter Freude über ihre Züge, beglückter beim Längeren, genugtuungsvoller beim Kürzeren, doch bei beiden ans Erstaunen von Söhnen des hohen Nordens erinnernd, die jedesmal neu überwältigt die Sonne nach langer Winterhaft aufgehen sehen. Bis dahin also auch diesmal wie je: Eintrittsritual, Platznahme nach Rang, Anrede, Erhöhung, und zwei gesetzte Männer schnellten fast rücklings nach oben, da fragte, statt sein Sich-Mitteilen fortzusetzen, der Wollige laut als wie unsereins, wieviel Grad es denn habe, und auf die gedämpfte Entgegnung des Längeren, es habe vierundsiebzig Grad, fragte, und weiterhin so, daß ihn jeder vernehmen konnte, der Wollige weiter, ob das vierundsiebzig Grad Reaumur oder Fahrenheit wären, und setzte, zum Längeren gewandt, doch uns alle meinend, seine Fragen mit der Erkundigung fort, ob der Witz von dem Mann, der zur Leipziger Messe fahre, bekannt sei, und das war einfach unerhört. Unerhört natürlich nicht der Witz, sondern daß er uns einbezog. Sonst hatte er, wie gesagt, nur zu den beiden geredet, leise, bedeutend, mit leisen und bedeutenden Gesten und großen Pausen zwischen den einzelnen Worten, die er wie Siegel von Unabdingbarem setzte, verhalten, eindringlich, letztinstanzlich, und manchmal auch mit dem hintergründigen Lächeln für Eingeweihte, das über Wohl und Wehe Dritter entschied und das die beiden mit einer Gebärde empfingen, die der Übergang vom Nicken einer Vollzugsbereitschaft zur Verneigung vor schicksalhaft Waltendem war. Jedenfalls sah es so aus, und nie hatten wir mehr als ein unerschließbares Raunen vernommen; nie hätten wir von seinen Lippen zu lesen vermocht; nie hatten die beiden um ihn durch ein Mienenspiel etwas von dem Mitgeteilten verraten –

und nun an uns alle, und nun gar ein Witz! Natürlich wartete er nicht auf ein Ja oder Nein zu seiner Frage, sondern fuhr – nach einer Pause, in der sich sein Mund schon auftat und sein Blick uns noch einmal überflog, ehe er sich, wie bei jedem Lehrenden, auf einen imaginären Punkt im Fernsten richtete -, fuhr also, ein wenig vornübergebeugt, in kurzen, durch öfteres Händeöffnen weit voneinander abgesetzten Passagen zu reden fort, daß eines Morgens zwei Männer auf eine Dienstreise nach Leipzig zur Messe gegangen seien und am Fahrkartenschalter zwei Fahrkarten nach Leipzig verlangt hätten, wobei – und nun erhob er Kopf wie Stimme -, wobei der eine der Reisenden erklärt habe, sie reaumierten heute zur Messe (wörtlich: "Mir reaumieren nämlich heute zur Messe"), bei welcher Wendung der Längere wie der Kürzere ins glucksende Lachen ungläubiger Erheiterung ausbrachen, worauf der Wollige, mit jovialgenußhaftem Blick in unsere noch stumme Gesichterrunde zurückkehrend, das soeben berichtete Verbum unter neuem Aufglucksen der beiden bestätigend wiederholte, um dann, nach einer kunstvollen Pause, in der die Vorfreude auf die eigne Pointe und damit die unverhohlene Erwartung, in wenigen Augenblicken eine Runde begeisterten Lachens um sich versammelt zu sehen, ihm die Augenbrauen hochzog und Lippen samt Backen erzittern machte, um also endlich mit ihr, der Pointe, herauszurücken: Man sei, so der zweite seiner Messebesucher zur Fahrkartenverkäuferin, man sei jetzt im Fernstudium nämlich gerade beim Physikkapitel, und da verwechsele der Kollege doch jedesmal Fahrenheit und Reaumur; er habe sagen wollen: "Mir fahrenheit zur Leipziger Mes-", und da platzte der Kürzere heraus, eine schallende Lache, in die der Längere erst einstimmte, als der Wollige mit triumphierendem Ton die Pointe halb wiederholend vollendet hatte: "- mir fahrenheit nach Leipzig zur Messe – fahren heut, ja?" und nun lachte er selbst im breiten Gelächter der beiden mit, und der Längere schlug sich auf den Schenkel: "reaumiehrn -"; und der Kürzere, trockener, kopfschüttelnd zwischen kargeren Lachstößen: "- so einer; na!", und in den braunen, den wasserhellen klaren freudengeweiteten runden Augen des Wolligen schimmerte wieder die kindhafte Lust wie im Frischwasserbecken; und er hob schon, den Mund breitbehaglich verziehend, die Hände, seine Knie statt des Wassers zu schlagen, da war das Lachen der zwei in der Stille des Schweigens zerbröckelt, denn es blieb still ringsum, eine unbeteiligte Stille, auf allen Bänken, ganz still, und der Wollige, hilflos, erläuterte noch: "Das hat der verwechselt", dann ging sein Blick für einen Moment wieder in die Ferne und kam gleich zurück auf seine Zehen, und im Ofen knisterte ein Stein. Knistern im Ofen; natürlich, wir waren ja in der Sauna mit ihrer trockenen heißen Luft und dem trockenen heißen Holz und dem gnadenlos ausgeleuchteten trockenen heißen saharafarbenen Innen, in dem man jedes Haar und jede Fiber und jeden auf der Maserung verdampfenden Schweißtropfen sieht; hätte er diesen Witz im Dampfbad erzählt, in den wallenden Schwaden, wo auch die Phantasie und das Wohlwollen wallen, in den treibenden, ineinander sich wälzenden Wolken, aus denen Gesichter tauchen und Bäuche und Hände und Worte und Gutmütigkeiten, Vages im zischenden Nebel, zersprühende lindernde Kühle, Gelöstheit, Gemüt und Genüge, vielleicht hätte es dort, wo *alles* Volk war, ein Lachen gegeben, heitres Gebrüll aus den kochenden Schwaden, Herzlichkeit aus allen Poren; aber er ging ja nicht dorthin, und hier? Gnadenlos alles: gnadenlos die Luft, gnadenlos die Hitze, gnadenlos die Trockenheit, gnadenlos die Sonderung, ein gnadenlos vertaner Moment kaum möglichen Zusammenfindens, doch da sah der Wollige schon den Längeren an und sagte beiläufig, uns grade noch hörbar, doch ganz zu dem Angesprochnen gerichtet: "Ach, ihr kanntet den schon", und dann, nach dem Nicken der beiden, doch ohne ihr Nicken erwartet zu haben und so, wie wenn nie etwas geschehen wäre – und es *war* ja auch gar nichts geschehen -, begann er wie je seine Worte zu setzen: unhörbar, bedeutend, mit sehr langen Pausen und sicher-beschließenden strichhaften Gesten, und dann schlug er noch einmal die Augen zu uns auf, die wir alle geblieben waren und dies und das sprachen, was man in der Sauna so spricht: Belangloses, Nichtiges, Halblautes, Silben, Partikel, und er sah uns alle in *einem* Blick an, gleichgültig, in lässiger Nichtbeachtung des einzelnen uns insgesamt abtuend; dann stand er, ein Wort zum Kürzeren äußernd, auf, wiewohl es noch nicht seine Zeit war (er blieb immer genau zwölf Minuten im Schwitzraum, eine Zeit, deren Dauer dem recht schnell ins Perlen geratenden Längeren offensichtlich nicht sehr angenehm war, doch er hielt natürlich jedesmal durch), stand also noch nicht triefend auf und ging, indes der Längere hautnah vor ihm durch die Tür glitt, in den Vorraum, und der Kürzere folgte ihm hautnah und schloß. Draußen dann machte der Wollige, nach dem Duschen natürlich, Kniebeugen; es waren, wobei er lautlos mitzählte, ihrer zwanzig, dann spritzte er Knie und Unterschenkel mit dem Kaltwasserschlauch ab, den ihm, da er danach griff, der Längere schon entgegenstreckte, und dann verließ er die Sauna endgültig, eine Viertelstunde zu früh und wie stets ohne Gruß.

Ich dachte, er käme nicht mehr, doch schon zum nächsten Turnus trat er, und verspätet, ein wie immer, dann aber duschte er kürzer als sonst, ging sofort in den Schwitzraum, wiewohl es dort voll war, setzte sich ohne Zögern in eine Lücke der Mittelreihe, und seine Begleiter nahmen unten bei den Neulingen Platz. Fast eine Minute saßen sie so in völligem Schweigen, dann sagte der Wollige zwei unverstehbare Worte, und der Kürzere sprang auf, eilte ans Thermometer, beschaute, ein wenig ins Knie gehend, lange die Skala, und als er dann, zurückgekehrt, Meldung erstattete, drehte der Wollige den Kopf sehr langsam vom Gradaus nach ganz rechts, von dort nach links und von dort zur Mitte zurück, fixierte dann, die Augen zum Thermometer erhoben, die von seinem Platz aus unablesbaren Ziffern, um schließlich ein den Umsitzenden deutlich vernehmbares "das ist wieder zuwenig" zu sagen, und zwar in einem Ton der Mißbilligung, in die sich sowohl Genugtuung über den Eintritt eines sicher vorausgewußten Ereignisses wie ehrliches Staunen darüber mischte, daß dieses Ereignis doch eingetreten – sein Timbre rührte ans Rätsel der Prädestination. In diesem Augenblick sah alles zum Thermometer: es zeigte wie stets vierundsiebzig Grad, und wir hörten den Wolligen noch einmal und nun nur noch mißbilligend sagen, daß dies für eine Sauna zu wenig sei, da aber war er schon aufgestanden und ging in den Duschraum und gab noch in der Tür, die dadurch ein wenig länger als sonst offenblieb, dem beschließenden Kürzeren eine uns unhörbare Weisung, die dieser mit lebhaftem Nicken entgegennahm. Dann ging er, und am nächsten Tag war die Sauna geschlossen; ein Windschutz würde eingebaut, hieß es, und als die Anstalt nach neun Wochen wieder geöffnet wurde, war ein Lederschirm um die Tür gebaut, und das Thermometer hielt genau bei achtzig Grad. Jetzt war wohl jeder gespannt auf des Wolligen Rückkunft, und ich war zudem auch neugierig, einmal seine Reaktion auf ein gänzlich überraschendes, schon im Ansatz und nicht nur im Ziel unvorhergesehenes Ereignis zu erfahren, und ich nahm mir vor, es das nächste Mal so einzurichten, daß ich mich zwischen ihn und einen seiner Begleiter auf die oberste Saunabank drängte, doch da erschien er nicht mehr bei uns. Oder besser gesagt: erst nachdem er längere Zeit nicht mehr erschienen war, kam ich auf jenen Gedanken. Es fiel mir dann noch vieles ein, ihn herauszufordern, so etwa, ihn einfach anzusprechen oder ihn, wenn er mich musterte, zu fragen, ob er etwas von mir wünsche, doch ich kam, wie gesagt, nicht mehr dazu, und sollte er noch einmal erscheinen, werde ich es wahrscheinlich doch nicht tun.

Übrigens traf ich ihn kürzlich auf der Straße. Ich ging zu einer Sitzung des Verbandes der Freunde ästhetischer Forschung, um meine erwähnte Schrift über Formnotwendigkeiten zu verteidigen (was mir, nebenbei gesagt, gar nicht gelang: ich wurde zu meiner Verblüffung, ich hatte wirklich nicht damit gerechnet, als Träger einer recht bedenklichen Fehleinschätzung der deutschen Barockdichtung verurteilt), da fuhr er in einer schwarzen Limousine die Allee herunter, die ich hinaufging. Ich erkannte ihn sofort: Der Längere fuhr, der Kürzere saß auf dem Beifahrerplatz und der Wollige wie in der Sauna hinter den beiden, und die Blicke der kugelrunden Augen sprangen musternd über den Bürgersteig. Nun fielen sie auch auf mich, und er schien mich tatsächlich zu erkennen; er lächelte ein wenig, ganz flüchtig natürlich, der Anflug eines Lächelns nur, aber doch eines Lächelns, und dann nickte er mir auch wohlwollend zu, doch da hob sich der Wagen schon vom Straßenbelag und fuhr, in eine leichte Serpentine schwenkend, in langsam stetigem Steigen direkt durch die Luft in ein lautlos von innen sich öffnendes Fenster eines fünften oder sechsten Stockes des Hochhauses am Markte, das sich lautlos und leicht wie ein Schmetterlingsflügel hinter dem Entrückten wieder schloß.

[1977]

Gabriele Wohmann

Verjährt

Nette Leute, unsere Nachbarn in der Strandhütte rechts, die Leute mit dem Pudel. Ruhige Leute, mit vorwiegend angenehmen Erinnerungen. Sie verbringen jeden Sommer hier, kaum wissen sie noch, seit wann. Sie haben auch letztes Jahr im JULIANA gewohnt, waren einmal am Leuchtturm, mit Rast in der Teebude, bei ähnlichem Wetter wie im Jahr davor oder danach. Es kommt ihnen auf Übereinstimmung an, je mehr die Ferien sich gleichen, desto besser die Erholung. Öfter im Hafenort, die etwas längere, aber auch lohnendere Unternehmung. Doch noch immer haben sie sich nicht dazu aufgerafft, in einer Vollmondnacht längs des Abschlußdamms zu promenieren. Wiedermal versäumten sie an keinem ihrer vier Mittwochnachmittage das Folklorefest im Hauptort der Insel, vorher Einkäufe, Mittagessen, als Ausklang Eis. Es pflegt sie stets einigermaßen anzustrengen, im überfüllten Städtchen findet der Mann nur mit Mühe einen Parkplatz; aber es gehört dazu und ist nett, war nett, immer gewesen. Findest du nicht, Reinhard?

Sie mieten immer eine der Strandhütten auf der Nordseite, sie finden den dortigen Strandhüttenvermieter sympathischer, sie melden sich immer rechtzeitig an und bestehen auf einer der höheren Nummern, meistens wohnen sie in einer Hütte zwischen 60 und 65. Sie haben es gern ruhig. Der etwas weitere Weg, Preis dieser Ruhe, ist schließlich gesund. Sie redeten auch vor drei Jahren über den Pudel, beispielsweise. Der Pudel, das Wetter, der Badewärter, der Jeep des Badewärters, Badeanzüge, Mahlzeiten im JULIANA. Vielleicht sind einige ihrer Sätze früheren Sätzen zufällig aufs Wort gleich, das wäre wahrscheinlich, zumindest bei kurzen Sätzen. Die Bedienung im JULIANA wechselt, aber das bringt wenig Veränderung mit sich, denn alle Kellnerinnen und Kellner und auch die Zimmermädchen sind freundlich und vergeßlich, als mache die Hotelleitung bei neuen Engagements gerade nur diese beiden Eigenschaften zur Bedingung.

Übrigens haben vor ungefähr fünfzehn Jahren unsere netten ruhigen Nachbarn sich den Frieden gewünscht, in dem sie jetzt längst leben. Das Erreichte scheint sie manchmal fast zu lähmen. Stundenlang reden sie kein Wort miteinander. Dann wieder das Hotelessen, der Vorschlag spazierenzugehen, die lauten ballspielenden Leute in der Strandhütte links, unsere Nachbarn bedauern, daß der Strandhüttenvermieter nicht darauf geachtet hat, ihr Ruhebedürfnis zu respektieren, er wird es nicht so genau wissen, wir wollen keinen Streit anfangen. Mit ihrem Apfelfrühstück, den Rauchpausen, dem Umkleiden in der Hütte – wobei immer einer rücksichtsvoll den andern allein läßt und, den beunruhigten Pudel an knapper Leine zurückreißend, vor der versperrten Tür wartet – mit ihren kurzen, aber gründlichen, von Gymnastikübungen umrahmten Bädern bei Hochflut, den Pudelspaziergängen mit Apportieren und fröhlichen, aber ernsthaften Erziehungsexerzitien und sparsamem Wortwechsel untereinander, erwecken unsere Nachbarn in mir den Wunsch, wir beide, Reinhard, könnten es eines Tages genau so angenehm haben -

Ich bringe die Zeit durcheinander, entschuldige. Es ist so heiß, die Sommer sind sich so ähnlich, man kann leicht eine Schaumkrone für ein Segel halten oder Jahre und Leute miteinander verwechseln.

Aufregungen im Leben unserer Nachbarn liegen so weit zurück, daß sie nicht mehr genau stimmen, wenn man sich ihrer erinnert, aber das unterbleibt. Vor Jahren hat der Mann ein Kind überfahren, es war jedoch nicht seine Schuld, sondern die des Kindes. Die Frau, obwohl sie das so gut wie jedermann wußte, nahm dem Mann die Selbstsicherheit übel, mit der er über den Fall redete. Als käme es darauf an, wer die Schuld hat, fand sie, sie sagte es ihm auch. Weniger nett von ihr, denn sie hätte spüren müssen, daß der Mann unter dem Unfall litt wie sie, schuldig oder nicht.

Jetzt vergessen. Während der Mittagsstunden ist es besonders ruhig am Strand. Oft nehmen unsere Nachbarn sich Lunchpakete mit in die Strandhütte, bei schönem Wetter; die Lunchpakete des JULIANA sind so großzügig gepackt, daß der Pudel kein eigenes Fressen braucht. Die vier Wochen am Meer, von jeher eine feste Gewohnheit unserer Nachbarn, waren in dem Jahr nach dem Unfall natürlich keineswegs geruhsam, obwohl nicht mehr darüber geredet wurde; beide erholten sich nicht nennenswert. Sie besaßen auch noch keinen Pudel damals, überhaupt keinen Hund als Ersatz für ihre kleine, vom Vater überfahrene Tochter, darauf kamen sie erst ein Jahr später, es hat aber auch dann noch nicht richtig geholfen, die Traurigkeit war doch größer. Im Jahr nach dem Unfall hatte der Mann immer noch nicht von seiner Marotte genug, der Frau Vorwürfe zu machen. Schön und gut, ich habe sie überfahren, aber du hast mit ihr das blödsinnige Privatfest gefeiert und ihr so viel Wein zu trinken gegeben – die Frau hörte nicht mehr zu. War es anständig, Monate nachdem sie den Alkohol aufgegeben hatte, dies Thema überhaupt zu berühren? Die Frau fand jahrelang die Auseinandersetzungen mit ihrem Mann schlimmer als den Verlust des Kindes, sie haßten sich, wünschten einer des andern Tod – nicht der Rede wert. Jetzt, am Strand, wird keinem Anlaß für Zorn mehr nachgesonnen. Alles ist verjährt, scheint es nicht so? Zwei Hütten weiter rechts sieht ein Mädchen der Geliebten des Mannes ähnlich; sehr viele Jahre her, man zählt nicht nach. Diese Geliebte wäre jetzt älter und dem Mädchen gar nicht mehr ähnlich. Sie lebt nicht mehr, ihr Selbstmord war der Frau recht: das genügt nicht, um von Schuld zu sprechen.

Der Pudel ist so lebhaft. Nett zu beobachten. Man selber liegt still. Kein Wort mehr. Zu reden, das hieße: auch über Gilbert zu reden. Nach dem von mir verschuldeten tödlichen Unfall unseres Kindes, Reinhard, war es doch verständlich, daß ich mit Gilbert wegging. Vorbei. Ich weiß, daß die noch jungen Leute nebenan uns beneiden. Nette ruhige Leute, werden sie denken, vorwiegend angenehme Erinnerungen. Was für friedliche Nachbarn, sie sind gut dran. Ja, so wird es von uns heißen. Ich höre manchmal Streit von nebenan, du auch, Reinhard? Es erinnert uns an früher. Es erinnert uns an meinen Sohn von Gilbert, an deine Konsequenz, das Kind nicht in unserm Haus zu dulden. Es erinnert uns an das gebrochene Versprechen, meinen Vater bei uns aufzunehmen, aber meine Mutter, sterbend, wußte ja schon nicht mehr, was sie verlangte, und übrigens starb mein Vater drei Monate später in einem sehr ordentlichen Altersheim.

Seit wir nur noch wenig miteinander reden, Reinhard, erholen wir uns von Sommer zu Sommer besser. Unsere Ernährung ist reich an Vitalstoffen. Promenaden bei Vollmond aber lassen wir besser weg. Besser, wir halten uns an das Normale. Der Pudel amüsiert uns, ein spaßiger Kerl. Das Meer ist fast schön. Viel Obst, viel Übereinstimmung, viel Ruhe.

[1968]

6. Kinder und andere Menschen

Die Lebensbedingungen von Kindern in den westlichen Industrienationen haben sich in den letzten Jahrzehnten entscheidend verändert. Während die Weimarer Republik bzw. Krieg und Nachkriegszeit vom Kampf um die familiäre Existenz bestimmt waren, legte der wachsende Wohlstand in den fünfziger und sechziger Jahren die Grundlagen für eine materiell abgesicherte Kindheit. Mehr und mehr verschwanden aber auch die Großfamilien, in denen sich die Kinder früher geborgen fühlen konnten. Es verschwand das Zusammengehörigkeitsgefühl zwischen den Generationen; alte Menschen wurden nicht mehr sinnvoll in den familiären Zusammenhang integriert, sondern mehr und mehr in Pflegeinstitutionen abgeschoben. Kinder und Jugendliche fühlten sich den "Alten" gegenüber zunehmend überlegen und lehnten es immer häufiger ab, von deren Erfahrung zu lernen. Die Elterngeneration wiederum mußte nun ihre erzieherische Energie auf die verbleibende geringe Kinderzahl konzentrieren. Nachdem zunächst noch zwei Kinder "angemessen" erschienen und mehr als drei Nachkommen die Familie beinahe schon kinderreich erscheinen ließ, setzte sich in den siebziger Jahren – unter dem Einfluß der "Pille" – der Trend zur Ein-Kind-Familie durch.

Das Streben der Eltern nach einer soliden gesellschaftlichen Stellung sollte aber nicht nur zur Stärkung der Position des Kindes in der Familie führen. Der allgemeine Wettbewerb um die jeweiligen Statussymbole 'Auto', 'Fernseher', 'Videorecorder', 'Hifi-Anlage' etc. machten es notwendig, daß beide Elternteile ganztags arbeiteten. Die sogenannten "Schlüsselkinder", für die es oft keine Aufenthaltsmöglichkeit in Tagesstätten gab und gibt, vereinsamten zusehends und entwickelten bisweilen schwere psychische Probleme.

Die Unfähigkeit oder Unwilligkeit der Bildungspolitiker, ganztägige Betreuungsmöglichkeit für Kinder überall einzurichten, trifft in besonderem Maße alleinerziehende Mütter und Väter. Opfer dieser verfehlten Politik sind immer auch die Kinder, deren Existenz von den wirtschaftlichen und gesellschaftlichen Verhältnissen im Elternhaus nach wie vor abhängig ist.

Kindheit, Jugend und Erziehung sind "klassische" Themen der Literatur schlechthin. Trotz der veränderten familiären und gesellschaftlichen Bedingungen dokumentieren einige Texte dieses Kapitels Aspekte des "Erwachsenwerdens", die sich über Jahrhunderte hinweg gleichgeblieben sind – und wohl auch gleich bleiben werden. Da ist die Sorge der Eltern um die Kinder, die aus dem Haus gehen und deren Lebensbedingungen sie nun nicht mehr beeinflussen können. Und da ist die Unruhe der Jugendlichen in der Pubertät, die ihren Protest gegen die Elterngeneration mit chaotischen Zimmern ebenso ausdrücken wie mit schockierender Kleidung oder provozierenden Frisuren.

Nach wie vor gibt es auch in der Erziehung noch die Fixierung der Kinder auf bestimmte geschlechtsspezifische Rollen. Dass ein Mädchen sich nicht schlagen und ein Junge nicht weinen darf, ist allerdings eine Auffassung, die bereits von vielen nicht mehr geteilt wird. Dazu hat gewiss auch eine "emanzipatorische" Kinder- und Jugendliteratur beigetragen, die seit den siebziger Jahren neue Impulse erhält. Texte wie der von Christine Nöstlinger nehmen die Jugendlichen als Figuren mit ihren spezifischen Problemen ebenso ernst wie als Leser und Leserinnen – und sind insofern selbst literarisch ernstzunehmen.

Franz Hohler

Bedingungen für die Nahrungsaufnahme

Mir ist der Fall eines Kindes bekannt, das, knapp nachdem es ein Jahr alt geworden war, nichts mehr essen wollte. Wenn man ihm seine Nahrung, die meistens aus einem Brei bestand, eingeben wollte, verwarf es die Hände vor dem Gesicht, schüttelte den Kopf und wand sich, so daß es unmöglich war, ihm auch nur einen Löffel davon in den Mund zu bringen. War man doch einmal so weit vorgedrungen, spuckte es sofort alles wieder aus und begann zu schreien. Das einzige, was es zu sich nahm, war etwas Wasser, aber schon wenn man ihm statt dessen Milch hinhielt, wollte es nichts mehr davon wissen.

Die Eltern waren beunruhigt und konnten sich diese plötzliche Änderung nicht erklären. Sie versuchten das Kind zuerst mit Zureden, dann mit Drohungen und Schlägen zur Annahme des Breis zu bewegen, aber es war vergebens; sie legten ihm eine Banane hin, die es sonst unter allen Umständen gegessen hätte, doch das Kind nahm sie nicht. Erst ein Zufall führte zu einer Lösung. Das Zimmer des Kindes war mit einem Gatter, das man in den Türrahmen einklemmte, abgesperrt, so daß das Kind bei offener Türe im Zimmer gelassen werden konnte und man hörte, was drinnen vorging, ohne daß es die Möglichkeit hatte hinauszurennen. Am dritten Tag der Nahrungsverweigerung wollte der Vater der Mutter, die sich schon im Zimmer befand, um das Kind zu Bett zu bringen, den Brei hineinreichen, da kam das Kind an das Gatter gelaufen und schaute begierig zum Teller hinauf. Sogleich beugte sich der Vater hinunter und begann, ihm über das Gatter hinweg den Brei einzulöffeln, und das Kind, das sich mit den Händen an den Stäben hielt und mit dem Kopf gerade über den Gatterrand hinausreichte, schien sehr zufrieden und aß den ganzen Brei auf. Am nächsten Morgen fütterte der Vater, bevor er zur Arbeit ging, das Kind auf dieselbe Weise, und es zeigte nicht die geringsten Widerstände. Als aber die Mutter am Mittag dem Kind den Brei über das Gatter geben wollte, lief es weg und schlug den Deckel seiner Spieltruhe solange auf und zu, bis sich die Mutter aus dem Türrahmen entfernte. Vom Vater nahm es am Abend wieder ohne Umstände den Brei über das Gatter.

Nun aß das Kind zwar wieder, aber die Tatsache, daß es nur von seinem Vater gespeist werden wollte, machte den Eltern zu schaffen. Abgesehen davon, daß es so nur zwei Mahlzeiten am Tag bekam, war es für den Vater nicht einfach, jeden Abend pünktlich dazusein, um dem Kind sein Essen zu verabreichen, er mußte sich von Berufs wegen öfters von seinem Wohnort wegbegeben. Einmal erschien er leicht verspätet und hörte das Kind schon schreien, warf den Mantel rasch über den Stuhl, ging zum Kinderzimmer und gab dem Kind sein Essen. Erst nachher merkte er, daß er vergessen hatte, seinen Hut dazu abzunehmen. Als er am andern Morgen wieder zum Kind ging, wollte es nicht essen, zeigte ihm jedoch unablässig auf den Kopf. Da erinnerte sich der Vater an den vorigen Abend, holte seinen Hut und setzte ihn auf, und befriedigt ließ sich das Kind nun seinen Brei geben. Von nun an mußte der Vater immer einen Hut anhaben, wenn er wollte, daß das Kind aß.

Bisher war die Mutter stets zugegen gewesen, wenn das Kind sein Essen erhielt, nun blieb sie einmal am Morgen, als sie schlecht geschlafen hatte, im Bett, da sich der Vater anerboten hatte, das Kind allein zu besorgen. Das Kind weigerte sich aber, den Brei ohne die Gegenwart der Mutter zu essen, und so blieb dem Vater nichts anderes übrig, als die Mutter herzuholen, welche sich im Nachthemd auf ein Kinderstühlchen setzte.

Am selben Abend wehrte sich das Kind schreiend gegen die Zumutung, seinen Brei zu essen, dabei war alles in Ordnung. Der Vater stand außerhalb des Gatters und hatte seinen Hut an, und die Mutter war auch dabei. Allerdings trug sie jetzt ihre Tageskleidung, und da das Kind immer wieder auf die Mutter zeigte, zog sie schließlich ihr Nachthemd an und kam wieder ins Zimmer. Das Kind war aber erst zufrieden, als sie sich wieder auf das Kinderstühlchen setzte und von dort aus zuschaute, wie es aß.

Von jetzt an mußte sich die Mutter immer zur Essenszeit des Kindes das Nachthemd anziehen, sonst war an eine Nahrungsaufnahme gar nicht zu denken.

Bald ließ sich das Kind nicht mehr von zufällig eingetretenen Ereignissen leiten, die es wiederholt haben wollte, sondern begann, sich selbst neue Forderungen auszudenken. So deutete es als nächstes auf den Schrank, der im Zimmer stand und schaute dazu seine Mutter an. Die Mutter ging auf den Schrank zu und wollte ihn öffnen, doch da heulte das Kind auf und zeigte auf die Dekke des Schranks. Die Mutter sagte, nein, das mache sie nicht, da legte sich das Kind auf den Boden und strampelte mit Händen und Füßen in der Luft, indem es gellende Schreie von besonderer Widerlichkeit dazu ausstieß. Trotzdem beschlossen die Eltern, auf diesen Wunsch des Kindes nicht einzugehen, und so mußte es ohne Essen ins Bett. Bis zum Morgen, so hofften sie, hätte es den Gedanken bestimmt wieder vergessen.

Als die Mutter am andern Morgen im Nachthemd auf dem Kinderstühlchen saß und der Vater im Hut vor dem Gatter stand und dem Kind das Essen eingeben wollte, lehnte es wieder ab und zeigte auf die Decke des Schranks. Die Eltern erfüllten ihm den Wunsch nicht, aber das Kind aß nichts.

Nach zwei Tagen, als es bereits Schwächeerscheinungen zeigte, weil es außer Wasser nichts zu sich genommen hatte, gaben die Eltern nach, die Mutter kletterte im Nachthemd auf den Schrank und legte sich flach hin, worauf das Kind sofort mit großer Begeisterung seinen Brei aß, sich aber immer wieder mit Blicken versicherte, ob die Mutter ihm auch wirklich beim Essen zuschaue. Die Eltern waren nach dieser Niederlage sehr geschlagen und schauten geängstigt dem entgegen, was noch kommen würde. Man kann sich fragen, ob ihr Verhalten richtig war, aber sie sahen keinen andern Weg, um das Kind nicht verhungern zu lassen. Die Kinderärztin, die immer für die Kinder und gegen die Eltern entschied, empfahl dringend, den Wünschen des Kindes nachzugeben, da es wichtiger sei, daß das Kind esse, als daß die Eltern möglichst sorglos lebten, und ein Kinderpsychologe, mit dem der Vater bekannt war, konnte auch nicht helfen, sprach von einer etwas verfrühten Trotzphase und machte vage Hoffnungen, daß sie vorübergehend sei.

Dafür gab es aber noch keine Anzeichen, denn als das Kind das nächstemal essen sollte, rannte es zum Fenster und war nicht mehr davon wegzubringen. Der Vater wies das Kind auf die Mutter hin, die ordnungsgemäß im Nachthemd auf dem Schrank lag, deutete auf seinen Hut und wollte ihm das Essen über das Gatter geben, aber das Kind schüttelte sich am ganzen Körper und griff mit beiden Händen nach dem Fenstersims. Der Vater wollte es zwar nicht wahrhaben, aber er wußte, was das bedeutete. Das Zimmer lag im ersten Stock, er holte also eine Leiter im Keller, stellte sie außen an das Haus, stieg darauf zum Kinderzimmer hoch und reichte dem Kind den Brei durch das offene Fenster. Das Kind strahlte und aß alles auf.

Am folgenden Tag regnete es, und der Vater erstieg die Leiter zum Kinderzimmer mit einem Regenschirm. Von nun an mußte er immer mit dem Regenschirm ans Fenster kommen, unabhängig vom Wetter, sonst wurde der Brei nicht gegessen.

Inzwischen hatten die Eltern, um sich etwas zu entlasten, ein Dienstmädchen genommen. Das Kind jedoch lehnte dieses gänzlich ab und wollte sich nur von der Mutter betreuen lassen. Auch die Hoffnung, das Dienstmädchen könne sich im Nachthemd der Mutter auf den Schrank legen, erwies sich als falsch, das Kind verfiel fast in Tobsucht ob des plumpen Täuschungsversuches. Als aber das Dienstmädchen das Zimmer verlassen wollte, war es auch wieder nicht recht. Es mußte am Gatter stehenbleiben und ebenfalls zusehen, wie das Kind aß, und auch das reichte noch nicht. Es aß erst, wenn das Dienstmädchen bei jedem Löffel, den es schluckte, einmal eine Rasselbüchse schüttelte.

Das, hätte man annehmen können, war nun fast das äußerste, aber jetzt fing das Kind an, den Vater wegzustoßen, wenn er sich über den Sims lehnte und auch den Teller mit dem Brei hinunterzuwerfen, den der Vater jeweils aufs Fensterbrett stellte. Dem Vater fiel nichts anderes mehr ein als sich eine sehr hohe Bockleiter zu kaufen. Die stellte er in einiger Entfernung von der Hausmauer auf, stieg dann hoch und verabreichte dem Kind den Brei mit einem Löffel, den er an einem Bambusrohr befestigt hatte. Um mit diesem Löffel in den Brei eintauchen zu können, mußte er den linken Arm mit dem Teller ganz ausstrecken, konnte also den Brei nicht auf der Leiter abstellen. Da er aber nicht ohne Schirm auftreten durfte und ihn nicht wie bisher in der Hand halten konnte, hatte er sich ein Drahtgestell angefertigt, das er auf die Schultern nehmen konnte und in welches der Schirm eingesteckt wurde, so daß er ihn etwa in derselben Höhe über sich trug, wie wenn er ihn in der Hand gehabt hätte.

Ein Nachbar, der zu diesem Zeitpunkt seinen Feldstecher auf das Haus gerichtet hat, sieht also folgendes:

Der Vater reicht dem Kind den Brei in einem an einer Bambusstange befestigten Löffel von einer Bockleiter außerhalb des ersten Stockes durchs Fenster. Dazu trägt er einen Hut und einen Regenschirm, den er an einem Drahtgestell über den Schultern festgemacht hat. Die Mutter liegt im Nachthemd auf dem Schrank, und das Dienstmädchen steht vor dem Gatter, das im Türrahmen eingeklemmt ist. Beide schauen zu, wie das Kind ißt, und das Dienstmädchen schüttelt zusätzlich bei jedem Löffel, den das Kind schluckt, eine Rasselbüchse.

Wenn diese Bedingungen erfüllt sind, und nur dann, dann ißt das Kind.

[1973]

Ernst Jandl

frühe übung einem einen wichtigen sachverhalt einzuprägen

merk dir
du heißt
ernst jandl
und wohnst
wien 3
landstraßer
gürtel
sagte
die mutter
9
zu mir

merk dir
du heißt
ernst jandl
und wohnst
sagte
die mutter
wien 3
landstraßer
gürtel 9
zu mir

merk dir
du heißt
sagte
die mutter
ernst jandl
und wohnst
wien 3
landstraßer
gürtel 9
zu mir

merk dir
du heißt
ernst jandl
und wohnst
wien 3
sagte
die mutter
landstraßer
gürtel 9
zu mir

merk dir
du heißt
ernst jandl
sagte
die mutter
und wohnst
wien 3
landstraßer
gürtel 9
zu mir

merk dir
sagte
die mutter
du heißt
ernst jandl
und wohnst
wien 3
landstraßer
gürtel 9
zu mir

merk dir
du heißt
ernst jandl
und wohnst
wien
sagte
die mutter
3
landstraßer
gürtel 9
zu mir

merk dir
du heißt
ernst
sagte
die mutter
jandl
und wohnst
wien 3
landstraßer
gürtel 9
zu mir

ich heiße
sagte ich
ernst
jandl
und wohne
wien
3
landstraßer
gürtel
9

[1970]

Marie Luise Kaschnitz

Popp und Mingel

Noch immer fragen sie mich alle, wie das gekommen sei, neulich, am Tag vor Allerseelen, und warum ich das getan hätte. Sie sagen, es sei doch nicht das erste Mal gewesen, daß ich ein paar Stunden allein in der Wohnung war, ich müßte das doch gewöhnt sein, und es sei zwar ein dunkler Tag gewesen, aber doch kein besonders unfreundlicher, und ich hätte doch auch etwas zu essen vorgefunden, Bratkartoffeln und sogar ein Stück Wurst. Von dem Stück Wurst spricht meine Mutter immer wieder, wenn die Rede auf diesen Unglückstag kommt, was jetzt noch ziemlich oft geschieht, und sie betont dann jedesmal, was für eine feine Wurst das gewesen sei, Kalbsleberwurst, sagt sie, zu einer Mark fünfzig das Viertelpfund, und in einer Tüte auf dem Küchenbüfett seien auch noch zwei Äpfel und eine Banane und ein paar Pfeffernüsse gewesen, und ich hätte doch immer von allem nehmen dürfen, niemand hätte mir deswegen jemals einen Vorwurf gemacht. Außerdem begreifen sie nicht, warum ich, wenn ich etwa Angst gehabt hätte so allein, nicht einfach wieder fortgegangen wäre; auf den Hof oder zu den Kindern im Parterre und sogar ins Kino hätte ich gehen dürfen, im Alhambra an der Ecke sei ein jugendfreier Film gelaufen, Taschengeld hätte ich ja genug, und sie hätten auch nichts dagegen gehabt.

Ja, natürlich, alles das hätte ich tun können, und ich hätte mich auch ins Bett legen können und schlafen, bis die Eltern von der Arbeit nach Hause kamen. Denn ich war ja an dem Nachmittag sehr müde, ich erinnere mich ganz deutlich, daß ich auf der Treppe ein paarmal gegähnt und mir dabei mit der Hand ganz rasch hintereinander auf den Mund geschlagen habe, wobei man eine Reihe von komischen Tönen hervorbringen kann. Das Treppenhaus war ziemlich dunkel, wie immer um diese Jahreszeit, nur die Nixe in der Buntglasscheibe hat noch ein bißchen geleuchtet, so etwas hat man jetzt nicht mehr, aber unseres ist ein altes Haus. Es war auch ganz still, keiner, der hinauf- oder hinunterging, nur hinter der Tür rechts im zweiten Stock hat der Hund geknurrt. Du Scheißhündchen, habe ich gesagt, du Dreckshündchen, ganz leise, weil ich weiß, daß ihn das am meisten ärgert, und dann habe ich recht laut Wauwauwau gerufen und bin schnell weiter die Treppe hinaufgerannt, weil das ein furchtbar häßlicher, riesengroßer Hund ist, der sich unter Umständen aufrichten und die Türklinke herunterdrücken kann. An dem Tag ist er aber nicht aufgesprungen und hat auch nicht gebellt und gleich aufgehört zu knurren, und ich weiß noch, daß mir das nicht gefallen hat. Also habe ich wieder gegähnt und bin langsamer gegangen und habe dabei meine Jacke aufgeknöpft und den Hausschlüssel herausgezogen, den meine Mutter mir morgens an einem Wäscheband um den Hals hängt, obwohl ich ihn natürlich genausogut in die Hosentasche stecken könnte. Während ich aufgeschlossen habe und in den Flur getreten bin, habe ich gemerkt, daß es schlecht gerochen hat, und ich habe mir schon gedacht, daß wahrscheinlich wieder einmal niemand Zeit gehabt hat, die Betten zu machen vor dem Weggehen, und so war es auch, und das Frühstücksgeschirr hat noch auf dem Tisch gestanden, sogar die Butter und das Brot. Also habe ich zuerst die Butter in den Kühlschrank getan, und dann bin ich ins Schlafzimmer gegangen und habe die Leintücher ein bißchen zurechtgezogen und die Steppdecken darübergelegt, weil ich weiß, daß mein Vater sich jedesmal ärgert, wenn er nach Hause kommt und es so unordentlich aussieht. Es hat auch schon ein paarmal Streit gegeben deswegen, und mein Vater, der sehr nervös ist, hat geschrien, aber meine Mutter hat nur gelacht und gesagt: Ich kann ja auch zu Hause bleiben, und du wirst schon sehen, wie das ist, wenn sie uns die Musiktruhe und den Kühlschrank wieder wegholen, und wer hat durchaus den Wagen haben wollen, ich oder du? Und dann ist sie ganz freundlich geworden und hat meinen Vater gestreichelt und mich auch und hat gesagt, daß wir, wenn der Wagen erst da ist, alle drei zusammen in den Wald fahren werden und dort picknicken und "Verwechselt das Bäumchen" spielen und mit dem Fußball ihretwegen auch. Aber dazu ist es nie gekommen, weil sie, als sie den Wagen endlich gehabt haben, immer Freunde mitgenommen haben, Erwachsene, die keinen Schritt zu Fuß gehen wollten, und die Waldwege waren für die Autos gesperrt. Ich war aber darüber nicht sehr traurig, weil mir im Auto oft schlecht geworden ist. Ich habe mir nur immer gewünscht, daß meine Mutter wieder einmal krank wird, wie damals, als sie den schlimmen Fuß hatte, und ich ihr die Arnikaumschläge gemacht und den Kaffee ans Bett gebracht habe, und ich habe mir oft überlegt, wie ich es hinbringen könnte, daß sie sich einmal richtig den Magen verdirbt. Aber sie hat sich nie den Magen verdorben und immer ganz rosig ausgesehen, und sie hat auch oft gesagt, daß es ihr Spaß macht, ins Büro zu gehen, weil sie da unter Menschen wäre und weil sie es so langweilig fände, den ganzen Tag zu Hause zu sein. Sie ist auch gar nicht sehr müde am Abend und immer bereit, noch mit meinem Vater in ein Kino zu gehen. Nur die Gesellschaftsspiele mag sie nicht, und das Vorlesen, sagt sie, strengt sie an, weil sie den ganzen Tag Gedrucktes und Geschriebenes vor Augen hat, und ich solle nur meine Bücher allein lesen, ich wäre ja schon ein großer Junge. Ich bin auch schon groß, und natürlich kann ich meine Bücher allein lesen, und ich habe auch immer viel Schularbeiten zu machen, nur an dem gewissen Nachmittag, da hatte ich keine, weil zwei Lehrer fehlten. Aber dafür hatte ich die Betten zuzudekken, und als ich mit den Betten fertig war, hätte ich eigentlich mein Essen aufwärmen sollen, und sicher war ich auch hungrig, sonst hätte ich nicht so viel gegähnt. Aber ich habe plötzlich keine Lust mehr gehabt und nur ein paar Kartoffeln kalt in den Mund gesteckt, und dann habe ich gleich anfangen wollen zu spielen.

Alle Erwachsenen haben später wissen wollen, was ich am liebsten spiele, und es wäre ihnen recht gewesen, wenn ich gesagt hätte, mit der Feuerwehrleiter oder mit dem Puppenzimmer, in dem ein winziger Adventskranz mit richtigen kleinen Kerzen hängt, kurz mit irgend etwas, das mit Feuer zu tun hat oder mit Licht. Ich habe aber gesagt, mit meinen kleinen Autos, die ihre Garage unter dem Schrank haben, und der Parkwächter ist ein kleiner Soldat in einer braunen Uniform, den ich einmal in einer Trümmergrube gefunden habe, und jedesmal, wenn mein Vater ihn sieht, sagt er: Schmeiß doch den verdammten SA-Mann weg. Aber ich behalte ihn, weil ich ihn gut brauchen kann und weil ich überhaupt nicht weiß, was ein verdammter SA-Mann eigentlich ist.

Natürlich habe ich an dem Nachmittag gar nicht mit meinen Autos spielen wollen, sondern mit meiner Familie, aber von der wissen meine Eltern nichts, und sie brauchen auch nichts von ihr zu erfahren, und die Lehrer auch nicht, und erst recht nicht der Arzt, den meine Eltern vor mir den Onkel Doktor nennen, obwohl sie ihn vorher nie gesehen haben und ihm gegenüber immer sehr verlegen sind. So, so, mit deinen Autos hast du gespielt, hat der sogenannte Onkel Doktor gesagt und hat dabei ein merkwürdiges Gesicht gemacht, und ich habe genickt und ihn frech angesehen und mir gedacht, was er wohl zu meiner Familie sagen würde, nämlich dazu, daß mein Vater ein alter Fußball namens Popp und meine Mutter eine komische Puppe ohne Beine namens Mingel ist und daß sie außer mir noch zwei andere Kinder haben, von denen das eine eine alte Schachfigur und das andere ein eingeschrumpfter Luftballon ist.

Diese ganze Familie halte ich in einer Schachtel in meinem Spielschrank versteckt, und wenn ich von der Schule nach Hause komme, hole ich sie heraus und setze sie auf ihre Plätze, und dann gehe ich noch einmal auf den Korridor und tue so, als ob ich gerade eben erst heimkäme, und sobald ich das Zimmer betrete, bricht meine Familie in lautes fröhliches Gelächter aus. Da ist ja auch unser Jüngster, sagt Popp, der im Lehnstuhl liegt und ein freundliches Vollmondgesicht macht, und Mingel sagt: Komm zu mir, mein Söhnchen, und streckt ihre Arme aus, aus denen das Sägemehl quillt. Wie war es heute auf der Prärie? fragt mein Bruder Harry, das Schachpferd aus Elefantenzahn. Und ich sagte: Zünftig, und fange an zu erzählen, wie viele wilde Mustangs ich mit dem Lasso gefangen habe, und mache es so spannend, daß meine Schwester Luzia, der Luftballon, vor Aufregung zu wackeln beginnt. Jetzt mußt du aber etwas von dem guten Bärenschinken essen, sagt Mingel, und weil sie keine Beine hat, muß ich sie auf den Herd tragen, wo sie gleich anfängt, im Topf zu rühren. Inzwischen gehe ich mit meinem Bruder auf den Balkon und zeige ihm die Mondrakete, die gerade über die Häuser fliegt, und wir machen eine Wette, ob sie heute endlich hinkommen oder wieder vorher ausglühen wird. Dann schreiben wir unsere Namen auf kleine Zettel, das heißt, daß wir uns freiwillig melden, mit der nächsten Rakete auf den Mond zu fliegen. Diese Zettel verstecken wir unter einem Blumentopf, weil Popp und Mingel immer so besorgt um uns sind und so etwas gar nicht erlauben würden. Den ganzen Tag sitzen sie zu Hause und warten auf uns, und wenn wir vom Balkon hereinkommen, fragen sie gleich, ob es nicht neblig draußen sei und ob wir uns auch nicht erkältet hätten. Ach, woher denn, sagen wir mit ganz rauher Stimme, erkältet, und setzen uns an den Tisch, und ich necke meine Schwester und sage, daß sie immer dünner wird und an Farbe verliert. Laß sie in Ruhe, sagt Popp, und dann überlegen wir uns, was wir jetzt machen wollen, und ich hole das Wettrennspiel aus dem Schrank.

Bei diesem Wettrennspiel will Mingel immer das weiße Pferd haben, aber sie hat nie Glück mit dem Würfeln, und ich muß es manchmal durch etwas Mogeln so einrichten, daß sie auch einmal gewinnt. Popp ist es egal, ob er gewinnt oder nicht, er ist immer rund und guter Laune, und sobald das Spiel zu Ende ist, rollt er in seinem Sessel herum und sagt: Mingel, wenn wir unsere Kinder nicht hätten. Und dann fängt Mingel ein bißchen an zu weinen, weil sie so rührselig ist, und Luzia muß sie trösten und mit ihr über die Weihnachtsplätzchen sprechen.

So war das alle Tage, wenn ich von der Schule nach Hause gekommen bin, und man wird ja verstehen, daß ich da nicht auf den Hof wollte oder zu den Kindern im Parterre, die so frech sind und sich fortwährend streiten und zu jedem Ding Scheiße und Bockmist sagen, ganz egal, was es ist. Und natürlich wollte ich auch nicht zu den Jungens, die immer zu meinem Fenster heraufpfeifen und höhnische Gesichter machen, weil ich nicht in ihre Bande eintrete und weil sie glauben, daß ich zu fein oder zu feige dazu bin. Ich bin aber gar nicht zu feige, ich habe nur bisher keine Lust gehabt, und die Zeit ist mir auch immer ganz schnell vergangen, mitten in der schönsten Unterhaltung habe ich meine Mutter oder meinen Vater die Eingangstür aufmachen hören und habe nur noch in aller Eile meine Familie wegpacken und meine Schulbücher aufschlagen können. Aber an dem Nachmittag vor Allerseelen habe ich keine Bücher aufschlagen und meine Familie nicht in aller Eile verstecken müssen, weil sie nämlich schon vorher nicht da war, die ganze Familie, einfach nicht da.

Zuerst, als ich mich vor meinen Spielschrank hingehockt habe, um die Schachtel herauszuholen, und sie nicht gleich gefunden habe, habe ich gedacht, dann ist sie eben im unteren Fach oder im Kleiderschrank oder sonstwo, es mußte ja immer so schnell gehen, und es kommt vor, daß man gar nicht genau aufpaßt, was man tut. Es hat also eine große Sucherei angefangen, in den Schränken und unter den Schränken und schließlich auch auf den Schränken, wo ich gar nicht hinreichen konnte, und ich mußte mich mit meinen schmutzigen Schuhen auf den guten Seidenstuhl stellen, was meine Mutter nachher sehr aufgebracht hat. Schließlich bin ich wieder an den Spielschrank zurück, und da habe ich plötzlich die Pappschachtel gesehen, aber an einer ganz ungewohnten Stelle, und als ich sie aufgemacht habe, waren alte Dominosteine darin. Da ist mir ein furchtbarer Verdacht gekommen, und ich bin in die Küche gerannt und habe den Mülleimer aufgemacht, der ganz neu ist und bei dem man nur auf eine Art von Gaspedal zu treten braucht, damit der Dekkel aufspringt. In dem Mülleimer war aber nichts, nur ein paar Kartoffelscheiben und viel zerknülltes Seidenpapier, das habe ich herausgerissen und auf den Gasherd geworfen, und man hat mich nachher gefragt, warum, aber ich habe keine Auskunft gegeben. Ich habe an dem Nachmittag immer noch weiter gesucht; wenn die Sachen nicht im Mülleimer waren, mußten sie doch noch irgendwo sein, irgendwo, das hieß, alle noch übrigen Schubladen aufziehen und alle Fächer durchwühlen, auch im Wäscheschrank und im Büfett, und sich immer mehr aufregen, viel mehr, als man sich eigentlich über einen alten Fußball, eine kaputte Puppe, eine Schachfigur und einen eingeschrumpelten Luftballon aufregen kann. Ja, das habe ich gleich gefühlt, daß es verrückt war, wie ich mich anstellte, und es ist mir auch einen Augenblick lang der Gedanke gekommen, ein paar andere Gegenstände Popp und Mingel und Harry und Luzia zu nennen und also gewissermaßen eine neue Familie zu gründen. Aber ich habe doch gleich gewußt, daß ich das nicht mehr tun würde, weil ich wahrscheinlich längst zu alt dafür war. Ich habe gewußt, daß ich fortan immer so allein sein würde wie jetzt, als ich endlich mit dem Suchen aufhörte und in der Küche am Fenster stand; und weil ich gar nicht dazu gekommen war, Licht anzumachen, war es in der Wohnung schon dunkel und so entsetzlich öde und still. Ich habe auch schon geahnt, daß ich das nicht aushalten und wieder fortgehen würde, ins Kino an der Ecke, Taschengeld hatte ich ja genug, und wahrscheinlich würde ich auch jetzt nicht mehr nein sagen, wenn sie kämen und mich aufforderten, in die Bande einzutreten, obwohl die Jungen, die in der Bande sind, ganz stupide Sachen machen, Autoreifen aufstechen und Schaufenster kaputt schmeißen, mehr fällt ihnen nicht ein. Aber es konnte ja sein, daß man mit der Zeit auch daran Geschmack fand, und auf jeden Fall war man dann nicht mehr so allein.

Über das alles habe ich nachgedacht und bin da am Fenster stehengeblieben, neben dem Gasherd, und dabei ist mir eingefallen, daß ich das Gas anzünden könnte, alle vier Flammen, aber nicht, um mir endlich mein Essen warm zu machen, nur so, zum Spaß. Ich habe also alle vier Deckel abgenommen und die Hähne ganz weit aufgemacht und angezündet, und die Flammen waren so hoch und lebendig und hell und warm, und ich habe mich gefreut und gedacht, daß man mit den Flammen vielleicht auch reden kann. Es ist nur eben leider noch das viele Seidenpapier aus dem Mülleimer auf dem Herd gelegen, und das muß Feuer gefangen und die Gardine angesteckt haben, jedenfalls hat die plötzlich in Flammen gestanden bis oben hinauf, und ich bin sehr erschrocken und habe geschrien. Mein Vater hat in demselben Augenblick die Wohnungstür aufgeschlossen, und das war noch ein Glück, nur daß dann eben hinterher die ganze Fragerei gekommen ist und die Sache mit dem Lehrer und die mit dem Doktor, so als ob ich nicht ganz normal wäre und als ob ich einen Zorn auf meine Eltern gehabt hätte. Und dabei hat meine Mutter doch gar nicht wissen können, was sie da weggeworfen oder verschenkt hat, und überhaupt habe ich nichts gegen meine Eltern, sie sind, wie sie sind, und ich mag sie gern. Nur daß es eben gewisse Sachen gibt, die man ihnen nicht erzählen kann, nur aufschreiben und dann wieder zerreißen, wenn man allein zu Hause ist, und es wird schon dunkel, und unten pfeifen die Jungen von der Bande, und noch ein paar Minuten, dann macht man das Fenster auf und ruft: Ich komme, und dann geht man die Treppe hinunter, die Hände recht forsch in den Hosentaschen, vorbei an der Nixe, die hat einem früher sehr gefallen, aber jetzt weiß man mit einemmal, daß man kein Kind mehr ist.

[1960]

Christine Nöstlinger

Eine mächtige Liebe

Kitti und ihre Eltern wohnten im ersten Stock. Im zweiten Stock wohnten Michl und seine Eltern. Die Wohnung im dritten Stock stand leer. Sie gehörte der "Frau General". Die war im Pflegeheim, und der Mann, dem das Haus gehörte, wartete ungeduldig darauf, daß die Frau General endlich starb, weil er die Wohnung vorher an niemand anderen vermieten durfte.

Bevor die Frau General ins Pflegeheim gegangen war, hatte sie alle ihre Blumentöpfe auf den Gang, vor die Wohnungstür, gestellt: Das Philodendron, die Zimmerlinde, den Gummibaum, den Christusdorn und eine Menge anderer grüner Stauden.

Kitti und Michl hatten der Frau General versprochen, die Blumen zu hüten. Und sie hielten ihr Versprechen. Zweimal die Woche gossen sie die Blumen, alle zwei Wochen einmal taten sie Blumendünger ins Gießwasser, und jeden Monat einmal schrieben sie der "Frau General" einen Brief, in dem stand, daß die Blumen gut weiterlebten und keine gelben Blätter hatten und tüchtig wuchsen.

Kitti und Michl nannten den Gang im dritten Stock: unseren Urwald. Sie waren gern dort. Nicht nur zum Blumengießen. Michl hatte eine blaue Luftmatratze in den Urwald gebracht. Kitti hatte eine rote Decke und zwei gelbe Kissen hinaufgetragen. Im Sommer lag die Decke auf der Luftmatratze, und die Kissen – hübsch ordentlich mit eingeknickten Oberkanten – lehnten am Ende der Matratze, dort, wo sie an die Mauer stieß. Im Winter bauten Kitti und Michl aus der Decke ein Zelt. Die Luftmatratze und die Kissen waren dann im Zelt drinnen.

Man mußte genau hinschauen, um das Zelt überhaupt zu bemerken. Es war fast verdeckt von den dunklen Philodendronblättern und den hellen Zimmerlindenblättern und den gestreiften Wasserlilienblättern und den gesprenkelten Gummibaumblättern.

Die Eltern von Kitti und Michl lachten über den Urwald. Sie sagten: "Die zwei lieben sich mächtig! Ein Urwald ist zum Mächtiglieben gerade richtig!"

Und ein bißchen ärgerten sie sich auch über den Urwald. Sie sagten: "Da richtet man den Kindern für teures Geld herrliche Kinderzimmer ein, und dann hocken sie dauernd auf dem zugigen Gang herum!"

Wenn Kitti im Winter Schnupfen hatte, schimpfte die Mutter: "Das kommt davon, weil du dauernd da oben bist!"

Wenn Michl im Sommer Kopfweh hatte, schimpfte die Mutter: "Das kommt davon, weil du dauernd da oben bist!"

Aber in Wirklichkeit waren Kitti und Michl gar nicht "dauernd" im Urwald. Sie gingen ja in die Schule, sie schliefen in den Kinderzimmerbetten, und schwimmen und eislaufen und ins Kino gingen sie auch. Und wenn im Fernsehen ein hübscher Film war, dann schauten sie den bei Michls Eltern oder bei Kittis Eltern im Wohnzimmer an. Eins allerdings stimmte – wenn Michl oder Kitti sagten: "Wir gehen jetzt nach Hause", dann meinten sie das sechs Quadratmeter große Stück Gang vor der Tür der Frau General.

Als Kitti und Michl den Urwald drei Jahre lang hatten, ließen sich Kittis Eltern scheiden. Kittis Vater zog aus. Er nahm zwei vollgepackte Koffer mit, den ledernen Fernsehstuhl, den Schreibtisch und vier Kisten Bücher.

Während die Möbelpacker den Kram die Treppen runter schleppten, waren Kitti und Michl im Urwald oben. Im Zelt. Denn es war Winter. Michl fragte Kitti, ob sie nun sehr traurig sei. Kitti sagte: "Nein, er hat sich in eine blonde Dame verliebt, ohne die kann er nicht mehr sein. Außerdem war er ohnehin fast nie mehr da. Und jeden Sonntag, hat er gesagt, wird er mich abholen. Da seh ich ihn dann länger als bisher!"

Der Vater holte Kitti wirklich jeden Sonntag ab. Und er brachte ihr immer ein teures Geschenk mit. Kitti trug alle Geschenke in den Urwald. Sie wünschten sich von ihrem Vater nur Dinge, die im Urwald zu brauchen waren: einen Recorder, eine zweite Decke, einen winzigen Tisch, eine riesige Taschenlampe, einen kleinen Teppich und einen großen Besen samt Schaufel. Und zu Weihnachten schenkte ihr der Vater einen Fernsehapparat, der mit Batterien betrieben war. Im Urwald gab es ja keine Steckdose.

Michl vergrößerte das Zelt. Sein Vater half ihm dabei. Sie bauten ein festes Lattengerüst und bespannten es mit Decken.

In eine Decke schnitt Michls Mutter ein rechteckiges Loch und steppte durchsichtige Plastikfolie dahinter. Wie ein richtiges Fenster war das.

Michl und Kitti fanden das neue große Zelt so hübsch und so praktisch, daß sie es auch im Sommer stehen ließen. Sie blieben jetzt oft ziemlich lange im Urwald oben. Weil sie den eigenen Fernseher hatten und den kleinen Tisch zum Essen und Licht aus der großen Taschenlampe. Und weil Kittis Mutter fast jeden Abend Besuch hatte. Otto hieß der Besuch. Früher hatte Kittis Mutter darauf bestanden, daß Kitti um neunzehn Uhr – pünktlich – aus dem Urwald herunterkam. Seit der Otto zu Besuch kam, meinte sie: "Wenn es dir Spaß macht, kannst du länger bleiben. So klein bist du ja nicht mehr!" Und zum Otto sagte sie: "Weißt du, die Kitti und der Michl lieben sich nämlich mächtig!"

Michl fragte Kitti: "Sag, magst du den Otto eigentlich gut leiden?" Kitti antwortete: "Ich weiß nicht. Aber die Mama mag ihn sehr. Darauf kommt es schließlich an!"

Zu Kittis elftem Geburtstag bekam sie von ihrem Vater eine Haushaltsleiter. Die brauchten Kitti und Michl dringend, um den Urwald abzustauben. Das Philodendron, die Zimmerlinde und der Gummibaum waren bereits an die drei Meter hoch und stießen mit den obersten Blättern an die Decke.

Michl schenkte Kitti eine selbstgebackene Torte mit zwölf Kerzen; eine kleine für jedes Lebensjahr und eine große, die war das Lebenslicht.

Am Geburtstagsabend saßen Michl und Kitti im Zelt im Urwald. Sie hatten eine Spitzendecke über den winzigen Tisch gebreitet, darauf stand die Torte, und alle zwölf Kerzen brannten. Michl und Kitti aßen die halbe Torte auf. Die andere Hälfte wollte Michl in den Eisschrank seiner Mutter stellen, damit sie morgen am Abend weiteressen könnten. Doch Kitti sagte: "Michl, ich bring die Torte dem Otto runter. Der freut sich über was Süßes. Und die Mama freut sich, wenn sich der Otto freut!"

"Meine Mutter glaubt", sagte Michl, "daß deine Mutter demnächst den Otto heiraten wird!"

"Ja, das glaube ich auch", sagte Kitti. "Sie hat ihn sehr gern. Sie will nicht, daß er am Abend weggeht, und sie hätte ihn auch gern beim Frühstück daneben. Und wenn er einen Tag gar nicht kommt, dann ist sie traurig. Also wird es besser sein, wenn sie heiraten!"

Später dann – so gegen neun Uhr – kam Kitti mit der halben Torte ins Wohnzimmer ihrer Mutter. Der Otto freute sich über die Torte. Und die Mutter freute sich, weil sich der Otto freute. Der Otto holte ein Flasche Sekt aus dem Eisschrank und ließ den Stöpsel knallend aus der Flasche sausen und füllte drei Gläser. Das für Kitti nur halb. Kitti stieß mit Otto und der Mutter auf eine glückliche Zukunft an.

"Weil wir schon bei der Zukunft sind", sagte die Mutter, "da will ich gleich etwas mit dir besprechen!" Und dann erklärte sie Kitti, daß der Otto gern Kittis neuer Vater werden wolle und daß sie sich schrecklich freuen würde, wenn Kitti nichts dagegen einzuwenden habe.

Kitti sagte, sie habe nichts dagegen einzuwenden.

Die Mutter küßte Kitti, und der Otto lächelte ihr zu. Und dann sagte Kittis Mutter: "Und jetzt kommt noch eine Überraschung, Kind!" Die Überraschung war: Der Otto bekam ab nächsten Ersten einen besseren Posten in seiner Firma. Da verdiente er dann doppelt so viel wie vorher. Und die Firma stellte ihm auch eine Wohnung zur Verfügung. Eine riesige Wohnung. Den ganzen ersten Stock einer Villa.

"Und nun rate mal, wo die Villa steht, Kind" rief die Mutter, und ihre Augen glänzten und glitzerten wie gläserne Christbaumkugeln.

Kitti wollte nicht raten.

"In Salzburg steht die Villa!" rief die Mutter. "Im wunderschönen Salzburg! In meiner Lieblingsstadt! Wir übersiedeln nämlich nach Salzburg!"

"Nein", sagte Kitti, stand auf, ging aus dem Wohnzimmer, ging in das Kinderzimmer, legte sich ins Bett und murmelte dabei ununterbrochen: "Nein!"

Die Mutter kam zu ihr und redete gut eine Stunde auf sie ein. Sie zeigte ihr ein Foto von der wunderschönen Villa und versprach, auf dem Dachboden der Villa einen riesigen Urwald aufzustellen. Sie behauptete, in Salzburg seien die Schulen und die Lehrer viel freundlicher, die Spielplätze schöner, die Luft sei gesünder, und die Leute seien viel netter. Nur ein dummes, kleines Mädchen, sagte die Mutter, könne so borniert sein, daß es nicht nach Salzburg ziehen wolle.

"Ich geh nicht von Michl weg", sagte Kitti.

"In Salzburg wirst du einen anderen Freund finden", sagte die Mutter.

"Such dir einen anderen Freund", sagte Kitti.

"Aber ich liebe den Otto", rief die Mutter.

"Und ich liebe den Michl", rief die Kitti.

"Ich schwör dir", sagte die Mutter, "in einem Jahr hast du den Michl komplett vergessen!"

"Vergiß du den Otto komplett!" sagte Kitti.

"Du wirst noch ein Dutzend anderer Freunde finden", sagte die Mutter.

"Such dir ein Dutzend anderer Freunde", schrie Kitti, drehte sich zur Wand und schloß die Augen.

Da verließ die Mutter seufzend das Kinderzimmer. Kitti hörte sie mit dem Otto reden und hoffte, sie würde dem Otto nun erklären, daß man ganz unmöglich nach Salzburg ziehen könne. Kitti stieg aus dem Bett und schlich zur Wohnzimmertür, weil sie hören wollte, wie der Otto diese Botschaft aufnahm. Sie hörte den Otto sagen: "Na ja, sie wird das schon überwinden!"

Kitti wartete, daß die Mutter dem Otto eine Antwort gab, aber es blieb still. Kitti machte die Tür einen Spalt weit auf und sah, daß die Mutter den Otto küßte. Der Kuß dauerte lange, Kitti ging ins Bett zurück, bevor der Kuß zu Ende war.

Am nächsten Morgen, vor der Schule, ging Kitti zur Wohnung ihres Vaters. Der Vater wollte gerade ins Büro fahren. Nur weil Kitti sagte, daß es sehr dringend sei, zog er den Mantel wieder aus und setzte sich mit Kitti ins Wohnzimmer. Kitti wollte dem Vater vom Otto und von Salzburg erzählen, aber der Vater wußte das alles schon. Er sagte: "Deine Mutter und ich haben das alles schon besprochen. Wir kommen nicht zu kurz. Ab jetzt hol ich dich nur jedes zweite Wochenende, dafür bleibst du aber dann zwei Tage bei mir!"

Kitti erklärte dem Vater, daß es ihr gar nicht um die Vater-Tage ginge, sondern um den Michl. Da war der Vater ein bißchen beleidigt und sagte: "Kind, das kann ich nun wirklich nicht ändern!"

"Doch", rief Kitti. "Das kannst du!"

"Wie denn?", fragte der Vater.

"Ganz einfach", sagte Kitti. "Ich habe mir das heute nacht überlegt. Die Mama zieht mit dem Otto nach Salzburg, und du ziehst in unsere Wohnung zurück. Und ich bleibe bei dir!"

"Das ist ausgeschlossen", rief der Vater.

Er zählte eine Menge Gründe auf, warum das ausgeschlossen sei: daß er keinen Haushalt führen könne, sagte er. Daß er dauernd Überstunden machen müsse und sich kaum um Kitti kümmern könne. Und daß er doch die blonde Dame habe. Und daß er die, demnächst schon, heiraten werde. Das sei so gut wie ausgemacht. Und die blonde Dame, die habe ein kleines Haus, am Stadtrand, ein reizendes kleines Haus. In dieses Haus, sagte der Vater, werde er nach der Heirat einziehen. "Aber Kindchen", sagte er, "wenn ich dann wieder verheiratet bin und wenn du wirklich nicht bei diesem Otto in Salzburg wohnen willst, dann kannst du zu uns ziehen. Meine Frau wird sich freuen. Sie mag Kinder."

Kitti erklärte dem Vater noch einmal, daß es ihr um den Michl ginge, daß sie gar nichts davon habe, wenn sie mit seiner neuen Frau und ihm in einem reizenden Haus wohnen könne.

"Kindchen, sei doch nicht so stur", rief der Vater.

Da verabschiedete sich Kitti und ging in die Schule.

Nach der Schule, zu Mittag, nahm Michl Kitti zu seiner Mutter mit. Michl fragte die Mutter, ob Kitti ab nächsten Monat bei ihm im Kinderzimmer schlafen könne und ob die Mutter bereit sei, Frühstück-Mittagessen-Nachtmahl an Kitti abzugeben und ihre Wäsche zu waschen.

"Bügeln und Knöpfe annähen", sagte Kitti, "kann ich selber."

Michls Mutter lachte. Dann meinte sie, unter Umständen wäre sie dazu bereit. Zum Beispiel, wenn Kittis Mutter verreisen müsse. Oder krank sei. So aber, ganz ohne richtigen Grund, sei das blanker Unsinn. Und außerdem, sagte sie, würde das Kittis Mutter gar nicht erlauben.

Am Abend saßen Kitti und Michl in ihrem Zelt im Urwald. Sie zerschlugen mit einem Hammer eine rosa Sparsau und einen grünen Sparhund und klaubten einen großen Haufen Münzen aus den Scherben und stopften die Münzen in die Hosentaschen. Michl ließ die Luft aus der Luftmatratze und rollte sie zusammen. Kitti faltete die Decke zu einem Paket, legte die zwei Kissen darauf und band eine feste Schnur darum.

"Mehr haben wir am Anfang auch nicht gehabt", sagte Michl.

"Und mehr brauchen wir auch nicht!" sagte Kitti.

Sie gingen die Treppe leise hinunter, verließen das Haus und liefen zum Bahnhof. Sie schauten auf dem Fahrplan nach, welcher Zug als nächster wegfahren sollte. Der nächste Zug war ein Schnellzug nach Paris. Und die erste Station hatte er in St. Pölten.

Sie kauften zwei Kinderkarten nach St. Pölten. Sie stiegen in den Zug und setzten sich in ein leeres Abteil. "Wenn jemand kommt und uns fragt", sagte Michl, "dann sagen wir, wir sind Geschwister und fahren zu unserer Großmutter!"

Aber es kam niemand. Erst als der Zug im Bahnhof von St. Pöllen einrollte und Michl und Kitti schon bei der Waggontür standen, ging ein Schaffner vorbei. Aber der sagte bloß: "Na, ihr beiden!" Dann war er wieder weg.

Kitti und Michl hatten noch drei Hosentaschen voll Münzen. Und Hunger hatten sie auch. Ins Bahnhofsrestaurant wollten sie nicht gehen. Drei Männer in Uniform standen beim Schanktisch. Das waren Nachwächter einer Wach- & Schließgesellschaft. Kitti hielt sie für Gendarmen.

Kitti und Michl gingen vom Bahnhof auf die Straße hinaus. Es war bald Mitternacht. Alle Läden und alle Kaffeehäuser und Restaurants hatten geschlossen. Sie gingen zuerst die Straße hinunter, dann zum Bahnhof zurück, dann die Straße hinauf und wieder zum Bahnhof zurück. Sie setzten sich in den Wartesaal. Außer ihnen war niemand dort. Michl rollte die Luftmatratze auf. Kitti nahm die Schnur vom Decken-Kissenpaket. Sie legten die Luftmatratze auf die Wartebank, legten sich drauf, schoben die Kissen unter die Köpfe und deckten sich mit der Decke zu.

Als sie erwachten, standen ein Gendarm und ein Schaffner vor ihnen. Der Gendarm lachte. "Da haben wir ja das Liebespaar", sagte er. Und: "Das muß aber eine mächtige Liebe sein!"

Der Gendarm nahm Michl und Kitti mit zur Gendarmerie. Dort waren noch drei andere Gendarmen, die waren auch sehr heiter.

Kitti und Michl bekamen Tee und Wurstbrote von den Gendarmen. Und kaum eine Stunde später ging die Wachzimmertür auf, und Michls Vater und Kittis Mutter kamen herein. Michls Vater sagte zu Michl: "Du kleiner Spinner, du!"

Kittis Mutter rief: "Ach, Kindchen!" und umarmte und küßte Kitti.

Die Gendarmen lachten noch immer. "Ladet uns aber auch zur Hochzeit ein!" rief der Gendarm, der Kitti und Michl im Wartezimmer gefunden hatte, hinter ihnen her, als sie das Wachzimmer verließen.

"Was habt ihr euch denn eigentlich vorgestellt?" fragte Michls Vater im Auto, auf der Heimfahrt. "Was hättet ihr denn tun wollen?"

Kitti gab keine Antwort. Michl sagte: "Aber es war das einzige, was wir noch versuchen konnten!"

Zwei Wochen später fuhr Kitti mit ihrer Mutter und dem Otto nach Salzburg. Sie fuhren im Auto vom Otto. Der Otto saß am Steuer. Kitti und die Mutter saßen hinten im Wagen.

"Weinst du, Kind?" fragte die Mutter.

Kitti schüttelte den Kopf.

Sie weinte wirklich nicht.

Die Mutter legte einen Arm um Kittis Schultern. "Wir werden es schön haben, wir drei. Du wirst schon sehen", sagte sie.

Kitti rückte von der Mutter weg und drückte sich gegen die Autotür.

"Aber Kind", sagte die Mutter. "Aber Kind!" Sie packte Kitti bei den Schultern und zog sie an sich und hielt sie fest. "Aber Kind", murmelte sie und drückte ihr Gesicht in Kittis Haare.

"Laß mich los! Ich mag das nicht!" rief Kitti.

Die Mutter ließ Kitti los. Kitti rückte wieder zur Tür hin.

"Hast du mich gar nicht mehr lieb?" fragte die Mutter.

"Nein", antwortete Kitti, und während sie dann in das entsetzte Gesicht der Mutter sah, spürte sie seit vielen Tagen zum erstenmal wieder so etwas Ähnliches wie ein Gefühl der Freude.

[1979]

Reiner Kunze

Fünfzehn

Sie trägt einen Rock, den kann man nicht beschreiben, denn schon ein einziges Wort wäre zu lang. Ihr Schal dagegen ähnelt einer Doppelschleppe: lässig um den Hals geworfen, fällt er in ganzer Breite über Schienbein und Wade. (Am liebsten hätte sie einen Schal, an dem mindestens drei Großmütter zweieinhalb Jahre gestrickt haben – eine Art Niagara-Fall aus Wolle. Ich glaube, von einem solchen Schal würde sie behaupten, daß er genau ihrem Lebensgefühl entspricht. Doch wer hat vor zweieinhalb Jahren wissen können, daß solche Schals heute Mode sein würden.) Zum Schal trägt sie Tennisschuhe, auf denen sich jeder ihrer Freunde und jede ihrer Freundinnen unterschrieben haben. Sie ist fünfzehn Jahre alt und gibt nichts auf die Meinung uralter Leute – das sind alle Leute über dreißig.

Könnte einer von ihnen sie verstehen, selbst wenn er sich bemühen würde? Ich bin über dreißig.

Wenn sie Musik hört, vibrieren noch im übernächsten Zimmer die Türfüllungen. Ich weiß, diese Lautstärke bedeutet für sie Lustgewinn. Teilbefriedigung ihres Bedürfnisses nach Protest. Überschallverdrängung unangenehmer logischer Schlüsse. Trance. Dennoch ertappe ich mich immer wieder bei einer Kurzschlußreaktion: Ich spüre plötzlich den Drang in mir, sie zu bitten, das Radio leiser zu stellen. Wie also könnte ich sie verstehen – bei diesem Nervensystem?

Noch hinderlicher ist die Neigung, allzu hochragende Gedanken erden zu wollen.

Auf den Möbeln ihres Zimmers flockt der Staub. Unter ihrem Bett wallt er. Dazwischen liegen Haarklemmen, ein Taschenspiegel, Knautschlacklederreste, Schnellhefter, Apfelstiele, ein Plastikbeutel mit der Aufschrift "Der Duft der großen weiten Welt", angelesene und übereinandergestülpte Bücher (Hesse, Karl May, Hölderlin), Jeans mit in sich gekehrten Hosenbeinen, halb- und dreiviertel gewendete Pullover, Strumpfhosen, Nylon und benutzte Taschentücher. (Die Ausläufer dieser Hügellandschaft erstrecken sich bis ins Bad und in die Küche.) Ich weiß: Sie will sich nicht den Nichtigkeiten des Lebens ausliefern. Sie fürchtet die Einengung des Blicks, des Geistes. Sie fürchtet die Abstumpfung der Seele durch Wiederholung! Außerdem wägt sie die Tätigkeiten gegeneinander ab nach dem Maß an Unlustgefühlen, das mit ihnen verbunden sein könnte, und betrachtet es als Ausdruck persönlicher Freiheit, die unlustintensiveren zu ignorieren. Doch nicht nur, daß ich ab und zu heimlich ihr Zimmer wische, um ihre Mutter vor Herzkrämpfen zu bewahren – ich muß mich auch der Versuchung erwehren, diese Nichtigkeiten ins Blickfeld zu rücken und auf die Ausbildung innerer Zwänge hinzuwirken.

Einmal bin ich dieser Versuchung erlegen.

Sie ekelt sich schrecklich vor Spinnen. Also sagte ich: "Unter deinem Bett waren zwei Spinnennester."

Ihre mit lila Augentusche nachgedunkelten Lider verschwanden hinter den hervortretenden Augäpfeln, und sie begann "Iix! Ääx! Uh!" zu rufen, so daß ihre Englischlehrerin, wäre sie zugegen gewesen, von so viel Kehlkopfknacklauten – englisch "glottal stops" – ohnmächtig geworden wäre. "Und warum bauen die ihre Nester gerade bei mir unterm Bett?"

"Dort werden sie nicht oft gestört." Direkter wollte ich nicht werden, und sie ist intelligent.

Am Abend hatte sie ihr inneres Gleichgewicht wiedergewonnen. Im Bett liegend, machte sie einen fast überlegenen Eindruck. Ihre Hausschuhe standen auf dem Klavier. "Die stelle ich jetzt immer dorthin", sagte sie. "Damit keine Spinnen hineinkriechen können."

[1976]

Jurek Becker

Die Klage

Im Frühjahr 1973 brachte mein Sohn Leonard aus der Schule einen Brief folgenden Inhalts nach Hause: "Sehr geehrte Eltern! Ihr Sohn Leonhard folgt leider nur dann aufmerksam dem Unterricht, wenn er interessant ist."

[1980]

Arnfrid Astel

LEKTION

Ich hatte schlechte Lehrer.
Das war eine gute Schule

[1968]

Maxie Wander

Gabi A., 16, Schülerin: *Die Welt mit Opas Augen*

Rauskommen tun wir nie. Wir sitzen immer zu Hause. Im Sommer gehn wir mal Eis essen, oder wir spielen Karten auf'm Balkon. Daß bei uns einer sagt, heute fahren wir ins Museum, das ist nicht drin. Meistens leg ich mich aufs Bett, dann hab ich Radio an oder Tonbandgerät. Musik hab ich alle gern, je nachdem, wie ich aufgelegt bin, am liebsten zu Hause, ist mir viel lieber, als auf Achse zu sein. Tanzen geh ich nur zu Schulfesten. Lesen tu ich nicht gern. Nur im Urlaub hab ich was gelesen, ein dickes und ein dünnes Buch. Ist ja keiner da, der einen richtig anstößt und sagt: Das ist schlau, das könnste machen.

Wie Großvater noch da war, der hat mir viele Geschichten erzählt. Da hat Mutti sich immer geärgert, weil das nichts Vernünftiges war, was man im Leben brauchen kann. Sie hat immer gesagt, Großvater macht mir die Gabi verrückt. Er hat sich wirklich verrückte Sachen ausgedacht, was wir zusammen erleben werden, wenn wir mal verreisen, Sachen, die gibts gar nicht. Der Großvater hat viel Zeit für mich gehabt. Und er hat auch immer Überraschungen gehabt. Hat mir einen schönen Apfel hingelegt und ein Kopftuch rumgebunden. Oder Tiere aus Tannenzapfen und Kernen und allem Zeugs. Eine Schallplatte hat er mir gekauft. Aber nicht, weil gerade was los war, Weihnachten oder Ostern. Mein Opa hat einfach so geschenkt, weil's ihm Spaß gemacht hat. Er hat immer so getan, als wär ich noch ein Kind. Meine Mutti hat das furchtbar gefunden. Wenn ich geheult hab, ich möchte sagen, manchmal läuft einem ja was über die Leber, das wird dann nachts ganz schlimm, das hat Opa gehört. Da ist er ins Zimmer gekommen und hat sich auf mein Bett gesetzt und gesagt: Na, was ist denn, Gabi, wollen wir die Gespenster verscheuchen?

War nicht richtig, daß die Mutti ihn rausgeschmissen hat. Es war nicht ihre Schuld, daß er soviel getrunken hat, ich seh's ein, aber er hat ja nichts mehr gehabt außer uns. Ach, heute schmerzt mir das Herz wieder. Ich weiß nicht, ich hab das öfter, aber der Arzt sagt, ist alles seelisch. Zuerst war's für mich auch eine Erleichterung, wie mein Opa weg war. Er hat richtig verlottert ausgesehen. Wenn sie in der Klasse gesagt haben, deinen Großvater hab ich gestern wieder betrunken gesehn, da hab ich mich so geschämt.

Vati hat auch getrunken. Da war auch das Arbeitsmilieu schuld, auf dem Bau trinken alle. Manchmal hat er gleich auf Arbeit in der Baracke geschlafen. Mein Vati ist sehr gutmütig. Schulisch konnte er mir nicht helfen, da war er nicht gut, aber sonst hat er sein Letztes gegeben. Er hat mich nie geschlagen. Wie Onkel Hans dann da war, ist er einfach weg. Obwohl die Scheidung, die hat er nicht wollen. Er hat nicht geglaubt, daß Mutti es wahrmacht. Weinen hab ich ihn gesehen, ich hab ja nicht gewußt, daß Männer das auch können. Jetzt ist er in eine andere Stadt gezogen, damit er uns nicht mehr belästigt, hat er gesagt. Ich finde es nicht richtig, daß wir überhaupt nichts mehr von ihm wissen wollen. Und wo das mit Opa passiert ist, da muß man doch aufpassen. Ich weiß ja auch nicht, aber Mutti hat nicht mehr die Kraft. Und es kostet auch alles so viel Zeit.

Jetzt leben wir mit Onkel Hans zusammen, der trinkt überhaupt nicht. Na gut, verheiratet sind sie nicht, das finde ich vernünftig, sie sparen sich die Scheidungskosten. Onkel Hans ist im selben Betrieb wie Mutti, hat eine wichtige Aufgabe, muß alles planen. Nachts bringt er sich noch Arbeit nach Hause. Früher hat er natürlich versucht, mich zu gewinnen, wo er nur konnte. Jetzt hat er sich eingelebt, jetzt gibt es schon öfter mal Streit. Ich vergesse nicht, daß er Opa hinausgeekelt hat. Opa hat doch immer zur Familie gehört, er hat Mutti alles ermöglicht, daß sie was lernen kann, und die Wohnung hat er ihr gegeben. Seit Onkel Hans bei uns wohnt, haben wir viel mehr Geld als früher. Da können wir uns viel mehr leisten. Ich hab jetzt ein sehr schönes Zimmer. Ich hab eine Schrankwand und eine Eckcouch bekommen. Tapeten konnte ich mir selber aussuchen. Früher hatte ich rund um den Spiegel Schlagersänger und Tiere geklebt. Jetzt hab ich nichts mehr dran, die Tapete ist mir zu schade. Fernseher hab ich. Ich kann auch im Wohnzimmer gucken, aber bei mir ist's bequemer, weil ich gleich aus'm Bett gucken kann.

Opa war ein bißchen unordentlich. In seinem Zimmer haben die Sachen herumgelegen, er hat nicht wollen, daß meine Mutti mit dem Staubsauger drübergeht. Ich möchte sagen, ich sehe jetzt manches mit Opas Augen. Es wird wirklich alles geplant bei uns. Jeden Freitag wird saubergemacht. Kann man nicht mal Montag saubermachen oder Donnerstag? Wenn Besuch kommt, wird Mutti ganz nervös, da muß alles piccobello sauber sein. Jedes Stück hat seinen Platz, eine Schale links, die andere rechts von der Lampe. Und wenn sie mal nicht beim Friseur war, ach, dann kann sie nicht ausgehen, dann kann sie keinen Besuch empfangen. Mein Opa hat zu ihr gesagt: Du machst dich selber verrückt. Mutti hat aber Opa gar nicht beachtet, für Mutti war er auch so ein Ding, das man hin und her rückt. Er war immer so still, nie hat er was verlangt. Manchmal hat er was kritisiert, aber das ist untergegangen. Ich glaube, solche Menschen wie mein Opa, die haben es schwer.

Es riecht jetzt viel besser in Opas Zimmer, seit Onkel Hans drin ist. Onkel Hans raucht nicht und trinkt keinen Schnaps, er ist ein ganz sauberer Mensch. Sein Zimmer ist immer schön gelüftet, und dann macht er noch einen Spray hinein. Zuerst war ich traurig, wie das Zimmer nicht mehr nach Opa gerochen hat. Mutti hat mich ausgelacht, sie hat gesagt, ich bin auch schon verrückt. In letzter Zeit hab ich oft geträumt, daß Opa wieder da ist, daß wir zusammen verreisen, wie er's immer gesagt hat. Einmal hab ich im Traum richtig geschluchzt. Ich weiß auch nicht, man ist schon fast drüber hinweg, aber manchmal fehlt er einem.

Möchte sagen, direkt eine Freundin hab ich nicht. Man kommt aber mit allen gut aus. In der Klasse unterhalten wir uns über alles, Fernsehen, Jungs und Mädchen, über die Lehrer regen wir uns auf. Ich geh in die Neustadt zur Schule, da wurden wir aus vielen Schulen zusammengesammelt und in eine

Klasse gestopft. Als Lehrerin hatten wir Frau Behrens, die strebte sehr. Sie hat versucht, die Klasse hochzuarbeiten, wobei sie mehr auf ihren eigenen Ruhm aus war. Immer hat sie uns alles vorgekaut. Das läßt man sich aber nicht mehr gefallen, wenn man älter wird. Da hat Frau Behrens Feuerwerk von den Eltern gekriegt, und wir haben Frau Wittig bekommen. Schon am ersten Tag haben wir die ins Herz geschlossen. Die war gleich so aufrichtig zu uns, der haben wir keine Schwierigkeiten gemacht. Bei uns will sonst kein Lehrer in die Klasse rein, die werden regelrecht gezwungen, reinzugehn. Die Klasse ist total versaut, kann man sagen. Aber wenn die uns immer behandeln wie den letzten Dreck, dann ist doch klar, daß wir Feuer geben. Ich finde, es hängt ja von den Lehrern ab, ob sie mit uns zurechtkommen oder nicht. Wenn uns was nicht gefällt und wir versuchen zu diskutieren, da gibt es so altmodische Lehrer, die sagen: Mit euch diskutieren wir nicht. Dann haben sie ihre schwarzen Schafe, die sind immer dran. In der Beziehung mach ich mir überhaupt keinen Kopp. Wenn die Lehrer sich aufregen, regen sie sich auch wieder ab. Ich meine, ich seh immer alles, aber Ungerechtigkeiten kann ich nicht haben.

Ich mach jeden Quatsch mit, aber ich weiß, wann Halt ist. Das muß man wissen, dann kommt man mit den Erwachsenen klar. Die wollen eben mit ein bißchen Respekt behandelt werden. Vorbilder unter den Lehrern habe ich nicht, nein wirklich. In der Schule fragen sie uns auch immer wegen Vorbilder. Die wollen immer Thälmann hören. Aber ich kann doch nicht wie Thälmann werden, die Zeiten sind doch ganz anders.

Freund hab ich auch keinen, obwohl ich schon sechzehn bin. Ich würde ganz gern einen haben, aber gerade jetzt, wo man lernen muß? Ich sehe das an Heike, die lenkt sich fürchterlich ab, die Jungs sind ihr das wichtigste. Die kommt mit einem angebraust, muß aber gleich wieder weg, weil der draußen auf dem Motorrad wartet, der will ja beschäftigt sein. Die schluckt schon die Pille seit einem Jahr, und ihre Hausaufgaben macht sie nur nachts. Ich komme mir richtig zurückgeblieben vor, weil ich noch nicht einmal geküßt habe. Im gewissen Sinne, ich weiß auch nicht, hab ich Angst vorm Küssen, daß man vielleicht was falsch macht.

Ich würde mir wünschen, daß meine Mutti mal Zeit für mich hat, daß sie sich mit mir über sexuelle Dinge unterhält. Sie fängt nicht damit an, und ich frage nicht, als ob es das gar nicht gibt. Ich trau mich nicht zu fragen, weil Liebe von klein auf ein Geheimnis war. Ich finde es blöd, nun ist sie schon so lange mit Onkel Hans zusammen, und sie zeigen nicht, daß sie sich gernhaben. Mutti weiß doch, daß ich ihr nicht dreinrede. Wie mein Opa noch da war, das war komisch. Wenn Mutti mal eine Freundin da hatte, ist er ins Wohnzimmer gekommen und hat Witze erzählt. Er hat immer sehr gern Frauen angesehen, das hat Mutti geärgert. Sie hat sich geschämt. Ich weiß nicht, so schlimm ist das doch nicht. Opa war ja immer nett zu den Frauen und hat ihnen zugehört. Meine Mutti legt überhaupt viel Wert darauf, daß sich alles schickt. Sie sieht viel besser aus als ich, obwohl sie schon sechsunddreißig ist, ganz schlank und damenhaft. Opa hat sich manchmal lustig gemacht über sie, aber ich wäre gern so geworden. Manchmal hab ich das Gefühl, sie ist eifersüchtig auf mich, wegen Onkel Hans. Früher durfte ich noch die Badezimmertür offenlassen, und ich hab mich umgezogen, wenn er da war. Heute paßt meine Mutti auf, daß er mich nicht nackt sieht. Sie sagt, das schickt sich nicht für ein großes Mädchen. Aber sie hat natürlich Angst, daß er sie mit mir vergleicht. Ich finde das nicht gut, daß eine Mutter auf ihre leibliche Tochter eifersüchtig ist, wo sie doch viel besser aussieht als ich. Wenn sie mir Onkel Hans als Vater vorgestellt hätten – kannst ruhig Vati zu mir sagen –, hätte ich es getan, ich wollte ja einen Vati haben. Jetzt ist es so, daß ich mich manchmal schäme. Er sieht schick aus, immer in Jeans, und manchmal schaut er mich so an, das macht mich ganz unsicher. Ich geh dann aus dem Zimmer, oder ich mach einen Witz, dann lacht er. Ich glaube, er freut sich, daß meine Mutti eifersüchtig ist. Mir wäre lieber, sie würden mich das nicht so spüren lassen. Heike traut sich viel mehr als ich, die flirtet richtig mit Onkel Hans. Reden kann ich schlecht mit ihm. Wenn er zu Hause ist, sitzt er in seinem Zimmer oder sieht fern. Oder er spielt Karten mit Mutti. Ich hab manchmal das Gefühl, ich bin ein bißchen überflüssig. Dabei mache ich viel im Haushalt. Wenn ich von der Schule komme, schmeiß ich meine Sachen hin und mach mir ein Tonband an, ganz laut, da bin ich ja allein. Manchmal hab ich Lust, in Opas Zimmer zu gehn, aber ich weiß ja, er ist nicht mehr drin. Dann geh ich auf die Toilette, dann pack ich mein Bett unter die Couch. Dann mach ich Hausarbeiten, bißchen übersaugen, weil die Spannteppiche so empfindlich sind. Alles, was eben so anfällt. Manchmal einkaufen oder noch zur Schule hin. Handarbeiten mach ich auch gerne, häkeln, Taschentücher besticken. Hat mir Mutti beigebracht. Von meinem Taschengeld, zwanzig Mark im Monat, spar ich mir Tonbänder zusammen. Ich hab ein Tonband, da ist Opas Stimme drauf. Das kann ich nicht hören, ohne verrückt zu werden. Wieso, wo ist er denn, wo ist er denn? Ich kann mir seinen Tod nicht vorstellen. Bei der Beerdigung habe ich Rotzblasen geheult. Furchtbar. Seine Schwester hat auch toll geweint, aber im Leben hat sie sich nie um ihn gekümmert. Das sind so Sachen, die ich nicht verstehe.

Ich soll's vielleicht nicht sagen, aber mein Opa ist nicht eines normalen Todes gestorben. Es war so, wir haben ihn hinausgeschmissen, nach einem großen Krach, den Mutti ihm gemacht hat. Sie haben ihm dann ein Zimmer besorgt und seine Sachen einfach hintransportiert. Ich hab immer nur geheult. Und mein Opa hat gesagt, ich soll nicht heulen, es ist besser so, er hat sich schon lange gewünscht, alleine zu wohnen. Dann hab ich's geglaubt und hab gar nicht mehr so viel an ihn gedacht. Als wir Opas Zimmer entrümpelt haben, hab ich mir gedacht: Er ist doch noch gar nicht tot, warum haben wir's so eilig? Manchmal hat man so schwache Momente. Hinterher ist man wieder vernünftig und das Leben geht seinen Gang. Manchen Menschen kann man eben nicht helfen. Ich hab dann gehört, daß er manchmal im Rentnerklub war. Sie kriegen dort warmes Mittagessen, nur Schnaps haben sie nicht erlaubt. Auf einmal hat uns seine Wirtin rufen lassen, kurz vor Weihnachten. Das gab eine fürchterliche Aufregung, die Polizei kam, man erzählte sich was von

Schlaftabletten oder von Gas. Er hat lange im kalten Zimmer gelegen, gegessen hat er auch nichts. Er ist einfach nicht mehr aufgestanden ... Warum denn bloß? Krank war er nie, mein Opa. Vielleicht ist er verhungert. Ich hab meine Mutti gefragt, und sie war ganz wütend: Mach mich nicht auch noch verrückt, die Leute reden, weil ihnen langweilig ist, aber dein Großvater ist an Herzschlag gestorben. Ich weiß nicht. Er hat mir ein paar Tage vorher Blumen ins Zimmer gestellt, wie ich nicht zu Hause war, und seine Uhr hat er mir hingelegt, die wollte ich immer haben. Mich beschäftigt das. In seiner Jugend hat Großvater eine Frau geliebt, die ist bei einem Verhör umgekommen, bei den Faschisten, und es war ein kleiner Junge da, mein Onkel Matthias, der war erst ein paar Monate alt. Meine Mutti sagt immer, es interessiert sie nicht, was damals geschehen ist und ich soll mir auch nicht den Kopp heiß machen. Ich weiß nur, daß Opa eine andere Frau geheiratet hat, die hat dann meine Mutti geboren. Aber später ist sie mit einem anderen Mann weggelaufen. Und Opa ist mit meiner Mutti allein geblieben. Von Onkel Matthias haben wir manchmal Pakete bekommen, der ist nach dem Westen abgehauen. Ich glaube, den Onkel Matthias hat mein Opa sehr gerngehabt. Er war bestimmt traurig, wie ihm einfach alles schiefgegangen ist im Leben, obwohl er ein guter Mensch war. Meinen Vati hab ich fast vergessen, wie er ausgesehen hat, aber meinen Opa kann ich nicht vergessen. Im Keller sind noch seine Werkzeuge und der alte Tisch mit den vielen Laden. Was werden die Leute denken, wenn *ich* einmal tot bin? Das möchte ich wissen. Ich möchte wissen, wozu man gelebt hat, wenn man doch so schnell vergessen wird.

Besonderen Wunsch hab ich sonst keinen. Ich bin eigentlich einverstanden mit allem. So wie jetzt möchte ich weiterleben. Ob ich die Welt verändern will? Nein, das kann ich ja gar nicht. Warum soll ich das wollen, was ich nicht kann? Man paßt sich unwillkürlich an. Man möchte ein bißchen mehr Geld haben, daß man sich was leisten kann. Eine schön eingerichtete Wohnung, mal eine Party geben, die Kinder schön anziehen, dafür sorgen, daß es ein richtiges Milieu wird. Was kann man doch alles für Geld machen? Ich würde mir wünschen, daß ich einen Mann finde, der zu mir paßt, und daß ich mal nach Italien fahren kann, bevor ich ein Tattergreis bin. Wenn ich Mutti sehe, die ist noch nicht alt, aber die war noch nie im Ausland, immer nur zu Hause. Nein, ich habe keine Probleme. Soweit ich mich erinnern kann, war ich immer glücklich, nur Opa hat mich bedrückt. – Was Glück ist? Ich weiß ja auch nicht, vielleicht wenn man sich was wünscht, und das erfüllt sich dann. Als ich von meiner Mutti das Tonbandgerät bekommen hab. Unter meinem künftigen Beruf, Wirtschaftskaufmann, stell ich mir nichts vor. Ich weiß ja nicht, wo sie mich hinstecken werden. Meine Mutti sagt immer: Nur nicht den Kopp heißmachen, alles auf sich zukommen lassen.

[1977]

7. Frauen und Männer

In der unmittelbaren Nachkriegszeit waren die Frauen in Deutschland ein notwendiges wirtschaftliches Potential, da sie die größte Zahl der Arbeitskräfte stellten. Dem Einsatz der Trümmerfrauen verdankte man, dass Städte und Fabriken so schnell wie möglich wieder aufgebaut werden konnten. Nach der Rückkehr der Männer aus Krieg und Kriegsgefangenschaft sollte sich diese Situation grundlegend ändern. Nicht zuletzt unter dem ideologischen Einfluss der CDU-Regierung Adenauers wurde die Frau in den fünfziger Jahren wieder auf den Bereich der drei "K" reduziert: Kinder, Küche, Kirche bestimmten nun für lange Zeit das Leben des weiblichen Teiles der Gesellschaft. Während die Frauen in der DDR neben der Arbeit in der 'Küche' berufstätig waren und – aufgrund der finanziellen Verhältnisse – auch sein mussten, konnten sich die Frauen in der Bundesrepublik erst nach und nach ihr Recht auf Berufstätigkeit erkämpfen.

Eine wesentliche Änderung in den Lebensverhältnissen von Frauen bewirkte in den sechziger Jahren die Anti-Baby-Pille. Durch sie ist eine sichere Geburtenkontrolle möglich geworden. Anfang der siebziger Jahre kam es zum Kampf um die Abschaffung des §218, der den Schwangerschaftsabbruch bis dahin unter Strafe stellte. In der Bundesrepublik wurde 1975 die sogenannte Indikationslösung eingeführt, die eine Abtreibung nur zulässt, wenn sie medizinisch, eugenisch, ethisch oder sozial indiziert ist. In der DDR galt seit 1972 die Fristenlösung, die es der Frau aufgrund des Rechts auf Gleichberechtigung in Ausbildung und Beruf, Ehe und Familie erlaubte, die Schwangerschaft innerhalb der ersten 12 Wochen unterbrechen zu lassen. Nach der Wiedervereinigung beider Staaten blieb lange ungewiss, wie eine neue Regelung beschaffen sein würde.

Nicht zufällig ist der Beginn einer dezidiert von Frauen für Frauen und über Frauen geschriebenen Literatur ebenfalls Mitte der sechziger Jahre anzusiedeln. Die Frauengruppen der studentischen Opposition waren die Keimzellen für eine engagierte Literatur. In der Literaturwissenschaft unterscheidet man allgemein zwischen einer 'Frauenliteratur', in der Frauen bewusst über die Lage von Frauen schreiben, und einer 'feministischen Literatur', die sich ausdrücklich dem Kampf für die Sache der Frau verschrieben hat. Literarische Entwürfe einer weiblichen Selbstverwirklichung gingen aber oft an der Realität vorbei, da die für die Emanzipation notwendige wirtschaftliche Unabhängigkeit von den wenigsten Frauen realisiert werden kann.

In den siebziger und achtziger Jahren stellten viele Verlage spezielle Reihen für die Veröffentlichung von Frauenliteratur zur Verfügung. Diese Etikettierung wurde wiederum von vielen Schriftstellerinnen abgelehnt, da man auch keine spezielle 'Männerliteratur' durch solche Werbestrategien zu verkaufen suchte.

Charakteristisch für viele Bücher, die Anfang der siebziger Jahre erschienen, ist ein rückhaltloser Subjektivismus. Beziehungsprobleme, Trennung und Selbstfindung sind die beherrschenden Themen. Diese Grundhaltung ist unter anderem darauf zurückzuführen, dass Literatur hier als Mittel der Orientierung in einem individuellen und sozialen Erkenntnisprozess, in neuartigen und krisenhaften Lebenssituationen benutzt wird. Damit fügen sich diese Bücher in einen breiteren "subjektivistischen" Trend der deutschen Gegenwartsliteratur ein.

Aufschluss über die Reaktionen von Männern auf Frauen im Laufe der letzten Jahrzehnte geben in diesem Kapitel insbesondere die Texte von Ingeborg Bachmann und Helga Königsdorf. Die darin beschriebene Kontinuität männlicher Verhaltensmuster wirft einmal mehr die Frage nach den konkreten Auswirkungen der neugewonnenen Autonomie von Frauen auf.

Alexander Kluge

Kälte ist keine Energie

Kälte ist keine Energie und kann deshalb auch nicht zurückgestrahlt werden... Das war interessanter als sie gedacht hatte, denn sie war hier nur hereingeschneit, weil es für den Englisch-Kurs der Volkshochschule, ein Stockwerk tiefer, zu spät war. Sie hatte die S-Bahn um eine Viertelminute verpaßt, ja nur 10 Sekunden früher und sie hätte sich noch durch die automatische Tür hineingezwängt. Dann aber wollte sie nicht aus der Tür rechts hinter dem Vortragenden in den Unterrichtssaal, vor aller Augen, während des Unterrichts eintreten und (auf englisch oder deutsch?) eine Entschuldigung murmelnd, sich zu einem Platz durchzwängen, aller Augen auf ihrer Kleidung, ihrem Gesäß, ihrem Hals, deshalb war sie panikartig in den Saal 109, ein Stockwerk höher, geeilt, der frontal zum Vortragenden betreten werden kann. Auf einem der Plätze neben der Tür saß sie unauffällig und dachte hinsichtlich der Kälte, welche nicht die Kraft hat zurückzustrahlen, ja überhaupt keine Kraft, sondern ein Zustand ist, an das Unvermögen Achims überhaupt; zu bemerken, wenn sie ihm kalt oder hitzig gegenüberstand. Er war nicht in der Lage irgendetwas, was er empfing, zurückzustrahlen. In Florenz aber, in einem der früheren Jahrhunderte der Stadt, bauten Gelehrte (Rhetoriker) einvernehmlich vor dem Herzog, einem der Lorenzo-Bankiers, eine Reihe von Geräten auf: einen Eisblock (wie Achim, müde), verbunden mit einem Spiegel, nun sollte der Strahl oder die Reflexion des Eises, eine Art von heißer Suppe in einem Topf kühlen. Dieses Experiment an einem Frühlingstag gelang nicht sofort eindeutig, da ja die Suppe an der Luft auch ohne Einwirkung der Eisstrahlen kühlte. Irgendwie war aber dann bewiesen, daß Eis nicht strahlt, während ein neben dem

Eisblock befestigtes Licht (als Wärmequelle), auf komplizierte Weise gespiegelt, nicht mechanisch, Pünktchen für Pünktchen, aber doch, wie man heute weiß, in Intervallen an bestimmten erogenen Stellen der Materie die Kraft, die in ihm steckt, weitergibt, erinnernd an verglühende Kohlen, solange, bis nichts mehr übrig ist. Das war eine schöne Dreiviertelstunde, für den Kurs hatte Gerda nicht bezahlt. Sie beschloß, sich von Achim dringlich zu trennen, führte den Beschluß am Abend aber nicht aus, weil sie noch in Eile war.

[1987]

Angela Krauß

Entdeckungen bei fahrendem Zug

Nun waren sie verlobt; ein bißchen spät freilich. Ein jeder von ihnen war schon so lange er selbst, und da bargen sie füreinander Rätsel.

Sie überraschte ihn mit einem bescheidenen Gepäck. Es lag schon Nebel in der Luft, denn es war Spätsommer geworden, als sie miteinander das erste Mal losreisten. Das Eisige hob sich von den feucht glänzenden Gleisen unter das Hallendach, wo die Tauben ihr Gefieder ein- und ausfalteten. Sie hatte es sich anstrengender vorgestellt mit der Liebe, und nun genügte eine Eigenart, um den anderen zu erfreuen. Ein kleines Gepäck oder ihre Gewohnheit, ohne Thermosflasche zu reisen, im Zug keine Eier schälen zu wollen. Diese Äußerlichkeiten, worin sich ein Charakter tarnt. Es blieben noch ein paar Minuten Zeit; er zeigte ihr das Abteil zwischen den Achsen, die Sonne traf soeben die Westwand der Halle, so daß der Staub vom Glas aufwirbelte.

Ich immer rückwärts links, sagte er, und du?

Er schien bereit, sich im Gegenteil einzurichten. Aber sie entdeckte sich ihm, so geradezu befragt, als vorwärts rechts. Es sollte so sein. Die Lokomotive zog an, und ihre Knie berührten sich. Sie warf einen letzten Blick hinauf zu ihrem Turmzimmer über dem größten Kopfbahnhof Europas, und der Zug querte etliche der sechsundzwanzig Schienenpaare: ein Boot gegen die Wellen, auf und nieder.

Sein Gepäck bestand aus vier großen Stücken, handfester war er schon als sie, und das gefiel ihr. Von den sich berührenden Kniescheiben fuhr so ein Strom in ihr hoch, der wollte bis ans Ende der Welt fahren.

Als der Zug in Bitterfeld hielt, verteilte er seine Gepäckstücke, indem er sie überraschend zu vervielfachen verstand, auf die Borde des gegenüberliegenden Abteils; das hätte sie nicht übersehen sollen. Statt dessen lachte sie, zog Kekse aus der Jackentasche, breitete die Arme; seine Lebendigkeit erfreute sie. Fürchtete sie doch Bahnfahrten im üblichen Sinne; das Ausharrenmüssen in hermetischer Passivität mit nichts als dem Ziel, anzukommen nach Plan. Als seien Anfang und Ende der Welt von Stationen unfehlbar markiert. Nur von ihrem Turmfenster aus gesehen, gab es die Enden der Welt, zu denen sie alle hinschwärmten. Und an seinen Kniescheiben gab es sie.

Vor Wittenberg verließ er sie; sie versuchte inzwischen dies und das zu bedenken, aber es zerrann ihr. Die Sonne fiel auf die Augen; sie berührte sie und das Ende der Welt gleichzeitig. Er kehrte zurück und hieß sie sich ins Abteil gegenüber setzen, dort sei sie geschützt vor dem grellen Licht. Allerdings um den Preis von vorwärts rechts, und er erleichterte ihr die Preisgabe mit einem Wisch über den Sitz, fürsorglich, das rührte sie so. Als sie ihn fragte, warum er in der Sonne sitzenbleibe, lächelte er schüchtern, außerdem erhob er sich oft und strich durch den Wagen. Eine Unrast war in ihm. Das Verlöbnis währte ein halbes Jahr; das ist eine Zeit, an deren Ende man voreinander ganz bloß dastehen kann.

Sie sah träge hinaus auf die Böschung, wo der Schatten des Zuges mitfuhr. Sie hatte die Fahrkarten nicht gesehen noch bestellt oder gekauft. Sie blickte ein wenig in die Zeitschriften, später vor sich hin. Er nahm sie, weil sie weggelegt aussahen. Einmal, als sie das erste Mal zur Toilette ging, bemerkte sie diese Zeitschriften auf den Plätzen der angrenzenden leeren Abteile, sie lagen da so hingestreut. Sie übersah in einem fort die Realität, wie wollte sie da auf einen grünen Zweig kommen. Durchs Toilettenfenster steckte sie den Kopf hinaus. So schön war es.

Sie sprach froh und dankbar zu ihm; er saß zwei Meter über die Diagonale entfernt. Sie fuhren gerade in Jüterbog ein. Er antwortete ihr auch, und sie hätte gern in seine Augen geblickt; aber als er es bemerkte, setzte er eine Sonnenbrille auf. Sie wußte nun also, wie er sich vor dem Meer ausnehmen würde. Die Beine legte sie auf den Sitz gegenüber. Sie waren noch immer in dem Wagen ganz allein. Wenn sie sich der Scheibe näherte, konnte sie ein langes Stück vom Bahnsteig erkennen, von Reisenden voll. Das riß sie hin, sie konnte nicht genug kriegen von dem Anblick durch die Scheibe hindurch: Koffer, Säcke und Säuglinge gingen über den Köpfen von Hand zu Hand. Sie sah, daß auch seine Wangen sich röteten.

Was wußten sie voneinander?

Die Abfahrtsdurchsage schallte über den Bahnsteig, die späte Sonne brannte nur so auf die Steine und verstreutes Papier. Die Wagentür wurde gerüttelt, vier Familien luden ihr Gepäck ab, dann begann das Eierschälen. Noch ehe er, den Ton der Sachlichkeit mühsam haltend, auf die ausgelegten Zeitungen verweisen konnte. Er widmete sich ihr zu wenig; sie spürte, daß ihn das aber quälte.

Vor Berlin wollte sie wissen, ob er die Strecke schon gefahren sei, erhielt jedoch keine Antwort. Er fixierte gespannt die Mitreisenden, die Sonnenbrille konnte sie nicht mehr täuschen. Es verwirrte sie, dann verfiel sie auf den Gedanken, ihn nach verschiedenen Zuganschlüssen zu fragen; ein wenig kannten sie einander ja schon. Er war zerrissen. Durfte er sich vier Kilometer vor dem hauptstädtischen Bahnhof zu einem Exkurs über Anschlußvarianten hinreißen lassen? Er zog den Fahrplan aus der Tasche und reichte ihn ihr wortlos hinüber, gefaßt auf ihren ratlosen Umgang damit, der ihn schmerzen würde.

Nicht mehr zurückhalten konnte er sich, als sie bei der Einfahrt in den Bahnhof ihr Gesicht an der Scheibe platt drückte wie ein Kind, aus der Nase wich ihr alle Farbe. Nicht einmal das Ziel ihrer gemeinsamen Reise schien sie genau zu kennen, geschweige denn die Stationen, die stummen Zeichen menschlicher Absichten, den verbreiteten Drang nach Inbesitznahme, dessen Verhüllungen und unwillkürliche Offenbarungen, die Taktiken, so vielfältig wie die menschliche Gattung selbst und in ihrer verbissenen Schläue unberechenbar, kurz: die Logik alltäglicher Psychologie auf Reichsbahngebiet.

Schon wagte er ihr zuzutrauen, daß sie bei haltendem Zug ihren Platz in Richtung der Toilette verließ.

Als sie sich anschickte, legte er sein Bein über den Gang. Nicht auf dem Bahnhof, das ist unklug, belehrte er sie, im übrigen wird es nicht gern gesehen. Sie errötete wirklich. Er bat sie auch, vom Fenster wegzugehen. Sie zöge Menschen an, erklärte er ihr. Darauf errötete sie tiefer. Aus Freude. Und setzte sich wieder. Und schloß die Augen.

Er war zur Verteidigung bereit, er vervielfachte seine Gepäckstücke abermals, legte sie platzgreifend aus; sie fand sich umgeben von Dingen, die ihr nun bald regelrecht mitgehören würden. Er hob ihre Beine auf und legte sie wieder auf den letzten, von seinen zwanghaften Besitzmarkierungen noch nicht gekennzeichneten Platz; sie träumte der Berührung nach. Die Wagentür wurde aufgerissen.

Am Ende hätte er den anderen nicht so herausfordernd fixieren sollen; es gibt Menschen, die vom herrschenden Blick angezogen werden. Es handelt sich dabei um eine Konstellation, die an Bahnhöfe gebunden ist, an den Moment der Revierbesetzung und an die Anwesenheit von wenigstens zwei männlichen und erfahrungsgemäß jegliches Machtinteresse leugnenden Persönlichkeiten mit einer bestimmten Triebstruktur.

Sie fragte der andere, ob der Platz neben ihr frei sei, worauf sie arglos die Zeitung aufheben wollte, aber der Verlobte hielt dagegen, jener habe ebensogut ihn fragen können, warum er das nicht getan habe. Der andere hatte einen kalten Hohn an sich, da sei doch alles belegt auf seiner Seite!

Das konnte nun keiner übersehen. Die Verlobte kriegte gar nicht mit: Die beiden hatten sich soeben erkannt. Sie fixierten einander aus verengten Augen. In gänzlicher Blöße standen sie sich gegenüber.

Die Verlobte träumte, man stritte sich um ihre Person. Nun, da sie sich verlobt hatte. Ein bißchen spät freilich.

Sie irrte sich aber.

[1984]

Karl Krolow

Ziemlich viel Glück

Ziemlich viel Glück
Gehört dazu,
Daß ein Körper auf der Luft
Zu schweben beginne
Mit Brust, Achsel und Knie,
Und auf dieser Luft
Einem anderen Körper begegne,
Wie er
Unterwegs.

Die Atmosphäre macht
Zwei innige Torsen aus ihnen.
Unbemerkt beschreibt ihr Entzücken
Zärtliche Linien in Baumkronen.
Eine ganze Zeit noch
Ist ihr Flüstern zu vernehmen,
Und wie sie einander
Das schenken,
Was leicht an ihnen ist.

Glücklichsein beginnt immer
Ein wenig über der Erde.

Aber niemand hat es beobachten können.

[1955]

Erich Fried

Was es ist

Es ist Unsinn
sagt die Vernunft
Es ist was es ist
sagt die Liebe

Es ist Unglück
sagt die Berechnung
Es ist nichts als Schmerz
sagt die Angst
Es ist aussichtslos
sagt die Einsicht
Es ist was es ist
sagt die Liebe

Es ist lächerlich
sagt der Stolz
Es ist leichtsinnig
sagt die Vorsicht

Es ist unmöglich
sagt die Erfahrung
Es ist was es ist
sagt die Liebe

[1983]

Peter-Paul Zahl

februarsonne

die pritsche schräg
vors fenster stellen

auf ihr liegen
das gesicht in der sonne

den kopf
gleichmäßig drehen

sonst machen die gitter
muster im gesicht

manchmal streicht wind
über die geschlossenen augen

ich stelle mir vor
es wären deine finger

sacht streicht der wind
und sacht

denke ich mir
deine finger

denn stärker
könnte ich das

nicht ertragen

[1977]

Karin Kiwus

Fragile

Wenn ich jetzt sage
ich liebe dich
übergebe ich nur
vorsichtig das Geschenk
zu einem Fest das wir beide
noch nie gefeiert haben

Und wenn du gleich
wieder allein
deinen Geburtstag
vor Augen hast
und dieses Päckchen
ungeduldig an dich reißt
dann nimmst du schon
die scheppernden Scherben darin
gar nicht mehr wahr

[1976]

Elke Erb

Liebesgedicht

Als auf dem Perron seine Stirn und Wangen um die blauen Augen weiß segelten, weiße Wölkchen über blauen Himmel, und das Schwarz der Locken flockte, Wolken schwarz auf einem Himmel blau, stach mich, daß er so verfallend aussah; verwünscht, verwünscht, ich kann ihn pflegen, das Haar ihm schneiden gleich nach meiner Rückkehr, so daß er aussieht wie ein nacktes Kind.

[1978]

Hans Magnus Enzensberger

Die Scheidung

Erst war es nur ein unmerkliches Beben der Haut -
"Wie du meinst" -, dort wo das Fleisch am dunkelsten ist.
"Was hast du?" – Nichts. Milchige Träume
von Umarmungen, aber am anderen Morgen
sieht der andere anders aus, sonderbar knochig.
Messerscharfe Mißverständnisse. "Damals in Rom -"
Das habe ich nie gesagt. – Pause. Rasendes Herzklopfen,
eine Art Haß, sonderbar. – "Darum geht es nicht."
Wiederholungen. Strahlend hell die Gewißheit:
Von nun an ist alles falsch. Geruchlos und scharf,
wie ein Paßfoto, diese unbekannte Person
mit dem Teeglas am Tisch, mit starren Augen.
Es hat keinen Zweck keinen Zweck keinen Zweck:
Litanei im Kopf, ein Anflug von Übelkeit.
Ende der Vorwürfe. Langsam füllt sich
das ganze Zimmer bis zur Decke mit Schuld.
Die klagende Stimme ist fremd, nur die Schuhe,
die krachend zu Boden fallen, die Schuhe nicht.
Das nächste Mal, in einem leeren Restaurant,
Zeitlupe, Brotbrösel, wird über Geld gesprochen,
lachend. Der Nachtisch schmeckt nach Metall.
Zwei Unberührbare. Schrille Vernunft.
"Alles halb so schlimm." Aber nachts
die Rachsucht, der stumme Kampf, anonym,
wie zwei knochige Advokaten, zwei große Krebse
im Wasser. Dann die Erschöpfung. Langsam
blättert der Schorf ab. Ein neues Tabakgeschäft,
eine neue Adresse. Parias, schrecklich erleichtert.
Blasser werdende Schatten. Dies sind die Akten.
Dies ist der Schlüsselbund. Dies ist die Narbe.

[1980]

Gabriele Goettle

Die Nachmieterin

Nachdem die Wohnung des verstorbenen Lehrers einen Monat leer gestanden hatte, zog im August die Schauspielerin Iris L. ein. Einige Möbel und Teppiche hatte sie gegen einen kleinen Abstand übernommen, auch ein französisches Bett mit neuwertiger Federkernmatratze.

Als die Nachmieterin aus ihrem vollbeladenen roten Opel stieg, fiel ein kleines geflochtenes Spankörbchen voller Rabattmarken auf die Straße, rollte unters Auto und blieb dort unbemerkt liegen. Iris L. belud sich mit braunen Polsterelementen, öffnete mit dem Fuß die Gartenpforte und warf neben der Haustür alles zu Boden, weil sie den Haustürschlüssel nicht finden konnte. Der, so stellte sich erst viel später heraus, befand sich im Handschuhfach. Während sie suchte, begann es zu regnen, die Tropfen perlten über das Kunstleder der Polster und durchnäßten allmählich ein auf halbem Wege verlorenes Kopfkissen.

Aber gegen Abend standen in allen drei Zimmern der Souterrainwohnung feuchte Tüten, Koffer und Kartons. Die Nachmieterin saß mit einem Glas Wein am Küchentisch des verstorbenen Lehrers, rauchte eine Zigarette, betrachtete das wellige Furnier und die runde Brandstelle, derentwegen wahrscheinlich weder die Schwester des Lehrers noch sonst jemand den Tisch hatte haben wollen. Es begann zu dämmern, vor dem vergitterten Küchenfenster war ein kurzgeschnittener Rasen zu sehen, am Rande des Gitters wuchsen efeuartige Kletterpflanzen und weiße Blumen. Im Haus herrschte Stille. Draußen, vom Garten her, war das abendliche Zwitschern einer Amsel zu hören. Die Nachmieterin legte die Hände vors Gesicht und begann zu schluchzen. Später, als sie sich wieder ein wenig beruhigt hatte, ertönte über ihr aus der Wohnung das Pfeifen eines Wasserkessels, dann waren schwere Schritte zu hören, und schon sank der Pfeifton in sanftem Bogen hinab und verstummte. Die Schritte entfernten sich, danach war es wieder still. Iris L. stand auf und tastete sich zum Lichtschalter hin. Licht gab es aber nicht.

Außer im Badezimmer waren überall die Lampen abmontiert worden. Aber auch hier gab es lediglich Licht von einem Allibert-Spiegelschränkchen, das übrigends vollkommen jenem glich, das sie zu Hause zurückgelassen hatte. Beim Aufflammen des Neonlichtes gab es jenes vertraut leise Knistern von sich, das man nach langer Gewohnheit gar nicht mehr registriert. Die Nachmieterin wusch sich das Gesicht und stellte fest, daß dieses Wasser merkwürdig nach Metall schmeckte. Hinter dem Spiegeltürchen fand sich ein grauer Plastikzahnbecher, eine alte Zahnbürste und eine leere Seifenschale. Iris L. betrachtete sich im Spiegel und dachte an den Streit, den es vor ein paar Jahren wegen der Zahnpasta gegeben hatte zwischen ihr und ihrem ehemaligen Mann. Irgendwie ging es um Seifenbestandteile, die angeblich das Zahnfleisch schädigten, und darum, ob man nun die Marke wechseln sollte oder nicht.

Die Nachmieterin tastete sich durch den dunklen Flur ins Schlafzimmer. Das Bett des Lehrers federte geräuschlos jede ihrer Bewegungen ab, und bald fand sie unter der Decke ein wenig Wärme, Trost und Sicherheit. Von der Gaslaterne vor dem Fenster fiel Licht in das leere fremde Zimmer, in dem noch der Geruch des Lehrers schwebte.

Den nächsten Tag über fuhr Iris L. zwischen der alten und neuen Wohnung hin und her, schleppte Taschen, Koffer, Kartons und Hausrat. Auch das unterdessen plattgefahrene Spankörbchen mit den Rabattmarken hatte sich wieder gefunden und lag in der Mülltonne. Das war schade; denn Iris L. hatte eine starke Beziehung zu Geflochtenem, besaß Körbe, Korbsessel, Körbchen und Korblampen, an denen sie hing und die sie, trotz ungünstiger Eigenschaften, immer um sich haben wollte. Am Nachmittag kam ein kleiner Möbelwagen, zwei Männer trugen Regale, Schränke und alle schweren, sperrigen Sachen ins Haus, stellten sie auf wie gewünscht, und nach einer halben Stunde war der Umzug im wesentlichen geschafft.

Ein letztes Mal fuhr sie dann in die alte Wohnung. Für die Dauer ihres Auszugs hatte Er die Wohnung verlassen und war bei jener Person untergekrochen, die der Anlaß für die Trennung war. Monatelanger Streit, Lügen, Vorwürfe, Handgreiflichkeiten hatten zu nichts geführt. Man hatte sich auf Scheidung geeinigt und darauf, sofort getrennte Wege zu gehen. Natürlich war klar, daß Sie nun hier einziehen würde. Dieser Gedanke, diese Vorstellung brachte Iris L. dermaßen auf, daß sich niemand über die unsanfte Behandlung des ehemals gemeinsamen Hauststandes wundern mußte.

So fiel zum Beispiel im Schlafzimmer – erst jetzt sah sie, wie trostlos kahl und unerotisch es eingerichtet war – der Leuchter mit den zartgrünen gläsernen Blütenkelchen herab. Daß man sich unter einem so grauenhaften Licht einst hatte lieben können, schien einfach unvorstellbar. Beim Gang durch die Wohnung, beim Herumräumen und Umstellen, ging einiges zu Bruch, fiel manches herunter. So auch der Spiegel, der aus der Schrankwand heraussplitterte, obwohl sie ihn nur leicht mit einer Ecke des Bügelbrettes gestreift hatte. In der Küche glitten ihr mehrere Gläser mit eingemachten Kirschen und Pflaumen aus der Hand. Das Obst war aus Tante Mellnas Garten und stammte noch aus der Zeit vor Tschernobyl. Die Gläser aus der Zeit nach Tschernobyl blieben unangetastet.

In der Küche packte sie ein Messerset mit Horngriffen ein. Auch das silberne Spatenbesteck wollte sie, obgleich hier die Besitzverhältnisse klar waren, nicht hierlassen, ebensowenig wie das alte Fischbesteck mit den Elfenbeingriffen und die silbernen Messerbänkchen, die ohnehin nie jemand benutzte. Beim Herumsuchen stieß sie im Wohnzimmerschrank auf die Holzkästen mit den wohlgeordneten Dias ihrer gemeinsamen Reisen. Das war auch so eine grauenerregende Leidenschaft von ihm, jeden außergewöhnlichen Moment ihres Lebens fotografisch festhalten zu wollen, selbstverständlich in Farbe. Sie nahm die Kästen und brachte sie in die Küche, ebenso die von ihm heiß geliebte Schallplattensammlung (Jazz, Klassik und 50er Jahre), stellte alles in den Backofen und ließ es eine halbe Stunde auf der höchsten Stufe im Rohr. Die Zeit nutzend, zog sie aus den Bücherregalen dies und jenes hervor, warf es in ihre Koffer oder zu Boden, schüttete im Schlafzimmer zwei Flaschen 79er Châteauneuf du Pape (Domaine de Nalys), die sich noch gefunden hatten, über das vormals gemeinsame Bett und war zufrieden.

Nun war alles getan. Sie warf den Schlüssel in die Wohnung und schlug hinter sich die Tür zu. Der Geruch nach verbranntem Kunststoff war bis ins Treppenhaus gedrungen. Als sie unten aus dem Aufzug in die beleuchtete Eingangshalle trat, sah sie zum ersten Mal, obgleich sie diesen Raum so oft durchquert hatte, daß die Bodenplatten nicht grau waren, sondern bunt gesprenkelt; sie bestanden aus vielen kleinen farbigen Steinchen, die unter der polierten Oberfläche nebeneinanderlagen. Seltsame Nebensächlichkeiten fielen ihr auf, waren für einen Moment von Bedeutung und kurz darauf vergessen. Vergessen hatte Iris L. auch ihren Kleppermantel, der oben unerreichbar an der Garderobe hing.

In der neuen Wohnung herrschte Chaos. Vier der sechs silbernen mundgeblasenen Christbaumkugeln, wertvolle Familienerbstücke, waren zerdrückt worden in ihrem Karton. In der Küche zog sich eine Grießspur über den Boden. Die Nachmieterin nahm sich ein nach Pappe schmeckendes Knäckebrot. Dann suchte sie ihre Lamadecke hervor und das immer noch feuchte Kopfkissen, bezog das Bett und ließ Wasser in die Badewanne ein.

Wenig später lag sie im heißen Wasser, aber an wohlige Entspannung war nicht zu denken. In dieser Wanne, die wesentlich länger war als die gewohnte zu Hause, mußte sie sich am Rand mit den Ellbogen abstützen, um nicht mit dem Kopf ins Wasser zu rutschen. Aber sie gewöhnte sich daran, und während sie dem Fall der Wassertropfen lauschte, mußte sie an den Lehrer denken und stellte sich ihn groß, dunkelhaarig und ernst vor. In Wahrheit aber war der Lehrer ein kleiner Pykniker mit starkem Haarausfall und jähzornigem Gemüt gewesen. Er hatte zu hohen Blutdruck, weshalb er stets nur geduscht hatte.

Die Nachmieterin stieg, als das Wasser allmählich kühler wurde, aus der Wanne, putzte sich die Zähne und drehte seitlich zwei Lockenwickler in ihr Haar, legte sich ins Bett und schlief wenig später vor laufendem Fernsehgerät ein. Irgendwann nach Mitternacht wurde sie vom hohen Pfeifton geweckt, der nach Sendeschluß ertönt, drehte leiser und schlief weiter.

Am nächsten und den folgenden Tagen blieb sie im Bett, fühlte sich matt und zerschlagen. Sie schlief, rauchte, trank große Mengen Cognac, den seine Geschäftsfreunde einmal mitbrachten, früher, als sie noch Besuch hatten. Sie erinnerte sich an langweilige Abende. Die Männer sprachen über den Betrieb, während sie die jeweilige Gattin zu betreuen hatte, und hinterher war man müde und ausgelaugt. Er musterte mit Kennermiene das Flaschenetikett und machte, nichtsdestoweniger, abfällige Bemerkungen über die Besucher. Dafür hatte sie nun ihre Arbeit am Theater aufgegeben und die entscheidenden Jahre ihres Lebens an der Seite eines erfolgreichen Spießers verbracht, nur um dann, als das Alter nicht mehr zu übersehen war, gegen eine Jüngere eingetauscht zu werden.

Mit Schlaftabletten, Alkohol, Knäckebrot und Rosinen half sie sich über die nächsten Tage. Schmerzende Handgelenke und Stiche im Rückgrat gaben ihrer Schonung eine gewisse Legitimation. Nach einer Woche fühlte sich die Nachmieterin aber derart unbehaglich und hungrig, daß sie beschloß, aufzustehen und sich eine Büchse Gulasch zu wärmen, einen Tee zu kochen, sich ein wenig zu waschen.

Beim Öffnen der Küchentür schlug ihr ganz unerwartet ein atemberaubender Verwesungsgeruch entgegen. Fast wäre sie ohnmächtig geworden. Sie schloß die Tür. Noch immer war das hohe Summen aufgescheuchter Schmeißfliegen zu hören. Sie versuchte den Würgereiz zu unterdrücken, beschloß, etwas zu tun gegen ihre Lethargie und Frustration.

Bereits zwei Stunden später trat sie angezogen und geschminkt aus dem Haus, warf die schwarze Reisetasche auf den Rücksitz ihres Wagens, vergewisserte sich, ob sie auch alles bei sich hatte, Paß, Euroschecks und Scheckkarte, betrachtete sich kurz im Rückspiegel und fuhr davon.

Wenige Tage später saß sie am Meer, mit übereinandergeschlagenen Beinen, an einem Metalltisch, und aß fritierte Tintenfische. Vom Wasser her wehte gegen Abend ein frischer Wind. Am Nebentisch saßen zwei Studenten der Betriebswirtschaft aus Münster, braungebrannt und in bester Stimmung. Mit einem von beiden, dem Jüngeren, hatte sich Iris L. bereits ein wenig angefreundet. Später am Abend würden beide noch einen Spaziergang am Strand hinunter bis zu den Felsen machen, dabei dann sicherlich die erwünschten Intimitäten austauschen, man würde sich ein, zwei Wochen lang amüsieren, zu griechischer Musik tanzen, Wein trinken, Schwimmen gehen und, wenn es soweit wäre, voneinander freundlich Abschied nehmen, das stand für Iris L. fest.

Währenddessen hatten sich auch in der Küche der Nachmieterin die Dinge entwickelt. Im roten Plastikwäschekorb, der auf dem Tisch des verstorbenen Lehrers stand, summte es unaufhörlich. Über das aufgeworfene Furnier hatte sich eine schon halb eingetrocknete schwarzbraune Flüssigkeit ergossen, war über die Kanten des Tisches hinweg zu Boden getropft und dort in kleinen Pfützen auseinandergelaufen. Schmeißfliegen saßen auf den noch feuchten Stellen, schillerten metallisch und preßten hektisch ihre roten Stempel in die stinkende Masse.

Im Wäschekorb lag, so wie er hineingeworfen worden war, der gesamte Inhalt der ehelichen Tiefkühltruhe: Fischstäbchen, Filet, Regenbogenforellen, Jakobsmuscheln, Pizza, Eiscreme, zwei deutsche Rehrücken, eine polnische Ente, ein französisches Hähnchen (mit Mais gefüttert), Meeresfrüchte, Spinat mit Sahne, eine neuseeländische Hammelkeule und eine angebrochene Packung Mischgemüse.

[1991]

Botho Strauß

Paare

[...] Hundertfünfzig Kilometer östlich steht in Akureyri, der Hafenstadt, eine alte Frau an der Rezeption des Edda-Hotels. Es ist ein Schulgebäude, das im Sommer zur Fremdenherberge umgerüstet wird. In allen Gängen riecht es nach Milchsuppe. Die Frau fragt das Mädchen hinter dem Empfangspult sehr vorsichtig auf deutsch, wie lange sie, sie und ihr Mann, der still die Treppe hinaufgegangen ist mit beiden Koffern, wie lange sie auf dem Zimmer bleiben dürften am nächsten Morgen... Das Mädchen antwortet schwerfällig, kratzt die Worte aus der Kehle: "Äh... bis halb zwölf Uhr." Die alte Frau spricht nun weiter, betulich und behutsam, über die Umstände der morgigen Abreise. Wie lange Frühstück, wie denn hier ein Taxi bekommen? Das Empfangsmädchen krächzt: "Erste Straße links, zweite rechts." Die alte Frau sagt: "Wir sind so glücklich, dieses Zimmer erlangt zu haben." Um Deutlichkeit bemüht, wird ihre Ausdrucksweise aber nur gewählter statt einfacher. Sie faltet die Hände auf dem Pult und redet langsam fort, ein wenig verzückt, doch ohne Heucheltöne, so daß man sagen könnte, sie legt ihr ganzes Herz in diese überflüssige Unterhaltung. Glücklich seien ihr Mann und sie, da ja schließlich Saison und sie nicht angemeldet – "Saison?" fragt sie nach, unsicher, ob sie auch recht verstanden wurde. Noch einmal bedankt sie sich überschwenglich bei dem isländischen Fräulein, gleichsam als habe dieses ihnen höchstpersönlich und selbstlos die Gastfreundschaft gewährt.

Am nächsten Morgen findet man sie und ihren Mann, der am Abend sich nicht blicken ließ und gleich nach der Ankunft die Treppe hinaufstieg, tot nebeneinander, die schmalen Betten zusammengerückt, auf ihrem gelobten Zimmer. Sie hatten beide Gift genommen und lagen noch so wie sie gewartet hatten, Hand in Hand auf dem Rücken. Die kurzen schweren Krämpfe hatten sie ganz in der Mitte ihrer geflochtenen, beinah brechenden Finger ausgehalten. Nach allem anderen stellt sich heraus, daß eine tödliche Krankheit der Frau die beiden Alten zu diesem Schritt getrieben hatte, den endlich zu tun sie zuhause nie gewagt hätten, wo sie mit Tochter, Schwiegersohn und Enkelkindern unter einem Dach wohnten. So sterben sie auswärts, am Ende einer Islandfahrt, und hinterlassen wohlgeordnet Briefe, Gelder und einen ganz genauen Fahrplan 'Nach dem Ableben'. Der alte Mann, der getreulich Folgende, sprach seit längerem nicht mehr. Es schien ihm nötig, nachdem die Verabredung einmal getroffen war, dem kein Wort mehr hinzuzusetzen und mit dem Schweigen unverzüglich zu beginnen.

Ein Trinker-Ehepaar im Kaufhaus *Quelle* steht in der Schlange vor der Kasse an. Der Mann hält sich grummelnd und zu Boden blickend an der Seite seiner Frau. Diese kneift mehrmals ohne äußere Veranlassung das rechte Auge kräftig zu, als teile sie mit einem Unsichtbaren ein frivoles Geheimnis. Die gestörten Nerven spielen ein kurzes, immer wiederkehrendes Programm. In geringen Abständen wirft sie, von einem automatischen Entsetzen angetrieben, knapp den Kopf herum und lächelt dann ebenso freundlich wie angstverzerrt in eine Richtung, wo gar niemand ist und woher auch kein Anruf an sie erging. Ein flatterhaftes Drama läuft über ihr gerötetes, gedunsenes, schuppiges Gesicht, ausgelöst allein durch das bedrängte Schlangestehen, die enge Stellung unter fremden Menschen. Das Lächeln, die Scherben eines Lächeln scheinen nach allen Seiten hin ein Zuviel der Bedrängung freundlich abzuwehren. Der Mund mit strahlender Grimasse entblößt eine von links nach rechts immer niedriger und löchriger werdende Zahnstummelreihe. Sie hat einen sehr großen zitronengelben Wecker eingekauft. Wozu sich wecken? Zum ersten Schluck? Ich stand vor dem Hauptausgang neben der Glastür und wartete mit einem unhandlichen Gartenmöbel auf einen Freund, der die übrigen Stücke brachte. Das Trinker-Paar kam eben heraus, als wir unsere Fracht zum Nachhausetragen uns aufluden. Da machte die Frau zu ihrem Mann die Bemerkung, daß es freilich besonders geschickt von uns sei, so dicht beim Ausgang herumzupakken. Obschon wir ihnen nicht unmittelbar im Weg waren, schien es ihr ausgesprochen wohlzutun, sich selber in der Ordnung und uns als Störung zu empfinden und dies auch festzustellen. Der Freund knurrte sie rüde an: "Halts Maul, alte Kuh." Als ich dies hörte, war mir, als trete jemand einem Unfallopfer obendrein in den Bauch. Denn ich hatte mir ihren Schicksalsstreifen ja eine Weile angesehen und konnte nichts als Anteilnahme für sie empfinden. Als wir die beiden auf der Straße überholten, hielt die Frau ihren Mann an und sagte leise, als ginge da jemand Berühmtes vorbei: "Sagt der einfach alte Kuh zu mir!" "Wer?" fragte der Mann. "Na der da", sagte die Frau und nickte zu uns hin. Nun hatte sie mit soviel vorbeugendem Lächeln und geisterhaftem Verbindlichtun alles um sich herum zu bannen versucht, was sie verletzen könnte, und dann hatte es sie am Ende doch noch schwer getroffen. Wirklich beschwert, nicht aufgebracht blieb sie stehen und wiederholte sich den Schimpf, und er kam ihr noch unerhörter vor. [...]

[1981]

Hans Magnus Enzensberger

Alte Ehepaare

Wer so lange geblieben ist,
macht sich wenig vor.

"Ich weiß, daß ich nichts weiß":
Auch das ist noch übertrieben.

Alte Ehepaare
haben nichts übrig
für das Überflüssige,
lassen das Unentscheidbare
in der Schwebe.

Merkwürdig distanziert,
dieser luzide Blick.
Kühne Rückzüge,
geplant
von langer Hand.

Andrerseits hartnäckig
wie der Schachtelhalm.

Resignation –
ein Fremdwort.

Improvisierte Krücken,
Selbsthilfe, Kartoffeln
im eigenen Garten
und im Zweifelsfall,
am Kreuzweg,
die Sauerstoffmaske zur Hand.

Man sieht manches,
wenn das Licht ausgeht.

[1991]

Helga Königsdorf

Bolero

Nein, ich weiß wirklich nicht, warum ich es getan habe. Eigentlich war überhaupt nichts Besonderes an ihm.

In jener Sitzung wurde ein Referat verlesen, dem man auch ohne böswilligen Scharfsinn die verschiedenen Zuarbeiter anmerkte. So ließ sich der Redner erst über den zurückliegenden Volkswirtschaftsplan aus, dann über den gegenwärtigen Volkswirtschaftsplan und schließlich über den bevorstehenden Volkswirtschaftsplan. Die langatmigen grundsätzlichen Bemerkungen und Schlußfolgerungen, die die jeweiligen Volkswirtschaftspläne begleiteten, unterschieden sich lediglich durch die ungleiche Sprachgewalt ihrer Schöpfer. Es muß etwa gegen Mitte des laufenden Volkswirtschaftsplanes gewesen sein, als mir die Blutwurststulle in meiner Tasche in den Sinn kam. Und zwar derart eindringlich, daß in mir der Nahrungsreflex und das im Prozeß meiner Persönlichkeitsentwicklung herausgebildete Normverhalten kollidierten. Mein weiteres Konzentrationsvermögen unterlag hoffnungslos der Zwangsvorstellung, während eines grundlegenden Referates in eine Blutwurststulle beißen zu müssen. Solchermaßen verwirrt, blieben meine Augen zum ersten Mal an ihm haften. Vielleicht, weil er weiter unablässig, auch später gegen Ende des kommenden Volkswirtschaftsplanes, aufmerksam und gewissenhaft in ein schwarzes Heft schrieb. Wie ich so zu ihm hinschaute, sah er hoch, wollte wieder seine Augen abwenden und konnte es nicht. Wenn mir in diesem Moment prophezeit worden wäre, daß er in meinem Leben oder, besser, ich einmal in seinem Leben so unerhört bedeutsam werden würde, ich hätte nur gelacht. Denn, wie ich schon sagte, es war nichts, aber auch gar nichts Besonderes an ihm.

Er war in jenem Alter, in dem die Männer über die Intensivierung ihres Lebens nachdenken. Als er sich mir während der Pause in den Weg baute, seine dikke Brille zurechtrückte und über sein schütteres Haar strich, überkam mich die alberne Vorstellung von einer magenkranken Dogge. Dabei waren es aller Wahrscheinlichkeit nach gerade dieser müde und verbrauchte Zug in seinem Gesicht und die Narbe, die seine linke Hand verunstaltete, die mein historisch verbildetes weibliches Mitgefühl mobilisierten. So verblieb meine Blutwurststulle, trotz aller Aufregung, die sie in meinem Nervensystem erzeugt hatte, in der Tasche, und ich gestattete ihm den Erfolg, mich zum Kaffeetrinken verführt zu haben.

Ihn aber beeindruckte dieses Erlebnis derart, daß er mir unsagbar beflügelter erschien, als dies der nackten Wahrheit entsprach. Ich hatte in jenen Tagen so selten etwas vor. Ich hätte aus Langeweile dem Teufel Gefolgschaft geleistet. Warum sollte ich also nicht mit einem angegrauten, lüsternen, dicken Mann ein kleines abgelegenes Restaurant aufsuchen.

Das Zigeunersteak – meine Blutwurststulle verfütterte ich am anderen Morgen vom Balkon aus an die Möwen – und der rote Wein waren seine Wahl. Ich bevorzugte damals eigentlich lieblichen Weißen, er aber sagte, der echte Kenner zeige sich am Rotwein. Ich dachte wieder darüber nach, ob er magenkrank sei.

In unserer Unterhaltung gab es nichts, dessen man sich erinnern müßte. Aber man sollte unserer Mittelmäßigkeit die vielen abgesessenen Stunden zugute halten und die tatsächlich widrige Gesprächssituation: keine verbindenden Erinnerungen, kaum gemeinsame Bekanntschaften, noch undeutlich verbotene Zonen in unseren separaten Welten. So brachten mir zwar seine Berichte über das Verheiraten einer Tochter mittelbar Aufschlüsse über seine familiäre Gegenwart, aber eigentlich konnte sie mir einschließlich seiner genaueren ehelichen Umstände absolut gleichgültig sein.

Wieso beglich ich, als er kurz hinausgegangen war, die Rechnung? Ich glaube, da lag bereits ein entscheidender Fehler. Mir war irgendwie wohl dabei, war ich ihm doch nun zu nichts verpflichtet. Aber es steckte nichts weiter dahinter als eine gründliche Fehlinterpretation der Gleichberechtigung, zumal mir meine Blutwurststulle sicherlich besser geschmeckt hätte als dieses zähe Zigeunersteak und ich den roten Wein nicht mochte. Auf jeden Fall stellte ich damals, als ich den Kellner heranwinkte, eine Weiche in unserer weiteren Rollenverteilung, denn man denke bloß nicht, ein Verhältnis wie unseres erfordere keine innere Ordnung.

Schlamperei oder umwälzender Elan sind hier noch weniger am Platz als bei anderen in das Fundament der Gesellschaft eingelassenen Verbindungen.

Wir sind dann später nie wieder in ein Restaurant gegangen, sondern er besuchte mich in meiner kleinen Wohnung in der zwölften Etage des Hochhauses, an dem die Balkone wie Bienenwaben kleben.

Die Liebe mit ihm war nicht sonderlich erfreulich. Er kam ohne weitere Einleitung über mich und beschäftigte sich an mir mit sich. Hinter der Sinnlichkeit der Frauen mutmaßte er Tonnenideologie, und folglich bemaß er die Kultur seiner Liebeshandlung in deren Quantität. Trotzdem wäre ihm die Offenbarung meines Empfindens wohl nicht als Niederlage nahegegangen, denn durch Statistiken aufgeklärt, schätzte er den Prozentsatz der frigiden Frauen im Abendland auf sechsundneunzig. Welche richtige Frau aber würde nicht ihren Ehrgeiz dareinsetzen, zu den verbleibenden vier Prozent gezählt zu werden. Außerdem war allen Gedankengängen vorzubeugen, die in der Frage endeten: "Warum ich eigentlich...?"

Während ich also für seine Befriedigung schwer atmete und leise stöhnte, dachte ich daran, daß das blaue Sommerkleid zur Reinigung müsse. Ich legte seine Hand mit der Narbe zwischen meine Schenkel, doch er begriff nichts. Vielmehr registrierte er mit Staunen die ihm neu erschaffenen Fähigkeiten zur Lust, überließ sich gänzlich dem passiven Genießen, so daß in der Zukunft ich über ihn kommen mußte, was meinem natürlichen Empfinden zuwiderlief.

Vielleicht hätte ich es nicht getan, wenn ich bedacht hätte, daß er so schreien würde. Aber das konnte ich wirklich nicht ahnen, denn er war der ruhigste Mensch, den ich gekannt habe.

Danach übermannte ihn meist die Müdigkeit, und er fiel in einen kurzen tiefen Schlaf, während ich einer kleinen Mahlzeit die letzte Würze verabreichte. Ich wußte bald um seine Neigung zu herausgeputzten Speisen mit überraschenden Nuancen und fremdartigen Namen und kredenzte ihm den Pepsinwein vor der Suppe. Vielleicht kam er anfangs mehr wegen der Liebe und später mehr wegen des Essens.

Ich machte mir nichts aus diesen Essen, denn mir war damals oft übel. Wissen überbrückt nicht immer die Abgründe unserer Furcht, und so quälte mich eine abergläubige Scheu vor der Pille. Dieser Eingriff in das feine Zusammenspiel jener Kräfte, die die Lebensprozesse steuern, schien mir grob und unzulässig. Unnachweisbar, und eben darum unheimlich, würde sich die Struktur meines Seins ändern. War ich dann noch ich?

Abwegig verstaubte Anwandlung einer Frau mit im übrigen durchaus moderner Weltanschauung!

Er machte sich Sorgen! Und ich müsse ihm schon erlauben, daß er sich Sorgen um mich mache. Derart beschämt, schluckte ich die Pille und konnte mich nur schlecht daran gewöhnen. Obwohl mein Arzt mir wissenschaftlich nachwies, diese anhaltende Übelkeit könne nur eine Folge psychischer Verkrampftheit sein, war mir doch ganz real schlecht. Ich sprach nicht länger darüber, schließlich nehmen so viele Frauen die Pille.

Im Winter rochen seine Anzüge nach abgestandener Rauchluft, und ich hängte sie manchmal auf den Balkon. Im Sommer kam er meist verschwitzt, und mich begann der Geruch seines Körpers zu stören.

In unserer späteren Zeit ist er oft müde gewesen. Ich drängte ihn nie. Es war mir einerlei. Wir hätten auch gleich mit dem Essen beginnen können.

Er führte ein einwandfreies Familienleben, in dem ich keinen Platz hatte, nicht einmal als entfernte Kollegin. Ich stimmte dem unbedingt zu. Nüchtern gesehen: Scherereien hätte es nicht verlohnt. Ein Geheimnis war auch eine Waffe. Eine Waffe gegen das unerhörte Gefühl der Verlassenheit, das mich damals wie ein wieder- und wiederkehrender Angsttraum bedrängte. Ein Spannungselement, und hing auch noch so viel Selbstironie daran. Ein Kontrast im Gleichklang meiner Tage.

Nur einmal, ein einziges Mal, habe ich bei ihm angerufen. Das war nach jener Sitzung, die acht Stunden gedauert hatte und in der ich als allerletzte zu Wort kam. Ich sprach und sprach, und keiner hörte mich. Ich sprach nicht nur, um gesprochen zu haben, ich hatte tatsächlich etwas zu sagen. Ich redete mich in Eifer, ich beteuerte, ich gestikulierte, ich beschwor. Und die einen packten schon ihre Taschen, andere sahen mißmutig auf die Uhr, noch andere hatten den Wechsel des Redners gar nicht bemerkt. Danach brauchte ich einfach irgendeinen Menschen. Ich suchte den Zettel mit seiner Telefonnummer, den er mir in Anfangsgroßartigkeit gegeben hatte. Ich wählte die ersten drei Nummern. Hier schaltete sich das Tonband ein: "Kein Anschluß unter dieser Nummer." Ich versuchte es ein weiteres Mal. Das gleiche. Im Telefonbuch war er nicht eingetragen. Ich vergaß später, ihn danach zu fragen. Ich hätte sowieso nicht wieder angerufen.

Ich arbeitete viel und zuverlässig, damals. Ich ließ mir dieses und jenes aufbürden, das nicht mein Amt gewesen wäre. Ich war häufig erschöpft. Die Menschen sahen mich freundlich und hastig an. Wie schwer ist es doch, ein bißchen Glücksbedürfnis zu ersticken.

Er kam zu mir, wann es ihm paßte, und manchmal dachte ich: Dieses Mal war das letzte Mal, ich will nicht mehr. Es war und blieb eine verfehlte Sache. Aber wenn ich wochenlang nichts von ihm hörte, wuchs in mir der Ärger, und wenn er dann anrief, war ich erleichtert, daß ich mich nicht mehr zu ärgern brauchte, und da ich gerade nichts anderes vorhatte, kaufte ich ein und bereitete das Essen vor. Manchmal ging ich auch schnell noch zum Friseur. Und wenn er kam, erzählte ich ihm die letzten Witze und zog die Vorhänge zu, obwohl nur der Himmel ins Fenster sah. Er protestierte, aber die Vorstellung, er würde mein Gesicht dabei belauern, war mir außerordentlich unangenehm. Danach schlief er etwas, ich deckte den Tisch, schmückte ihn mit bunten Servietten und Gräsern in einer schmalen Vase, und der Klang von Ravels "Bolero" in Stereo erfüllte anschwellend den Raum.

Wenn er gegangen war, räumte ich die Wohnung auf, badete und saß lange gedankenlos an der geöffneten Balkontür.

Nein, wie ich es auch wende, da war kein Grund, es zu tun. Er hat mich immer gefragt, ob er kommen dürfe, und ich hätte nur "nein" zu sagen brauchen. Er wäre sicher recht verwundert gewesen und dann natürlich gekränkt. Hätte ich doch wenigstens ein einziges Mal, wenn er anrief, etwas vorgehabt, vielleicht wäre alles nicht passiert.

Seine Frau erwies sich als eine Enttäuschung.

Ich war vollkommen frei von Skrupeln. Das entsprang nicht so sehr einem Defekt meines Charakters als der Überzeugung, daß die Rechnung sehr zu meinen Gunsten stand, denn ich gab ihm doch ein bißchen Freude, und Freude, gegeben, strahlt im Abglanz weiter.

Ich sah sie bei einem Theaterbesuch. Es war reiner Zufall. Nicht etwa, daß ich ein attraktives Überweib erwartet hätte, aber ein derartig geringes Aufgebot an Persönlichkeit war niederdrückend. Es ist nicht zu verstehen, doch ich fühlte mich unbeschreiblich gedemütigt. Dagegen hat mich sein Erschrecken, sein "Vorbeiseh-Manöver" und seine spätere Beteuerung, er habe mich tatsächlich nicht bemerkt, eher belustigt.

Auch meine Beichte über jene mißglückte Ansprache belustigte uns sehr. Wir genossen das Spiel der kleinen absichtlichen Entstellungen, der riesenhaften Übertreibungen von Winzigkeiten, und ich wuchs zur tragischen Heldin einer amüsanten Posse. Meine Vorschläge und Ideen nahm er wohltuend ernst. Er setzte sich rückhaltlos ein. Wo mich noch Skepsis hemmte, wirkte bereits der Hebel seiner Tatkraft. Als man ihm die Medaille für ausgezeichnete Leistungen an die Brust heftete, war auch ich stolz. Natürlich konnte er unmöglich sagen, daß ich ihm die Sache in meiner kleinen Wohnung im zwölften Stock erklärt hatte.

Ohne Zweifel ist es jetzt, nachdem das alles passiert ist, für mich sehr günstig, daß niemand etwas von unserer näheren Bekanntschaft ahnte.

An jenem Abend kam er direkt nach einer Sitzung zu mir. Ich legte ihm die Kissen im Sessel zurecht, schob die Fußbank heran, draußen wurde es bereits dunkel. Ich sah, er war sehr müde. Ich kochte einen starken Kaffee, würzte ihn mit Zucker und Zimt, gab etwas Himbeergeist in die breiten Schalen, zündete ihn an und goß dann langsam den Kaffee hinein. Ich fand es rührend, daß er sagte: "Ich bin heute sehr abgespannt, aber ich wollte dich unbedingt sehen." Ich trug den neuen hauchdünnen weinroten Hausanzug, sonst nichts, und als er mich an sich zog, spürte ich, er war doch nicht so müde. Irgendwie mochte ich ihn in diesem Moment wie nie zuvor. Ich war besonders zärtlich zu ihm und ganz ohne Verstellung. Als ich seinen Kopf an meine Schulter legte, knurrte er leise. Ich fragte ihn, was er denke, und er sagte, mich wegschiebend: "Ach nichts. Aber ich bin doch ein altes Schwein."

Das andere geschah völlig unerwartet. Wir aßen schneller als sonst, weil er zu Hause nicht abgemeldet war. Dann ging er, schon im Anzug, aber noch in Strümpfen, auf den Balkon, lehnte sich über die Brüstung, um nach seinem Auto zu sehen. Wie er so auf Zehenspitzen stand und sich reckte, faßte ich seine Füße und riß seine Beine hoch. Er hat nicht versucht, sich festzuhalten, er war wahrscheinlich zu überrascht. Das erklärt auch, wieso er erst so spät geschrien hat. Da war er schon in der Höhe des siebenten oder sechsten Stocks. Seine Schuhe und seinen Mantel habe ich hinterhergeworfen. Ich räumte die Wohnung auf, badete und setzte mich an die offene Balkontür. Ravels "Bolero" erfüllte anschwellend den Raum.

Manchmal grübele ich darüber nach, wie diejenigen, die seinen Nachruf verfassen, die Tatsache, daß er ohne Schuhe Selbstmord beging, damit in Einklang bringen, daß er der korrekteste Mensch war, den sie oder irgend jemand anderes kannten.

[1978]

Ingeborg Bachmann

Undine geht

Ihr Menschen! Ihr Ungeheuer!

Ihr Ungeheuer mit Namen Hans! Mit diesem Namen, den ich nie vergessen kann.

Immer wenn ich durch die Lichtung kam und die Zweige sich öffneten, wenn die Ruten mir das Wasser von den Armen schlugen, die Blätter mir die Tropfen von den Haaren leckten, traf ich einen, der Hans hieß.

Ja, diese Logik habe ich gelernt, daß einer Hans heißen muß, daß ihr alle so heißt, einer wie der andere, aber doch nur einer. Immer einer nur ist es, der diesen Namen trägt, den ich nicht vergessen kann, und wenn ich euch auch alle vergesse, ganz und gar vergesse, wie ich euch ganz geliebt habe. Und wenn eure Küsse und euer Samen von den vielen großen Wassern – Regen, Flüssen, Meeren – längst abgewaschen und fortgeschwemmt sind, dann ist doch der Name noch da, der sich fortpflanzt unter Wasser, weil ich nicht aufhören kann, ihn zu rufen, Hans, Hans ...

Ihr Monstren mit den festen und unruhigen Händen, mit den kurzen blassen Nägeln, den zerschürften Nägeln mit schwarzen Rändern, den weißen Manschetten um die Handgelenke, den ausgefransten Pullovern, den uniformen grauen Anzügen, den groben Lederjacken und den losen Sommerhemden! Aber laßt mich genau sein, ihr Ungeheuer, und euch jetzt einmal verächtlich machen, denn ich werde nicht wiederkommen, euren Winken nicht mehr folgen, keiner Einladung zu einem Glas Wein, zu einer Reise, zu einem Theaterbesuch. Ich werde nie wiederkommen, nie wieder Ja sagen und Du und Ja. All diese Worte wird es nicht mehr geben, und ich sage euch vielleicht, warum. Denn ihr kennt doch die Fragen, und sie beginnen alle mit "Warum?". Es gibt keine Fragen in meinem Leben. Ich liebe das Wasser, seine dichte Durchsichtigkeit, das Grün im Wasser und die sprachlosen Geschöpfe (und so sprachlos bin auch ich bald!), mein Haar unter ihnen, in ihm, dem gerechten Wasser, dem gleichgültigen Spiegel, der es mir verbietet, euch anders zu sehen. Die nasse Grenze zwischen mir und mir ...

Ich habe keine Kinder von euch, weil ich keine Fragen gekannt habe, keine Forderung, keine Vorsicht, Absicht, keine Zukunft und nicht wußte, wie man Platz nimmt in einem anderen Leben. Ich habe keinen Unterhalt gebraucht, keine Beteuerung und Versicherung, nur Luft, Nachtluft, Küstenluft, Grenzluft, um immer wieder Atem holen zu können für neue Worte, neue Küsse, für ein unaufhörliches Geständnis: Ja. Ja. Wenn das Geständnis abgelegt war,

war ich verurteilt zu lieben; wenn ich eines Tages freikam aus der Liebe, mußte ich zurück ins Wasser gehen, in dieses Element, in dem niemand sich ein Nest baut, sich ein Dach aufzieht über Balken, sich bedeckt mit einer Plane. Nirgendwo sein, nirgendwo bleiben. Tauchen, ruhen, sich ohne Aufwand von Kraft bewegen – und eines Tages sich besinnen, wieder auftauchen, durch eine Lichtung gehen, *ihn* sehen und "Hans" sagen. Mit dem Anfang beginnen.

"Guten Abend."

"Guten Abend."

"Wie weit ist es zu dir?"

"Weit ist es, weit."

"Und weit ist es zu mir."

Einen Fehler immer wiederholen, den einen machen, mit dem man ausgezeichnet ist. Und was hilft's dann, mit allen Wassern gewaschen zu sein, mit den Wassern der Donau und des Rheins, mit denen des Tiber und des Nils, den hellen Wassern der Eismeere, den tintigen Wassern der Hochsee und der zaubrischen Tümpel? Die heftigen Menschenfrauen schärfen ihre Zungen und blitzen mit den Augen, die sanften Menschenfrauen lassen still ein paar Tränen laufen, die tun auch ihr Werk. Aber die Männer schweigen dazu. Fahren ihren Frauen, ihren Kindern treulich übers Haar, schlagen die Zeitung auf, sehen die Rechnungen durch oder drehen das Radio laut auf und hören doch darüber den Muschelton, die Windfanfare, und dann noch einmal, später, wenn es dunkel ist in den Häusern, erheben sie sich heimlich, öffnen die Tür, lauschen den Gang hinunter, in den Garten, die Alleen hinunter, und nun hören sie es ganz deutlich: Den Schmerzton, den Ruf von weither, die geisterhafte Musik. Komm! Komm! Nur einmal komm!

Ihr Ungeheuer mit euren Frauen!

Hast du nicht gesagt: Es ist die Hölle, und warum ich bei ihr bleibe, das wird keiner verstehen. Hast du nicht gesagt: Meine Frau, ja, sie ist ein wunderbarer Mensch, ja, sie braucht mich, wüßte nicht, wie ohne mich leben – ? Hast du's nicht gesagt! Und du hast nicht gelacht und im Übermut gesagt: Niemals schwer nehmen, nie dergleichen schwer nehmen. Hast du nicht gesagt: So soll es immer sein, und das andere soll nicht sein, ist ohne Gültigkeit! Ihr Ungeheuer mit euren Redensarten, die ihr die Redensarten der Frauen sucht, damit euch nichts fehlt, damit die Welt rund ist. Die ihr die Frauen zu euren Geliebten und Frauen macht, Eintagsfrauen, Wochenendfrauen, Lebenslangfrauen und euch zu ihren Männern machen laßt. (Das ist vielleicht ein Erwachen wert!) Ihr mit eurer Eifersucht auf eure Frauen, mit eurer hochmütigen Nachsicht und eurer Tyrannei, eurem Schutzsuchen bei euren Frauen, ihr mit eurem Wirtschaftsgeld und euren gemeinsamen Gutenachtgesprächen, diesen Stärkungen, dem Rechtbehalten gegen draußen, ihr mit euren hilfslos gekonnten, hilflos zerstreuten Umarmungen. Das hat mich zum Staunen gebracht, daß ihr euren Frauen Geld gebt zum Einkaufen und für die Kleider und für die Sommerreise, da ladet ihr sie ein (ladet sie ein, zahlt, es versteht sich). Ihr kauft und laßt euch kaufen. Über euch muß ich lachen und staunen, Hans, Hans, über euch kleine Studenten und brave Arbeiter, die ihr euch Frauen nehmt zum Mitarbeiten, da arbeitet ihr beide, jeder wird klüger an einer anderen Fakultät, jeder kommt voran in einer anderen Fabrik, da strengt ihr euch an, legt das Geld zusammen und spannt euch vor die Zukunft. Ja, dazu nehmt ihr euch die Frauen auch, damit ihr die Zukunft erhärtet, damit sie Kinder kriegen, da werdet ihr mild, wenn sie furchtsam und glücklich herumgehen mit den Kindern in ihrem Leib. Oder ihr verbietet euren Frauen, Kinder zu haben, wollt ungestört sein und hastet ins Alter mit eurer gesparten Jugend. O das wäre ein großes Erwachen wert! Ihr Betrüger und ihr Betrogenen. Versucht das nicht mit mir. Mit mir nicht!

Ihr mit euren Musen und Tragtieren und euren gelehrten, verständigen Gefährtinnen, die ihr zum Reden zulaßt ... Mein Gelächter hat lang die Wasser bewegt, ein gurgelndes Gelächter, das ihr manchmal nachgeahmt habt mit Schrecken in der Nacht. Denn gewußt habt ihr immer, daß es zum Lachen ist und zum Erschrecken und daß ihr euch genug seid und nie einverstanden wart. Darum ist es besser, nicht aufzustehen in der Nacht, nicht den Gang hinunterzugehen, nicht zu lauschen im Hof, nicht im Garten, denn es wäre nichts als das Eingeständnis, daß man noch mehr als durch alles andere verführbar ist durch einen Schmerzton, den Klang, die Lockung und ihn ersehnt, den großen Verrat. Nie wart ihr mit euch einverstanden. Nie mit euren Häusern, all dem Festgelegten. Über jeden Ziegel, der fortflog, über jeden Zusammenbruch, der sich ankündigte, wart ihr froh insgeheim. Gern habt ihr gespielt mit dem Gedanken an Fiasko, an Flucht, an Schande, an die Einsamkeit, die euch erlöst hätten von allem Bestehenden. Zu gern habt ihr in Gedanken damit gespielt. Wenn ich kam, wenn ein Windhauch mich ankündigte, dann sprangt ihr auf und wußtet, daß die Stunde nah war, die Schande, die Ausstoßung, das Verderben, das Unverständliche. Ruf zum Ende. Zum Ende. Ihr Ungeheuer, dafür habe ich euch geliebt, daß ihr wußtet, was der Ruf bedeutet, daß ihr euch rufen ließt, daß ihr nie einverstanden wart mit euch selber. Und ich, wann war ich je einverstanden? Wenn ihr allein wart, ganz allein, und wenn eure Gedanken nichts Nützliches dachten, nichts Brauchbares, wenn die Lampe das Zimmer versorgte, die Lichtung entstand, feucht und rauchig der Raum war, wenn ihr so dastandet, verloren, für immer verloren, aus Einsicht verloren, dann war es Zeit für mich. Ich konnte eintreten mit dem Blick, der auffordert: Denk! Sei! Sprich es aus! – Ich habe euch nie verstanden, während ihr euch von jedem Dritten verstanden wußtet. Ich habe gesagt: Ich verstehe dich nicht, verstehe nicht, kann nicht verstehen! Das währte eine herrliche und große Weile lang, daß ihr nicht verstanden wurdet und selbst nicht verstandet, nicht warum dies und das, warum Grenzen und Politik und Zeitungen und Banken und Börse und Handel und dies immerfort.

Denn ich habe die feine Politik verstanden, eure Ideen, eure Gesinnungen, Meinungen, die habe ich sehr wohl verstanden und noch etwas mehr. Eben darum verstand ich nicht. Ich habe die Konferenzen so vollkommen verstanden, eure Drohungen, Beweisführungen, Verschanzungen, daß sie nicht mehr zu verstehen waren. Und das war es ja, was euch bewegte, die Unverständlichkeit all dessen. Denn das war eure wirkliche große verborgene Idee von der Welt, und ich habe eure große Idee hervorgezaubert aus euch, eure unpraktische Idee, in der Zeit und Tod erschienen und flammten, alles niederbrannten, die Ordnung, von Verbrechen bemäntelt, die Nacht, zum Schlaf mißbraucht. Eure Frauen, krank von eurer Gegenwart, eure Kinder, von euch zur Zukunft verdammt, die haben euch nicht den Tod gelehrt, sondern nur beigebracht kleinweise. Aber ich habe euch mit einem Blick gelehrt, wenn alles vollkommen, hell und rasend war – ich habe euch gesagt: Es ist der Tod darin. Und: Es ist die Zeit daran. Und zugleich: Geh Tod! Und: Steh still, Zeit! Das habe ich euch gesagt. Und du hast geredet, mein Geliebter, mit einer verlangsamten Stimme, vollkommen wahr und gerettet, von allem dazwischen frei, hast deinen traurigen Geist hervorgekehrt, den traurigen, großen, der wie der Geist aller Männer ist und von der Art, die zu keinem Gebrauch bestimmt ist. Weil ich zu keinem Gebrauch bestimmt bin und ihr euch nicht zu einem Gebrauch bestimmt wußtet, war alles gut zwischen uns. Wir liebten einander. Wir waren vom gleichen Geist.

Ich habe einen Mann gekannt, der hieß Hans, und er war anders als alle anderen. Noch einen kannte ich, der war auch anders als alle anderen. Dann einen, der war ganz anders als alle anderen und er hieß Hans, ich liebte ihn. In der Lichtung traf ich ihn, und wir gingen so fort, ohne Richtung, im Donauland war es, er fuhr mit mir Riesenrad, im Schwarzwald war es, unter Platanen auf den großen Boulevards, er trank mit mir Pernod. Ich liebte ihn. Wir standen auf einem Nordbahnhof, und der Zug ging vor Mitternacht. Ich winkte nicht; ich machte mit der Hand ein Zeichen für Ende. Für das Ende, das kein Ende findet. Es war nie zu Ende. Man soll ruhig das Zeichen machen. Es ist kein trauriges Zeichen, es umflort die Bahnhöfe und Fernstraßen nicht, weniger als das täuschende Winken, mit dem so viel zu Ende geht. Geh, Tod, und steh still, Zeit. Keinen Zauber nutzen, keine Tränen, kein Händeverschlingen, keine Schwüre, Bitten. Nichts von alledem. Das Gebot ist: Sich verlassen, daß Augen den Augen genügen, daß ein Grün genügt, daß das Leichteste genügt. So dem Gesetz gehorchen und keinem Gefühl. So der Einsamkeit gehorchen. Einsamkeit, in die mir keiner folgt.

Verstehst du es wohl? Deine Einsamkeit werde ich nie teilen, weil da die meine ist, von länger her, noch lange hin. Ich bin nicht gemacht, um eure Sorgen zu teilen. Diese Sorgen nicht! Wie könnte ich sie je anerkennen, ohne mein Gesetz zu verraten? Wie könnte ich je an die Wichtigkeit eurer Verstrickungen glauben? Wie euch glauben, solange ich auch wirklich glaube, ganz und gar glaube, daß ihr mehr seid als eure schwachen, eitlen Äußerungen, eure schäbigen Handlungen, eure törichten Verdächtigungen. Ich habe immer geglaubt, daß ihr mehr seid, Ritter, Abgott, von einer Seele nicht weit, der allerköniglichsten Namen würdig. Wenn dir nichts mehr einfiel zu deinem Leben, dann hast du ganz wahr geredet, aber auch nur dann. Dann sind alle Wasser über die Ufer getreten, die Flüsse haben sich erhoben, die Seerosen sind gleich hundertweis erblüht und ertrunken, und das Meer war ein machtvoller Seufzer, es schlug, schlug und rannte und rollte gegen die Erde an, daß seine Lefzen trieften von weißem Schaum.

Verräter! Wenn euch nichts mehr half, dann half die Schmähung. Dann wußtet ihr plötzlich, was euch an mir verdächtig war, Wasser und Schleier und was sich nicht festlegen läßt. Dann war ich plötzlich eine Gefahr, die ihr noch rechtzeitig erkanntet, und verwünscht war ich und bereut war alles im Handumdrehen. Bereut habt ihr auf den Kirchenbänken, vor euren Frauen, euren Kindern, eurer Öffentlichkeit. Vor euren großen großen Instanzen wart ihr so tapfer, mich zu bereuen und all das zu befestigen, was in euch unsicher geworden war. Ihr wart in Sicherheit. Ihr habt die Altäre rasch aufgerichtet und mich zum Opfer gebracht. Hat mein Blut geschmeckt? Hat es ein wenig nach dem Blut der Hindin geschmeckt und nach dem Blut des weißen Wales? Nach deren Sprachlosigkeit?

Wohl euch! Ihr werdet viel geliebt, und es wird euch viel verziehen. Doch vergeßt nicht, daß ihr mich gerufen habt in die Welt, daß euch geträumt hat von mir, der anderen, dem anderen, von eurem Geist und nicht von eurer Gestalt, der Unbekannten, die auf euren Hochzeiten den Klageruf anstimmt, auf nassen Füßen kommt und von deren Kuß ihr zu sterben fürchtet, so wie ihr zu sterben wünscht und nie mehr sterbt: ordnungslos, hingerissen und von höchster Vernunft.

Warum sollt ich's nicht aussprechen, euch verächtlich machen, ehe ich gehe.

Ich gehe ja schon.

Denn ich habe euch noch einmal wiedergesehen, in einer Sprache reden gehört, die ihr mit mir nicht reden sollt. Mein Gedächtnis ist unmenschlich. An alles habe ich denken müssen, an jeden Verrat und jede Niedrigkeit. An denselben Orten habe ich euch wiedergesehen; da schienen mir Schandorte zu sein, wo einmal helle Orte waren. Was habt ihr getan! Still war ich, kein Wort habe ich gesagt. Ihr sollt es euch selber sagen. Eine Handvoll Wasser habe ich über die Orte gesprengt, damit sie grünen mögen wie Gräber. Damit sie zuletzt hell bleiben mögen.

Aber so kann ich nicht gehen. Drum laßt mich euch noch einmal Gutes nachsagen, damit nicht so geschieden wird. Damit nichts geschieden wird.

Gut war trotzdem euer Reden, euer Umherirren, euer Eifer und euer Verzicht auf die ganze Wahrheit, damit die halbe gesagt wird, damit Licht auf die eine Hälfte der Welt fällt, die ihr grade noch wahrnehmen könnt in eurem Eifer. So mutig wart ihr und mutig gegen die anderen – und feig natürlich auch und oft mutig, damit ihr nicht feige erschient. Wenn ihr das Unheil von dem Streit kommen saht, strittet ihr dennoch weiter und beharrtet auf eurem Wort, obwohl euch kein Gewinn davon wurde. Gegen ein Eigentum und für ein Eigentum habt ihr gestritten, für die Gewaltlosigkeit und für die Waffen, für das Neue und für das Alte, für die Flüsse und für die Flußregulierung, für den Schwur und gegen das Schwören. Und wißt doch, daß ihr gegen euer Schweigen eifert und eifert trotzdem weiter. Das ist vielleicht zu loben.

In euren schwerfälligen Körpern ist eure Zartheit zu loben. Etwas so besonders Zartes erscheint, wenn ihr einen Gefallen erweist, etwas Mildes tut. Viel zarter als alles Zarte von euren Frauen ist eure Zartheit, wenn ihr euer Wort gebt oder jemand anhört und versteht. Eure schweren Körper sitzen da, aber ihr seid ganz schwerelos, und eine Traurigkeit, ein Lächeln von euch können so sein, daß selbst der bodenlose Verdacht eurer Freunde einen Augenblick lang ohne Nahrung ist.

Zu loben sind eure Hände, wenn ihr zerbrechliche Dinge in die Hand nehmt, sie schont und zu erhalten wißt, und wenn ihr die Lasten tragt und das Schwere aus einem Weg räumt. Und gut ist es, wenn ihr die Körper der Menschen und der Tiere behandelt und ganz vorsichtig einen Schmerz aus der Welt schafft. So Begrenztes kommt von euren Händen, aber manches Gute, das für euch einstehen wird.

Zu bewundern ist auch, wenn ihr euch über Motoren und Maschinen beugt, sie macht und versteht und erklärt, bis vor lauter Erklärungen wieder ein Geheimnis daraus geworden ist. Hast du nicht gesagt, es sei dieses Prinzip und jene Kraft? War das nicht gut und schön gesagt? Nie wird jemand wieder so sprechen können und von den Strömen und Kräften, den Magneten und Mechaniken und von den Kernen aller Dinge.

Nie wird jemand wieder so sprechen von den Elementen, vom Universum und allen Gestirnen.

Nie hat jemand so von der Erde gesprochen, von ihrer Gestalt, ihren Zeitaltern. In deinen Reden war alles so deutlich: die Kristalle, die Vulkane und Aschen, das Eis und die Innenglut.

So hat niemand von den Menschen gesprochen, von den Bedingungen, unter denen sie leben, von ihren Hörigkeiten, Gütern, Ideen, von den Menschen auf dieser Erde, auf einer früheren und einer künftigen Erde. Es war recht, so zu sprechen und so viel zu bedenken.

Nie war so viel Zauber über den Gegenständen, wie wenn du geredet hast, und nie waren Worte so überlegen. Auch aufbegehren konnte die Sprache durch dich, irre werden oder mächtig werden. Alles hast du mit den Worten und Sätzen gemacht, hast dich verständigt mit ihnen oder hast sie gewandelt, hast etwas neu benannt; und die Gegenstände, die weder die geraden noch die ungeraden Worte verstehen, bewegten sich beinahe davon.

Ach, so gut spielen konnte niemand, ihr Ungeheuer! Alle Spiele habt ihr erfunden, Zahlenspiele und Wortspiele, Traumspiele und Liebesspiele.

Nie hat jemand so von sich selber gesprochen. Beinahe wahr. Beinahe mörderisch wahr. Übers Wasser gebeugt, beinah aufgegeben. Die Welt ist schon finster, und ich kann die Muschelkette nicht anlegen. Keine Lichtung wird sein. Du anders als die anderen. Ich bin unter Wasser. Bin unter Wasser.

Und nun geht einer oben und haßt Wasser und haßt Grün und versteht nicht, wird nie verstehen. Wie ich nie verstanden habe.

Beinahe verstummt,
beinahe noch
den Ruf
hörend.

Komm. Nur einmal.
Komm.

[1961]

8. Vaterland und Muttersprache

Der Begriff "Vaterland" geriet in Deutschland nach dem Ende des Zweiten Weltkrieges verständlicherweise in Misskredit, da die Nationalsozialisten in seinem Namen die schrecklichsten Greueltaten verübt hatten. Deutsche Schriftsteller in Ost und West versuchten daher in der unmittelbaren Nachkriegszeit, die Einheit Deutschlands durch die "Muttersprache", d.h. als Kultur- und Sprachnation, zu definieren. Gegen die Spaltung engagierten sich im Westen besonders Autoren der jungen Generation wie Hans Werner Richter, Alfred Andersch und die übrigen Mitarbeiter der Zeitschrift "Der Ruf". Bei dem ersten und für lange Zeit letzten gesamtdeutschen Schriftstellerkongress, der im Oktober 1947 in Berlin stattfand, plädierten aber auch Autoren aus der Sowjetischen Zone unter der Führung von Johannes R. Becher gegen die Teilung und für die Einheit von Kultur und Sprache. Ein weiteres gemeinsames Engagement der Autoren wurde aber schon bald durch die politische Entwicklung unmöglich gemacht. Bereits beim zweiten Schriftstellertreffen 1948 in Frankfurt am Main fehlten die Autoren aus dem Osten.

Speziell für die Emigranten hatte die deutsche Sprache aber auch schon während des Dritten Reiches eine besondere Bedeutung gewonnen. Für einen großen Teil der Autoren war die Fortführung der Arbeit in der Muttersprache die einzige Möglichkeit, in der Fremde psychisch zu überleben. In besonderem Maße traf dies auf Thomas Mann zu, der 1949 bei seinem ersten Besuch in Deutschland unmissverständlich erklärte, dass seine Heimat stets die von "Besatzungen unberührte" deutsche Sprache gewesen sei. Nicht zuletzt aus dieser Überzeugung heraus versuchte Mann als 'gesamtdeutscher' Schriftsteller bei frühen Besuchen in Frankfurt a.M. und Weimar die deutsche Einheit zumindest symbolisch zu retten. Dieser Versuch brachte ihm jedoch in der Phase des sich verschärfenden Kalten Krieges – zumal im Westen – nur Feindschaft ein. Der jüngere Exilant Peter Weiss dokumentiert – wenn auch unter umgekehrtem Vorzeichen – in seinen Notizbüchern, wie stark ihn seine politische Haltung in seinem Verhältnis zur Muttersprache beeinflusst hat. Dass der Muttersprache auch abseits von Krieg und Exil eine psychisch entlastende Funktion zukommt, wird von Christa Wolf eindringlich beschrieben.

Die deutsche Literatur in Ost und West war stets auch geprägt von den nationalen Identitätsproblemen der Autoren. Eine solche Krise, wie sie in diesem Kapitel etwa Hans Magnus Enzensberger formuliert, ist allerdings kein spezifisch deutsches Phänomen. Die Identitätskrisen der zwei deutschsprachigen "Miniatu-

ren" Österreich und Schweiz schildert beispielsweise Friedrich Dürrenmatt in seinem Bericht von 1971 sehr anschaulich, indem er die geographischen und politischen Aspekte dieser schwierigen Nachbarschaft erläutert.

Die Frage nach der gesellschaftlichen und politischen Funktion der Literatur in beiden Teilen Deutschlands muss nach dem 9. November 1989, nach den ersten freien Wahlen in der DDR am 18. März 1990 und dem "Beitritt" der DDR zur Bundesrepublik Deutschland am 3. Oktober 1990 zweifellos neu formuliert werden. Die schnell beschlossene Vereinigung der beiden deutschen Staaten blieb nicht ohne tiefgreifende Auswirkungen auf die Autoren. Während Politiker im Westen wie im Osten so schnell wie möglich auf eine Wiedervereinigung hinarbeiteten, warnten kritische Intellektuelle auf beiden Seiten vor überstürzten Schritten. Neben der Warnung vor einer wirtschaftlichen Vereinnahmung der DDR durch den reichen Westen artikulieren manche Autoren die Angst vor einer politischen und psychologischen Überforderung der Bevölkerung nach zwölf Jahren NS-Regime und 45 Jahren repressivem Staatssozialismus.

Max Frisch

Der andorranische Jude

In Andorra lebte ein junger Mann, den man für einen Juden hielt. Zu erzählen wäre die vermeintliche Geschichte seiner Herkunft, sein täglicher Umgang mit den Andorranern, die in ihm den Juden sehen: das fertige Bildnis, das ihn überall erwartet. Beispielsweise ihr Mißtrauen gegenüber seinem Gemüt, das ein Jude, wie auch die Andorraner wissen, nicht haben kann. Er wird auf die Schärfe seines Intellektes verwiesen, der sich eben dadurch schärft, notgedrungen. Oder sein Verhältnis zum Geld, das in Andorra auch eine große Rolle spielt: er wußte, er spürte, was alle wortlos dachten; er prüfte sich, ob es wirklich so war, daß er stets an das Geld denke, er prüfte sich, bis er entdeckte, daß es stimmte, es war so, in der Tat, er dachte stets an das Geld. Er gestand es; er stand dazu, und die Andorraner blickten sich an, wortlos, fast ohne Zucken der Mundwinkel. Auch in Dingen des Vaterlandes wußte er genau, was sie dachten; sooft er das Wort in den Mund genommen, ließen sie es liegen wie eine Münze, die in den Schmutz gefallen ist. Denn der Jude, auch das wußten die Andorraner, hat Vaterländer, die er wählt, die er kauft, aber nicht ein Vaterland wie wir, nicht ein zugeborenes, und wiewohl er es meinte, wenn es um andorranische Belange ging, er redete in ein Schweigen hinein, wie in Watte. Später begriff er, daß es ihm offenbar an Takt fehlte, ja, man sagte es ihm einmal rundheraus, als er, verzagt über ihr Verhalten, geradezu leidenschaftlich wurde. Das Vaterland gehörte den andern, ein für allemal, und daß er es lieben könnte, wurde von ihm nicht erwartet, im Gegenteil, seine beharrlichen Versuche und Werbungen öffneten nur eine Kluft des Verdachtes;

er buhlte um eine Gunst, um einen Vorteil, um eine Anbiederung, die man als Mittel zum Zweck empfand auch dann, wenn man selber keinen möglichen Zweck erkannte. So wiederum ging es, bis er eines Tages entdeckte, mit seinem rastlosen und alles zergliedernden Scharfsinn entdeckte, daß er das Vaterland wirklich nicht liebte, schon das bloße Wort nicht, das jedesmal, wenn er es brauchte, ins Peinliche führte. Offenbar hatten sie recht. Offenbar konnte er überhaupt nicht lieben, nicht im andorranischen Sinn; er hatte die Hitze der Leidenschaft, gewiß, dazu die Kälte seines Verstandes, und diesen empfand man als eine immer bereite Geheimwaffe seiner Rachsucht; es fehlte ihm das Gemüt, das Verbindende; es fehlte ihm, und das war unverkennbar, die Wärme des Vertrauens. Der Umgang mit ihm war anregend, ja, aber nicht angenehm, nicht gemütlich. Es gelang ihm nicht, zu sein wie alle andern, und nachdem er es umsonst versucht hatte, nicht aufzufallen, trug er sein Anderssein sogar mit einer Art von Trotz, von Stolz und lauernder Feindschaft dahinter, die er, da sie ihm selber nicht gemütlich war, hinwiederum mit einer geschäftigen Höflichkeit überzuckerte; noch wenn er sich verbeugte, war es eine Art von Vorwurf, als wäre die Umwelt daran schuld, daß er ein Jude ist -

Die meisten Andorraner taten ihm nichts.

Also auch nichts Gutes.

Auf der andern Seite gab es auch Andorraner eines freieren und fortschrittlichen Geistes, wie sie es nannten, eines Geistes, der sich der Menschlichkeit verpflichtet fühlte: sie achteten den Juden, wie sie betonten, gerade um seiner jüdischen Eigenschaften willen, Schärfe des Verstandes und so weiter. Sie standen zu ihm bis zu seinem Tode, der grausam gewesen ist, so grausam und ekelhaft, daß sich auch jene Andorraner entsetzten, die es nicht berührt hatte, daß schon das ganze Leben grausam war. Das heißt, sie beklagten ihn eigentlich nicht, oder ganz offen gesprochen: sie vermißten ihn nicht – sie empörten sich nur über jene, die ihn getötet hatten, und über die Art, wie das geschehen war, vor allem die Art.

Man redete lange davon.

Bis es sich eines Tages zeigt, was er selber nicht hat wissen können, der Verstorbene: daß er ein Findelkind gewesen, dessen Eltern man später entdeckt hat, ein Andorraner wie unsereiner -

Man redete nicht mehr davon.

Die Andorraner aber, sooft sie in den Spiegel blickten, sahen mit Entsetzen, daß sie selber die Züge des Judas tragen, jeder von ihnen.

[1950]

Johannes Bobrowski

Mäusefest

Moise Trumpeter sitzt auf dem Stühlchen in der Ladenecke. Der Laden ist klein, und er ist leer. Wahrscheinlich weil die Sonne, die immer hereinkommt, Platz braucht und der Mond auch. Der kommt auch immer herein, wenn er vorbeigeht. Der Mond also auch. Er ist hereingekommen, der Mond, zur Tür herein, die Ladenklingel hat sich nur einmal und ganz leise nur gerührt, aber vielleicht gar nicht, weil der Mond hereinkam, sondern weil die Mäuschen so laufen und herumtanzen auf den dünnen Dielenbrettern. Der Mond ist also gekommen, und Moise hat Guten Abend, Mond! gesagt, und nun sehen sie beide den Mäuschen zu.

Das ist aber auch jeden Tag anders mit den Mäusen, mal tanzen sie so und mal so, und alles mit vier Beinen, einem spitzen Kopf und einem dünnen Schwänzchen.

Aber lieber Mond, sagt Moise, das ist längst nicht alles, da haben sie noch so ein Körperchen, und was da alles drin ist! Aber das kannst Du vielleicht nicht verstehen, und außerdem ist es gar nicht jeden Tag anders, sondern immer ganz genau dasselbe, und das, denk ich, ist gerade so sehr verwunderlich. Es wird schon eher so sein, daß du jeden Tag anders bist, obwohl du doch immer durch die gleiche Tür kommst und es immer dunkel ist, bevor du hier Platz genommen hast. Aber nun sei mal still und paß gut auf.

Siehst du, es ist immer dasselbe.

Moise hat eine Brotrinde vor seine Füße fallen lassen, da huschen die Mäuschen näher, ein Streckchen um das andere, einige richten sich sogar auf und schnuppern ein bißchen in die Luft. Siehst du, so ist es. Immer dasselbe.

Da sitzen die beiden Alten und freuen sich und hören zuerst gar nicht, daß die Ladentür aufgegangen ist. Nur die Mäuse haben es gleich gehört und sind fort, ganz fort und so schnell, daß man nicht sagen kann, wohin sie gelaufen sind.

In der Tür steht ein Soldat, ein Deutscher. Moise hat gute Augen, er sieht: ein junger Mensch, so ein Schuljunge, der eigentlich gar nicht weiß, was er hier wollte, jetzt, wo er in der Tür steht. Mal sehen, wie das Judenvolk haust, wird er sich draußen gedacht haben. Aber jetzt sitzt da der alte Jude auf seinem Stühlchen, und der Laden ist hell vom Mondlicht. Wenn Se mechten hereintreten, Herr Leitnantleben, sagt Moise.

Der Junge schließt die Tür. Er wundert sich gar nicht, daß der Jude Deutsch kann, er steht so da, und als Moise sich erhebt und sagt: Kommen Se man, andern Stuhl hab ich nicht, sagt er: Danke, ich kann stehen, aber er macht ein paar Schritte, bis in die Mitte des Ladens, und dann noch drei Schritte auf den Stuhl zu. Und da Moise noch einmal zum Sitzen auffordert, setzt er sich auch.

Jetzt sind Se mal ganz still, sagt Moise und lehnt sich an die Wand.

Die Brotrinde liegt noch immer da, und, siehst du, da kommen auch die Mäuse wieder. Wie vorher, gar nicht ein bißchen langsamer, genau wie vorher, ein Stückchen, noch ein Stückchen, mit Aufrichten und Schnuppern und einem ganz winzigen Schnaufer, den nur Moise hört und vielleicht der Mond auch. Ganz genau wie vorher.

Und nun haben sie die Rinde wiedergefunden. Ein Mäusefest, in kleinem Rahmen, versteht sich, nichts Besonderes, aber auch nicht ganz alltäglich.

Da sitzt man und sieht zu. Der Krieg ist schon ein paar Tage alt. Das Land heißt Polen. Es ist ganz flach und sandig. Die Straßen sind schlecht, und es gibt viele Kinder hier. Was soll man da noch reden? Die Deutschen sind gekommen, unzählig viele, einer sitzt hier im Judenladen, ein ganz junger, ein Milchbart. Er hat eine Mutter in Deutschland und einen Vater, auch noch in Deutschland, und zwei kleine Schwestern. Nun kommt man also in der Welt herum, wird er denken, jetzt ist man in Polen, und später vielleicht fährt man nach England, und dieses Polen hier ist ganz polnisch.

Der alte Jude lehnt an der Wand. Die Mäuse sind noch immer um ihre Rinde versammelt. Wenn sie noch kleiner geworden ist, wird eine ältere Mäusemutter sie mit nach Hause nehmen, und die andern Mäuschen werden hinterherlaufen.

Weißt du, sagt der Mond zu Moise, ich muß noch ein bißchen weiter. Und Moise weiß schon, daß es dem Mond unbehaglich ist, weil dieser Deutsche da herumsitzt. Was will er denn bloß? Also sagt Moise nur: Bleib du noch ein Weilchen.

Aber dafür erhebt sich der Soldat jetzt. Die Mäuse laufen davon, man weiß gar nicht, wohin sie alle so schnell verschwinden können. Er überlegt, ob er Aufwiedersehen sagen soll, bleibt also einen Augenblick noch im Laden stehen und geht dann einfach hinaus.

Moise sagt nichts, er wartet, daß der Mond zu sprechen anfängt. Die Mäuse sind fort, verschwunden. Mäuse können das.

Das war ein Deutscher, sagt der Mond, du weißt doch, was mit diesen Deutschen ist. Und weil Moise noch immer so wie vorher an der Wand lehnt und gar nichts sagt, fährt er dringlicher fort: Weglaufen willst du nicht, verstecken willst du dich nicht, ach Moise. Das war ein Deutscher, das hast du doch gesehen. Sag mir bloß nicht, der Junge ist keiner, oder jedenfalls kein schlimmer. Das macht jetzt keinen Unterschied mehr. Wenn sie über Polen gekommen sind, wie wird es mit deinen Leuten gehn?

Ich hab gehört, sagt Moise.

Es ist jetzt ganz weiß im Laden. Das Licht füllt den Raum bis an die Tür in der Rückwand. Wo Moise lehnt, ganz weiß, daß man denkt, er werde immer mehr eins mit der Wand. Mit jedem Wort, das er sagt. Ich weiß, sagt Moise, da hast du ganz recht, ich werd Ärger kriegen mit meinem Gott.

[1964]

Heinrich Böll

Anekdote zur Senkung der Arbeitsmoral

In einem Hafen an der westlichen Küste Europas liegt ein ärmlich gekleideter Mann in seinem Fischerboot und döst. Ein schick angezogener Tourist legt eben einen neuen Farbfilm in seinen Fotoapparat, um das idyllische Bild zu fotografieren: blauer Himmel, grüne See mit friedlichen, schneeweißen Wellenkämmen, schwarzes Boot, rote Fischermütze. Klick. Noch einmal: klick, und da aller guten Dinge drei sind und sicher sicher ist, ein drittes Mal: klick. Das spröde, fast feindselige Geräusch weckt den dösenden Fischer, der sich schläfrig aufrichtet, schläfrig nach seiner Zigarettenschachtel angelt; aber bevor er das Gesuchte gefunden, hat ihm der eifrige Tourist schon eine Schachtel vor die Nase gehalten, ihm die Zigarette nicht gerade in den Mund gesteckt, aber in die Hand gelegt, und ein viertes Klick, das des Feuerzeuges, schließt die eilfertige Höflichkeit ab. Durch jenes kaum meßbare, nie nachweisbare Zuviel an flinker Höflichkeit ist eine gereizte Verlegenheit entstanden, die der Tourist – der Landesssprache mächtig – durch ein Gespräch zu überbrücken versucht.

"Sie werden heute einen guten Fang machen."

Kopfschütteln des Fischers.

"Aber man hat mir gesagt, daß das Wetter günstig ist."

Kopfnicken des Fischers.

"Sie werden also nicht ausfahren?"

Kopfschütteln des Fischers, steigende Nervosität des Touristen. Gewiß liegt ihm das Wohl des ärmlich gekleideten Menschen am Herzen, nagt an ihm die Trauer über die verpaßte Gelegenheit.

"Oh, Sie fühlen sich nicht wohl?"

Endlich geht der Fischer von der Zeichensprache zum wahrhaft gesprochenen Wort über. "Ich fühle mich großartig", sagt er. "Ich habe mich nie besser gefühlt." Er steht auf, reckt sich, als wollte er demonstrieren, wie athletisch er gebaut ist. "Ich fühle mich phantastisch."

Der Gesichtsausdruck des Touristen wird immer unglücklicher, er kann die Frage nicht mehr unterdrücken, die ihm sozusagen das Herz zu sprengen droht: "Aber warum fahren Sie dann nicht aus?"

Die Antwort kommt prompt und knapp. "Weil ich heute morgen schon ausgefahren bin."

"War der Fang gut?"

"Er war so gut, daß ich nicht noch einmal auszufahren brauche, ich habe vier Hummer in meinen Körben gehabt, fast zwei Dutzend Makrelen gefangen..."

Der Fischer, endlich erwacht, taut jetzt auf und klopft dem Touristen beruhigend auf die Schultern. Dessen besorgter Gesichtsausdruck erscheint ihm als ein Ausdruck zwar unangebrachter, doch rührender Kümmernis.

"Ich habe sogar für morgen und übermorgen genug", sagt er, um des Fremden Seele zu erleichtern. "Rauchen Sie eine von meinen?"

"Ja, danke."

Zigaretten werden in Münder gesteckt, ein fünftes Klick, der Fremde setzt sich kopfschüttelnd auf den Bootsrand, legt die Kamera aus der Hand, denn er braucht jetzt beide Hände, um seiner Rede Nachdruck zu verleihen.

"Ich will mich ja nicht in Ihre persönlichen Angelegenheiten mischen", sagt er, "aber stellen Sie sich mal vor, Sie führen heute ein zweites, ein drittes, vielleicht ein viertes Mal aus und Sie würden drei, vier, fünf, vielleicht gar zehn Dutzend Makrelen fangen ... stellen Sie sich das mal vor."

Der Fischer nickt.

"Sie würden", fährt der Tourist fort, "nicht nur heute, sondern morgen, übermorgen, ja, an jedem günstigen Tag zwei-, dreimal, vielleicht viermal ausfahren – wissen Sie, was geschehen würde?

Der Fischer schüttelt den Kopf.

"Sie würden sich in spätestens einem Jahr einen Motor kaufen können, in zwei Jahren ein zweites Boot, in drei oder vier Jahren könnten Sie vielleicht einen kleinen Kutter haben, mit zwei Booten oder dem Kutter würden Sie natürlich viel mehr fangen – eines Tages würden Sie zwei Kutter haben, Sie würden...", die Begeisterung verschlägt ihm für ein paar Augenblicke die Stimme, "Sie würden ein kleines Kühlhaus bauen, vielleicht eine Räucherei, später eine Marinadenfabrik, mit einem eigenen Hubschrauber rundfliegen, die Fischschwärme ausmachen und Ihren Kuttern per Funk Anweisung geben. Sie könnten die Lachsrechte erwerben, ein Fischrestaurant eröffnen, den Hummer ohne Zwischenhändler direkt nach Paris exportieren – und dann...", wieder verschlägt die Begeisterung dem Fremden die Sprache. Kopfschüttelnd, im tiefsten Herzen betrübt, seiner Urlaubsfreude schon fast verlustig, blickt er auf die friedlich hereinrollende Flut, in der die ungefangenen Fische munter springen. "Und dann", sagt er, aber wieder verschlägt ihm die Erregung die Sprache.

Der Fischer klopft ihm auf den Rücken, wie einem Kind, das sich verschluckt hat. "Was dann?", fragt er leise.

"Dann", sagt der Fremde mit stiller Begeisterung, "dann könnten Sie beruhigt hier im Hafen sitzen, in der Sonne dösen und auf das herrliche Meer blikken."

"Aber das tu ich ja schon jetzt", sagt der Fischer, "ich sitze beruhigt am Hafen und döse, nur Ihr Klicken hat mich dabei gestört."

Tatsächlich zog der solcherlei belehrte Tourist nachdenklich von dannen, denn früher hatte er auch einmal geglaubt, er arbeite, um eines Tages einmal nicht mehr arbeiten zu müssen, und es blieb keine Spur von Mitleid mit dem ärmlich gekleideten Fischer in ihm zurück, nur ein wenig Neid.

[1963]

Peter Bichsel

Wie deutsch sind die Deutschen?

Die Deutschen sind die Opfer eines Klischees. Wir sind überzeugt, daß sie diesem Klischee gleichen, und sehen sie als Karikaturen. Die vielen, die dem Klischee nicht gleichen, die bezeichnen wir einfach als nicht typisch deutsch. Wir glauben zu wissen, was von Deutschen zu erwarten ist. [...]

Deutschsein gilt als negative Qualität. Man hört bei uns den Satz: "Ich kenne einen Mann aus Hamburg, aber er ist ganz und gar kein Deutscher." Kein Deutscher bleibt unbeobachtet. Wenn er sich aber als Mensch entpuppt, dann sagen wir, er sei nicht deutsch.

Unser verinnerlichtes Feindbild ist immer noch Deutschland. Das deckt sich zwar nicht mit unserem militärischen Feindbild. Aber wenn ich das Wort "Grenze" höre, dann denke ich an den Rhein. Weshalb fürchten wir uns so vor den Deutschen? Vielleicht, weil wir wissen, wie schlecht wir von ihnen reden – und weil wir Angst haben, sie könnten das auf die Dauer nicht ertragen. Wir fürchten, daß sie sich entscheiden könnten, die Unbeliebtheit anzunehmen – ungeliebt, aber mächtig werden zu wollen. Wir geben den Deutschen keine Chance und fürchten, sie könnten sich die Chance selbst nehmen. Wir trauen ihnen das zu, und die politische Leistung dieses Landes wird bei uns abgetan mit der Formel "Wirtschaftswunder".

Dabei ist die Bundesrepublik ein erstaunliches Land. Kein Land der Welt – nie und nirgends – hat innerhalb von drei Jahrzehnten so viel Demokratie, so viel Rechtsstaatlichkeit und so viel soziale Gerechtigkeit erreicht und geschaffen wie dieses Land, das wir hier in der Schweiz und in der westlichen Welt als "Deutschland" bezeichnen. Näher bezeichnet wird nur der andere Teil.

Was Deutschland erreicht hat, das ist nicht einfach der Erfolg des Fleißes, das ist nicht der Erfolg der deutschen Sturheit, sondern das ist ein Erfolg des Denkens, des Sich-Besinnens, der Konsequenz – und ein deutscher Erfolg insofern, daß hier eben die Dinge ausgesprochen und Wort für Wort als Gesetz niedergelegt werden.

Die Bundesrepublik ist eine Hoffnung. Wenn sie scheitern sollte, dann gibt es eine Hoffnung weniger in der Welt. Auch das mag ein Grund dafür sein, daß wir die Deutschen so penetrant beobachten. Was passieren wird, das wissen wir zum voraus: sie werden "deutsch" sein – wir wissen nur noch nicht, wann.

Und die Deutschen fühlen sich beobachtet. Sie wissen, daß es darum geht, so wenig deutsch wie möglich zu sein, aber das Undeutsch-Sein mißlingt ihnen. Es mißlingt ihnen ganz einfach sprachlich. Es mißlingt ihnen, weil sie darüber reden. Es mißlingt, weil sie diese Forderung der Welt halbwegs angenommen haben – es ist eine unmenschliche Forderung. Man muß sich vorstellen, was es bedeuten würde, wenn eine ganze Welt von uns Schweizern verlangen würde, unschweizerisch zu sein, oder von den Franzosen, daß sie unfranzösisch sein müßten.

Was waren Deutsche vor 1933 und vor 1914? Ich weiß es nicht. Wissen es die Deutschen? Würde ihnen dieses Wissen etwas nützen? Unter was für Bedingungen haben sie denn undeutsch zu sein?

Ist es vielleicht so, daß *wir* die Bedingungen stellen? Daß *wir* – das übrige Europa – beschlossen haben, wie die Deutschen waren und daß sie nicht mehr so zu sein haben? Wir stellen die Bedingungen, und sie erschrecken uns immer wieder als Musterschüler. Eigentlich lernen sie alles zu schnell. [...] Internationale Solidarität ist nirgends so wie hier eine Selbstverständlichkeit. Die Bundesrepublik deklariert diese Solidarität nicht nur, sie bezahlt auch. Sollte sich Deutschland isolieren, der Schaden wäre nicht auszudenken. Die EG würde zusammenbrechen, und viele andere internationale Organisationen bekämen immense Schwierigkeiten. Die Bundesrepublik ist ein friedlicher Staat, und sie bezahlt für den Frieden. Warum gefällt das so vielen nicht? Warum läßt man unter diesen Bedingungen die Deutschen nicht Deutsche sein? Warum müssen wir sie zum dauernden Mißlingen zwingen? Warum macht es uns so Spaß, daß ihnen trotz Wohlstand das Leben nicht gelingt?

Den Deutschen gelingt das Leben nicht. Ich kann deutsche Lebensart nicht beschreiben, ich frage mich, ob es überhaupt eine deutsche Lebensart gibt. Deutschland hat sich zwar in den letzten zwanzig Jahren verändert. Die Deutschen sind sichtbar wohlhabend geworden. Aber mir scheint, sie haben sich mit dem Geld nur mehr Mief angeschafft. Deutschland – leben in Deutschland – macht mich traurig. Die Deutschen erinnern mich an die Unmöglichkeit des Lebens schlechthin.

[1985]

Friedrich Dürrenmatt

Bericht über zwei Miniaturen

Österreich und die Schweiz sind zwei Staaten, die sich trotz ihrer Verschiedenheit immer ähnlicher werden. Sie sind sich zwar unähnlich, sieht man genauer hin, doch sind sie sich ähnlicher geworden, was ihre Bedeutung betrifft. Beide sind Miniaturbilder in einer Zeit, die sich von Kolossalschinken beeindrucken läßt, beide sind mit Lupen zu betrachten: doch sind die Schwierigkeiten des Beobachtens verschieden. Das Tückische, untersucht man Österreich mit einer Lupe, besteht im überdimensionierten Goldrahmen, der dieses Miniaturbild umgibt, so daß man mit der Lupe mühsam den Rahmen absuchen muß, bis man die Miniatur endlich findet. Bei der Schweiz dagegen bereitet nicht der Rahmen, sondern die Miniatur Schwierigkeiten. Stellt sie, mit bloßem Auge betrachtet, eine Idylle dar (Rütlischwur mit den Alpen im Hintergrund), zerfällt sie unter der Lupe in eine Vielheit von sich widersprechenden Bildern, die keine Einheit mehr ergeben. Chemisch gesprochen: die Schweiz ist eine Mischung, die darum nicht auseinanderfiel, weil sie jahrhundertelang von Großmächten umgeben war. Sie entstand unter Druck, ein Grund, der heute nicht mehr vorhanden ist. Die Schweiz ist nicht mehr das Herz Europas (eher Luxemburg), nicht mehr von Großmächten umgeben, sondern von drei kleinen Großstaaten, einem Kleinstaat und einem kleinen Kleinstaat (Österreich und Liechtenstein). Dennoch besteht die Schweiz weiter, wenn auch die Theorien, weshalb sie weiterbesteht, verschieden sind. Einige meinen, die Schweiz erhalte sich aus Gewohnheit, andere betrachten die Schweiz als eine deutsch-französisch-italienisch-rätoromanische Völkermischung, die darum nicht explosiv sei, weil sie zu klein sei, um explodieren zu können, während die alte österreichisch-ungarische Monarchie eine so große deutsch-ungarisch-slawische Völkermischung dargestellt habe, daß sie explodieren mußte: Österreich sei einer der Überreste dieser Explosion. Damit stoßen wir auf einen weiteren Gegensatz. Der Österreicher sieht sich als Resultat einer geschichtlichen Evolution. Dieser Gegensatz führt jedoch zu einer neuen Ähnlichkeit. Beide sind stolz auf ihre gegensätzliche Vergangenheit. Wohnt der Österreicher in einer kleinen Hütte, so ist er jetzt auf seinen Palast stolz, der ihm einst in die Luft flog und in dem er gewohnt hatte, während der Schweizer, der jetzt in seinem feudalen Palace-Hotel residiert, stolz darauf ist, einmal in einer Hütte gehaust zu haben. Doch ist das historische Verhältnis der beiden Völker verzwickt. Der Österreicher besitzt eine Zwischenvergangenheit, in der er nicht mehr ein Österreicher, sondern ein Großdeutscher, der Schweizer eine Vorvergangenheit, in der er noch nicht ein Schweizer, sondern ein Urschweizer war. Weil nun der Schweizer seine Niederlagen verdrängt und nur von seinen Siegen träumt, die alle in seine Vorvergangenheit fallen, von seinen damaligen Feinden jedoch, weil es keine Burgunder mehr gibt, nur noch die Österreicher übriggeblieben sind, stellen für den Schweizer die Österreicher den Erbfeind dar. Morgarten und Sempach. Dazu kommt noch ein besonderer Umstand. Die Urschweiz führte natürlich nicht mit Österreich, sondern mit den Habsburgern Krieg, die wiederum selber Schweizer waren (die Kapuzinergruft als Auslandschweizer-Friedhof), so daß des Schweizers Erbfeind eigentlich nicht der Österreicher, sondern der Schweizer ist (auch Geßler, der vom schweizerischen Nationalhelden Wilhelm Tell erschossen wurde, war ein Schweizer). Der Schweizer sieht daher im Österreicher einen Doppelgänger, dem ein anderes Schicksal zuteil wurde. Der Österreicher und der Schweizer sind als Alpenbewohner eineiige Zwillinge, und eineiige Zwillinge erleiden auch in anderen Milieus zuletzt das gleiche Schicksal: beide sind heute neutral. Der eine war es seit langem, der andere ist es seit kurzem. Österreich möchte ich mit einem schweizerischen Byzanz vergleichen – nach der Zerstörung durch die Kreuzritter freilich -, auch damals wurde aus Ostrom ein Kleinstaat. Indem ich jedoch die Miniaturen noch einmal mit bloßem Auge betrachte, fällt mir auf, daß ich Österreich falsch betrachtet habe, von Anfang an unter der Lupe nämlich, so daß ich den Rahmen für die Miniatur und die Miniatur für den Rahmen hielt: Ist der Rahmen eine Hirschhornschnitzerei, so besteht die Miniatur aus Gold. Österreich weist eine wirkliche Metropole auf, eben die goldene Miniatur, etwas, was die Schweiz nie besaß und Deutschland nicht mehr besitzt. Die Österreicher zerfallen in Wiener und Nichtwiener, während von den Schweizern nicht gesagt werden kann, sie bestünden aus Bernern und Nichtbernern, weil sie gleichzeitig aus Zürchern und Nichtzürchern, aus Sanktgallern und Nichtsanktgallern, aus Waadtländern und Nichtwaadtländern usw. bestehen. Doch das sind subtile Unterscheidungen: Betrachtungen über Miniaturen lassen nichts anderes zu. So ist etwa des Österreichers Humor nur subtil von jenem des Schweizers verschieden. So ungleich sie zuerst zu sein scheinen, der Österreicher besitzt einen Humor, auf den er sich etwas einbildet, des Schweizers Humor besteht im Ernst, über den er sich lustig macht. Noch subtiler ist mein persönliches Verhältnis zu den beiden Miniaturen. Ich war weder je im Burgtheater noch je im schweizerischen Landesmuseum. Ich fühle mich in Österreich nicht in der Fremde, aber auch nicht zu Hause. Ich fühle mich mehr als Österreicher denn als Ostschweizer, doch mehr als Berner denn als Tiroler, wenn ich auch die Tiroler schätze. Jedes Jahr kaufe ich mir eine Zeichnung Floras.

[1971]

Günter Grass

Die Deutschen und ihre Dichter

Sie konservieren sie gerne in Gesamtausgaben, in Schullesebüchern. Sie sehen sie gerne entrückt und ein bißchen verrückt, nicht ganz von dieser Welt. Sie zitieren sie nach Bedarf und verschweigen den sperrigen Rest. Sie lieben sie unerbittlich, bis sie zur Denkmalgröße schrumpfen und unkenntlich sind. Neuerdings wünschen sich die Deutschen ihre Dichter engagiert, aber nicht allzusehr (nur andeutungsweise).

Ich sitze mit einem meiner Söhne (ziemlich spät) vor der Mattscheibe und höre und sehe Biermann singen. Da er seit 1965 nicht im Saal und vor Publikum singen darf, singt er in seiner Zimmerburg, deren Wände mit Fotos, Bildern, mit freundlichen Erinnerungen gegen Einbrüche der Resignation gepanzert zu sein scheinen. Ein westdeutsches Kamerateam ist dabei und hält einfach drauf: Biermann gibt optisch was her. Da ihm der DDR-Kanal vernagelt ist, flieht er nach vorne, muß er die letzten, obendrein nur fiktiven Brücken abbrechen; denn ein Sänger ohne Publikum ist wie tot.

Der Kommunist Biermann singt traurige Lieder. Das ist schon Vergehen genug, weil es Verrat an einer Ideologie bedeutet, die sich von Staats wegen den Optimismus pausbäckig verordnet hat. Obgleich er privat und vereinzelt im Zimmer singt, tut Biermann, als spiele er im überfüllten Saal; sogar die Galerie ist besetzt. Auch wenn ihn Partei und Staat isoliert haben, sein Publikum ist ihm immer noch vorstellbar, das im Osten, das im Westen.

Ohne Basis und Überbau. Weil sich die Partei den lästigen Biermann wie einen Stinkfuß abgehackt hat – und er singt, grölt und höhnt die Ballade von den abgehackten Füßen -, ist ihm wenig Gewißheit geblieben; selbst seinen Rest Hoffnung muß er, um ihn sich und anderen verständlich zu machen, angestrengt laut ausschreien: Biermann ist nur noch ein gläubiger Kommunist.

"Das ist doch keine Religion", sagt mein Sohn. Doch Biermann hat sich in die strenge Form der Choräle geflüchtet, sein Lied ist Litanei. Auf seinem Gesicht (die Kamera läßt nichts aus) finden Passionsspiele statt: Enttäuschung und Bitternis schlagen in verzweifelt steile Verheißung um. Jetzt mimt er Haß und macht schmale Augen, doch die umkippende Stimme zeigt an, daß er den Haß keine Strophe lang durchhalten wird (und kann). So viel entschlossene Unsicherheit, so viel Wille zu überleben, so viel Spaß an knapper Pointe: wenn er lacht, grient er. Ein kommunistischer Clown, dem die Melancholie und die Utopie zwei angrenzende Zimmer sind, die er rasch wechselt, gleichzeitig bewohnt: immer Ärger beim Überschreiten der Schwelle. Fortschritt ist ihm ein Stolpervorgang, den er tragikomisch und heiser nachspielt. Er scheut sich nicht, sentimental zu sein und dem Kitsch als Nebentrieb der Hoffnung rührende Blättchen zu zupfen. Er gewinnt der bierernsten Sache, dem Kommunismus, Späße ab, die ihn menschlicher machen, als das System es erlaubt.

Doch sie vertragen keinen Spaß. Deshalb wird er bespitzelt und mit Berufsverbot belegt. Deshalb meiden ihn die privilegierten Schriftsteller des Staates. (Wer etwa Hermann Kant gutgläubig zu den kritischen Autoren der DDR rechnet, sollte wissen, daß Biermanns Lied und rigorose Abrechnung *Die hab' ich satt* auch jene Schriftsteller in der DDR meint, die restlos eingekauft sind und – wie Kant – Biermann fallengelassen haben.)

"Jetzt übertreibt er aber", sagt mein Sohn. "Muß er", sag' ich, "leider muß er".

Haben wir Grund im Westen, mit nacktem Finger auf die DDR zu weisen und Biermann (ungefragt) als Kronzeugen zu nutzen? Wer es vorher nicht gewußt hat, der sollte nach einer der jüngsten Bundestagsdebatten gewiß sein, daß nicht nur die Hinterbänkler der Unionsparteien, daß Strauß und Barzel, wenn sie nur dürften, mit Heinrich Böll und Martin Walser, mit mir und anderen Schriftstellern so umgehen würden, wie es der SED im Fall Biermann möglich war und ist. Die linientreuen Deutschen in Ost und West mögen ihre Schriftsteller nur, solange sie sich dunkel raunend oder positiv lebensbejahend als Dichter oder Lobredner verstehen; sobald sie deutlich werden und den Stalinismus im Kommunismus, den Nazismus in Springers Massenblätter bezeugen, wird Biermann isoliert und stumm gemacht, wird Heinrich Böll, weil er nicht stumm gemacht werden kann, so lange und so weit verzweigt der Hetze ausgesetzt, bis seine Nerven (so hofft man) versagen.

Kein Grund zur Panik und zur Exilsuche. Die Stalinisten in der DDR und die kalten Krieger innerhalb der Unionsparteien haben inzwischen den Kampf um die Entspannungspolitik verloren. Zwar sind sie noch mächtig, zwar ist es ihnen noch möglich, Biermann in seine vier Wände zu bannen, Heinrich Böll mit Hilfe der Springerpresse wie journalistisches Freiwild zu jagen, doch die Entwicklung wird in beiden deutschen Staaten über die Reaktion hinweggehen.

Ich kann mir Zeiten vorstellen – ohne sie besingen zu müssen -, in denen Wolf Biermann in Ost und West nicht nur sein Publikum, sondern auch sachliche Kritik findet, in denen Heinrich Böll, sobald er seinen moralischen Maßstab anlegt, nicht mehr durch plakative Solidarität beschützt werden muß. Die Deutschen werden ihre Dichter, bevor sie Denkmäler werden, lebend, und das heißt, notfalls auch laut, ertragen lernen.

[1972]

Hans Magnus Enzensberger

Über die Schwierigkeit, Inländer zu sein

Ich habe nie recht verstanden, wozu Nationen da sind. Jene Leute, die am liebsten von ihnen sprechen, haben mir's am allerwenigsten erklären können, ja, sie haben es nicht einmal versucht. Ich meine die enragierten Nationalisten und ihre Widersacher, die enragierten Anti-Nationalisten.

Seit ungefähr dreißig Jahren höre ich die einen wie die anderen sagen, daß ich ein Deutscher bin. Ich verstehe ihre Emphase nicht recht, denn was sie mir versichern, das bezweifle ich gar nicht, ich will es gerne glauben, es ist mir seit geraumer Zeit durchaus geläufig. Dennoch werden die Leute es nicht müde, jene bescheidene Tatsache immer wieder vorzubringen. Ich sehe es ihren Gesichtern an, daß sie das Gefühl haben, als hätten sie damit etwas bewiesen, als hätten sie mich aufgeklärt über meine eigene Natur und als wäre es nun an mir, mich entsprechend, nämlich als Deutscher, zu verhalten.

Aber wie? Soll ich stolz sein? Soll ich mich genieren? Soll ich die Verantwortung übernehmen, und wenn ja, wofür? Soll ich mich verteidigen, und wenn ja, wogegen? Ich weiß es nicht, aber wenn ich das Gesicht meines Gegenübers aufmerksam betrachte, kann ich erraten, welche Rolle er mir zugedacht hat. Ich kann diese Rolle ausschlagen oder akzeptieren. Aber selbst indem ich sie ausschlage, werde ich sie nicht los; denn in der Miene meines Gegenübers zeichnet sich bereits die Reaktion auf meine Reaktion ab: Empörung oder Genugtuung, Billigung oder Wut, nämlich darüber, daß ich mich, als *Deutscher*, so oder anders verhalte.

Meine Nationalität ist also keine Qualität, sondern eine Erwartung, die andere in mich setzen. Natürlich nur eine unter vielen derartigen "Rollenerwartungen". Auch hinsichtlich meines sozialen Status, meines Familienstandes, meines Alters treten mir in jeder Gesellschaft gewisse *idées fixes* entgegen, die mich zu dem formieren oder deformieren sollen, was ich in den Augen der

Gesellschaft bin: also etwa ein Dorfbewohner, ein Dreißigjähriger, ein Familienvater und so weiter. Merkwürdigerweise sind alle diese Bestimmungen um so leichter abzuschütteln, je handgreiflicher sie sind. Die Nationalität, als abstrakteste und illusionärste unter ihnen, ist zugleich die hartnäckigste.

Wenn ich den Geschichtsbüchern trauen *darf*, so hat es, vielleicht vor dem Ersten Weltkrieg, eine Zeit gegeben, in der Nationalität mehr war als eine psychologische Größe.

Ich erkläre mir das folgendermaßen. Auf dem Weg von der steinzeitlichen Urhorde zur planetarischen Industriegesellschaft scheint die Entfaltung der Produktivkräfte irgendwann im neunzehnten Jahrhundert einen Punkt erreicht zu haben, wo die souveräne Nation ihnen ein optimales Organisationsprinzip bot. (Aus dieser fernen Zeit stammen vermutlich Beschwörungsformeln wie *"Buy British"*, "Deutschland, Deutschland über alles", *"La Grande Nation"* oder "Deutsche Wertarbeit".)

Seitdem haben sich die produktiven (und destruktiven) Kräfte, über welche die Menschheit verfügt, derart weiterentwickelt, daß die Nation als Form ihrer Organisation nicht nur obsolet, sondern zu einem lebensgefährlichen Hindernis geworden ist. Souveränität ist längst zur völkerrechtlichen Fiktion geschrumpft. Nur am Biertisch wird sie noch buchstäblich und ernst genommen. Nicht einmal die Zollbeamten scheinen mehr daran zu glauben. Wie die monegassischen Garden wirken sie als Staffage. Ihr verlegenes Lächeln bittet um Entschuldigung, wenn sie uns ihr Kreidekreuz auf den Koffer malen. Wenigstens im westlichen Europa wird der Begriff des Auslands immer mehr zur Reminiszenz. Für die Konzernverwaltungen, Fluggesellschaften und Generalstäbe existiert er nicht mehr.

Wer aus Deutschland kommt, für den ist dieses Erlöschen der Nationalität als einer gesellschaftsprägenden objektiven Kraft verhältnismäßig leicht sichtbar, leichter jedenfalls als für die Bewohner älterer Nationalstaaten. Wir haben es sehr spät zu einer nationalstaatlichen Identität gebracht, und wir haben uns ihrer nie sehr sicher gefühlt. Daher mag der hysterische Überschwang rühren, mit dem in unserem Land seit 1870 der sogenannte "nationale Gedanke" – der, streng genommen, nie ein Gedanke war – affichiert worden ist. Im Jahre 1945 ist uns diese Identität abhandengekommen, und zwar so gründlich, daß man sich fragen muß, ob von einer deutschen Nation überhaupt noch die Rede sein kann. Für einen Bürger von Frankfurt am Main liegt New York vor der Tür, dagegen ist die Reise nach Frankfurt an der Oder psychologisch, politisch und geographisch zur Expedition geworden. Der Fall beweist, daß sich Nationen rein administrativ und von außen, von einem Jahr aufs andere, zunichte machen lassen; er beweist damit die Hinfälligkeit des Prinzips der Nationalität.

Natürlich macht uns dieser Vorgang nicht zu Kosmopoliten. Obwohl der Idee der Nation objektiv nichts Handfestes mehr entspricht, lebt sie subjektiv, als Illusion, äußerst zäh weiter. Illusionen von solchen Ausmaßen sind aber ernst zu nehmen. Sie sind ihrerseits Realitäten, und zwar psychologische Realitäten von explosiver Kraft. Ich habe mich oft gefragt, was uns so fest an diese

Zwangsvorstellung fesselt. Vermutlich ist es uns zu mühsam, eigene Ressentiments und Komplexe, Idiosynkrasien und Neurosen zu entwickeln. Das Scheinbild der Nation stellt jedermann ein präfabriziertes seelisches Möblement zur Verfügung, in dem er sich preiswert einrichten kann. Noch dazu handelt es sich um ein Sortiment von der Stange, das die eigene Auswahl überflüssig macht und den enormen Vorzug hat, daß man es mit vielen anderen teilt. Das schafft eine gewisse behagliche Solidarität, wie man sie etwa unter Leuten beobachten kann, die dasselbe Automodell fahren.

Dabei spielt es keine Rolle, ob es das schnellste oder langsamste, das beste oder das schlechteste Fabrikat ist. Neben den althergebrachten Wettlauf um Macht und Ansehen ist in unseren Tagen ein makabrer Wettbewerb getreten, den die Schatten der einstigen Nationen um die Frage austragen, wer am tiefsten gesunken sei und die größten Sorgen habe. Dieses Spiel, bei dem die alten Regeln sich in ihr Gegenteil verkehren, ist besonders unter Intellektuellen beliebt. Amerikanische Liberale führen ihr Rassenproblem ins Feld, italienische Sozialisten den Klerus, englische Kritiker ihr *Establishment*, russische Literaten den Stalinismus.

Bei diesem Spiel, das einen masochistischen Zug hat, gewinnen natürlich unweigerlich die Deutschen. Ihre beiden Trumpfkarten sind: die "unbewältigte Vergangenheit" und "die deutsche Frage". Mit diesen beiden Schlagworten sind der Faschismus und die deutsche Teilung gemeint, und um beide Sachverhalte haben sich komplizierte, genau festgelegte nationale Rituale herausgebildet.

Ich kann dieser Rituale nicht recht froh werden. Ich werde den Verdacht nicht los, daß es sich dabei um bloße Umkehrungen handelt. Allzu ähnlich sehen sich Selbstverachtung und Selbstlob, Selbstbemitleidung und Überheblichkeit. Unüberprüft bleibt dabei die Voraussetzung, die mir eitel scheint: daß es sich, wie der bezeichnende Ausdruck dafür heißt, um ein "nationales Schicksal" handle.

Vielleicht ist es dieses illusionäre Moment, das unsere Beschäftigung mit dem Nazismus moralisch und politisch so unproduktiv macht. Die Nabelschau, die sich auf den sogenannten Volkscharakter richtet, stimmt mich nachgerade ungeduldig. Sie verklärt die Eigenschaft "deutsch" von neuem zur metaphysischen Größe – nur daß das diesmal mit umgekehrten Vorzeichen geschieht. Wie einst das Gute, so wird jetzt das schlechthin Böse biologisch oder rassisch lokalisiert. Auch eine gewisse Deutsch-Feindlichkeit in anderen Ländern möchte die Verbrechen der zwölf Hitler-Jahre lieber manichäisch deuten als historisch analysieren. Dort wie hier gibt man einer scheinbar ewigen, unveränderlichen bösen Substanz die Schuld, die, mit einem Wort, "typisch deutsch" sei.

Diese Art, Vergangenheit zu "bewältigen", ist nicht nur steril, sondern geradezu verdächtig. Mehr und mehr nimmt sie die zeremoniellen Formen einer Teufels-Austreibung an. Die offiziell zur Schau gestellte Zerknirschung ist eine abergläubische Prozedur. Ihr sonderbares Motto heißt: *Qui s'accuse, s'excuse.*

Ein solches Verfahren kann nie und nimmer leisten, was man sich von ihm verspricht. Niemand wird je vergessen oder verzeihen, was in den Vernichtungslagern geschehen ist. Ich kann den staatlich verordneten Massenmord im industriellen Ausmaß nicht für ein nationales Problem der Deutschen halten. Deutsche haben ihn verübt. Das scheint manche Leute mehr zu bekümmern und mehr zu beschäftigen als die Entdeckung, daß der Mensch zu allem fähig ist. Diese Entdeckung verharmlost, wer Auschwitz zur deutschen Spezialität, zum Produkt einer hypothetischen deutschen Volksseele machen will.

In Wirklichkeit verdient diese Volksseele keinerlei Interesse. Ich vermute, daß sie, mit Ausnahme von manchen Deutschen und Deutschenhassern, der ganzen Welt zum Halse heraushängt. Ebenso langweilig sind die monotonen Selbstanklagen, die man seit 1945 aus unserem Lande hört. Als ginge es im Ernst darum, unser kollektives Seelenheil zu retten; als wäre nicht der Begriff eines kollektiven Seelenheils selber eine unhistorische Mystifikation! [...]

Ein Deutscher zu sein, das scheint mir kein schwierigeres oder leichteres Los als irgendein anderes. Es ist keine Kondition *à part*, sondern eine Herkunft unter vielen. Ich sehe keinen Anlaß, sie zu beklagen oder zu verleugnen, und keinen, etwas Hervorragendes in ihr zu sehen. Es liegt im Begriff jeder Herkunft, daß man sich nie ganz von ihr trennt; aber ebenso liegt es in ihrem Begriff, daß man sich jeden Tag von ihr entfernt. Meine Mitmenschen, die den Umstand, daß ich ein Deutscher bin, wichtiger nehmen, als ich es tue, will ich nicht unnütz vor den Kopf stoßen. Daß ich ein Deutscher bin, diesen Umstand werde ich akzeptieren, wo es möglich, und ignorieren, wo es nötig ist.

[1964]

Peter Weiss

Aus den "Notizbüchern 1971 – 1980"

[...] Im Sommer 1947 besuchte ich Deutschland, als Korrespondent der schwedisch. Tageszeitung Stockholms Tidningen. Nach den Jahren der Emigration u des Kriegs war dies mein erstes Wiedersehn mit dem Land meiner Herkunft. Die Artikel, die sich mit der kulturellen Situation im geschlagnen Deutschland befaßten, schrieb ich auf schwedisch. Mehrere Bücher hatte ich auf schwedisch geschrieben. Die deutsche Sprache war mir fremd geworden. Ich dachte u träumte auf schwedisch. Das Deutsch, das ich jetzt hörte, übersetzte ich ins Schwedische. Ich wohnte in Pressehotels, zusammen mit skandinavischen u englischsprachigen Journalisten. Als Ausländer, als Schwede kam ich zurück in ein Land, aus dem ich einmal vertrieben worden war. Es verband mich nichts mehr mit diesem Land. Auch der Haß, den ich einmal empfunden hatte, der mich die Sprache, die ich in der Kindheit erlernt hatte, verleugnen ließ, war verschwunden. Doch die Verwüstung, die mich umgab, erinnerte stetig an die unselige Politik des Faschismus. Die Menschen waren gezeichnet von einer gänzlich fehlgeschlagnen Geschichte. Der gesamte Planet war verheert worden. Nur einzelne kleine Inseln waren verschont geblieben. Von einer dieser Inseln kam ich. Auch dort hatte es Fremdenhaß, Chauvinismus gegeben. Auch von dort war ich nur durch Zufall nicht ausgewiesen worden. Ein Dach überm Kopf, eine Überlebensmöglichkeit hatte ich gefunden. Meine Unzugehörigkeit aber trug ich mit mir. Diese stellte einen Abstand her gegenüber allem, was ich sah. Für mich gab es keine Nationen mehr, nur noch ein universelles Leiden. Ich wollte mich als Weltbürger verstehn, u war es doch nicht. Im Sommer 47, in den Trümmern Berlins, begann ich, nach neuen Zusammenhängen zu suchen. [...]

Die Sprache, in der ich schreibe, ist eine arme Sprache. Jedes Wort, das ich verwende, habe ich mir mühsam herbeigesucht. Ich kann nicht aus einem Überfluß heraus arbeiten. Die Sprache kommt nicht unerschöpflich auf mich zu. Ich bin keinen Eingebungen ausgesetzt. Bilder, Figuren, Situationen, Dialoge nehmen nicht von selbst Form an. Ich bin kein Medium. Die Sprache ist keine Inspirationsquelle. Und doch ist ein Dasein ohne Sprache unvorstellbar. Würde ich anders schreiben, wenn ich heimisch geblieben wäre in meiner Sprache?

Im Exil versuchte ich, die Sprache zu wechseln, mich auszudrücken in der Sprache, die mich umgab. Später verstand ich, daß dies bedeutete: die Identität zu wechseln. Der Versuch, die schwedische Sprache als Ausdrucksmittel zu benutzen, mißglückte. Was ich zustandebrachte, war nur Sekundäres, es waren Übersetzungen aus tieferen, originalen Schichten. Ich mußte zurückkehren zu den Grundlagen meiner Person, und diese waren definiert worden in der Sprache, die ich während der Kindheit und Jugend lernte.

1934, als wir Deutschland verließen und nach England übersiedelten, war ich 17 Jahre alt. Ich hatte meine ersten Dichtungen geschrieben, hatte meine ersten Meister gefunden. Ich hatte zu malen begonnen, daneben blieb mir die deutsche Sprache noch als ein natürliches Werkzeug der Poesie. Wir sprachen deutsch zuhause, ich las deutsche Bücher, hatte deutschsprachige Freunde. Doch drängte sich die englische Sprache schon auf. Es war eine starke, traditionsreiche Sprache, meine Gedanken, meine Träume wurden von ihr durchsetzt. Nach 2 Jahren in England sprach ich die englische Sprache wie ein Einheimischer. Wäre ich in England geblieben, so hätte die englische Sprache vielleicht die deutsche Sprache verdrängt, schon lag es nahe, englisch zu schreiben.

Die Verstoßung aus Deutschland bedeutete auch eine Verstoßung aus der Sprache. Die Feindlichkeit, die dieses Land uns zukommen ließ, mußte sich auch auswirken auf die Sprache. Mit den Worten dieser Sprache war ich verhöhnt und erniedrigt worden. Doch es gab viele andre, die diese Sprache mit sich aus dem Land getragen hatten, die draußen eine deutsche Sprache fortsetzen, gefüllt mit einem Wesen, wie es sich in Deutschland selbst verlor. Die deutschen Schriftsteller im Exil setzten die Sprache eines Landes fort, das vielleicht zu einem neuen, zukünftigen Land werden würde. Viele aber verließ die Kraft, die Ausdauer, sie verstummten, gingen unter. [...]

[1981]

Christa Wolf

Warum schreiben Sie?

Mit einem Bonmot könnte ich antworten: Ich schreibe, um herauszufinden, warum ich schreiben muß. – Tatsächlich wird Schreiben für mich immer mehr der Schlüssel zu dem Tor, hinter dem die unerschöpflichen Bereiche meines Unbewußten verwahrt sind; der Weg zu dem Depot des Verbotenen, von früh an Ausgesonderten, nicht Zugelassenen und Verdrängten; zu den Quellen des Traums, der Imagination und der Subjektivität. Das geistige Abenteuer des Schreibens besteht für mich darin, jene Kräfte in mir wiederzufinden und womöglich zu entfesseln, die im Lauf meines Lebens unter diesen unseren historischen Umständen als unnütz, überflüssig, schädlich, unbrauchbar, unangemessen, belanglos, unvorteilhaft, unbefugt, abträglich, anarchisch, amoralisch, gewissenlos, strafbar, gesetzwidrig, ungeeignet, untauglich, unratsam, schändlich, ordnungswidrig, untüchtig, lächerlich, krankhaft, töricht, wertlos, willkürlich, verächtlich, albern, verrückt, unsittlich, verantwortungslos, verfehlt, ungehörig, ungebührlich, unanständig, zerstörerisch, egoistisch, unzulässig, undankbar, radikal, aufsässig, unvernünftig – kurz, als subjektivistisch verdächtigt, mit einem Verdikt belegt, zurückgedrängt, narkotisiert, gefesselt und lahmgelegt wurden. Der Schrecken darüber, wie in Industriegesellschaften die Selektion der "nützlichen" Kräfte und Strebungen eines Menschen auf Kosten seiner "unnützen" Bedürfnisse und Wünsche funktioniert, und die Trauer über die Folgen dieser Spaltung und Amputation fließen sicherlich in mein Schreiben ein. Heute ist die Kunst wohl der einzige Hort, zugleich das einzige Erprobungsfeld für die Vision von ganzheitlichen menschlichen Wesen. Insofern ist Schreiben für mich eine Art Selbstversuch. Ob und wie in der Zukunft die Menschen der heute arbeitsteilig organisierten Industrieländer, deren Bedürfnisse verfälscht und mit Ersatzprodukten abgespeist werden, sich ihrer Wurzeln, der Fülle menschlicher Möglichkeiten und also auch der Kunst entsinnen werden – das weiß ich nicht. Ich, für mein Leben, brauche die Verbindung mit einer anderen Dimension in mir, um nicht das Gefühl von Da-Sein zu verlieren. Und darum schreibe ich.

[1985]

Alexander Kluge

[Die Macht der Hoffnung]

Frau Pichota, eine Reporterin, mit dem Kammersänger B.

FRAU PICHOTA: Herr Kammersänger, Sie sind berühmt für den leidenschaftlichen Ausdruck im ersten Akt. Man hat geschrieben, daß ein Funken der Hoffnung in Ihrem Gesicht stünde. Wie bringen Sie das fertig, wenn Sie als vernünftiger Mensch den gräßlichen Ausgang im fünften Akt doch kennen?
KAMMERSÄNGER: Das weiß ich im ersten Akt noch nicht.
FRAU PICHOTA: Vom letztenmal her, Sie spielen das Stück zum 84. mal?
KAMMERSÄNGER: Ja, es ist ein sehr erfolgreiches Stück.
FRAU PICHOTA: Da müßten Sie den schrecklichen Ausgang doch allmählich kennen!
KAMMERSÄNGER: Kenne ich auch. Aber nicht im ersten Akt.
FRAU PICHOTA: Aber Sie sind doch nicht dumm!
KAMMERSÄNGER: Die Bezeichnung würde ich mir auch verbitten.
FRAU PICHOTA: Dann wissen Sie doch aus den früheren Aufführungen, also um 20.10 h im ersten Akt, was um 22.30 h im fünften Akt passieren wird.
KAMMERSÄNGER: Ja.
FRAU PICHOTA: Ja wieso spielen Sie dann "mit einem Funken der Hoffnung im Gesicht"?
KAMMERSÄNGER: Weil ich im ersten Akt den fünften Akt nicht kennen kann.
FRAU PICHOTA: Sie meinen, daß die Oper auch ganz anders ausgehen könnte?
KAMMERSÄNGER: Freilich.
FRAU PICHOTA: Sie geht doch aber nicht anders aus. 84 mal schon nicht.
KAMMERSÄNGER: Ja, weil das ein erfolgreiches Stück ist.
FRAU PICHOTA: Ja, deshalb 84 Aufführungen. Aber es geht am Ende nicht gut aus.
KAMMERSÄNGER: Sind sie gegen Erfolg?
FRAU PICHOTA: Nein, aber es geht im fünften Akt nicht gut aus.
KAMMERSÄNGER: Könnte doch aber!

[1984]

9. Ende der Nachkriegszeit

Ein bisschen Ratlosigkeit mag mitspielen, wenn wir im letzten Kapitel die systematische Ordnung durch eine historische ersetzen. Vor allem aber verweist dieses Kapitel auf einen Prozess, dessen Beginn exakt bestimmbar, dessen Ende aber noch lange nicht absehbar ist. Immer deutlicher zeigt sich, dass das Jahr der Vereinigung der beiden deutschen Staaten wohl das Ende der Epoche "Nachkriegsliteratur" markiert. Bücher sind nicht länger Leit-Medium in politisch-moralischen Grundsatzfragen; Autorinnen und Autoren verstehen sich nicht mehr als oberste Instanz auf diesem Gebiet. Die diversen Literaturdebatten der neunziger Jahre sind wohl eher Nachhutgefechte denn Auseinandersetzungen um eine neue Funktion der Literatur. Die in den Feuilletons inszenierten 'Streitereien' um Christa Wolfs Erzählung "Was bleibt", um Günter Grass' Roman "Ein weites Feld", um Peter Handkes Serbienbücher und um Martin Walsers Friedenspreis-Rede verweisen noch einmal auf eine Schriftstellerrolle, die in der Nachkriegszeit unumgänglich war, in einer globalisierten Mediengesellschaft allerdings zunehmend anachronistisch anmutet.

1995 plädierte der verstorbene Jurek Becker – mit der rhetorischen Frage, ob es Resignation sei, wenn man aufhöre, "größenwahnsinnig zu sein" – für eine Rückbesinnung auf genuine Qualitäten der Literatur (nicht zuletzt: Unterhaltung). Und in der Tat suchen die von forcierter Polarisierung befreiten Autorinnen und Autoren der neunziger Jahre nach neuen Themen, Ausdrucks- und Präsentationsformen. "Junge" (wie Beyer, Biller, Grünbein, Kling, Köhler) aber auch lange übersehene "Alte" (wie Robert Gernhardt) entdecken die spielerischen Möglichkeiten ihres Mediums neu, ohne sich deshalb klarer Positionsnahmen zu enthalten. Neue/alte Räume werden entdeckt (hier exemplarisch die Großstadt Berlin), und Migrantinnen wie Emine Sevgi Özdamar, die sich die Sprache ihres "Gast"landes angeeignet haben, begnügen sich nicht mit Sozialkritik, sondern nutzen selbstbewusst die ästhetischen Potenzen der "Doppelzüngigkeit".

So entsteht eine Literatur, die – unabhängig von der Herkunft ihrer Verfertiger/innen – die Möglichkeiten der deutschen Sprache ausschöpft: zum Spielen und als Erkenntnisinstrument. Deutschlehrer/innen, die unverdrossen auf der Suche nach der Autor-Intention sind, mögen das bedauern. Die anderen aber werden in der Vielfalt der neunziger Jahre – von der dieses Kapitel eine Kostprobe gibt – Anregung und Stoff für unerwartete Leseabenteuer finden.

Herta Müller

Das Land am Nebentisch

Zwischen den Zeiten der Züge saß ich im Bahnhofskaffee in Wien. Ich schaute die Reisenden an, um von meiner eigenen Müdigkeit abzusehn. Die Menschen, die allein an den Tischen saßen, schaute ich am längsten an. Vielleicht sah ich an ihnen, ohne es zu wissen, die Müdigkeit, die von den Drehungen der Landschaft kam, von der Luft im Abteil, vom Schaukeln und Rauschen der Geschwindigkeit.

Da blieb mir der Blick an einem Mann hängen: Wie der Mann den Kopf hielt, wie er den Ellbogen auf den Tisch stützte und die Stirn an die Hand lehnte, wie er die Kaffeetasse hielt, wie seine Füße unterm Stuhl standen. Sein Haar, seine Ohrläppchen. Auch sein Hemd, sein Anzug, seine Socken an den Knöcheln.

Nicht das Einzelne an dem Mann war so fremd, daß ich es kannte. Es was das Einzelne aufeinander bezogen, was sich mir heiß hinter die Schläfen legte: die Armbanduhr und die Socken, die Hand auf der Stirn und der Hemdkragen, der Knopf an der Jacke und der Rand der Kaffeetasse, der Scheitel im Haar und der Absatz des Schuhs.

Durch den Lautsprecher wurde, während mir die Schläfen laut in den Ohren klopften, ein Zug nach Bukarest angesagt. Der Mann stand auf und ging.

Die Lautsprecherstimme sagte mir, was ich gesehen hatte: der Mann kam aus Rumänien.

Und es war wie ein Schimmer, wie lauter Dinge hinter den Dingen, was mir vor den Augen stand: ein ganzes Land hing an einem Menschen. Ein ganzes, mir bekanntes Land, saß am Nebentisch. Ich hatte es sofort wiedererkannt.

Und ich hätte nicht sagen können wie und woran. Ich hätte auch nicht sagen können weshalb. Und woher sie kam, diese Unruhe, dieser Wunsch, auf den Mann zuzugehen und einen Satz zu sagen – und nicht mehr hinzusehen und sofort wegzugehen. Und dieser Eindruck plötzlich, daß ich nicht mehr in mir selber sitzen, und aus mir selber schauen, und mit mir selber weiterfahren möchte. Woher kam dieser Eindruck. Und diese Naht, wie wenn Nähe und Ferne übereinander herfallen und sich zerschneiden.

Als ich aus Rumänien wegging, habe ich dieses Weggehen als "Ortswechsel" bezeichnet. Ich habe mich vor allen emotionalen Worten gewehrt. Ich habe die Begriffe "Heimat" und "Heimweh" nie für mich in Anspruch genommen.

Und daß mir, wenn ich auf der Straße hier zufällig Fremde neben mir rumänisch sprechen höre, der Atem hetzt, das ist nicht Heimweh. Das ist auch nicht verbotenes, verdrängtes, verborgenes Heimweh. Ich habe kein Wort dafür: Das ist so wie Angst, daß man jemand war, den man nicht kannte. Oder Angst, daß man jemand ist, den man selber von außen nie sieht. Oder Angst, daß man jemand werden könnte, der genauso wie ein anderer ist – und ihn wegnimmt.

Und es ist Angst, ich könnte das Rumänische von einem Augenblick auf den anderen, oder einmal in der Nacht während eines halbzerquetschten Traums verlernen. Ich weiß, diese Angst ist unbegründet. Und dennoch gibt es sie, wie es die Angst gibt, mitten auf den Treppen, von einem Schritt zum andern, das Gehen zu verlernen.

An den Orten, an denen ich bin, kann ich nicht fremd im allgemeinen sein. Auch nicht fremd in allen Dingen zugleich. Ich bin, so wie andere auch, fremd in einzelnen Dingen.

Zu Orten kann man nicht gehören. Man kann im Stein, im Holz, egal, wie es sich fügt, doch nicht zuhause sein – weil man nicht aus Stein und Holz besteht. Wenn es ein Unglück ist, dann ist Fremdsein Unglück. Sonst nicht.

In einer Einkaufsstraße, da wo die Dächer aufhören, ist eine Uhr. Sie hat zwei Zeiger und ein Pendel. Sie hat kein Zifferblatt. Hinter ihr steht der leere Himmel. Ich schaue hinauf und es ist mir jedesmal, als läse ich die Uhrzeit an meiner Kehle ab.

Die Uhr zeigt nicht die Zeit meiner Armbanduhr. Sie zeigt die Zeit, die schon längst vergangen ist – schon vor Jahren.

Die Zeit der Uhr am Himmel ist die Zeit unter der Erde. Ich stelle mir unter der Zeit dieser Uhr jedesmal die Zeit der Menschen vor, die nirgends hingehören.

Im Augenwinkel zuckt mir dann das Land am Nebentisch.

Oktober 1990

Emine Sevgi Özdamar

MUTTERZUNGE

In meiner Sprache heißt Zunge: Sprache.

Zunge hat keine Knochen, wohin man sie dreht, dreht sie sich dorthin.

Ich saß mit meiner gedrehten Zunge in dieser Stadt Berlin. Negercafé. Araber zu Gast, die Hocker sind zu hoch, Füße wackeln. Ein altes Croissant sitzt müde im Teller, ich gebe sofort Bakshish, der Kellner soll sich nicht schämen. Wenn ich nur wüßte, wann ich meine Mutterzunge verloren habe. Ich und meine Mutter sprachen mal in unserer Mutterzunge. Meine Mutter sagte mir: "Weißt du, du sprichst so, du denkst, daß du alles erzählst, aber plötzlich springst du über nichtgesagte Wörter, dann erzählst du wieder ruhig, ich springe mit dir mit, dann atme ich ruhig." Sie sagte dann: "Du hast die Hälfte deiner Haare in Alamania gelassen."

Ich erinnere mich jetzt an Muttersätze, die sie in ihrer Mutterzunge gesagt hat, nur dann, wenn ich ihre Stimme mir vorstelle, die Sätze selbst kamen in meine Ohren wie eine von mir gut gelernte Fremdsprache. Ich fragte sie auch, warum Istanbul so dunkel geworden ist, sie sagte: "Istanbul hatte immer diese Lichter, deine Augen sind an Alamanien-Lichter gewöhnt." Ich erinnere mich noch an eine türkische Mutter und ihre Wörter, die sie in unserer Mutterzunge erzählt hatte. Sie war eine Mutter von einem im Gefängnis in der Nacht nicht schlafenden Jungen, weil er wartete, daß man ihn zum Aufhängen abholen wird. Diese Mutter sagte: "Ich kam aus dem Krankenhaus vor elf Jahren. Ich hab gesehen: der Garten war voll mit Polizisten, mein Kopf ist aus seinem Platz gesprungen, ich hab Nachbarn gefragt. Wahrscheinlich sind die hier für deinen Sohn, haben sie gesagt. Ich bin in den Garten gegangen, zu dem ersten Polizisten. Warum bist du in meinen Garten reingekommen, hab ich gesagt. Dein Sohn ist geschnappt worden, hat er gesagt. Warum soll mein Sohn geschnappt worden sein, hast du überhaupt Hausdurchsuchungspapier, habe ich gesagt, ich bin Analphabet. Er sagte ja. Also gehe ins Haus, such, hab ich gesagt. Das Haus wurde so voll mit ihnen, ich habe auf meinen Beinen gesessen, bin da geblieben, als ich fragte, was ist mit meinem Sohn, haben die gesagt. Dein Sohn ist Anarchist."

Diese Mutter wußte nicht, wieviele Male sie seit elf Jahren geweint hatte, sie fiel zwei Mal auf ihre Knie, einmal wie sie ihren Sohn im Gefängnis zum ersten Mal sah und nicht wiedererkennen konnte. Ein zweites Mal, als er das Wort "Aufhängen" im Stehen hören mußte.

"Ich bin nie zum Gericht gegangen, letztes Gericht, die Richter werden sprechen, haben sie gesagt. Sein Vater ist hingegangen, kam zurück, als er durch die Tür reinkam, sah ich es in seinem Gesicht, die Nachbarn sind alle hinter ihm her, wir haben zusammen geweint, unser Hodscha von Gassenmoschee ist auf seinen Knien wie ein halber Mensch gestanden, geweint, der Aschenbecher, der so dick wie zwei Finger war, ist an dem Tag von seiner

Mitte in zwei Teile gesprungen, ich hab ein , Schascht' gehört, der Aschenbecher lag gerade vor mir."

Dieser Sätze, von der Mutter eines Aufgehängten, erinnere ich mich auch nur so, als ob sie diese Wörter in Deutsch gesagt hätte.

Die Schriften kamen auch in meine Augen wie eine von mir gut gelernte Fremdschrift. Ein Zeitungsausschnitt. "Arbeiter haben ihr eigenes Blut selbst vergossen." Streik war verboten, Arbeiter schneiden ihre Finger, legten ihre Hemden unter Blutstropfen, in das blutige Hemd wickelten sie ihr trockenes Brot, schickten das zum türkischen Militär, an das erinnere ich mich auch, als ob diese Nachricht vor einer Trinkhalle in mehreren Zeitungen gestanden ist, man sah es beim Vorbeigehen, fotografiert, läßt es fallen.

Wenn ich nur wüßte, in welchem Moment ich meine Mutterzunge verloren habe. Ich lief einmal in Stuttgart um dieses Gefängnis da, da war eine Wiese, nur ein Vogel flog vor den Zellen, ein Gefangener im blauen Trainingsanzug hing am Fenstergitter, er hatte eine sehr weiche Stimme, er sprach in derselben Mutterzunge, sagte laut zu jemandem: "Bruder Yashar, hast du es gesehen?" Der andere, den ich nicht sehen konnte, sagte: "Ja, ich hab gesehen."

Sehen: *Görmek*.

Ich stand auf der Wiese und lächelte. Wir waren so weit weg voneinander. Sie sahen mich wie eine große Nadel in der Natur, ich wußte nicht, was sie meinten mit Sehen, war ich das oder ein Vogel, von einem Gefängnis aus, kann man nur sehen, fassen, fühlen, fangen. Pflücken, das gibt es nicht.

Görmek: Sehen.

Ich erinnere mich an ein anderes Wort in meiner Mutterzunge, es war im Traum. Ich war in Istanbul in einem Holzhaus, dort sah ich einen Freund, einen Kommunisten, er lacht nicht, ich erzähle ihm von jemandem, der die Geschichten mit seinem Mundwinkel erzählt, oberflächlich. Kommunist-Freund sagte: "Alle erzählen so." Ich sagte: "Was muß man machen, Tiefe zu erzählen?" Er sagte: "*Kaza gecirmek*, Lebensunfälle erleben."

Görmek und *Kaza gecirmek*.

Noch ein Wort in meiner Mutterzunge kam mal im Traum vorbei. Ein Zug fährt, hält, draußen Verhaftungen, Hunde bellen, drei Zugkontrolleure kommen, ich überlege mir, ob ich sagen soll: "Ich bin Italienerin." Meinen Paß, in dem Beruf *ISCI* (Arbeiter) steht, will ich verstecken, ich denke, wenn ich mich als Studentin oder als Künstlerin ausweisen kann, komme ich durch die Kontrolle durch, da ist eine Fotokopiermaschine groß wie ein Zimmer, sie druckt ein sehr großes Selbstporträt von mir als *ISCI* raus.

Görmek, *Kaza gecirmek*, ISCI.

Ich saß mal im IC-Zugrestaurant an einem Tisch, an einem anderen saß ein Mann, liest sehr gerne in einem Buch, ich dachte, was liest er? Es war die Speisekarte. Vielleicht habe ich meine Mutterzunge im IC-Restaurant verloren.

Ich konnte am Anfang hier den Kölner Dom nicht angucken. Wenn der Zug in Köln ankam, ich machte immer Augen zu, einmal aber machte ich ein Auge auf, in dem Moment sah ich ihn, der Dom schaute auf mich, da kam eine Rasierklinge in meinen Körper rein und lief auch drinnen, dann war kein Schmerz mehr da, ich machte mein zweites Auge auch auf. Vielleicht habe ich dort meine Mutterzunge verloren.

Stehe auf, geh zum anderen Berlin, Brecht war der erste Mensch, warum ich hierher gekommen bin, vielleicht dort kann ich mich daran erinnern, wann ich meine Mutterzunge verloren habe. Auf dem Korridor zwischen zwei Berlin eine Fotomaschine.

Ich bin am Berliner Ensemble, Kantine.

Meine Stiefel knirschen wie von einem Werbefilmcowboy. Die Kantinenarbeiter rauchen, reden über Töpfe und Teller, draußen warten Bierfässer, Gasflaschen, jeder redet über Arbeit.

Steh auf. Geh auf Fingerspitzen in die Türkei, in einem Diwan sitzen, Großmutter neben mir. In Istanbul im Türkischen Bad sitzen. Die Zigeunerbadearbeiterinnen werden mich waschen. Ein Nuttenbad war es, mich wusch mal eine Zigeunerin, sie fragte mich: "In welchem Haus arbeitest du, meine Schöne?"

Ich arbeite in der Kommunistischen Commune, ein Tag kam die Polizei, ich war das einzige Mädchen, der Kommissar fragte mich: "Diese Kerle hier, laufen die alle über dich?" Ich sagte: "Ja, sie alle laufen über mich, aber laufen vorsichtig."

Kommissar sagte: "Hast du kein Herz für deinen Vater, ich hab auch eine Tochter in deinem Alter, Allah soll euch alle verfluchen Inschallah."

In den Polizeikorridor haben die auch den Bruder von Mahir gebracht. Mahir, der in den Zeitungen als Stadtbandit bekannt gemacht war. In den Tagen hatten sie Mahir mit Kugeln getötet. Mahirs Bruder saß da, als ob er in seinem Mund was Bitteres hatte und es nicht rausspucken konnte, er hatte sehr dünnes Hemd, ich hatte einen schwarzen Pulli mit Hochkragen.

"Bruder, zieh es an." Mahirs Bruder sah mich an, als ob ich eine fremde Sprache spreche. Warum steh ich im halben Berlin? Geh diesen Jungen suchen? Es ist siebzehn Jahre her, man hat ihnen die Milch, die sie aus ihren Müttern getrunken haben, aus ihrer Nase rausgeholt.

Ich werde zum anderen Berlin zurückgehen. Ich werde Arabisch lernen, das war mal unsere Schrift, nach unserem Befreiungskrieg, 1927, verbietet Atatürk die arabische Schrift und die lateinischen Buchstaben kamen, mein Großvater konnte nur arabische Schrift, ich konnte nur lateinisches Alphabet, das heißt, wenn mein Großvater und ich stumm wären und uns nur mit Schrift was erzählen könnten, könnten wir uns keine Geschichten erzählen. Vielleicht erst zu Großvater zurück, dann kann ich den Weg zu meiner Mutter und Mutterzunge finden.

Inschallah.

In Westberlin gebe es einen großen Meister der arabischen Schrift.

Ibni Abdullah.

[1990]

Barbara Köhler

Anfang III

Von Mund zu Mund vertiefen wir das Schweigen.
Die Hände streun Vergessen auf die Haut
wie Staub. So werden langsam wir vertraut
dem Abschied. Daß wir es nicht zeigen.

Daß wir noch lachen. Daß wir uns berühren
wie damals. Fast. Der Aufruhr ist vorbei.
Einmal war Gegenwart. Was war das: frei?
Woher die Furcht, einander zu verlieren.

Wir sagen das nicht mehr: Ich liebe dich.
Die Zukunft hat uns eingeholt, die Zeit.
Wir teilen eine Art von Einsamkeit,
wir fallen auseinander: du und ich.

Und halten uns. Und halten uns bereit.

[1991]

Durs Grünbein

Schädelbasislektion

1
Was du bist steht am Rand
Anatomischer Tafeln.
Dem Skelett an der Wand
Was von Seele zu schwafeln
Liegt gerad so verquer
Wie im Rachen der Zeit
(Kleinhirn hin, Stammhirn her)
Diese Scheiß Sterblichkeit.

2
Dieser Traum vom Leichthin
Kennt doch niemals Erbarmen.
Zwang? Ist zwecklos. Ein Dschinn
Hält sich selbst in den Armen
Reiner Luft (Griechisch: Pneuma).
Erst ein Blindflug macht frei.
Sich oft bücken gibt Rheuma.
Du verstehst... Samurai.

3
Zwischen Sprache und mir
Streunt, Alarm in den Blicken,
Ein geschlechtskrankes Tier.
Nichts wird ganz unterdrücken
Was mein Tier-Ich fixiert
Hält – den Gedankenstrich kahl
Gegen Zeit imprägniert:
Bruch der aufgeht im All.

4
Ohne Drogen läuft nichts
Hier im Irrgang der Zeichen
Wo du umkommst gesichts-
Los in blinden Vergleichen.
Träumend... Rate für Rate
Von den Bildern beäugt.
Wer ist Herr der Opiate
Die das Hirn selbst erzeugt?

5
Unterm Nachtrand hervor
Tauch ich stumm mir entgegen.
In mir rauscht es. Mein Ohr
Geht spazieren im Regen.
Eine Stimme (nicht meine)
Bleibt zurück, monoton.
Dann ein Ruck, Knochen, Steine.
... Schädelbasislektion.

[1991]

Thomas Hürlimann

Flug durch Zürich

Zürich, hinterm Bahnhof, ein Morgen im Februar. Die junge Frau zeigt in die Luft, weinend, sie haben ihr, sagt sie, die Füße ausgerissen. Ihr? die Füße? Ja, sagt sie schniefend, dort, dort oben, dort fliegt sie, wo, was, ich verstehe kein Wort, bin verkatert, will weiter, bloß weg hier, aber die Frau, mich einholend, packt mich am Ärmel. Sie ist bleich, schmal, fast noch ein Kind. Hilf mir, sagt sie, so hilf mir doch, siehst du, dort stirbt sie, hoch in der Luft.

Ich riskiere ein Grinsen.

Du Arsch, schreit sie, meiner Taube fehlen die Füße, ohne Füße kann sie nicht landen, kapiert.

Ein Reflex: Meine Hand greift zum Gesäß, kontrolliert das Portemonnaie. Oder will ich ihr Geld geben, mich loskaufen?

Die Frau sieht plötzlich alt aus, ein keifendes Weib, trotzdem tut sie mir leid in ihren abgewetzten, löchrig dünnen Jeansklamotten, das T-Shirt voller Rotz, am Hals ein paar Stiche, Schwären, sie *ist* alt, ein altes Kind. Hilfst du mir? betteln die großen, nassen Augen.

Auf der Tramhaltestelle stehen die Jemands in einer Reihe. Jemand beißt die Zähne zusammen, jemand hört hin, jemand sieht weg, jemand trägt Schlaf im Gesicht, und jemand blickt in den Abgrund seiner Zeitung, jetzt eine Klingel, schrill naht das Tram, paß doch auf, Idiot, meine Nerven.

Meine Nerven! Die Jemands drängen sich zum Pulk, und der Mann, der die Zeitung gelesen hat, klemmt sich den Abgrund unter den Arm, sauber gefaltet.

Die Kindfrau glotzt vor sich hin, dann zeigt sie ein scheues Lächeln, und dann, als wolle sie mir eine verbotene Ware verkaufen, tut sich ihre Hand langsam auf. Stoff? Nein, auf ihrem Handteller liegen zwei Vogelfüße, graudünne Läufe mit vier Zehen. Begreifst du jetzt, fragt sie leise, fast flüsternd, glaubst du mir?

Verkehr, es ist kalt, bitterkalt, aber dort oben erscheint nun die Sonne, ein Teich aus Licht, aus Eis, auch der Himmel friert zu. Vielleicht, denke ich, hat sie tatsächlich recht, verschatte die Augen, suche den Himmel ab, aber meiner ist leer. Ich lüpfe die Achseln. Nichts, sage ich.

Aber die Füße, sagt sie, hier sind die Füße! Soviel hätte ich verstanden, sage ich, die Taube habe ihre Füße verloren, sodaß sie nun fliegen müsse, immerzu fliegen, kreisen und steigen, ja! schreit sie, ja, und wieder starrt sie nach oben, verzweifelt, entsetzt, nur sie, die Ermattete, hat die Augen, um den sterbenden Vogel zu sehen und das Grauen um ihn herum, Himmelsfetzen, Häuserzeilen, Kamine, Antennen. Verschwunden, sagt sie plötzlich, fort, und schließt, als möchte sie den Vogel liebkosen, ihre Hand.

Wieder haben die Jemands unsere Insel erobert. Wieder blickt jemand in die Zeitung, riecht jemand nach Unglück, drängen sich alle zum Pulk, lautlos, und jemand, der seine Mappe umklammert, hat seinen Gummischuh als erster auf dem Trittgitter.

Was soll ich ihr sagen?

Sie wird sich, sobald es geht, in die nächste Spritze stürzen, aber den zum Fliegen verdammten Vogel läßt sie nicht aus den Augen, heute nicht, morgen nicht, sie gehören zusammen, die sterbende Taube und das Mädchen, ein Flug, ein Tanz durch die Stadt.

Als das nächste Tram naht, trete ich unter meinesgleichen, die Türen flappen zu, wir rollen davon. Jemand hört hin, jemand sieht weg. Hin und wieder flackert Sonne durch die Scheiben, und irgendwo da oben fliegt dieser Vogel, der sich ein Mädchen hinterherzieht, von Wolke zu Wolke, durch den Nebel, in die Sonne.

Zürich, hinterm Bahnhof, ein Morgen im Februar.

[1992]

Durs Grünbein

Meditation nach Descartes

1

In welchem schneebedeckten Jahrhundert, mit Fingern
Steif auf bereifte Scheiben gemalt, erschien dieser Plan
Zur Berechnung der Seelen?
                                        Was so lange ein Hauch war
Vor getrübten Augen, ins Dunkel gesenkter Stirn,
Hing nun als glitzernder Tropfen in der Gewitterluft
An einem Brustkorb, aus Zweigen geformt.
Saubere Schnitte legten den Blutkreislauf frei
In den Armen des Schächers, am Hals des Gehenkten
Das hydraulische Wunderwerk. Endlich
Gehorchten Betrug und Verrat geometrischer Form.
                                        Zwischen den Armen
In Klammern gesetzt, war der Kopf ein gesichertes Ziel
Für den göttlichen Anschlag, den kosmischen Staub.

Landschaft und Denken und Ich, alles lief auseinander.

2

Einen Körper zerstören ist leicht, kinderleicht.
Es genügt eine Zeichnung, ein Entwurf, der zerreißt
Die Gewebe, den hauchdünnen Fallschirm Lunge, das Herz,
Lange im voraus.
                                        Methodisch, mit Klingen und Nadeln,
Rückt Tod nun zu Leibe, dringt in Hohlvenen ein,
Öffnet Klappen, Ventile, näht die Schädel hinter sich zu.
In einer Fischblase gefangen, ein Novize der Melancholie,
Blaß vom Sezieren, wirft sich der Wundarzt, der Anatom
Vor Spiegeln in Positur. Ganze Zimmer verschwinden
Im Sog einer Bauchhöhle, einer erbrochenen Schläfe.
Ein Thermometer, eingeführt in den Schlund, eine Gabel
Wird zum tödlichen Werkzeug. Doch das beweist nichts
Gegen die Wiederkehr alter Träume auf rissiger Leinwand,
Das Arkadien des Unbewußten auf dem morschen Brokat
Goldener Gobelins.
                                        Etwas schlägt zu, und es bleibt
Das geheime Indiz, dieses vorletzte, letzte
Bild auf dem Augenhintergrund nicht.

[1994]

Christoph Hein

Die Vergewaltigung

Zwei Tage nach dem siebzehnten Geburtstag von Ilona R., Tochter eines Landarbeiters in einem Dorf östlich von Prenzlau, wurde ihre vierundsechzigjährige Großmutter im August 1945 von zwei marodierenden Soldaten der sowjetischen Streitkräfte vergewaltigt. Die beiden Soldaten hatten sich gewaltsam Zugang zu dem Bauernhaus verschafft, dessen Eingangstür verriegelt war. Sie trafen nur die alte Bäuerin an, da diese, während die Soldaten das Tor des Gehöfts und die Haustür aufbrachen, die Zeit genutzt hatte, ihre Schwiegertochter und ihre Enkelin in der Räucherkammer auf dem Dachboden zu verstecken. Männer wohnten zu dieser Zeit nicht auf dem Gehöft; der Ehemann der Großmutter war zwei Jahre zuvor verstorben, und ihr Sohn, Ilonas Vater, befand sich in englischer Kriegsgefangenschaft.

Als sie hörten, daß nur die Großmutter im Haus sei, durchsuchten die Soldaten sämtliche Räume. Kleidungsstücke und verschiedene Gegenstände der Einrichtung verwiesen sie darauf, daß noch andere, jüngere Frauen im Haus leben mußten. Sie schlugen Ilonas Großmutter, um das Versteck zu erfahren, doch die alte Frau blieb hartnäckig bei ihrer Behauptung, allein zu wohnen.

Die angetrunkenen Soldaten vergewaltigten darauf die Bäuerin und verließen danach das Gehöft, wobei sie zwei Kisten Apfelwein, die sie im Keller gefunden hatten mitnahmen.

Die alte Frau verriegelte notdürftig die zerstörte Tür und befreite dann ihre Schwiegertochter und ihre Enkelin aus der Räucherkammer. Sie machte Wasser warm, stellte sich in der Küche in einen Waschzuber und ließ sich von den beiden jüngeren Frauen von Kopf bis Fuß gründlich waschen. Da Schwiegertochter und Enkelin nicht aufhörten zu weinen, umarmte die alte Frau, aufrecht und nackt im Zuber stehend, die beiden und sagte begütigend: Was heult ihr dummen Küken? Hab ich mir ein Bein gebrochen?

Die Bäuerin zeigte das Verbrechen bei der sowjetischen Kommandantur an, doch die beiden Soldaten wurden nicht entdeckt, denn die alte Frau war nicht bereit, dem Wunsch des jungen russischen Leutnants zu folgen und die angetretenen Soldaten abzuschreiten, um die beiden zu identifizieren. Der Leutnant garantierte ihr, daß die von ihm gewünschte Gegenüberstellung für sie keinerlei unangenehme Folgen haben werde, mußte aber schließlich verärgert die Frau gehen lassen.

Ilona verließ im darauffolgenden Jahr ihr Heimatdorf und wurde in einer kleinen Stadt an der neuen Grenzlinie zu Polen Sekretärin des Bürgermeisters.

Der Bürgermeister, ein Ziegeleiarbeiter, war wegen einer wehrkraftzersetzenden Äußerung während der Nazizeit zwei Jahre inhaftiert gewesen und ausschließlich auf Grund dieser Haftstrafe und ohne jede weitere Qualifikation für das höchste Stadtamt ausgewählt worden. Er hatte die Ernennung nur ungern und widerwillig akzeptiert, denn er scheute die Büroarbeit. Da er nach eigener Ansicht keinerlei Voraussetzungen für dieses Amt besaß – er war nahezu ein Analphabet -, war er Ilona dankbar, daß sie, nachdem sie seine Behinderung begriffen hatte, wie selbstverständlich das Schreiben und Lesen der amtlichen Formulare und Akten für ihn übernahm. Sie übte täglich mit dem schwitzenden Bürgermeister im verschlossenen Amtszimmer, um den vergessenen oder verschütteten Schulstoff für den fünfzigjährigen Mann wieder nutzbar zu machen, so daß er schon ein Jahr später, und noch ehe seine Beschränkung bekannt und zum Stadtgespräch werden konnte, mit der Grammatik und der schriftlichen Verwendung der deutschen Sprache soweit zurechtkam, daß er selbständig und sicher seine beruflichen Aufgaben erfüllen konnte.

Aus Dankbarkeit und aus dem Gefühl, der jungen Frau eine ähnliche Schmach – als solche empfand er seine mangelnde Ausbildung – ersparen zu müssen, drängte er Ilona, ihre früh abgebrochene Schulbildung fortzusetzen. Er sorgte dafür, daß sie von der Arbeiter-und-Bauern-Fakultät, einer kurz zuvor gegründeten Ausbildungseinrichtung für diejenigen, die auf Grund ihrer sozialen Herkunft bisher keine ihrer Begabung gemäße Bildung hatten erhalten können, aufgenommen wurde, um ihre Hochschulreife zu erlangen.

Auf dieser Schule lernte Ilona Jürgen S., ihren späteren Mann kennen, einen vierundzwanzigjährigen, beinamputierten Kriegsteilnehmer. Mit ihm zusammen studierte sie in Berlin fünf Jahre Jura, beide wurden danach Assistenten an der Humboldt-Universität und verfaßten ihre Dissertationen. Ihr Mann blieb an der Universität und zählte dort zu den jüngsten Professoren. Ilona wurde Staatsanwältin und wechselte acht Jahre später in ein Ministerium über. Mit dreißig bekam sie ihr erstes Kind, im Abstand von zwei Jahren folgten zwei weitere. Mit fünfundvierzig wurde sie in ihrem Ministerium stellvertretende Staatssekretärin. Beide, Ilona und ihr Mann, waren gesellschaftlich sehr aktiv und wurden mehrmals ausgezeichnet.

Unterdessen war die Frankfurter Allee in Berlin, die früher Große Frankfurter hieß und nach dem Krieg ein Trümmerfeld war, am Geburtstag und zu Ehren des sowjetischen Staatsmannes in Stalinallee umbenannt worden und der erste Grundstein für die neu zu errichtenden Gebäude gelegt. In der Allee war ein Denkmal Stalins aufgestellt und eine Sporthalle anläßlich der 3. Weltjugendfestspiele eingeweiht worden. Glückliche Mieter waren in die fertiggestellten Wohnungen der Allee eingezogen, und erstmals in Europa wurde die Skelettbauweise mit Stahlbeton beim Wohnungsbau in der Stalinallee angewandt. Die Bauarbeiter der Allee streikten in einem Frühjahr und lösten damit einen landesweiten Aufstand aus, der mit der Hilfe sowjetischer Panzer beendet wurde. Das Denkmal Stalins wurde in einer Nacht umgestürzt, an einen unbekannten Ort abtransportiert und später dem Stifter der Bronze, der Sowjetunion, zurückgegeben. Die zweite Bauetappe der Allee, die nun über den Strausberger Platz hinaus zum Alexanderplatz führte, begann. Die Stalinallee wurde in Karl-Marx-Allee umbenannt, und der Staatsmann Walter Ulbricht besichtigte das neu entstandene Hotel in der Allee, lobte den Bau und kritisierte, daß die Bauleute für ein Treppengeländer Holz verwandt hatten statt Plastik; farbige Plaste, sagte er, sei dafür großartig geeignet, man möge künftig daran denken. Die Fachleute, die Architekten und Bauleute, dankten Walter Ulbricht und versprachen, seinen Vorschlag bei ihren nächsten Bauten zu beherzigen. Und die Sporthalle wurde wegen Einsturzgefahr von der Baupolizei gesperrt, da für ihre Konstruktion ein ausgebranntes Stahlskelett aus dem im Krieg zerstörten Zentralviehhof übernommen worden war, das nun nachzugeben drohte. Man begann die Häuser in der Großblockbauweise zu errichten, und die Sporthalle wurde abgerissen. So entstanden die Allee und die Stadt neu aus Trümmern, und das Leben ging seinen Gang in dieser schönen und grimmigen Welt, und die Zeitungen des Landes berichteten von der schönen Welt und schwiegen über die grimmige.

Im Januar 1983 wurde Ilona vom Direktor der Oberschule ihres Wohngebietes gebeten, an einem Sonntag im April die festliche Ansprache zur Jugendweihe der vierzehnjährigen Jungen und Mädchen zu halten. Ilona S. stimmte sofort zu. Zweimal besuchte sie die Vorbereitungsstunden der Jugendlichen, um sie kennenzulernen.

Die Jugendweihe fand in einem nah gelegenen Kinosaal statt. Vor den festlich gekleideten und dadurch eher noch unreifer wirkenden Jugendlichen stand Ilona auf der mit Fahnen geschmückten schmalen Bühne des Kinos und sprach über den Tag der Befreiung vom Hitlerfaschismus und über die schweren Anfangsjahre der Republik. Sie berichtete, wie sie als Halbwüchsige die Niederlage der deutschen Wehrmacht erlebt hatte, vom Einmarsch der Sowjetsoldaten in ihrem Dorf und von der Erleichterung der Bauern, daß die Jahre der Nazibarbarei endlich vorbei waren. Sie schilderte den Jugendlichen, wie der Bauernführer des Ortes sich zu verstecken und später als Gegner und Opfer der Nazis darzustellen versucht hatte, und sprach über die zurückliegenden Schwierigkeiten, ein neues Leben auf den Trümmern einer untergegangenen Welt zu organisieren. Und immer wieder erzählte sie von zusätzlichen Brotverteilungen durch die Kommandantur, von der schnell einsetzenden Freundschaft zwischen den Dorfkindern und den fremden Soldaten und von der wie selbstverständlichen Erntehilfe durch die sowjetischen Truppen. Sie erzählte, daß sie selbst als junges Mädchen von den Soldaten häufig etwas Eßbares zugesteckt bekommen habe und daß ihre Großmutter, als diese bei der Stallarbeit von einer Kuh unglücklich getreten wurde, vom Kommandanten persönlich ins Prenzlauer Krankenhaus gefahren worden sei. Ihren Bericht beendete sie mit der Mahnung, stets die Freundschaft mit anderen Völkern zu pflegen, besonders mit jenen, die Deutschland vom Faschismus befreit hatten, damit diese finsteren Jahre der deutschen Geschichte endgültig und unwiederbringlich vorbei seien. Mit diesem Wissen um die Vergangenheit, so schloß sie ihre Ansprache, seien die jungen Menschen verpflichtet, für eine demokratische Zukunft zu arbeiten und ihre ganze Kraft für die sozialistische Republik einzusetzen.

Die angesprochenen Jugendlichen hörten ihrer Rede unaufmerksam zu. Sie waren mit ihrer neuen Garderobe beschäftigt und unterhielten sich leise über die Geschenke, die sie an diesem Tag bereits erhalten oder noch zu erwarten hatten.

Nach der Feier waren Ilona und ihr Mann Gäste des Schuldirektors, der in der benachbarten Gaststätte einen Tisch hatte reservieren lassen und sich dort überschwenglich für die Festrede bedankte, die er als besonders gelungen und beeindruckend rühmte.

Am Nachmittag, als das Ehepaar wieder in seine Wohnung im obersten Stockwerk der Rathauspassagen zurückgekehrt war und bei einem Kaffee zusammensaß, um sich einen alten Spielfilm im Fernsehen anzuschauen, sagte Ilona zu ihrem Mann: Du hast mir noch gar nichts gesagt. Wie hat dir denn meine Rede gefallen?

Der Mann schwieg lange, so lange, daß Ilona ihn verwundert ansah und ihn schließlich aufforderte zu antworten.

Ihr Mann sagte sehr leise: Das war doch nicht nötig, Ilona.

Ich verstehe nicht, was du meinst, erwiderte seine Frau ungewöhnlich scharf, es war alles die Wahrheit, was ich erzählte.

Ich weiß, sagte er und nickte beruhigend, aber deine Großmutter, sie ist doch von den Russen nicht nur ins Krankenhaus gefahren worden. Du hast mir jedenfalls noch etwas anderes erzählt.

Ja, und? fragte Ilona fassungslos, willst du, daß ich den Kindern davon erzähle? An einem solchen Tag? Bei einer solch feierlichen Gelegenheit, willst du das wirklich?

Nein, sagte ihr Mann, aber dann hättest du das andere auch nicht erzählen müssen.

Ilona stand auf, sie zitterte am ganzen Körper.

Du bist ja, sagte sie und suchte nach Worten, du bist ja ein...

Ohne den Satz vollenden zu können, verließ sie das Zimmer. Er hörte sie im Nebenzimmer laut weinen. Kurz danach vernahm er das Zersplittern eines Glases. Er stand auf, um zu ihr zu gehen, aber bevor er die Tür erreichte, wurde diese geöffnet. Ilona stand mit tränenüberströmtem Gesicht im Türrahmen, sah ihren Mann an und sagte: Du bist ein Faschist.

Aber Ilona, sagte er nur.

Sie schlug die Tür zu. Er wartete einen Moment, dann folgte er ihr ins Schlafzimmer. Sie lag auf dem Bett, von einem heftigen Weinkrampf geschüttelt. Er streichelte ihr Haar. Als sie seine Berührung spürte, drehte sie sich zu ihm und schrie mit verzerrtem Gesicht: Faß mich nicht an, du Faschist.

Eine Stunde später weinte sie noch immer. Ihr Mann brachte ihr eine Beruhigungstablette und ein Glas Wasser, und sie ließ sich wie eine Schwerkranke die Tablette geben und das Wasser einflößen. Er setzte sich ans Bett und wischte behutsam ihre Stirn ab. Leise weinend ließ sie es sich gefallen. Langsam beruhigte sie sich und schlief ein, während ihr Mann neben ihr saß. Und nur gelegentlich noch wurde ihr Körper von einer nervösen Zuckung geschüttelt, so als würde sie noch im Schlaf schluchzen

[1994]

Marcel Beyer

Jihad Klänge der Heimat

Jihad Klänge der Heimat spielen sie
unten im Hof, im Dunkeln, wie jeden
Abend, der Nachthimmel hält dich wach.

Sie spielen Kairocassetten, die hat
der Cousin mitgebracht, du bist bei den
Schatten, beim Gestern, beim Schweigen

von letzter Nacht, du denkst an bestimmte
Kekse, an Sofas, du weißt nicht warum,
denkst an ungemachte Betten, und siehst,

wie sich Wolken verlagern, du denkst
an Blaufilm-Attrappen, du bist bei den
schattigen Bildern, bei Seifenflocken und

Schnee, während unten die Klänge
verwildern, da der Cousin mit rauher
Stimme im Hof, vor der Garage, den

nächsten Durchgang mitsingt, was bis
in die vierte Etage, bis in die Schlafstatt
dringt. Dem Jüngsten steckt es im Rachen,

er beherrscht solche Laute nicht mehr. Was
sollen die Eltern machen, das Flüstern fällt
ihnen schwer. Ich weiß nichts von ihren

Gesprächen, nur von diesem kehligen
Klang. Der Jüngste hat keine Schwestern,
ihm wird die Nacht zu lang. Das Rauhe, das

Kehlige: Gestern war stundenlang Blickangst
und ein taubes Gefühl im Arm. Seitdem ist
die Taubheit geblieben, oder der Halbschlaf

bricht an. Sie spielen bis gegen sieben, zwischen
den Häusern dämmert es schon, das Kind wird
bald weinend erwachen, es kennt keinen anderen

Ton. Sie spielen bis gegen sieben, dann hörst
du nichts mehr vom Hof. Auf der Straße die
ersten Wagen, du fällst in leichten Schlaf.

[1996]

Katja Lange-Müller

Am langen Strick

Als ich vor zirka drei Wochen in der "Feuchten Welle" saß, einer nicht nur jedem Taxifahrer bekannten, vollständig schließzeitlosen Spelunke der weiß Gott erlebenswerten Fünf-Knäste-Insel Berlin-Moabit, da gesellte sich, so gegen halb drei, viertel vier ein für die Uhrzeit nicht unfrisch ausschauender jüngerer Mann von drahtiger Gestalt zu mir und schob alsbald – haarscharf an dem fest mit der Tischplatte verleimten Töpfchen zerzauster Kunstprimeln vorbei – seinen ersten doppelten Korn gegen mein viertes Weinglas, daß es klirrte.

"Prost", sagte er, "ich brauche das jetzt, das Anstoßen mit einer Dame, weil wir gestern gefeiert haben und ich heute frei. Kannst du vielleicht hergucken und zuhören? Dann erzähle ich dir nämlich eine astreine, furchtbare Novembergeschichte. Also paß auf.

Da waren mal vier Kollegen, Gerüstbauer, feine Menschen irgendwie. Jahrelang haben die zusammen gearbeitet bei einer kleinen, für die Branche direkt seriösen Firma, wenn sie nicht gerade ihr Schlechtwettergeld unter die Gastwirte bringen mußten; auch das meist gemeinsam, versteht sich. Drei dieser Gerüstbauer waren die in dem Beruf typischen, leichtfertigen Angeber, eben echte Luftnummern, wie man auf dem Bau sagt.

Nur der vierte, kaum älter als die andern, der war ein feinfühliger, stiller, seltsam vorsichtiger Mann, aber am Gerüst so äffchenartig behende und elegant, daß ihn alle nur den 'Seiltänzer' nannten. Nun hatte der Spitzname wohl schon was Doppelbödiges, denn gerade dieser Artist von einem Gerüstbauer war der einzige weit und breit, der niemals ohne die vorgeschriebene, jedoch allgemein als absolut albern geltende Sicherheitsleine an den Fassaden rumturnte. Wieviel Hohn und Häme mußte er deswegen ertragen; jeden Tag, all die Zeit.

Bis eines Mittwochs im Herbst, gegen Feierabend, ein paar dezente Typen zu den Gerüstbauern raufschauten, die nicht die üblichen Schwarzarbeiterjäger waren, sondern sich – kleine Pappkarten emporstreckend – als genau die Arbeitsschutzkontrolleure auswiesen, die man immer erwartet und mit denen dennoch keiner rechnet.

Da blickten sie dumm aus der wattierten Wäsche, mit ihren sechs blauen Heldenaugen, die leinenlose Seilschaft. Drei Claras pro Nase, scharfer Anpfiff wegen Nichtbeachtung und ran an die Strippen. – Besser Stolz gebrochen als die Knochen; dürfte sie kaum getröstet haben, diese alte Gerüstbauregel. – Und nun stell dir mal den braven, spotterprobten Seiltänzer vor; jene frühe Abendstunde, das war seine ganz allein! Grinsend kam er hinabgeklettert, den Strick um den Bauch, beide Hände frei. Die Arbeitsschützer klopften ihm auf die Schulter, lobten seine demütige Einsicht ins unabweislich Vernünftige.

Doch dann, zunächst von allen unbemerkt, begann einer der Kontrolleure, vielleicht weil er sich langweilte, mit seinem Zollstock des Seiltänzers Leine nachzumessen, Meter um Meter, bis zum Gurthaken. Und weißt du, was dabei herauskam?! Diese feine Sicherheitsleine war genau fünf und einen halben Meter länger als das höchste Gerüst, auf dem der zweifache Familienvater jemals gestanden hatte. Wie bleich wurde nun der Seiltänzer, was haben seine drei abkassierten Kollegen gelacht – und konnten sich nicht beruhigen, auch nicht beim zwölften doppelten Doppelkorn auf Kosten des Seiltänzers, hier, in der , Feuchten Welle', morgens um fünf."

Welcher von den vier Gerüstbauern bist denn du, fragte ich.

"Gib einen aus und finde es raus", antwortete da, mir tief in die Augen sehend, der noch immer nicht unfrisch wirkende junge Mann von drahtiger Gestalt.

Aber ich hatte kein Geld mehr und auch keinen Durst.

[1996]

Hans-Ulrich Treichel

Am Großen Wannsee

Während wir von der Königstraße in die leicht abschüssige Straße Am Großen Wannsee einbogen, sagte der Schriftsteller, daß er, der als Kind aus Deutschland geflüchtet war und nun in Paris lebte, Ausstellungen dieser Art normalerweise nicht besuche. Aber auf der Wannseekonferenz sei schließlich auch über das Schicksal seiner Eltern und damit in gewisser Weise auch über sein eigenes Schicksal entschieden worden. Noch bevor wir die Villa der Wannseekonferenz erreicht hatten und an Yachtclubs, Privatkliniken und Gründerzeitvillen vorbeigingen, überholten uns zahlreiche Jugendliche, die, so vermuteten wir, ebenfalls auf dem Weg zur Ausstellung waren. Das schlimmste, sagte der Schriftsteller, seien Ausstellungen voller Schulklassen und Jugendgruppen. Allein wegen der Schulklassen und Jugendgruppen sei er schon seit Jahren nicht mehr im Louvre gewesen, ja, er meide die gesamte Pariser Innenstadt, und dies vor allem wegen der Schulklassen und Jugendgruppen. Er habe, sagte der Schriftsteller, eine geradezu instinktive Abneigung gegen Schulklassen und Jugendgruppen, obwohl er mehr als drei Jahrzehnte an einem Pariser Lyzeum Deutsch unterrichtet habe. Allerdings habe er niemals an einem Schulausflug teilgenommen, es sei ihm immer gelungen, von der Teilnahme an Schulausflügen befreit zu werden, was natürlich auch dem Umstand zu verdanken war, daß er als Deutschlehrer keine regulären Klassen gehabt habe, sondern nur einzelne Schüler. Denn Deutsch sei an französischen Oberschulen noch immer ein Minderheitenfach, die meisten Schüler lernten lieber Chinesisch oder sonstwas. Und deshalb habe er es immer nur mit einzelnen Schülern zu tun gehabt und niemals mit ganzen Klassen.Wobei eine Schulklasse, die auf Stühlen sitzt und sich mit Büchern beschäftigt, etwas völlig anderes sei als eine Schulklasse, die durch Straßen und Museen lärme. Eine außerhalb eines Raumes sich befindende Schulklasse sei immer etwas Barbarisches, wogegen eine lernende und arbeitende Schulklasse eine Vorstufe der Zivilisation sei, sagte der Schriftsteller. Nachdem wir unsere Mäntel im Untergeschoß in eigens dafür eingerichteten und mit einem Münzmechanismus versehenen Schränken eingeschlossen hatten, suchten wir die Ausstellungsräume auf, in denen sich nur sehr wenige Informationen zur Wannseekonferenz selbst, doch zahlreiche zu deren Auswirkungen fanden. Großformatige Fotos von Verhafteten und zur Deportation Zusammengetriebenen fanden sich dort, Fotos von Männern und Frauen kurz vor der Exekution, darunter eines mit Porträts von drei alten Männern, die direkt in die Augen des Betrachters blickten, und ein ebenso großformatiges Foto von einer halbentkleideten jungen Frau, der die Kleider auf offener Straße heruntergerissen wurden und die schamvoll ihre Blößen zu bedecken suchte. Als ich das Foto mit der jungen Frau betrachtete und mir dabei auffiel, daß die Frau schöne Brüste hatte, sagte der Schriftsteller, als habe er meine Gedanken gelesen, daß man angesichts eines solchen Fotos zu der Wahrnehmung gezwungen werde, daß die mißhandelte Frau schöne Brüste habe. Schlimmer noch fände er allerdings, daß man bei der Betrachtung der drei alten Männer, die, so die Schrifttafel unter dem Bild, auf dem Weg zu ihrer Erschießung seien, die ganz schamlose Genugtuung darüber verspüre, daß man selbst noch am Leben sei und das Glück habe, hier am schönen Wannsee in einer gepflegten Villa den Todgeweihten in die Augen schauen zu dürfen. Denn die mißhandelte, halbentblößte Frau sei ebenso wie die kurz vor ihrer Erschießung stehenden Männer auf diesen großformatigen und fotografisch gewiß beeindruckenden Fotos noch immer gegenwärtig. Sie seien, so empfinde zumindest er es, gar nicht tot und schon gar nicht Menschen einer vergangenen Zeit, sondern ganz und gar gegenwärtig. Und die Fotografien seien es, die diese Menschen gegenwärtig hielten. Die mißhandelte junge Frau bedecke in diesem Augenblick ihre Brüste, sagte der Schriftsteller, und in diesem Augenblick würden sie und ihre unbedeckten Brüste von uns, den Beobachtern der Szene, angestarrt werden. Die junge Frau, sagt er, bedecke ihre Brüste vor unseren Blicken, ebenso wie sie sie einst vor den Blicken ihrer Mißhandler und denen der Passanten bedeckt habe. Sie sei gewissermaßen dazu gezwungen, sich fortan und bis in alle Ewigkeit oder doch zumindest so lange, wie diese Fotos hier hingen, ihre Brüste zu bedecken und sich anstarren zu lassen von Leuten wie uns. Er empfinde diese Fotos wie eine andauernde Mißhandlung, sagte der Schriftsteller wie eine beständige Demütigung. Noch immer müsse die Frau öffentlich entblößt sein, und noch immer müßten sich die drei alten Männer in ihrer Todesangst angaffen lassen. In diesem Augenblick erschien eine Gruppe von Schülern in unserem Raum. Sie hatten Papier und Schreibzeug dabei und verteilten sich vor den verschiedenen Schautafeln. Dann begannen sie teils allein und teils in kleinen Gruppen damit, sich Aufzeichnungen von den Exponaten zu machen. Die fleißigsten von ihnen setzten sich auf den Parkettboden, legten ihre Taschen und bunten Rucksäcke neben sich und füllten verschiedene formularähnliche Blätter aus. Auf meine Frage an eines der Kinder, was sie denn hier machten, sagte ein ungefähr zwölfjähriges Mädchen, daß sie ihre Arbeitsbögen ausfüllen müßten. Immer wenn sie eine Ausstellung besuchten oder einen Ausflug machten, dann müßten sie Arbeitsbögen ausfüllen. Selbst im Zoo, sagte das Mädchen, hätten sie Arbeitsbögen ausfüllen müssen. Der Zoo sei aber so groß, daß sie sich bestimmte Tiere hätten aussuchen dürfen, und dann hätten sie über diese Tiere ihre Eintragungen machen müssen. Herkunft der Tiere, Aussehen, Verhalten, die Anzahl und so weiter. Sie habe sich für die Raubtiere entschieden und dann eben alles über Löwen, Tiger und so weiter aufgeschrieben, aber obwohl sie nur Aufzeichnungen über die Raubtiere zu machen brauchte, sei sie damit längst nicht fertig geworden, so viele Raubtiere gebe es im Zoo. Diese Ausstellung, sagte das Mädchen, sei natürlich viel übersichtlicher. Aber auch ziemlich langweilig, wie alle Geschichtsausstellungen. Am liebsten, sagte das Mädchen, gehe sie in den Zoo, am zweitliebsten in Naturausstellungen und am drittliebsten in Bilderausstellungen. In Geschichtsausstellungen gehe sie am liebsten gar nicht. Ganz im Unterschied zu ihrem Lehrer, der andauernd mit ihnen in Geschichtsausstellungen gehen würde. Als ich das Mädchen fragte, wo denn ihr Lehrer sei, sagte sie, daß der Lehrer draußen sei, denn die Schüler sollten ihre Arbeitsbögen nicht in Gegenwart des Lehrers ausfüllen. Die Gegenwart des Lehrers hemme die Schüler nur, sagte das Mädchen, und darum würde der Lehrer, während die Arbeitsbögen ausgefüllt werden, draußen im Garten bleiben. Auf meine Frage, was sie denn auf ihren Bogen schreibe, sagte sie, daß sie sich ebenso wie ihre Mitschüler vor allem Zahlen aufschreibe. Jahreszahlen und Menschenzahlen. Und Länder. Das sei das wichtigste. Außerdem könne man noch eigene Erlebnisse aufschreiben, sagte das Mädchen. Dann zeigte sie mir eines ihrer Formblätter, auf dem neben den Rubriken für Daten, Namen und Jahreszahlen auch eine spezielle Rubrik mit der Überschrift "Eigene Erlebnisse" eingetragen war. Der Schriftsteller, der sich das Gespräch bisher schweigend angehört hatte, fragte das Mädchen, ob es denn schon ein eigenes Erlebnis gehabt habe. Bis jetzt noch nicht, sagte das Mädchen. Aber die eigenen Erlebnisse würden auch nicht bewertet werden. Die eigenen Erlebnisse seien freiwillige Eintragungen, wogegen die Zahlen und Länder nicht freiwillige Eintragungen seinen. Für die eigenen Erlebnisse bekomme man keine Noten, denn die Lehrer meinten, daß man eigene Erlebnisse nicht bewerten dürfe. Man würde, sagte das Mädchen, den Schülern den Spaß an eigenen Erlebnissen nehmen, wenn man Ihnen Noten dafür gäbe. Außerdem wäre es ungerecht, denn wenn einer keine eigenen Erlebnisse gehabt habe, dann hat er bloß Pech gehabt. Die Eintragungen dagegen würden benotet werden, denn das sei eine Frage des Fleißes, und je mehr Eintragungen einer habe, um so fleißiger sei er eben gewesen. Dann beugte sie sich wieder über ihren Bogen, ich wünschte dem Mädchen viel Erfolg, der Schriftsteller wünschte dem Mädchen nichts, und wir betraten einen Raum, in dem eine Gruppe von ebenfalls mit Arbeitsbögen bewaffneten Schülern sich um einen nicht mehr ganz jungen Mann versammelt hatte, der entweder ihr Lehrer oder ein Mitarbeiter des Museums war. Der nicht mehr ganz junge Mann war gerade dabei, den Schülern den Begriff "Sonderbehandlung" zu erklären, der auch auf einer Schrifttafel zu lesen war. Sonderbehandlung, sagte er, sei ein Euphemismus. Und Euphemismus, sagte der Mann, wobei er auf seine Unterlagen blickte, komme aus dem Griechischen beziehungsweise Neulateinischen und bedeute die mildernde oder beschönigende Umschreibung für ein anstößiges oder unangenehmes Wort beziehungsweise für eine anstößige und unangenehme Sache. Dann machte er eine Pause und wartete darauf, daß sich die Schüler Eintragungen in ihre Arbeitsbögen machten. Während die Schüler ganz offensichtlich keine Probleme mit dem Wort Sonderbehandlung hatten, welches ja auch auf einer der Schrifttafeln zu lesen war, hatten die meisten von ihnen erhebliche Probleme mit dem Wort Euphemismus, so daß der Mann ihnen das Wort buchstabieren mußte. Und noch während er das Wort buchstabierte, sagte der Schriftsteller, daß er es nicht mehr aushalte und hinausgehen müsse. Dann lief er, bleich und schwer atmend und noch ehe ich irgend etwas sagen konnte, dem Ausgang zu. Ich eilte ihm nach, holte aber vorher noch die Mäntel aus dem Kellergeschoß. Im Garten der Villa, der bis an das Seeufer reicht und in dem der Rhododendron blühte, hatten sich inzwischen alle die Schüler niedergelassen, deren Ausstellungsbesuch bereits beendet war. Einige packten die Rucksäcke aus und verzehrten ihr Mitgebrachtes, andere tummelten sich auf dem Rasen und hatten wohl schon wieder vergessen, was ihnen gerade gezeigt worden war, und wieder andere, die Fleißigen und Interessierten, verglichen ihre Arbeitsbögen miteinander und tauschten Daten, Zahlen und Eintragungen aus. Zwei, die sich direkt neben uns auf einer Steinbank niedergelassen hatten, gerieten dabei in Streit und hielten sich gegenseitig ihre Aufzeichnungen vor. "In Lubin", sagte der eine mit abfälligem Blick auf den Arbeitsbogen des anderen, "in Lubin sind es fünftausend, nicht fünfzigtausend." Woraufhin der andere ein mürrisches "Na gut" von sich gab, einen Radiergummi herausholte und seine Aufzeichnungen korrigierte. Der Schriftsteller, der noch immer schwer atmend den beiden Schülern zugehört hatte, erhob sich plötzlich und begann, die beiden Jungen mit wüsten Worten zu beschimpfen. Er tat dies allerdings auf Französisch, so daß die beiden Schüler ihn zuerst verständnislos und dann sogar ein wenig amüsiert anblickten. Daraufhin wandten sie sich wieder ihren Arbeitsbögen zu. Der wütende Mann verstummte resigniert und verließ ohne ein weiteres Wort das Gelände der Villa. Zurück auf der Straße Am Großen Wannsee begegneten uns weitere Gruppen von Schülern, die, mit Leinenbeuteln und Rucksäcken behängt, der Wannseevilla zustrebten. Wir gingen einige Zeit die leicht ansteigende Straße hinauf und schwiegen. Erst als wir die Hauptstraße erreicht hatten, die mich zum S-Bahnhof und den Schriftsteller zurück in seine Unterkunft führte, sagte der noch immer sichtlich verstörte Mann, daß jedes Foto ein Frevel und jeder rucksackbehängte Schüler eine Beleidigung sei. Wenn es nach ihm ginge, dann müßte man erstens die Fotos aus der Ausstellung entfernen und zweitens die Schüler von der Villa fernhalten. Wenn es nach ihm ginge, dann dürfte nur das Geschriebene bleiben. Nur das Geschriebene, sagte der Schriftsteller, und vielleicht nicht einmal das.

[1996]

Thomas Kling

ruma. etruskisches alphabet

malariasümpfe, dampfnd vor bildern.
von anfällen, ausfälln hergenommen.
BILDERSÜMPFE aus denen namen
steign, geblubber, den figuren bei-
geschriebenes, wie:

fleischkeil, nebelbank über den
colli emiliani; hastunichtgesehn wird
rom di zunge abgenommen; rom wird
gestreckt, geteilt (liniert) und aufgekocht.
dies abgekochte rom; dem geben wir, zart,
seine zunge zurück. di wächst rom zwischn
den zähnen heraus: ein römisches züngel-
chn; romgezüngel! I MODI DI DIRE
ROMANESCHI UND DIE LECKT
länder weg; berginnen; sabinerberginnen,
etrurische geschmacksknospn; dazu das
getreide, di pferde etruriens, alles
gekauft.

Thomas Kling

mithraeum

es ist der SOUND; entfernte hintergrund-
musik, dünnfließnd rausch; berieselung
zunächst, die sich mit knirschn (schrittn)
mischt. das fahle grün, der schwamm; zu-
unterst rausch SCHEINTOTER TRAKTE.
das frösteln, tintige mässiger helle, das
ausgependelt von der decke fällt. ein was-
sermürber putz, zerbröckelt BILDER-
LÖSCHUNG / RAUSCH. die träger. ho-
rizontalen säulenstümpfe. der vollgesogne
stahlbeton. weniger fern, von raum zu
raum, ist SOUND IST RAUSCH. der an-
schwillt, braust. und weiter flechtnkupfer,
grünstich klammer wände. wächst an und
draufsicht: verlautbarung von *echter quelle*!,
die, RHYTHMUS, hellgläserner schenkel
HALL hin zur kloake sich verschwendet.

[1996]

Zoë Jenny

Ahorn. Ein Monolog

Unten am Fuße des Hügels sehe ich den Wald, dahinter die Häuser des Dorfes und den Kirchturm mit der roten Spitze obenauf. Es ist die erste Nacht, Ahorn, die ich in deinem Stamm verbringe. In einzelnen Häusern brennt noch Licht. Die Fenster im Wohnzimmer und in der Küche sind erleuchtet. Nur mein Zimmer ist dunkel. Vielleicht sitzen Mutter und Vater jetzt am Küchentisch und blicken hinaus. Sie sehen den Wald, den Hügel und dich, Ahorn. Jetzt in der Dunkelheit, sehen sie die Silhouette deines breiten knorrigen Stamms und deinen einzigen ausgestreckten Arm. Ein verkohlter Ast. Sie sitzen hinter dem Fenster und warten, daß ich zurückkehre. Aber ich kehre nicht zurück. Und sie werden mich nicht finden. Niemand wird ahnen, daß ich durch die Öffnung in den hohlen Stamm gekrochen bin, den ein Blitz in dich gebrannt hat. Niemand wird ahnen, daß ich im Ahorn bin. Als ich noch dort unten war, Ahorn, und in dem Zimmer lag, das von hier aus nur ein dunkles Fensterrechteck ist, drückten mich Träume in die Ecke meines Bettes. Ich träumte, eine breite Hand tauche aus den Wolken herab und trage mich am Nacken davon. Sie warf mich in einen Brunnen und sah mich selbst fallen. Kleiner und kleiner werden, bis mein Körper, ein winziger Punkt, ganz verschwand und ich nur noch meine Stimme hörte. Ich wachte auf von meinem eigenen Schrei. Aber der Traum war mitgekommen, und als ich aufrecht im Bett saß, krochen über den Bettrand Hunderte von Händen auf mich zu. Ich schrie, bis mir schwindlig wurde. Jemand knipste das Licht an. Es war Mutter, die ein frisches Laken brachte, weil das alte naß war vom Schweiß, den der Traum aus meinem Körper gepreßt hatte. Meine Eltern haben mich zum Arzt gebracht. Jeden Abend mußte ich eine dicke Pille schlucken, Ahorn. Am Morgen, wenn ich aufwachte, war ich ein Stein, mit aufgeblähten Händen und Füßen. Ich wollte nicht mehr aufstehen. Nie mehr wollte ich aufstehen. Meine Eltern fürchteten, ich würde krank werden, und ließen mich im Bett. Wenn ich aufrecht im Bett saß, das Kissen im Rücken aufgebaut, sah ich den Wald und darüber die kahle Hügelkuppe, auf der du stehst, Ahorn. Genau in der Mitte des Hügels. Links und rechts von dir ist grünes Land. Mit dem Feldstecher konnte ich Wanderer sehen, die in deinem Schatten rasteten. Kinder kletterten auf den Stamm und hingen wie Vögel in deinen Ästen. Auch in der Nacht habe ich dich gesehen, Ahorn, wenn der Mond über den Hügel kam. Ich habe aufgehört, die Schlafpille zu nehmen. Ich habe sie nach dem Abendessen zwischen Bettrand und Matratze gesteckt. Vor Angst, wieder zu träumen, konnte ich nicht mehr einschlafen. Eines Abends, Ahorn, ich beobachtete seit Mittag, wie das Licht sich verdüsterte, zogen gezackte Wolken eilig über den Himmel dahin. Es donnerte. Der Wald war schon ganz schwarz geworden, als der Regen über dir zusammenbrach. Ich saß frierend im Bett, als sei ich selbst bedroht und sah, wie der Blitz in dich einkrachte. Einen Moment lang glühtest du auf, dein Stamm begann zu brennen. Die Flammen, die sich um dich geschlungen hatten, züngelten sich den Ästen entlang, und die Blätter rollten sich auf zu schrumpligen kleinen Ballen, ein feiner vom Sturm fortgetragener Ascheregen. Langsam löschten die niederprasselnden Tropfen das Feuer, und der Sturm ließ dich zurück. Ein verkohlter, verkrüppelter Ahorn. Am nächsten Tag zeigte man mit den Fingern auf dich. Der Baum ist tot, sagten die Leute im Dorf. Aber du bist nicht tot, Ahorn, nur sehr alt geworden. Zusammen sind wir hundertundneun Jahre alt. Der Sturm hat deine Blätter fortgetragen, ein Blitz deinen Stamm aufgebrochen und ausgebrannt. Und weil weit und breit neben dir kein anderer Baum steht, Ahorn, weil dich jeder sieht, der im Dorf den Kopf zum Horizont erhebt, ist man auf die Idee gekommen, dich zu fällen. Für immer. Im Dorf brennt jetzt kein Licht mehr. Das Tal ist eine schwarze Grube. Dort schlafen meine Eltern. Vielleicht haben sie die Polizei losgeschickt, nach mir zu suchen. Niemand wird mich finden. Bald wirst du gefällt, Ahorn. Ich werde noch schlafen, wenn die Männer im Morgengrauen mit der Motorsäge den Berg hochkommen. Wenn ich in deine Krone hochblikke, ist es dunkel. Nur Ameisen kann ich sehen, wie sie winzige Aschestückchen auf dem Rücken über den Rand der Öffnung tragen. Sie bauen einen Hügel mit deiner Asche, Ahorn.

Ich sitze auf einer deiner breiten Wurzeln. Es riecht nach nassem Moos, und dein Stamm ist kalt. Ich muß an ein Kind denken, im Bauch der Mutter. Es liegt zusammengekauert und mit geschlossenen Augen in einer durchsichtigen Blase, als ob es schliefe. Oder tot sei. Wenn ich jetzt dort unten wäre, Ahorn, wie immer aufrecht im Bett säße und hinausschaute, könnte ich dich nicht sehen. Denn der Mond steckt hinter dicken trüben Wolken. Und du bist, wie der Hügel und der Wald und alles, was diese Gegend ist, ganz von der Nacht verschluckt. Ich würde mich nicht hinlegen, Ahorn, um mich auszuruhen, ich würde warten bis das dünne Morgenlicht dich langsam aus der Dunkelheit herausschälte. Aber heute werden wir nicht zusehen, wie der Tag ins Dorf einbricht. Wir werden den Lärm nicht mehr hören, Ahorn, und die Erschütterung nicht bemerken, wenn sich die Zähne der Säge in dein Holz schlagen.

[1997]

Robert Gernhardt

INVENTUR 96 ODER ICH ZEIG EICH MEIN REICH

Dies ist mein Schreibtisch,
dies ist mein Drehstuhl,
hier mein Computer,
darunter der Drucker.

Telefonanlage:
Mein Hörer, mein Sprecher.
After the beep
you can leave a message.

Sie können die Nachricht
natürlich auch faxen.
Ich ruf Sie so bald wie
möglich zurück.

Im Hängeschrank sind
die Korrespondenzen
und einiges, was ich
niemand verrate,

sonst kostet dies Wissen
noch mal meinen Kopf.
Der Kelim hier liegt
zwischen mir und den Dielen.

Das Kopiergerät dort
ist mir am liebsten.
Tags kopiert es die Texte,
die nachts ich getippt.

Dies ist mein Notizbuch,
dies sind meine Tagebücher,
dies ist meine Bibliothek,
dies ist mein Reich.

[1997]

Robert Gernhardt

NACHMITTAG EINES DICHTERS

Horch! Es klopft an deine Tür:
"Mach auf und laß mich rein!"
"Wer da?" "Die Einfallslosigkeit!"
"Das fällt mir gar nicht ein."

Schon steht sie neben deinem Tisch:
"Was wird das? Ein Gedicht?"
"Ein Lob der Kreativität."
"Das, Freundchen, wird es nicht."

Da fährst du auf und sagst bestimmt:
"Das wird es wohl, Madame!"
"Dann leg mal los!" "Ahemm, ahemm..."
"Und weiter?" "Äh... Ahamm..."

Da küßt sie strahlend deinen Kopf:
"Ciao, ich muß weiter, Kleiner.
Doch hab ich einen Trost für dich:
So schön besang mich keiner!"

[1997]

Maxim Biller

Nur Speer wollte mehr

Wollen wir wetten? Wollen wir wetten, daß ich es schaffe, eine ganze Kolumne zu schreiben, ohne auch nur ein einziges Mal die Worte "deutsch", "Deutsche" und "Deutschland" zu benutzen? Ups! Schon verloren! Um was haben wir eigentlich gewettet? Ich weiß: um eine Kolumne, in der im Gegenteil all die vielen schönen D-Worte so oft vorkommen sollen, daß auch noch der größte Biller-Allergiker sie irgendwann nicht mehr zählen kann. In dem Fall kommt natürlich nur ein Thema in Frage: die neue Hauptstadt der Deutschen, die deutscheste aller deutschen Städte, Deutschlands Zukunft, Teutonias Hoffnung und Stolz, Cheruskiens großkotziger Neubeginn!

Scheißwette. Eigentlich mag ich ja unser Berlin. Ich liebe seine schmutzigen, traurigen Straßen im Winter, ich liebe den billigen Heiligenschein aus

Staub, flirrender Hitze und braungelbem Sonnenlicht, der im Sommer über dieser großen zerklüfteten Häusermaschine schwebt und sie dann ab und zu für ein paar kurze Momente vereint, ich liebe die müden und trotzigen Gesichter der weißen, der schwarzen, der gelben Berliner, ich liebe Berlins endlos-glitzernde Kette von Cafés und Bars und Geschäften, ich liebe es, daß hier, wie in jeder anderen Großstadt, Chaos und Vielfalt nur zwei andere Worte für Haß und Liebe sind.

Ja, ich mag unser Berlin. Aber wir, denen es gehört, denen es genauso gehört wie Manhattan, Paris oder Prag, wissen, daß man es uns wegnehmen will. Womit ich wieder – gegen meinen Willen – bei der Einlösung meiner Wettschuld angelangt wäre. Denn es sind natürlich die Berufsdeutschen, die Treudeutschen und die Neudeutschen, die sich inzwischen immer plumper und hysterischer unseres Alle-Menschen-werden-Bürger-Berlins bemächtigen – diese verlogenen Metropolenschwätzer, die ihr sauberes deutsches Geld und ihre schmutzigen deutschen Ideen in diese gerade noch so offene, unfertige Stadt investieren, Alfred Kerr und George Grosz auf den Lippen, Fontane, Hindenburg und Friedrich den Großen aber im Herzen; diese provinziellen Urbanitätsbeschwörer, die Berlin umpflügen lassen, in der Hoffnung, daß es hinterher genauso spießig-gigantisch und furchteinflößend sein wird wie Speers Germania und so sagrotansauber wie Lübkes Bonn; diese chauvinistischen Zentralstaatsfetischisten, die mit fanatisch verzerrten Mündern und leeren schwarzen Sektiereraugen bei Empfängen, Pressekonferenzen und Autorentagungen die Nation in ständig wiederkehrenden Tagesbefehlen dazu aufrufen, sich ihrer neuen Hauptstadt anzunehmen, damit die Hauptstadt sich der Nation annehmen kann.

Und dann? Dann ist Deutschland endlich wieder Deutschland, genauso, wie sie es wollen, aber Berlin keine Großstadt mehr. Denn das hat es noch nie gegeben: eine Großstadt der Deutschen. Was es gab – und auch das nur ein paar wenige Jahre zwischen Kaisers Fall und Hitlers Aufstieg und dann noch irgendwann in der kurzen vergessenen goldenen Epoche vor dem Mauerfall, von der Berlin bis heute zehrt -, das war eine Metropole in Deutschland, die genauso am anderen Ende der Welt hätte liegen können, eine wüste, gefährliche, unübersichtliche, zärtliche Stadt, deren Häuser und Theater, Paläste und Bewohner nicht dazu dienten, die nutzlosen und selbstreferentiellen patriotischen Ideen der Herrschenden mit Leben zu erfüllen, die nicht Symbole eines wiedererwachenden Nationalgedankens waren, sondern immer nur sie selbst, schön und häßlich, dräuend und sanft, provinziell und kosmopolitisch, deutsch und ausländisch.

Das Berlin der Deutschen, von dem Helmut Kohl, *FAZ* und die PDS-Nationalbolschewisten träumen, gibt es zum Teil schon. Es ist das Berlin, in dem Ausländer immer öfter aus S-Bahnen aussteigen, bevor sie es wollen, es ist das Berlin der albernen öffentlichen Bundeswehrgelöbnisse vor dem Charlottenburger Schloß, es ist das Berlin der mit tausend deutschen Selbstmitleid-Lügen vollgepumpten und so bis ins Monströse aufgeblähten Pieta von Käthe Kollwitz in der Alten Wache, und es ist natürlich das Berlin des geplanten Holocaust-Denkmals, das wahrscheinlich deshalb so riesengroß werden soll, weil das Ermorden von sechs Millionen Juden doch schließlich auch keine Kleinigkeit war für das deutsche Volk. "So wie sich Berlin darstellt", hat der Innensenator der neuen Hauptstadt stolz erklärt, "wird unser von Berlin repräsentiertes Land wahrgenommen." Genau.

Noch hat Berlin aber eine Chance. Noch haßt, wie es in meiner absoluten Lieblingsstatistik heißt, mehr als die Hälfte der Deutschen Berlin, weil es zu laut und zu hektisch ist, weil dort zu viele Kriminelle und Ausländer sind. Wenn das so bleibt, dann nützen den Treu- und Neudeutschen all ihre verlogenen Metropolenaufrufe und in Zement gegossenen nationalen Symbole nichts, dann schert sich auch in Zukunft das deutsche Volk um die Hauptstadt der Deutschen einen Dreck. Dann wird Deutschland zwar vielleicht wirklich wieder Deutschland werden, aber Berlin bleibt trotzdem unser Berlin.

Wollen wir noch mal wetten? Wollen wir wetten, daß es genauso werden wird?

[1998]

Matthias Zschokke

Warum ich in Berlin lebe

Ich kenne keine andere Stadt, also lebe ich gern in dieser. Sie blendet nicht mit Schönheit, lenkt nicht ab mit Reizen – eine öde, traurige Allerweltsstadt. Sie hat und gibt kein Profil. Wie vieles, das groß ist, hat sie ein schwaches Selbstwertgefühl. Was hier entsteht, davon hält sie wenig. Man sagt, sie werde genutzt als Durchlauferhitzer für allerlei Karrieren: man könne hier etwas werden, um es woanders zu sein. Wer in Berlin lebt, versteht das Interesse anderer an der Stadt nicht; auch die anderen verstehen ihr Interesse daran nicht – es gehört sich einfach, Interesse an Berlin zu haben, wo man auf Schritt und Tritt nur den Kopf schütteln kann über soviel Ungeschick und Linkischkeit auf allen Gebieten. Kein Mensch kommt hier in Versuchung, stolz oder hochmütig zu werden; man geht nüchtern durch die Tage, gewöhnt, dem Mißlingen, dem Scheitern bei deren täglichem Geschäft zuzuschauen; das hilft einem, an sich selbst nicht zu verzweifeln, der man doch auch nur so einer ist, der sich vergeblich müht. Hält man eines Tages nicht mehr aus, daß es hier ist wie überall, dann zieht man fort.

Warum haben Bräker, Keller, Walser, Frisch und andere eine Zeitlang hier gelebt? Was hat sie hergeführt, warum sind sie geblieben, warum sind sie wieder gegangen? Diese Frage wird hin und wieder in literarischen Kreisen gestellt. Ob Antworten darauf gefunden werden, weiß ich nicht; ich verkehre nicht in literarischen Kreisen.

Warum kommen wir auf die Welt, warum verlassen wir sie wieder? Nicht, daß Berlin die Welt wäre, aber die Frage, warum jemand wo lebt, ist möglicherweise ebenso wenig zu beantworten wie die Frage, warum er überhaupt lebt. Wenn einer beginnt, die Reize des Ortes aufzuzählen, an dem er sein Leben fristet, gerät er bald in ähnlich verzweifelte Nöte, wie wenn er versucht, die Gründe aufzuzählen, warum er überhaupt sein Leben fristet. Ich möchte nicht darüber ins Grübeln geraten, sonst werde ich noch traurig, wo ich nicht bin.

Interessant ist es in der Tat, daß viele Schriftsteller aus der deutschsprachigen Schweiz einen wichtigen Teil ihres künstlerischen Schaffens in Berlin hervorgebracht haben. Ein Grund dafür könnte sein, daß sie sich nicht besonders gut in anderen Sprachen auszudrücken vermochten; es gibt durchaus auch Schweizer, die sich mit Fremdsprachen schwertun. Wie gern wären sie möglicherweise nach Barcelona, Kairo, Rom, Paris oder London gezogen; nur eben: wie schlägt man sich dort durch, wenn man nicht zu jener Spezies Mensch gehört, die ihren Selbstwert in polyglottem Vorwitz findet? Eine logische Erklärung, warum die Genannten nicht zu unserer polyglotten guten Gesellschaft gehört haben könnten, wäre überdies: Wer dichten will, entscheidet sich für eine Sprache, in die er sich mit Haut und Haar hineinbegibt, der er vertraut, in der er sich installiert. Gewitzt sein und geistreich reden kann man vielleicht in mehreren Sprachen, dichten wohl nur in einer einzigen. Ich könnte mir vorstellen, daß die erwähnten Schweizer eine große Liebe zur deutschen Sprache hegten, zur deutschen Dichtung, zum Deutschen ganz allgemein, zum Wetter da, zum Denken, zum Fühlen – wobei in dieser Liebe selbstverständlich der Haß mitenthalten ist und daß sie oft unerwidert bleibt, der Kummer etc., doch darüber will ich im einzelnen nicht spekulieren.

Berlin ist eine desinteressierte Stadt. Sie schafft keine großen Leute. Hin und wieder leistet sie sich eine Lokalgröße, Lieblinge wie den Sänger Käsebier vom Kurfürstendamm, die während einer oder zwei Saisons ihre exotischen Blüten hier entfalten dürfen, um dann tragisch verduften zu müssen – das reicht der Stadt für ihr Selbstverständnis; sie ist einfachen Gemüts, geprägt vom berühmten kleinsten gemeinsamen Nenner.

Warum also gerade Berlin, wo doch hier selbst der Gescheiteste in der dumpfen Ignoranz untergeht? Warum nicht Hamburg oder Frankfurt, wenn es denn eine deutsche Stadt sein sollte? – Vielleicht, weil Berlin von Anfang an aus allen Nähten geplatzt war wie heute die meisten größeren Städte. Alles, was die Schweiz zu viel an Geborgenheit, Geschlossenheit, Einheitlichkeit bot, fehlte und fehlt hier. Berlin hat keine Identität, ist keine Stadt; es ist eine Aneinanderreihung von Straßen und Plätzen, verbunden mit Bahnen und Bussen; es gibt kein Zentrum, keine alteingesessenen Berliner, kein Bürgertum, keine Zünfte, Traditionen, Familien – die Stadt war nie mit Zürich oder Bern zu vergleichen, auch nie mit Hamburg oder Frankfurt; sie war ein schnell zusammengeschustertes Ding ohne Geschichte, ohne Entwicklung – gestern noch ein paar Dörfer auf sumpfigem, magerem, märkischem Boden, heute eine Metropole. Und dahin zog es vielleicht die schweizerdeutschen Dichter, wenn es sie denn überhaupt von zu Hause wegzog: an einen Ort ohne Form und Norm, einen Ort, wo alles möglich und nichts wirklich ist, einen Ort mit den Vor- und Nachteilen einer Stadt, ohne Stadt zu sein, ohne von ihren Einwohnern eine Identifikation mit sich zu fordern, da sie keine Identität hat, und ohne sich über ihre Einwohner zu definieren, da sie kein Bedürfnis nach Definition hat. Ob der Einzelne es auf seinem Gebiet schaffen wird oder nicht, das ist in Berlin vollkommen gleichgültig, denn der Einzelne wird hier nicht zur Kenntnis genommen. Ebenso wie man ankommt, wird man auch wieder abreisen: fremd – eine wehmütig romantische Erkenntnis, die jeden hier irgendwann anspringt; man zählt nicht, auch nicht hinterher, denn nicht einmal posthum reagiert Berlin auf seine Bewohner. Es ist leicht vorstellbar, daß hier bis heute keine Gedenktafeln an Bräker, Keller, Walser oder Frisch erinnern (soviel ich weiß, hängt an einer Fassade in der Stadtmitte etwas unsäglich Verkommenes – mit Sicherheit entspricht es nicht dem Stellenwert, den der betreffende Autor innerhalb der Literaturgeschichte einnimmt) – nein, es ist egal, ob jemand hier war, ist, sein wird oder nicht. Und das war und ist befreiend für jeden. Man lebt oder lebt nicht, wird berühmt oder wird nicht berühmt – Berlin ist es egal. Das macht das Leben einfach, den Alltag erträglich, den jeder nun einmal auszuhalten hat, und sei er noch so begabt. Berlin ignoriert alles, also bleibt auch die Anstrengung herauszuragen unerkannt, weswegen man bald parterre geht wie alle und froh ist darum, sich so gehen lassen zu dürfen.

Das weiß jedoch niemand im voraus, und insofern bleibt die Frage offen: Warum kamen Bräker, Keller, Walser und Frisch nach Berlin, warum lebten sie hier, warum gingen sie wieder? Ich weiß es nicht. Es ist eine öde, mißglückte Ansammlung von Häusern, in der einer gerade mal für sich selbst gelassen und genommen wird – ist sie eine große Frau, ist er ein großer Mann, die über, unter oder neben uns wohnen, sollen sie glücklicher werden mit sich; sind sie klein, ebenfalls; es kümmert sich keiner darum, und das ist wohltuend; Berlin kennt keine Verehrung, keine Achtung; dadurch fällt es jedem nur halb so schwer, ungeehrt, geduzt und unbeachtet sein Dasein zu fristen – weil hier eben jeder auch nur so einer ist; und wem das nicht mehr schmeckt, der kann gehen, es hindert ihn keiner ... Und da alle empfindlicher werden mit dem Alter, werden die genannten Schweizer wohl alle eines Tages ihre Zelte hier abgebrochen haben, weil sie die Schnodderigkeit, in der mit ihnen umgesprungen wurde, nicht länger ertrugen – so wie sie aus dem selben Grund auch im Leben eines Tages ihre Zelte abgebrochen haben ... Darum lebe ich gern in Berlin: es erinnert mich täglich ans Leben.

[1998]

Maxim Biller

Generation HJ

Habe ich jemals meinen Onkel Dima erwähnt? Als Teenager liebte er den Kommunismus noch mehr als seine russische Heimat und war trotzdem mutig genug, Stalin wegen seiner Judenparanoia offen einen Hurensohn zu nennen. Dafür flog er mit siebzehn aus der Partei, er flog von der Universität und war wohl der jüngste Ostblock-Dissident aller Zeiten. Mein Onkel eben. Na ja, nicht ganz. Versuchen Sie mal mit ihm über McDonald's, Disneyland oder den Broadway zu reden. Der Antiamerikanismus, der dann in ihm hochkommt, ist so heftig, daß er Senator McCarthy zum Leben wiedererwecken könnte. Und jetzt noch mal für die ganz Langsamen unter Ihnen: Was einem Menschen in seiner Jugend eingeflößt wird, kommt auf seine alten Tage hundertpro aus ihm wieder raus.

Schnitt. Wir befinden uns im Deutschland von heute. Seit Wochen und Monaten geht es in lahmen Feuilletons und aufregenden Fernsehrunden, in klugen Köpfen und dummen Leserbriefen nur um eins: Ist Martin Walser ein widerliches deutsches Schlußstrich-Arschloch? Hat er in seiner Friedenspreisrede dazu aufgerufen, Auschwitz aus der deutschen Geschichte zu verbannen? Natürlich nicht. Denn wenn es jemanden in diesem Land gibt, den die Shoah bis heute so richtig schön fix und fertig macht, dann ist es der Einstein vom Bodensee. Das meine ich natürlich ironisch, das mit dem Einstein. Daß Walser kein besonders intelligenter Mensch ist, merkt man schon daran, daß er wochenlang an einer Rede brütet, die kaum einer so versteht, wie sie gemeint ist: als das Flehen eines Holocaust-Süchtigen, ihm seine Sucht zu lassen, als die Klage eines toitschen Gedenkpuritaners gegen all die verlogenen philosemitischen Phrasendreher und oberflächlichen jüdischen Ritualisierer, deren erhobene Zeigefinger ihn, den romantischen Trotzkopf, daran hindern, ganz selbstbestimmt und tief und dunkel und deutsch eines ganz selbstbestimmten und tiefen und dunklen und deutschen Jahrtausendverbrechens zu gedenken.

Es sind aber nicht nur Walsers intellektuelle Schwächen und pubertär-nebelhafte Pseudoliteratensprache, die seine Position in der Tote-Juden-Frage so verschwiemelt-verschwommen erscheinen läßt. Wie jeder Deutsche der Generation HJ ist er eine Kreatur Hitlers, ob er will oder nicht, er wurde als wehrloser Jugendlicher in den wichtigsten, weichsten Jahren seines Lebens von der übermächtigen Nazipropaganda geprägt und programmiert, weshalb für ihn exakt dasselbe gilt wie für Onkel Dima: einmal gehirngewaschen, immer gehirngewaschen. Nur so ist dann auch zu erklären, daß einer wie Walser, der sein ganzes Schriftstellerleben lang so verzweifelt mit der deutschen Erbschuld ringt, in seinem lutherhaften Paulskirchen-Zornausbruch für ein besseres, reineres Gedenken wie in Trance und gegen seinen Willen Neonazivokabeln wie "Moralkeule" oder "Instrumentalisierung" benutzt oder daß er den ewigen Nervensägenjuden Ignatz Bubis anschnauzt, ihm könne man in Sachen Vergangenheitsbewältigung nicht einmal als Holocaust-Überlebender etwas vormachen. Denn: "Herr Bubis, ich war in diesem Feld beschäftigt, da waren Sie noch mit ganz anderen Dingen beschäftigt." Mit Schwarzmarktgeschäften? Mit Immobilienhandel? Mit dem Trinken von deutschem Blut?

Martin Walser ist nicht allein. Praktisch alle, die sein ambivalentes Gedenk-Gestammel von Anfang an richtig verstanden hatten und sich darum sofort auf seine Seite stellten, gehörten naturgemäß wie er zu Generation HJ. Rudolf Augstein etwa, der schon mal nürnbergmäßig Lea Rosh zur "Vierteljüdin" erklärt oder seine Erinnerungen an die Nazizeit unter der Überschrift *Ich habe es nicht gewußt* in dem selten dämlichen, selbstverräterischen Satz gipfeln läßt: "Gegen Kriegsende kam ich als Offiziersanwärter nach Theresienstadt und konnte mit eigenen Augen feststellen, daß es noch Juden gab." Klaus von Dohnanyi, der jedesmal, wenn er sich über Ignatz Bubis' wasserdichte Jeschiwe-Logik aufregt, ihm gegenüber in einen Befehlston zurückfällt, in dem üblicherweise Ghetto-Kommandanten mit unbotmäßigen Judenräten reden, und der sich darum traut, Bubis in neutestamentarischem Zorn entgegenzuschleudern: "Es geht beim Gedenken nicht um einen Vorgang vergleichbar mit der Eintreibung von Mietrückständen!" Oder Erich Loest, der zumindest so ehrlich ist, zu seinen fanatischen Endsieg- und Haß-Einsätzen als Hitler-Werwolf zu stehen.

Ich könnte noch eine Menge anderer Namen von Männern nennen, die wie Martin Walser seit 50 Jahren in echter deutscher Wertarbeit öffentlich Vergangenheitsbewältigung betreiben und aus denen es trotzdem, vor allem im Alter, oft so unkontrolliert braun rauskommt, wie es in sie einst reingegangen ist. Ich könnte aber auch sagen, wie krank ich es immer schon fand, daß die Deutschen – angeleitet von ebendiesen Männern – seit 50 Jahren das tun, was noch nie ein anderes Volk getan hat, wie seltsam es mir also vorkommt, daß sie, statt vom eigenen Verbrechen zu schweigen, ununterbrochen davon reden, fast so, als wären sie stolz drauf, und daß ich endlich verstehe, warum: Die Generation HJ kommt eben nicht aus ohne ihre Ur-Feindbilder – und das sind vor allem natürlich die toten Juden. Sie hat sich an sie gewöhnt in Hitlerreden und *Stürmer*-Covern, und sie holt sie sich heute eben im öffentlichen Diskurs.

Schnitt. Mehr habe ich zu diesem Thema ab sofort nicht mehr zu sagen. Ich übergebe an die Kinder und Enkel der Generation HJ.

[1999]

Über die Autorinnen und Autoren

Ilse Aichinger

geboren am 1.11.1921 in Wien, verbrachte ihre Kindheit in Linz bzw., nach der frühen Scheidung der Eltern, in Wien, wo sie mit ihrer Mutter, einer jüdischen Ärztin, der Verfolgung durch die Nationalsozialisten ausgesetzt war. Nach dem Krieg begann sie ein Medizinstudium, das sie aber nach fünf Semestern abbrach, um den Roman "Die größere Hoffnung" zu schreiben. Ab 1950 arbeitete sie als Lektorin im S. Fischer Verlag, in dem 1948 ihr Roman erschienen war. 1952 erhielt sie für "Spiegelgeschichte" den Preis der Gruppe 47. Die an Kafka geschulte Sprache, die wahrnehmungsskeptische Haltung und die Geschichts- und Zeitlosigkeit dieser parabelartigen Erzählung lässt sie im Rahmen der Kahlschlag-Literatur der Nachkriegszeit als einen Fremdkörper erscheinen und markiert zugleich den Beginn einer neuen Avantgarde in der österreichischen Nachkriegsliteratur. 1953 heiratete A. den Schriftsteller Günter Eich, den sie auf einer frühen Tagung der Gruppe 47 kennengelernt hatte. Im selben Jahr erschien auch der Erzählband "Der Gefesselte", in dem der schon in der "Spiegelgeschichte" angedeutete Rückzug aus der empirischen Wirklichkeit noch radikaler vollzogen wird. Auch die Erzählungen in dem 1965 erschienenen Band "Eliza Eliza" handeln von Angst, Schmerz, Wahnsinn, Verfolgung, Gefangenschaft und Tod in einer räumlich und zeitlich nicht definierten und determinierten Welt. Die Parabeln entziehen sich der äußeren Realität und machen einer inneren Wirklichkeit Platz, die zunehmend unausweichlich erscheint. Neben den Erzählungen trat A. besonders als Hörspielautorin hervor. Nach Günter Eichs Tod (1972) übersiedelte sie zunächst nach Frankfurt, 1989 schließlich nach Wien. Neben vielen anderen Auszeichnungen erhielt sie den Nelly-Sachs-Preis (1971), den Franz-Kafka-Preis (1983) und den Georg-Trakl-Preis (1984). Sie ist Mitglied der Deutschen Akademie für Sprache und Dichtung in Darmstadt, der Akademie der Künste in Berlin und der Bayrischen Akademie der schönen Künste.

- *Wo ich wohne, in: Ilse Aichinger: Wo ich wohne. Erzählungen, Gedichte, Dialoge, Frankfurt/M. 1954*

Alfred Andersch

geboren am 4.2.1914 in München, Buchhandelslehre, von 1930-33 Mitglied im Kommunistischen Jugendverband. Nach dem Reichstagsbrand 1933 dreimonatige Haft im KZ Dachau. Auf diese Demonstration staatlicher Gewalt reagierte A. mit "totaler Introversion": Abkehr von der Politik und Hinwendung zur Kunst. Ab 1940 - mit Unterbrechungen - Soldat, 1944 Desertion in Italien und Kriegsgefangenschaft in den USA. Redakteur der Kriegsgefangenenzeitschrift "Der Ruf". Nach seiner Rückkehr Redaktionsassistent Erich Kästners bei der "Neuen Zeitung" in München. 1946-47 Mitherausgeber der Zeitschrift "Der Ruf. Unabhängige Blätter der jungen Generation". Nach deren Verbot von 1948-58 Rundfunkredakteur bei verschiedenen Radiosendern und Gründungsmitglied der Gruppe 47. 1948 erschien der Essay "Deutsche Literatur in der Entscheidung", in dem A. seiner Überzeugung von der zentralen Funktion der Literatur bei der geistigen Wandlung der deutschen Nation Ausdruck gab. In diesem Sinne suchte und förderte A. als Rundfunkredakteur, Herausgeber der Buchreihe "Studio Frankfurt" sowie der Zeitschrift "Texte + Zeichen" Autoren wie Ingeborg Bachmann, Wolfgang Hildesheimer, Arno Schmidt, H.M. Enzensberger und Helmut Heißenbüttel. 1952 erschien sein autobiographischer Bericht "Die Kirschen der Freiheit", in dem er die

Erfahrung der Desertion schildert, wobei er den individuell-verantworteten, bewusst vollzogenen Akt der Entscheidung zur Desertion in existentialischem Sinne als den Moment beschreibt, in dem sich die menschliche Freiheit realisiert. Um solche Entscheidungssituationen geht es auch in den Romanen "Sansibar oder der letzte Grund" (1957), "Die Rote" (1960) und "Efraim" (1967). 1972 erhielt A., der seit 1958 in Berzona (Schweiz) lebte, die schweizer Staatsbürgerschaft. 1974 erschien der Roman "Winterspelt", seine formal anspruchsvollste und komplexeste Prosaarbeit. Wieder geht es um Krieg, Desertion, Freiheit und Verantwortung, Entscheidung und - Kunst. 1977 publizierte er seine gesammelten Gedichte unter dem Titel "empört euch der himmel ist blau". Alfred Andersch starb am 21.2.1980 in Berzona/Tessin. Seine kurz vorher fertiggestellte Erzählung "Der Vater eines Mörders" wurde noch im selben Jahr veröffentlicht.

- *Erinnerung an eine Utopie, in: Alfred Andersch: empört euch der himmel ist blau. Gedichte und Nachdichtungen 1946-1977, Zürich 1977*

Erich Arendt

geboren am 15.4.1903 in Neuruppin als Sohn eines Schulhausmeisters. Bis 1923 Besuch des örtlichen Lehrerseminars, danach Aushilfsjobs bei einer Bank, als Kulissenmaler und als Journalist bei der "Märkischen Zeitung". Ab 1926 in Berlin als Lehrer an der Rütlischule, einer linken Versuchsschule in Neukölln. Im gleichen Jahr erste Gedichtveröffentlichungen in Herwardt Waldens Zeitschrift "Sturm" und Eintritt in die KPD. 1928 wurde A. Mitglied im Bund Proletarisch-Revolutionärer Schriftsteller und Leiter der Ortsgruppe Neukölln. Im BPRS war A. nicht erfolgreich, weil sich seine an der Moderne geschulte, teilweise expressionistische, sinnlich und semantisch äußerst konzentrierte Lyrik nicht zu sozialistischer Gebrauchslyrik umfunktionieren ließ. Im März 1933 emigrierte A. mit seiner Frau Katja in die Schweiz, von dort im Januar 1934 weiter nach Spanien, wo er als Angehöriger einer katalanischen Division am Bürgerkrieg teilnahm. Er übersetzte und schrieb Reportagen und Gedichte für katalanische Zeitschriften und arbeitete für ein Pressebulletin der Internationalen Brigaden. Nach dem Sieg General Francos Flucht nach Frankreich, wo A. ab September 1939 in verschiedenen Lagern interniert wurde. 1940 Flucht nach Marseille, von dort 1941 weiter nach Südamerika. 1941-42 von den Engländern zuerst in Curacao, dann in Trinidad interniert. Verdiente sich danach in Kolumbien als Nachhilfelehrer und Pralinenverkäufer seinen Lebensunterhalt und arbeitete weiter aktiv in verschiedenen antifaschistischen Organisationen mit. Im Sommer 1950 Rückkehr nach Europa wo er sich in der DDR niederließ und Ende der 50er Jahre nach Frankreich, Italien und Griechenland reiste. Die Themen- und Bildwelt der Antike sowie die Landschaft der Ägäis prägen die späte Lyrik A.s, die immer mehr zur Gedankenlyrik wird, in der sich eine unkonkrete Schwermut artikuliert. A. war Mitglied des PEN-Zentrums der DDR und seit 1969 Mitglied der Akademie der Künste der DDR. Im Dezember 1981 erlitt er einen Schlaganfall, an dessen Folgen er am 25.9.1984 starb.

- *Nach den Prozessen, in: Erich Arendt: Das zweifingrige Lachen. Ausgewählte Gedichte 1921-1980, Düsseldorf 1981*

Arnfrid Astel

wurde am 9.7.1933 in München geboren. Seine Kindheit verbrachte er in Weimar; die Schulzeit verlebte er in einem Internat in Windsbach/Mittelfranken. Er studierte Biologie und Literaturwissenschaft, arbeitete als Hauslehrer in einem Internat und wurde 1966 Verlagslektor in Köln. Seit 1967 war er Leiter der Literaturabteilung des Saarländischen Rundfunks und Mitglied des Personalrats. Im Jahre 1985 nahm er den Vornamen seines Sohnes Hans an, der den Freitod gewählt hatte. Der Lyriker A. begann Ende der 50er Jahre in der von ihm gegründeten Zeitschrift "Lyrische Hefte" mit der Veröffentlichung von Naturbetrachtungen. Unter dem Eindruck der Studentenunruhen erschien 1968 der erste politisch orientierte Gedichtband "Notstand". Typisch für A. ist die zugespitzte und pointenreiche epigrammatische Form, oft auch die Verschränkung von Privatem und Politischem. Gesammelt sind diese Arbeiten in dem Band "Neues (& altes) vom Rechtsstaat & von mir. Alle Epigramme" (1978). Gegen Ende der 70er Jahre wandte sich A. wieder verstärkt der Landschafts- und Liebeslyrik zu. Beispielhaft hierfür ist der Band "Die Faust meines Großvaters & andere Freiübungen" von 1979. Seither hat der (sich zunehmend als Natur- und Mythenforscher verstehende) Autor auch mehrfach neue Epigramme publiziert, zuletzt den Band "Wohin der Hase läuft" (1992).

- *Ostkontakte, in: Arnfried Astel: Neues (& altes) vom Rechtsstaat & von mir, Frankfurt/M. 1978*
- *Lektion, in: ebd.*

Ingeborg Bachmann

geboren am 25.6.1926 in Klagenfurt, studierte Germanistik, Philosophie und Psychologie in Innsbruck, Graz und Wien. Nach ihrer Promotion 1950 über den Philosophen Martin Heidegger unternahm sie Reisen nach Paris und London und arbeitete als Rundfunkredakteurin. Die Lyrikerin B. wurde 1953 auf einer Tagung der Gruppe 47 entdeckt; seitdem lebte sie als freie Schriftstellerin. Die Themen ihrer ersten Jahre, 'Liebe', 'Tod' und 'Abschied', hatten eine oft verharmlosende Rezeption zur Folge. B. wehrte sich vergeblich gegen eine Einordnung in die Rubrik 'unpolitische, schöne Literatur'. Bereits ihr erster Gedichtband "Die gestundete Zeit" (1953) hatte das Verhältnis von Mensch und Natur problematisiert. Der politische Hintergrund der Naturmetaphern wird in der autobiographischen Erzählung "Jugend in einer österreichischen Stadt" (1961) unmissverständlich. In ihren Poetik-Vorlesungen an der Universität Frankfurt unternimmt B. 1959/60 einen kritischen Rückblick auf ihre ersten großen Erfolge. Ein weiteres Dokument dieser Selbstkritik und Ausdruck ihrer Schaffenskrise ist der Erzählband "Das dreißigste Jahr" (1961). Das nun folgende Schweigen wird nur 1964 von ihrer engagierten politischen Rede zur Verleihung des Georg-Büchner-Preises unterbrochen. B. lebte von 1963 bis 1965 in Berlin, danach in Rom. 1971 erschien ihr Roman "Malina", geplant als Teil eines Romanzyklus' "Todesarten", der die Unterdrückung und Ausbeutung von gesellschaftlich Schwächeren dokumentieren sollte und besonders auch spezifisch weibliche Wahrnehmungsweisen und Erfahrungen thematisiert. Ingeborg Bachmann verstarb am 17.10.1973 in Rom an den Folgen eines Brandunfalls. Sie gilt heute zweifellos als repräsentative Autorin der Nachkriegsepoche.

- *Undine geht, in: Ingeborg Bachmann: Werke, Bd.2, München 1978*
- *Reklame, in: ebd., Bd.1*

Kurt Bartsch

wurde am 10.7.1937 in Berlin geboren. Nach dem Besuch des Gymnasiums war er von 1954 an in verschiedenen Berufen tätig. So arbeitete er als Büroangestellter, Sargverkäufer und Lektoratsassistent. Sein 1964 begonnenes Studium am Literaturinstitut in Leipzig brach er bald aus politischen Gründen ab. Zu Beginn der sechziger Jahre trat er mit satirischen Gedichten in der Tradition Brechts an die Öffentlichkeit, die den Band "zugluft" (1968) entscheidend prägten. Nach Prosatexten und Liedern in dem Band "Die Lachmaschine" (1971) veröffentlichte er 1971 "Kalte Küche", eine Sammlung von Parodien auf den DDR-Literaturbetrieb. Die nun folgenden komischen Einakter "Der Bauch", "Die Goldgräber" und "Der Strick" sind von deutlicher Kritik an den politischen Verhältnissen geprägt. Nach B.s Kritik an der Ausbürgerung Wolf Biermanns wurden sie kaum noch aufgeführt. Der Band "Kaderakte" (1979) mit radikalen politischen Texten konnte nur noch in der BRD erscheinen. 1979 wurde B. mit anderen Kollegen wegen einer Protestnote gegen

Erich Honecker aus dem Schriftstellerverband der DDR ausgeschlossen. 1980 konnte er die DDR mit einem Dauervisum verlassen und lebt seitdem in Westberlin. Sein Roman "Wadzeck" erschien 1980. 1983 veröffentlichte er unter dem Titel "Die Hölderlinie" weitere Literaturparodien. Mitte der achtziger Jahre erschienen mehrere Kinderbücher; 1986 wurden die Hörspiele "Leiche im Keller" und "Checkpoint Charlie" gesendet.

- *Sozialistischer Biedermeier, in: Kurt Bartsch: zugluft, Berlin und Weimar 1968*

Jurek Becker

geboren am 30.9.1937 in Lodz (Polen), verbrachte seine Kindheit im Ghetto und im KZ. 1945 kam er mit seinem Vater nach Berlin, lernte Deutsch und studierte Philosophie. Seit 1960 arbeitete er als freier Schriftsteller und verfasste neben Romanen und Erzählungen auch Filmdrehbücher und Fernsehspiele. Bis 1977 lebte er in der DDR, von 1957 bis 1976 war er Mitglied der SED, aus der er wegen seines Protests gegen die Ausbürgerung Wolf Biermanns ausgeschlossen wurde. Mit einem befristeten Visum lebte er seit Ende 1977 in Westberlin. B. gehört zu den bekanntesten deutschsprachigen Autoren. In seinen Romanen und Erzählungen beschäftigt er sich vorwiegend mit der nationalsozialistischen Vergangenheit und den aktuellen Lebensbedingungen in der DDR. Sein erster Roman "Jakob der Lügner" (1969) schildert die Geschichte Jakobs, der mit einer Lüge im Ghetto die Hoffnung auf die nahenden Befreier aufrechterhält. Die Folgen der NS-Zeit werden in dem Roman "Der Boxer" (1976) dargestellt. Im Roman "Bronsteins Kinder" (1986) thematisiert B. am Beispiel einer jüdischen Familie in der DDR die Schwierigkeiten von NS-Opfern und Nachgeborenen, mit den Erfahrungen der Vergangenheit umzugehen. Den Literaturpreis der Freien Hansestadt Bremen von 1974 erhielt B. für den Roman "Irreführung der Behörden" (1973). Die Erzählungen des Bandes "Nach der ersten Zukunft" (1980), die das Leben im real-existierenden Sozialismus schildern, schrieb B. bereits im Westen. Einen Vertreter der 'Null-Bock-Generation' stellt schließlich Kilian dar, der in "Aller Welt Freund" (1982) keinen (politischen) Grund zum Weiterleben mehr sieht. Allgemeine Popularität erlangte B. (seit 1986) mit den Drehbüchern zu der bekannten Fernsehserie "Liebling Kreuzberg", in der der ebenfalls aus der DDR kommende Schauspieler Manfred Krug einen beliebten Rechtsanwalt in Berlin-Kreuzberg darstellt. 1992 erschien der ebenfalls leicht konsumierbare Verkaufserfolg "Amanda Herzlos". Jurek Becker starb am 14.3.1997.

- *Die Klage, in: Jurek Becker: Nach der ersten Zukunft, Frankfurt/M. 1980*

Gottfried Benn

geboren am 2.5.1886 in der Westprignitz, studierte zunächst vier Semester Theologie und Philosophie und begann dann das Studium der Medizin als Stipendiat der Kaiser-Wilhelm-Akademie für das militärische Bildungswesen. Bis 1911 an der Charité, arbeitete er nach der Approbation 1912 in der Pathologie in Berlin-Charlottenburg. Im selben Jahr erschien sein erster Gedichtband "Morgue und andere Gedichte". Das Buch war ein Skandalerfolg. B. beschreibt darin in schockierend detaillierter Weise Szenen aus dem Medizineralltag. Diese 'Sektionslyrik' verband die kalte, teilnahmslose Sprache des Naturalismus mit schockierenden Schreckbildern und stellt ein wichtiges Dokument der frühexpressionistischen Phase dar. Von 1915-1917 war B. Arzt in einem Prostituiertenkrankenhaus in Brüssel. 1917 kehrte er nach Berlin zurück, wo er eine Praxis für Haut- und Geschlechtskrankheiten eröffnete. Im selben Jahr erschien die Gedichtsammlung "Fleisch", in der neben der expressionistischen Zivilisationskritik nun auch direkt sozialkritische Töne hörbar werden. Von 1932 an engagierte sich B. für die nationalsozialistische Ideologie. Als Mitglied der Berliner Akademie der Künste plädierte er für die Aufgabe der "Geistesfreiheit" und das Zusammenschmelzen der Individuen in ein "mystisches Kollektiv". Ab 1934/35 zeigt sich in den Schriften B.s ein Erwachen aus der halluzinatorischen Faszination durch den Nationalsozialismus. Ende 1934 gab er seine Praxis auf und ließ sich im Heer reaktivieren. 1938 erhielt er Publikationsverbot. Die Kriegsjahre verbrachte B. als 'innerer Emigrant' in verschiedenen militärischen Dienststellen. Nach Kriegsende eröffnete er in Berlin wieder seine Praxis. Wegen seiner Aktivitäten in den dreißiger Jahren erteilten ihm die Besatzungsmächte erneut Publikationsverbot. Seine Gedichtsammlung "Statische Gedichte" erschien daher 1948 zunächst in der Schweiz. Mit seiner späten Lyrik und mit wichtigen poetologischen Essays hat er jedoch das Dichtungsverständnis der 50er Jahre in der Bundesrepublik im Sinne eines ahistorischen bzw. 'tragischen' Ästhetizismus geprägt. Unter den späten Gedichten finden sich aber auch Beispiele ironischer Zeitkritik. 1951 erhielt der Autor den Büchner-Preis, dem weitere Ehrungen folgten. 1953 wurde er mit dem Verdienstkreuz der Bundesrepublik Deutschland ausgezeichnet. Gottfried Benn starb am 7.7.1956.

- *Teils - Teils, in: Gottfried Benn: Gesammelte Werke, Bd.3, Wiesbaden 1967*

Thomas Bernhard

wurde am 9.2.1931 in Heerlen/Niederlande als Sohn österreichischer Eltern geboren. Er wuchs bei den Großeltern mütterlicherseits in Österreich auf. Sein Großvater, der Schriftsteller Johannes Freumbichler, war für seine intellektuelle Entwicklung von großer Bedeutung. 1947 verließ B. das Gymnasium, machte eine Lehre bei einem Lebensmittelhändler, die von einer schweren Lungenkrankheit 1949 unterbrochen wurde. Von 1952 bis 1957 absolvierte er ein Musik- und Schauspielstudium an der Akademie Mozarteum in Salzburg. Seit 1957 lebte er als freier Schriftsteller, zuletzt in Ohlsdorf. B.s frühe Gedichte und Prosatexte bewegen sich im gleichen thematischen Zusammenhang wie seine späteren Romane: Im Mittelpunkt steht immer ein einsamer Held, der sich einer untergehenden Welt gegenüber sieht. Dabei muss die nahende Katastrophe immer vor dem politischen Hintergrund Österreichs und von B.s unversöhnlicher, oft hämischer Kritik an seinem Heimatland gesehen werden, die in einer unauflöslichen Hass-Liebe wurzelt. Der Durchbruch im deutschsprachigen Raum und zugleich die erste Ablehnung kam für B. mit dem zweiten Roman "Verstörung" (1967). Den Höhepunkt seiner frühen Prosa erreichte er mit dem Roman "Korrektur" (1975). Danach verfasste B. fast ausschließlich Theaterstücke und einen autobiographischen Zyklus von großer existentieller Wucht: "Die Ursache", "Der Keller", "Der Atem", "Die Kälte", "Ein Kind" (1979-82). Sein letzter Roman "Auslöschung. Ein Zerfall" (1986) stellt den grandiosen Versuch dar, die nationalsozialistische Vergangenheit monologisch zu verarbeiten. Thomas Bernhard verstarb am 12.2.1989 in Gmünden (Oberösterreich). In seinem Testament untersagte er eine Aufführung seiner Stücke in Österreich.

- *Angst, in: Thomas Bernhard: Der Stimmenimitator, Frankfurt/M. 1978*

Marcel Beyer

geboren 1965, lebt in Dresden. Er erhielt 1991 den Ernst-Willner-Preis des Ingeborg-Bachmann-Wettbewerbs in Klagenfurt für Teile seines Romans "Flughunde" (erschienen 1995). Hier 'rekonstruiert' B. die letzten Kriegstage anhand der Geschichte der sechs Goebbels-Kinder, die am 29.4.1945 von ihren Eltern vergiftet werden, bevor diese sich selbst umbringen. Obwohl B. in seinem Roman mit dem historischen Material auf der Basis von medien- und diskurstheoretischen Einsichten der 90er Jahre spielt, wurde sein Buch im Kontext der deutschen Nachkriegsliteratur und ihrer Thematik rezipiert. Als unübersehbar "postmodern" präsentierten sich dagegen B.'s erster Roman "Menschenfleisch" und der Gedichtband "Walkmannin", beide 1991 erschienen. Seit 1991 ist B. freier Mitarbeiter beim Szenemagazin "Spex", für das er Essays und journalistische Arbeiten verfasst.

- *Jihad Klänge der Heimat, in: Andreas Neumeister/Marcel Hartges (Hg.): Poetry!Slam! Texte der Pop-Fraktion, Reinbek bei Hamburg 1996*

Peter Bichsel

geboren am 24.3.1935 in Luzern (Schweiz), arbeitete nach seiner Ausbildung zum Grundschullehrer bis 1968 im Schuldienst. 1973-80 war er Berater des sozialdemokratischen Bundesrates. Nach zwei verschollenen Frühwerken gelang B. 1964 ein außergewöhnlicher internationaler Durchbruch mit dem Geschichtenband "Eigentlich möchte Frau Blum den Milchmann kennenlernen". Dem Buch folgten 1967 der Roman "Die Jahreszeiten" und 1969 die sieben "Kindergeschichten". Dieses schmale Werk bildet die Grundlage des Erfolgs von B., der sich selbst als "Wenigschreiber" charakterisiert, zugleich aber als Meister der knappen Erzählform gelten darf. Seine Texte beschreiben mit Hilfe der Aussparungstechnik die Unmöglichkeit, der Existenz einen Sinn zu geben, den diese aus sich selbst heraus nicht stiften kann. 1969 erschienen zwei Essaybände mit den Titeln "Des Schweizers Schweiz" und "Sitzen als Pflicht". Zehn Jahre später veröffentlichte B. mit den "Geschichten zur falschen Zeit" (1979) journalistische Arbeiten aus den Jahren 1975-1978. Der Essayband "Der Leser. Das Erzählen" (1982) geht auf B.s Poetik-Vorlesung an der Frankfurter Universität zurück. Neben den Aufsätzen "Schulmeistereien" erschien 1985 der Erzählungsband "Der Busant", in dem B. die Thematik seiner frühen Werke wieder aufgreift. Ein Band mit rätselhaft-metafiktionalen Kürzestgeschichten trägt den Titel "Zur Stadt Paris" (1993); zuletzt erschien die Erzählung "Cherubin Hammer und Cherubin Hammer" (1999).

- *Wie deutsch sind die Deutschen? in: Peter Bichsel: Schulmeistereien, Darmstadt und Neuwied 1987*

Horst Bienek

wurde am 7.5.1930 als Sohn eines deutschen Vaters und einer polnischen Mutter in Gleiwitz (Polen) geboren. 1946 siedelte die Familie in die sowjetisch besetzte Zone um. B. arbeitete zunächst als Redaktionsvolontär und wurde 1951 in die Theaterklasse Bertolt Brechts aufgenommen, bald jedoch vom Staatssicherheitsdienst verhaftet und 1952 durch ein sowjetisches Militärtribunal zu 25 Jahren Zwangsarbeit in Sibirien verurteilt. Seit seiner Amnestie 1955 arbeitete er zunächst als Kulturredakteur und Lektor, dann als freier Schriftsteller in München. In seinen Arbeiten suchte B. nach einer Form, in der er seine biographischen Erfahrungen angemessen darstellen konnte. Nach ersten Versuchen in dem "Traumbuch eines Gefangenen" (1957) und dem Band "Nachtstücke" (1959) realisierte B. die Schilderung der totalen Isolation eines Gefangenen eindrucksvoll in dem Roman "Die Zelle" (1968). Mit dem Thema 'Anarchismus' setzt sich B. in dem Roman "Bakunin. Eine Intervention" (1972) auseinander. In der folgenden Romantetralogie erzählt er die Geschichte seiner Kindheit und seiner oberschlesischen Heimat. Der erste Band "Die erste Polka" erschien 1975, der letzte Band "Erde und Feuer" 1982. Im Zusammenhang mit dem Romanwerk publizierte er 1983 die "Beschreibung einer Provinz". B.s Abschied von der verlorenen Heimat dokumentiert seine 1988 erschienene "Reise in die Kindheit. Wiedersehen mit Schlesien", die nach einem Besuch in Oberschlesien entstanden ist. Horst Bienek starb am 7.12.1990 in München.

- *Anweisungen für Zeitungsleser, in: Horst Bienek: Gleiwitzer Kindheit, München und Wien 1976*

Wolf Biermann

geboren am 15.11.1936 in Hamburg, stammt aus einer traditionell kommunistischen Familie; sein jüdischer Vater wurde 1942 im Konzentrationslager Auschwitz ermordet. B. übersiedelte 1953 in die DDR, studierte dort zunächst politische Ökonomie und von 1959 bis 1963 Philosophie und Mathematik. Der Liedermacher B., der 1960 zu komponieren und zu schreiben begann, erhielt 1963 sein erstes Auftrittsverbot. Gleichzeitig wurde er aus der SED ausgeschlossen. 1965 wurde ein generelles Auftritts-, Veröffentlichungs- und Ausreiseverbot ausgesprochen. Im November 1976 wurde er während einer Konzertreise durch die BRD ausgebürgert. Dies zog heftige Solidaritätsproteste einer großen Zahl von Intellektuellen in der DDR und in der BRD nach sich. Die folgenden Sanktionen der SED-Führung gegen protestierende Künstler erscheinen im Rückblick als der endgültige Bruch zwischen der DDR und ihrer kulturellen Elite. Der Ton von Biermanns Liedern hatte sich in den zehn Jahren des Berufsverbots in der DDR von zurückhaltender Kritik zum aggressiven Angriff entwickelt, und seine zahlreichen Platten (z.B. "Chausseestraße 131", 1969, "Warte nicht auf beßre Zeiten", 1973, oder "Liebeslieder", 1975) fanden auch in der BRD ein großes Publikum. Sein Theaterstück "Der Dra-Dra" (1970) spiegelt seine Auseinandersetzung mit dem Stalinismus wider und wurde 1971 in München aufgeführt. B.s Selbstverständnis als Bürger beider deutscher Staaten führte zu einer für viele Beobachter unverständlichen Kritik an beiden Staaten und zu einer gespaltenen Beurteilung der nationalen Identität. Diese politische Haltung wird in dem Werk "Deutschland. Ein Wintermärchen" (1972) besonders deutlich. Nachdem die Öffentlichkeit in der BRD den DDR-Kritiker B. in den 60er Jahren nur für ihre eigenen Zwecke benutzt hatte, wurde er in den 70er Jahren schließlich zum unbequemen Kritiker westdeutscher Missstände, was zeitweise zu Boykottaktionen der Medien führte. In den 90er Jahren wandte B. sich verstärkt der jüdischen Tradition und Leidensgeschichte zu; so übersetzte er den "Großen Gesang vom ausgerotteten jüdischen Volk" von Jizchak Katzenelson aus dem Jiddischen. Zugleich sammelte er alte und neue Arbeiten in den Bänden "Politische Schriften" (1990), "Alle Lieder" (1991) und "Alle Gedichte" (1995). Mit dem Büchner-Preis (1991) und dem Heinrich-Heine-Preis (1994) wurden seine poetische Eigenständigkeit und sein politisch-kritischer 'Eigensinn' gleichermaßen gewürdigt.

- *Ermutigung, in: Wolf Biermann: Mit Marx- und Engelszungen. Gedichte, Balladen, Lieder, Berlin 1968*
- *Deutschland. Ein Wintermärchen, in: Wolf Biermann: Deutschland. Ein Wintermärchen, Berlin 1973*

Maxim Biller

geboren 1960 in Prag, lebt seit 1970 in der Bundesrepublik Deutschland. Einer breiteren Öffentlichkeit wurde er zunächst bekannt als Reporter für das Zeitgeist-Magazin "Tempo". Seine journalistische Schreibweise zeichnet sich durch einen angriffsfreudigen Gestus aus; beissende Kritik und eine kultivierte Pose des Hasses stehen in einem beziehungsreichen Spannungsverhältnis zu gelegentlich aufbrechender Sentimentalität und dem Bekenntnis zu "Herz, Schmerz und Lust". B. propagiert die Verbindung von Journalismus und Literatur. Neben einer Sammlung von Reportagen ("Die Tempojahre", 1991) hat er bislang zwei Erzählbände ("Wenn ich einmal reich und tot bin", 1991, und "Land der Väter und Verräter", 1994) veröffentlicht. Zu seinen literarischen Vorbildern zählen Saul Bellow und Philip Roth; er selbst gilt als einer der profiliertesten Vertreter der sogenannten jungen jüdischen Literatur in Deutschland.

- *Nur Speer wollte mehr, in: ZEITmagazin, Nr. 11, 5.3.1998*
- *Generation HJ, in: ZEITmagazin, Nr. 3, 21.1.1999*

Johannes Bobrowski

wurde am 9.4.1917 als Sohn eines Eisenbahnangestellten in Tilsit/Ostpreußen geboren. Nach Reifeprüfung, Arbeits- und Militärdienst nahm er als Nachrichtensoldat am 2. Weltkrieg teil: 1939 in Polen, 1940/41 in Frankreich, 1941-1945 in der Sowjetunion. Als russischer Kriegsgefangener arbeitete er im Kohlebergbau und nahm zweimal an Kursen der Antifa-Schulen teil. Nach Rückkehr in die DDR/Ost-

Berlin veröffentlichte Peter Huchel 1955 in "Sinn und Form" Gedichte von ihm. Der Plan eines "sarmatischen Divans" findet seinen ersten Ausdruck in den Gedichtbänden "Sarmatische Zeit" (1961) und "Schattenland Ströme" (1962). Unter dem Einfluss Klopstocks und Huchels werden metrische Elemente der Ode mit symbolistischer Dichtungstradition (Baudelaire, Trakl) verbunden, dabei spielt der Gedanke der Schuld Deutschlands und der eigenen Mitschuld gegenüber den Völkern des Ostens eine gewichtige Rolle. Auch die raffinierte "Kleinprosa" ("Boehlendorff und Mäusefest", 1965) sowie die beiden Romane "Levins Mühle" (1962/63) und "Litauische Claviere" (1966) gehören in diesen Kontext. Das Miteinander der Völkerschaften in Grenzgebieten, das Fortwirken der Vergangenheit in die Gegenwart bestimmten B.s Arbeiten thematisch bis zu seinem Tod am 2.9.1965 in Berlin-Ost.

- *Mäusefest, in: Johannes Bobrowski: Mäusefest und andere Erzählungen, Berlin 1965*

Heinrich Böll

geboren am 21.12.1917 in Köln, begann nach einer abgebrochenen Buchhändlerlehre ein Germanistikstudium und wurde bei Kriegsbeginn 1939 zur Wehrmacht einberufen. Nach der Entlassung aus der Kriegsgefangenschaft im Dezember 1945 begann er mit seiner literarischen Tätigkeit. 1947 erschienen erste Kurzgeschichten und 1949 mit "Der Zug war pünktlich" das erste Buch. Seit 1951 lebte er als freier Schriftsteller. B. war der auch im Ausland bekannteste und geachtetste Schriftsteller der Bundesrepublik. Neben vielen anderen Ehrungen erhielt er 1972 den Nobelpreis für Literatur. B.s frühe Werke sind unter dem Eindruck des Kriegsgeschehens entstanden und versuchen, das Leid der Kriegsjahre literarisch zu verarbeiten. Seit den 50er Jahren setzt sich B. in Romanen wie "Haus ohne Hüter" (1954), "Billard um halbzehn" (1959) und "Ansichten eines Clowns" (1963) sehr kritisch mit den gesellschaftlichen und politischen Verhältnissen in der vom wirtschaftlichen Aufschwung geprägten BRD auseinander. Seine Kritik an der katholischen Kirche und an politischen Kreisen, die die allgemeine Verleugnung der nationalsozialistischen Vergangenheit unterstützten, wird in den 60er Jahren zum Hauptthema seiner gesellschaftskritischen und literarischen Publizistik. Im Mittelpunkt seiner erzählerischen Werke stehen zumeist Personen, die von der Gesellschaft ausgestoßen werden oder die sich ihr verweigern. In B.s bedeutendstem Roman "Gruppenbild mit Dame" (1971) werden diese Themen miteinander verbunden. Als direkte Reaktionen auf die Terroristenjagd in der Bundesrepublik der 70er Jahre sind die vielgelesene (und erfolgreich verfilmte) Erzählung "Die verlorene Ehre der Katharina Blum" (1974) und der Roman "Fürsorgliche Belagerung" (1979) zu sehen. Mit der Friedensbewegung opponierte B. - seiner angegriffenen Gesundheit zum Trotz - in den 80er Jahren gegen die Nachrüstungspolitik der Regierung. Die politischen und persönlichen Verhältnisse in der Bundeshauptstadt Bonn sind Thema seines letzten Romans "Frauen vor Flußlandschaft" (1985). B.s Tod am 16.7.1985 wurde von vielen Beobachtern als eine symbolische Zäsur in der Geschichte der Bundesrepublik und ihrer Literatur, als 'Ende der Nachkriegepoche' verstanden.

- *Bekenntnis zur Trümmerliteratur, in: Heinrich Böll: Werke: Essayistische Schriften und Reden, Bd.1, Köln 1979*
- *Anekdote zur Senkung der Arbeitsmoral, in: Heinrich Böll: Werke: Romane und Erzählungen, Bd.4, Köln 1979*
- *Du fährst zu oft nach Heidelberg, in: ebd., Bd.5*
- *An der Brücke, in: H.B.: ebd., Bd. 1*

Wolfgang Borchert

geboren am 20.5.1921, wurde nach einer Buchhändlerlehre und kurzer Tätigkeit am Theater 1941 zum Wehrdienst eingezogen. In den Jahren 1942-1944 wurde er aus politischen Gründen mehrere Male angeklagt und zu Haftstrafen mit anschließender Frontbewährung u.a. in Russland verurteilt. B. erkrankte in diesen Jahren schwer, floh 1945 aus französischer Kriegsgefangenschaft nach Hamburg und wurde dort 1946 als unheilbar krank aus dem Krankenhaus entlassen. Am 20.11.1947 verstarb er während eines Kuraufenthaltes in der Schweiz. In B.s schmalem Werk, das ein Drama, Gedichte, Kurzgeschichten und Erzählungen umfasst, werden Kindheitserinnerungen, Kriegserlebnisse, seine persönlichen Gefängniserfahrungen und die allgemeinen Lebensbedingungen der Nachkriegszeit thematisiert. In seinem Engagement gegen den Krieg und mit seinen von Hoffnung und Verzweiflung geprägten Darstellungen der Trümmerzeit befand sich B. in Übereinstimmung mit dem Lebensgefühl seiner Generation. B. wurde zu einem Klassiker der Nachkriegsliteratur, dessen Werk bis in die heutige Zeit eine außerordentlich große Verbreitung fand. Sein einziges Drama, die Geschichte des von allen verlassenen Heimkehrers Beckmann, "Draußen vor der Tür" (1947), wurde bis 1966 in 130 verschiedenen Inszenierungen gezeigt. Darüber hinaus entstanden viele Hörspielfassungen. Seine teils lakonischen, teils symbolischen Kurzgeschichten, wie z.B. "Das Brot" oder "Nachts schlafen die Ratten doch", oder auch sein pazifistischer Appell "Dann gibt es nur eins!" (1947) sind bis heute in vielen Lesebüchern zu finden.

- *Nachts schlafen die Ratten doch, in: Wolfgang Borchert: Das Gesamtwerk, Hamburg 1949*

Nicolas Born

geboren am 31.12.1937 in Duisburg, am Niederrhein aufgewachsen, lebte von 1950-65 in Essen. Seit 1963 war er Teilnehmer des Literarischen Colloquiums in Berlin und besuchte die Tagungen der Gruppe 47. 1965 erhielt er den Förderpreis des Landes Nordrhein-Westfalen, daran schloss sich sein Umzug nach Berlin an; in diesem Jahr erschien sein erster Roman "Der zweite Tag"", es folgten die Lyrikbände "Marktlage" (1967), "Wo mir der Kopf steht" (1970) und - nach einem Amerikaaufenthalt - "Das Auge des Entdeckers" (1972); gleichzeitig entstanden zahlreiche Erzählungen, die jedoch erst nach B.s Tod unter dem Titel "Täterskizzen" (1983) veröffentlicht wurden. 1972/73 Stipendiat der Villa Massimo, ab 1973 Mitherausgeber des bei Rowohlt verlegten "Literaturmagazins". 1976 erschien der Roman "Die erdabgewandte Seite der Geschichte", der 1977 mit dem Bremer Literaturpreis ausgezeichnet wurde; der Roman gilt als typisches Beispiel der "Neuen Subjektivität" bzw. "Neuen Innerlichkeit" und thematisiert jene Seite der Individualität und Subjektivität, die im gesellschaftlichen Mechanismus entweder nicht wahrgenommen oder verwaltet, verdrängt und vernichtet wird. Da der radikale Subjektivismus eben die historisch-soziale Dimension ausblendet und die Spannung zwischen Individuum und Gesellschaft ignoriert, führt er schnell in eine Sackgasse. B. erkennt und thematisiert das Problem in seinem 1980 (posthum) erschienenen Essay-Band "Die Welt der Maschinen", der seine Überlegungen zum Verhältnis von Gegenwartsrealität und Kunstanspruch zusammenfasst. B.s letztes Werk, der viel gepriesene und (1981) von Schlöndorff verfilmte Roman "Die Fälschung" von 1979 spielt im libanesischen Bürgerkrieg und handelt von einem deutschen Fotojournalisten, der sich beruflich und privat in einer Krise befindet und zum Schluss des Romans seinen Beruf aufgibt und zu seiner Familie zurückkehrt. 1979 lehrte B. als 'poet in residence' an der Universität Essen, kurz danach (7.12.) verstarb er in Hamburg.

- *Sonntag, in: Nicolas Born: Das Auge des Entdeckers, Reinbek bei Hamburg 1972*

Volker Braun

wurde am 7.5.1939 in Dresden geboren. Nach dem Abitur arbeitete er zunächst als Druckereifacharbeiter, Betonrohrleger und Maschinist bevor er von 1960 bis 1964 in Leipzig Philosophie studierte. 1965/1966 und 1977 bis 1990 war B. als Dramaturg bzw. Mitarbeiter am Berliner Ensemble, 1972 bis 1977 in ähnlicher Funktion am

Deutschen Theater in Berlin tätig. Daneben veröffentlichte er seit 1965 regelmäßig Gedichtbände, Theaterstücke und Prosatexte. B. gehört zu den markantesten und profiliertesten Autoren der DDR. Kaum ein anderer hat sich so intensiv mit ihrer Politik und Gesellschaft, Arbeitswelt und Lebensbedingungen auseinandergesetzt und zugleich so konsequent in älteren literarischen Traditionen bewegt. Die Spannweite seiner Lyrik reicht von der Hymnik Whitmanns oder Majakowskis bis zur Kargheit des späten Brecht; aber auch Autoren wie Büchner oder Hölderlin werden selbstbewusst beerbt. Im Grunde handelt B.s gesamtes lyrisches, dramatisches und erzählerisches Werk von der Diskrepanz zwischen subjektivem Anspruch und gesellschaftlicher Wirklichkeit. DDR-Alltag und -Gesellschaft werden von einer fundamental-sozialistischen Position aus seziert: in Gedichtbänden wie "Provokation für mich" (1965), "Wir und nicht sie"(1970), "Gegen die symmetrische Welt" (1974), "Training des aufrechten Gangs" (1979) oder "Langsam knirschender Morgen" (1987); in Stücken wie "Die Kipper " (1972) oder "Die Übergangsgesellschaft" (1987); in der "Unvollendeten Geschichte" (1975) oder im "Hinze-Kunze-Roman" (1985). Viele dieser Texte konnten erst nach zermürbenden Auseinandersetzungen mit den Zensurinstitutionen der DDR erscheinen. Flankiert wird B.s literarische Schaffen von scharfsinnigen Essays. Auszeichnungen (u.a. Heinrich-Heine- und Lessing-Preis in der DDR, Schiller-Gedächtnis-Preis in der BRD) und öffentliche Funktionen (Mitgliedschaft in der (Ost)Berliner Akademie der Künste und in der Mainzer Akademie der Wissenschaften und Literatur) können nicht darüber hinwegtäuschen, dass B.s Texte für die etablierte Kulturpolitik in Ost und West immer eine Provokation waren. Seine nach der Wende publizierten Bücher ("Der Wendehals", 1995; "Lustgarten.Preußen", 1996; "Tumulus", 1999) setzen diese Tradition fort.

- *Fragen eines regierenden Arbeiters, in: Volker Braun: Texte in zeitlicher Folge, Halle/Leipzig 1989ff., Bd.2*
- *Alte Texte, ebd., Bd.7*
- *Das Eigentum, ebd., Bd.10*

Bertolt Brecht

geboren am 10.2.1898 in Augsburg, wurde Ende 1918 - kurze Zeit nach seinem Studienbeginn - Sanitätssoldat. In diese Zeit fallen Kontakte zum Augsburger Arbeiter- und Soldatenrat und zur USPD. Seit 1924 lebte er in Berlin, wo er enge Beziehungen zur literarischen Szene und zum Theater aufnahm. Nach dramaturgischer Tätigkeit in München und Berlin kommt 1922 sein Stück "Trommeln in der Nacht" erstmals zur Aufführung (München). Es folgt die erste Buchpublikation ("Baal"). Ab 1926 hatte B. verstärkten Kontakt zu marxistischen Theoretikern, 1928 wird die "Dreigroschenoper" zum größten Theatererfolg der Weimarer Republik. Am 28.2.1933, unmittelbar nach dem Reichstagsbrand, verließ B. mit seiner Frau Helene Weigel und seinem Sohn Berlin. Seine Emigration führte ihn über Prag, Wien, Zürich, Paris und Dänemark nach Schweden und schließlich 1941 in die USA nach Santa Monica. Nach einem Verhör vor dem "Committee of Unamerican Activities" flog er am 31.10.1947 nach Paris. Nach einem längeren Aufenthalt in Zürich übersiedelte er 1949 nach Ostberlin. Seine intensive Theaterarbeit wurde durch gelegentliche Spannungen mit der SED bzw. mit der Kultusbürokratie beeinträchtigt. Er verstarb am 14.8.1956 an einem Herzinfarkt. Brecht, neben dem ihm verhassten Thomas Mann und dem respektierten Franz Kafka einer der Klassiker der modernen deutschen Literatur, hat Zeit seines Lebens die Absicht verfolgt, mit Hilfe seiner literarischen Produktion in gesellschaftliche und politische Verhältnisse einzugreifen. Seine Vorstellungen von einer proletarischen Revolution im marxistisch-leninistischen Sinne zielten in wesentlichen Teilen auch auf eine Befreiung der nicht-ökonomischen, kulturellen Produktivkräfte ab. Ein wesentliches Element seiner Theaterkonzeption bildet der sogenannte 'Verfremdungseffekt', der darauf beruht, mit Hilfe ästhetischer Mittel im Zuschauer einen Erkenntnisprozess zu organisieren, an dessen Ende eine Bewusstseins- oder Verhaltensänderung steht. Die effektive Wirkungsmöglichkeit seines epischen Theaters wird allerdings von seinen Kritikern in Zweifel gezogen. Stücke wie "Der gute Mensch von Sezuan" oder "Der kaukasische Kreidekreis" erscheinen heute aufgrund ihrer parabolischen Geschlossenheit oft allzu vereinfachend. Aller Kritik zum Trotz wurde B. in der Spielzeit 1971/72 zum meistgespielten Autor auf westdeutschen Bühnen. Seit längerem wird Brecht aber auch als Autor eines umfangreichen lyrischen Werks, von der "Hauspostille" (1927) bis zu den "Buckower Elegien" (1953), geschätzt und als einer der bedeutendsten deutschen Lyriker gewürdigt.

- *Die zwei Söhne, in: Bertolt Brecht: Gesammelte Werke in 20 Bänden, Bd.11, Frankfurt/M. 1967*
- *Deutschland 1952, in: ebd. Bd.7*
- *Die Lösung, in: ebd.*

Rolf Dieter Brinkmann

geboren am 16.4.1940 in Vechta, begann 1959 eine Buchhandelslehre in Essen und zog 1962 nach Köln, wo er ein Pädagogikstudium aufnahm. Er begann sehr früh mit dem Schreiben; ab 1962 erschienen Gedichtbände bei Kleinverlagen. B. zählte zur Kölner Gruppe des "Neuen Realismus" und lebte seit Mitte der 60er Jahre als freier Schriftsteller. Er drehte Experimentalfilme und leitete die Rezeption der amerikanischen Pop- und Undergroundliteratur in Deutschland ein. B. lebte oft am Rande des Existenzminimums und hatte in den Jahren 1970 bis 1975 keine größere Publikation zu verzeichnen. Am 23.4.1975 wurde er in London beim Überqueren der Straße von einem Auto erfasst und getötet. Kurz nach seinem Tod erschien der hymnisch gefeierte Gedichtband "Westwärts 1 & 2". B.s Veröffentlichungen in den 60er Jahren wurden entschieden von der politischen Protestbewegung bestimmt; mit ihrem Niedergang geriet er zwangsläufig in eine persönliche Krise. Dokument dieser individuellen Ohnmacht ist der Roman "Keiner weiß mehr" (1968). Seine Hörspiele zu Beginn der 70er Jahre wurden von der Kritik nicht beachtet. 1972 stellte sein Verlag die monatlichen Unterstützungszahlungen ein. B., der sich mit Verleger und Freunden überworfen hatte, konnte nur noch mit Hilfe von Stipendien und Gastaufenthalten im Ausland weiterexistieren; "Westwärts 1 & 2" hätte einen Wiedereinstieg B.s in den Literaturbetrieb markieren können. Große Beachtung fand auch der monumentale Band "Rom, Blicke", eine Art von Tagebuch-Essay und Text-Bild-Montage, der während seines Rom-Aufenthaltes in der Villa Massimo (1972) entstand und posthum 1979 herausgegeben wurde.

- *Einen jener klassischen, in: Rolf Dieter Brinkmann: Westwärts 1 & 2 - Gedichte, Reinbek bei Hamburg 1975*

Paul Celan

(eigentlich Paul Antschel) wurde am 23.11.1920 als Kind deutschsprachiger Juden in Czernowitz in der Bukowina (damals rumänisch) geboren, wo er mehrsprachig und mit frühen dichterischen Interessen aufwuchs.. Nachdem er 1938 in Tours (Frankreich) ein Medizinstudium aufgenommen hatte, kehrte er im Juli 1939 zurück und begann mit einem Romanistikstudium an der Universität Czernowitz. 1941 wurde die Stadt von deutschen und rumänischen Truppen besetzt, die ein jüdisches Ghetto einrichteten. C.s Eltern wurden 1942 deportiert und starben noch im selben Jahr. C. verblieb bis 1944 im Zwangsarbeitslager, nahm sein Studium wieder auf und arbeitete ab 1945 in Bukarest als Übersetzer und Lektor. Seit 1948 lebte er in Paris, studierte dort Germanistik und arbeitete seit 1959 als Lektor für deutsche Sprache. 1968 wurde er Mitherausgeber der Zeitschrift "L'Éphémère". Im Herbst 1969 reiste er nach Israel. Vermutlich am 20.4.1970 beging er Selbstmord in der Seine. C.s Lyrik ist geprägt von der Erinnerungslast, die er als Überlebender des Holocaust mit sich trug. Seine Herkunft sowie seine persönlichen und historischen Erfahrungen führten zunächst dazu, dass er als Dichter zwar an die Öffentlichkeit treten wollte, aber nur schwer die Sprache finden konnte, um das Leid der Opfer des Nationalsozialismus auszudrükken. Celans heutige Weltgeltung beruht nicht zuletzt auf der allmählich entwikkelten Fähigkeit, seine Reaktion auf Mord und Unterdrückung in einer poetisch verdichteten, ja hermetischen Bildsprache darzulegen, die aus der europäischen Moderne, aber auch aus der jüdischen Tradition gespeist wird.

- *Todesfuge, in: Paul Celan: Gedichte in zwei Bänden, Bd.1, Frankfurt/M. 1975*

Franz Josef Degenhardt

geboren am 3.12.1931 in Schwelm (Westfalen), stammt aus einer katholischen antifaschistischen Familie. Nach dem Abitur 1952 studierte er Rechtswissenschaften und promovierte 1966 zum Dr. jur. Schon 1963 debütierte er mit Liedern im Rundfunk. Es folgten Hörspiele, Features usw. Gegen Ende der 60er Jahre kam es im Zusammenhang mit der studentischen Protestbewegung zu einer deutlichen Politisierung des Sängers, der zunächst eher surrealistische Lieder geschrieben hatte. 1969 ließ er sich in Hamburg nieder und wurde wegen seiner Nähe zur DKP aus der SPD ausgeschlossen. 1971 erreichte sein Lied "Befragung eines Kriegsdienstverweigerers" einen Spitzenplatz in der Hitparade. D.s Erfolg wird durch die Verkaufszahlen seiner Bücher belegt. Der Roman "Zündschnüre" (1973), in dem die Solidarität von Jugendlichen eines kommunistischen Stadtviertels im Kampf gegen die Nationalsozialisten beschrieben wird, wurde 1974 verfilmt. Seit 1978 ging D. mit einer eigenen Band auf Tournee. Seit 1981 überwogen - nicht zuletzt motiviert durch die Friedensbewegung - die politischen Auftritte.

- *Tonio Schiavo, in: Franz Josef Degenhardt: Politische Lieder 1964-72, München 1972*

Alfred Döblin

geboren am 10.8.1878 in Stettin, durchlebte eine schwere Kindheit, nachdem der Vater die Mutter und fünf Kinder verließ. Nach dem Abitur in Berlin (1900) studierte D. Medizin mit dem Schwerpunkt Neurologie und Psychiatrie. 1905 legte er sein Examen ab und praktizierte anschließend in Irrenanstalten als Assistenzarzt. In diesen Jahren entstanden die ersten literarischen Arbeiten wie die psychographische Studie "Der schwarze Vorhang" (1902/1903). D. gilt als Bahnbrecher des Expressionismus und wurde 1910 zum Mitbegründer des Künstlerkreises "Der Sturm". Die Erzählweise des Arztes und Dichters reflektierte stets neueste wissenschaftliche und psychiatrische Erkenntnisse. Als Hauptwerk dieser Zeit gilt der Roman "Die drei Sprünge des Wang-lun" (1915). 1911 machte er sich als Kassenarzt für Neurologie selbständig. Ein Jahr später heiratete er Erna Reiss, die Mutter seines unehelichen Kindes. 1915 wurde er als Militärarzt eingezogen. Die Erlebnisse an der Front machten aus dem bis dahin eher nationalistisch gesinnten D. einen überzeugten Sozialisten. 1929 erschien sein berühmtestes Werk, der experimentelle Großstadtroman "Berlin Alexanderplatz". Nach dem Reichstagsbrand floh der Jude D. am 2.3.1933 in die Schweiz. Er gehörte zu den wenigen Emigranten, die in Frankreich die Staatsbürgerschaft erhielten. 1940 konnte er der Verfolgung in Europa durch die Flucht nach Amerika entgehen. In den USA durfte er allerdings seinen Beruf nicht ausüben, und es gelang ihm nicht, sich auf dem literarischen Markt durchzusetzen. Keines seiner Werke aus dieser Zeit wurde gedruckt; der mehrbändige, 1937 begonnene und 1943 abgeschlossene Roman "November 1918" blieb Manuskript. Nach 1945 kehrte er als Offizier der französischen Militäradministration nach Deutschland zurück und war für die Zensur verantwortlich. Der Anschluss an die Gegenwartsliteratur gelang ihm jedoch nicht mehr. Politisch ging D. auf Distanz zu den Restaurationsbestrebungen in der BRD. Alfred Döblin starb am 26.6.1957 nach schwerer Krankheit in Emmendingen.

- *Als ich wiederkam, in: Abschied und Wiederkehr, in: Alfred Döblin: Schriften zu Leben und Werk, Olten und Freiburg im Breisgau 1986*

Friedrich Dürrenmatt

geboren am 5.1.1921 in Konolfingen (Schweiz), studierte nach dem Abitur in Zürich und Bern Literatur, Philosophie und Naturwissenschaften. D. entschied sich früh für den Beruf des Schriftstellers, aber er malte und zeichnete auch kontinuierlich. D.s Werk ist außerordentlich umfangreich und vielfältig. Der Schwerpunkt liegt allerdings beim Drama. Sein öffentliches Debüt 1947 mit dem Stück "Es steht geschrieben" provozierte einen Skandal, da es gegen religiöse Konventionen verstieß. Zu seinen bedeutendsten und weltweit meistgespielten Werken gehören die tragische Komödie "Der Besuch der alten Dame" (1956) und die groteske Komödie "Die Physiker" (1962). Neben diesen Bühnenklassikern der Moderne weist D.s Werk bedeutende Romane und Erzählungen auf. Die Kriminalromane "Der Richter und sein Henker" (1952), "Der Verdacht" (1953) und "Das Versprechen" (1958) dokumentieren eines seiner Grundthemen: das Plädoyer für Humanität und gegen das Böse in der Welt. Kennzeichnend sind auch hier D.s Anspielungen auf Schwächen und Eigenheiten der Schweizer. Sein Engagement gegen erfolgsorientiertes Mitläufertum brachte er in dem Stück "Der Mitmacher" (1973) zum Ausdruck. In den Prosawerken seit Mitte der 70er Jahre zeigte D. eine verstärkt theoretische und philosophische Auseinandersetzung mit seinen Themen. Einen großen Erfolg erlangte er mit der Komödie "Achterloo" (1983), in der er die Weltgeschichte als Tollhaus entlarvt. Eine grausige Vision über die Zukunft der Menschheit stellt die Novelle "Der Auftrag oder Vom Beobachten des Beobachters der Beobachter" (1986) dar. Friedrich Dürrenmatt erlag am 14.12.1990 einem Herzinfarkt in Neuenburg (Schweiz).

- *Bericht über zwei Miniaturen, in: Friedrich Dürrenmatt: Werkausgabe, Bd.28, Zürich 1980*

Günter Eich

geboren am 1.2.1907 in Lebus an der Oder, studierte zunächst Volkswirtschaft und Sinologie in Berlin und Paris. Seit 1932 arbeitete er als freier Schriftsteller. 1953 heiratete er die Schriftstellerin Ilse Aichinger. Am 20.12.1972 verstarb er in Groß-Gmain bei Salzburg. Das Grundthema des Lyrikers, Hörspielautors und Erzählers ist das Leiden des Einzelnen an seiner Existenz. In der Natur suchte der frühe E. Antworten auf seine Fragen nach dem Dasein; der späte E. wandte sich enttäuscht und verbittert vom Menschen und der Schöpfung ab, da es ihm nicht gelungen war, diese Sinnfragen zu beantworten. In der Nachkriegszeit erlangte E. mit seinem Gedichtband "Abgelegene Gehöfte" (1948) Bedeutung als exemplarischer Vertreter des sog. "magischen Realismus". E., der stets auf ein offenes politisches Engagement verzichtet hatte, benutzte speziell die Form des Hörspiels, um seinem moralischen Appell zu politischer Aufmerksamkeit Ausdruck zu verleihen. Der produktivste Hörspielautor der Nachkriegszeit prägte diese literarische Form u.a. mit den radiophonen Arbeiten "Träume" (1951), "Der Tiger Jussuf" (1953) oder "Die Brandung vor Setúbal" (1957); für "Die Andere und ich" erhielt er 1952 den renommierten Hörspielpreis der Kriegsblinden. 1959 wurde E. mit dem Georg-Büchner-Preis ausgezeichnet. Sowohl die Hörspiele als auch die Lyrik der 50er Jahre dokumentieren E.s Versuch, mit Hilfe der Sprache die Wirklichkeit zu enträtseln. In den 60er Jahren wandelte sich seine Einstellung zu Natur und Sprache grundlegend. Der erste Lyrikband aus dieser Zeit, "Zu den Akten" (1964), macht dies ebenso deutlich wie die Prosa der letzten Jahre. So wird in "Ein Tibeter in meinem Büro" (1970) die Ordnung des Sprachsystems auf groteske Weise in Frage gestellt.

- *Inventur, in: Günter Eich: Die Gedichte, Frankfurt/M. 1991*

Hans Magnus Enzensberger

geboren am 11.11.1929 in Kaufbeuren/Allgäu, studierte von 1949 bis 1954 Literaturwissenschaften, Sprachen und Philosophie in Erlangen, Hamburg, Freiburg i.Br. und Paris. 1955 promovierte er mit einer Arbeit über Clemens Brentano. Er debütierte zwischen 1955 und 1957 mit Beiträgen für die Redaktion "Radio-Essay" in Stuttgart unter Alfred Andersch. Nach seinen ersten Veröffentlichungen wurde E. bald als "zorniger junger Mann der Literatur" und "Bürgerschreck" etikettiert. Schon in seinem ersten Gedichtband "verteidigung der wölfe" (1957) bricht E. mit dem lyrischen Traditionalismus und benutzt die Poesie als Mittel der politischen Analyse, ein Verfahren, das in den Bänden "landessprache" (1960) und "blindenschrift" (1964) noch verfeinert wird. 1960/61 war E. Verlagslektor im Suhrkamp-Verlag. Im gleichen Jahr erschien die von ihm herausgegebene Anthologie "Museum der modernen Poesie", die zur Rezeption der internationalen Moderne in Nachkriegsdeutschland beitrug. 1965 gründete er die Zeitschrift "Kursbuch", die er bis 1975 herausgab. Mit dem Essayband "Einzelheiten" legte E. 1962 Arbeiten zur Kulturkritik in der Tradition von Adornos Kritischer Theorie vor. Mitte der 60er Jahre wendet sich E. im Zuge der Studentenbewegung verstärkt der Politik zu. In dem Lyrikband "Gedichte 1955-1970" erklärte E. 1971 seinen Abschied von der Illusion der 'Kulturrevolution'. Im "Untergang der Titanic" (1978) und in den Gedichtbänden "Die Furie des Verschwindens" (1980), "Zukunftsmusik" (1991) und "Kiosk" (1995) wendet er sich wieder verstärkt der Poesie zu. Davon legt auch seine produktive Auseinandersetzung mit Schriftstellern wie Brentano ("Requiem für eine romantische Frau", 1988) und Diderot ("Diderots Schatten", 1994; "Voltaires Neffe", 1996) Zeugnis ab. E. hatte stets ein Gespür für aktuelle gesellschaftliche Entwicklungen und Trends; 1988 lieferte er mit "Mittelmaß und Wahn" eine essayistische Bestandsaufnahme der (alten) Bundesrepublik in ihrer letzten Phase. 1999 erschien der Gedichtband "Leichter als Luft - Moralische Gedichte", in dem der Dichter und Mensch E., wenn auch verborgen hinter unterschiedlichen Masken, Bilanz zieht. E. verkörpert den Typus des ebenso intelligenten wie vielseitig-flexiblen Kritiker-Autors, der über eine breite Kenntnis der internationalen Literatur verfügt und auch als Übersetzer erfolgreich ist. 1980 gründete E. die Zeitschrift "TransAtlantik" (Mitwirkung bis 1982), seit 1985 gibt er in der "Anderen Bibliothek" seine Lieblingsbücher der Weltliteratur heraus. E. erhielt u.a. das Villa Massimo-Stipendium (1959), den Georg-Büchner-Preis (1963), den Heinrich-Böll-Preis (1985) und den kulturellen Ehrenpreis der Stadt München (1994).

- *Middle Class Blues, in: Hans Magnus Enzensberger: Gedichte 1950-1985, Frankfurt/M. 1986*
- *Verteidigung der Wölfe, in: ebd.*
- *Die Scheidung, in: ebd.*
- *Alte Ehepaare, in: Hans Magnus Enzensberger: Zukunftsmusik, Frankfurt/M. 1991*
- *Über die Schwierigkeit ein Inländer zu sein, in: Hans Magnus Enzensberger: Deutschland, Deutschland unter anderem, Frankfurt/M. 1967*

Elke Erb

wurde am 18.2.1938 in Scherbach/Eifel geboren. Ihr Vater, der marxistische Literaturhistoriker Ewald Erb, siedelte mit seiner Familie 1949 in den Osten Deutschlands. Ende der 60er Jahre trat E. als Lyrikerin und Übersetzerin aus dem Russischen hervor (Blok, Pasternak, Zwetajewa). Ihre literarische Produktion ist gekennzeichnet von hoher Präzision und Authentizität. Dabei nutzt sie die ganze Skala poetischer Sprechweisen vom strikt gebundenen Vers bis zu experimenteller Offenheit wie in den frühen Bänden "Gutachten" (1975) und "Einer schreit" (1976). Ihre neueren Texte tendieren mehr zur gestischen Artikulation, und immer häufiger vermischen sich Redensarten, Sprichwörter und Zitate auf sprachspielerische Weise. Dabei spielt die Auseinandersetzung mit einem Autor wie Hans Arp und den neuerdings im Raum Berlin ("Prenzlauer Berg Connection") anzutreffenden neodadaistischen Experimenten eine wichtige Rolle. Besonders ihre Arbeiten aus den späten 80er Jahren gleichen bizarren Mischformen aus Gedicht, Erzählung und Essay: "Vexierbild" und "Kastanienallee" (1987). In den 90er Jahren richtete E. ihre (literarische) Aufmerksamkeit verstärkt auf ihre Freundin und Lieblingsautorin Friedericke Mayröcker: Zum einen stellte sie in "Veritas. Lyrik und Prosa 1950-1992" (1993) eine Auswahl von Mayröcker-Texten zusammen; zum anderen legte sie mit "Unschuld, du Licht meiner Augen" von 1994 sog. Rezeptionsgedichte vor, die von der Leseerfahrung mit der geschätzten Dichterin handeln. 1995 erschien der Band "Der wilde Forst, der tiefe Wald. Auskünfte in Prosa", der unterschiedliche politische, autobiographische und poetologische Reflexionen aus den Jahren 1989 bis 1995 versammelt. E. erhielt zahlreiche Preise, darunter den Peter-Huchel-Preis (1988) und den Erich-Fried-Preis (1995).

- *Liebesgedicht, in: Elke Erb: Der Faden der Geduld, Berlin und Weimar 1978*

Erich Fried

geboren am 6.5.1921 in Wien, lebte seit 1938 als Emigrant in London. Seine ersten Gedichte erschienen in den letzten Kriegsjahren. Sein späteres politisches Engagement gegen den Vietnamkrieg, gegen die Haltung Israels in der Palästinenserfrage und gegen die Terroristenjagd in der BRD hat ihm vielfältige Anfeindungen eingebracht. Das dichterische Werk ist von einer beständigen Suche nach Heimat geprägt. Besonders deutlich kommt dies in dem Lyrikband "100 Gedichte ohne Vaterland" (1978) zum Ausdruck. F.s erste Gedichtbände "Deutschland" (1944) und "Österreich" (1945) dokumentieren sein antifaschistisches Engagement. Nachdem er in den 50er Jahren primär als Übersetzer der Dramen Shakespeares und englischer Lyrik tätig war, veröffentlichte er 1960 seinen einzigen Roman "Ein Soldat und ein Mädchen". Mitte der 60er Jahre wandte er sich mit seinen Vietnam-Gedichten unter dem Titel "und Vietnam und" (1966) der politischen Lyrik zu. Die Schwerpunkte von F.s Gedichten änderten sich allerdings seit dem Ende der 70er Jahre. Ein noch größerer internationaler Erfolg waren schließlich seine "Liebesgedichte" von 1979. Dass F. damit nicht zu einem unpolitischen Schriftsteller wurde, belegt sein Band "Es ist was es ist" (1983), in dessen Mittelpunkt Liebes-, Angst- und Zorngedichte stehen. Erich Fried starb am 22.11.1988 in Baden-Baden.

- *Was es ist, in: Erich Fried: Es ist was es ist, Berlin 1983*

Max Frisch

geboren am 15.5.1911 in Zürich, studierte zunächst Germanistik und von 1936 bis 1940 Architektur in Zürich. Von 1941 bis 1955 hatte er ein eigenes Architekturbüro. Seit 1955 lebte er als freier Schriftsteller mit wechselnden Wohnorten. F. war ein Schriftsteller von internationalem Rang; seine Geltung in Ost und West trug entscheidend dazu bei, dass deutschsprachige Literatur nach 1945 wieder internationales Ansehen erlangen konnte. Grundlage seines Erfolges war seine Fähigkeit, sich in seinen Werken an den Grundfragen der Menschen - an der Suche des Ichs nach sich selbst oder der Frage nach Tod und Vergänglichkeit - zu orientieren. Seinen literarischen Durchbruch erlangte er mit den Romanen "Stiller" (1954) und "Homo Faber" (1956). Seine Stücke "Biedermann und die Brandstifter" (1958) und "Andorra" (1963) gehören zur Pflichtlektüre an den deutschen Schulen. F.s politisches Engagement dokumentieren nicht nur diese Stücke; in Essays, Reden und seinen Tagebüchern nahm er u.a. kritisch zur Zerschlagung des Prager Frühlings oder zum Vietnamkrieg Stellung. Bevorzugter Gegenstand seiner Kritik war in vielen Schriften die Schweiz und die Eigenarten seiner Schweizer Landsleute. Die Erzählung "Montauk" (1975) markiert den Beginn von F.s literarischem Rückzug aus öffentlichen Fragen. Im Zuge seiner Endzeitvisionen erschien 1979 die Erzählung "Der Mensch erscheint im Holozän". Nach der Kriminalerzählung "Blaubart" (1982) veröffentlichte er neben kleinen Arbeiten unermüdlich Aufsätze und Reden, in denen er sich zu politischen und kulturellen Fragen äußerte. Max Frisch starb am 4.4.1991 in Zürich.

- *Überfremdung I, in: Max Frisch: Gesammelte Werke in zeitlicher Folge, Bd.5, Frankfurt/M. 1976*
- *Der andorranische Jude, aus: Tagebücher 1946-49, in: ebd., Bd.2*

Franz Fühmann

wurde am 15.1.1922 in Rochlitz/CSSR als Sohn eines Apothekers geboren. 1932 wurde er ins Jesuitenkonvikt Kalksburg bei Wien aufgenommen. Nach der Drangsal durch den Katholizismus wurde er 1936 Mitglied im sudetenfaschistischen Deutschen Turnverein und trat 1938 der Reiter-SA bei. 1939 meldete er sich freiwillig zur Wehrmacht und geriet 1945 in sowjetische Gefangenschaft. Ein Jahr später wurde er zur Antifa-Schule Noginsk abkommandiert, wo ihn die Wahrheit über Auschwitz und ein intensives Marxismusstudium zur Abkehr vom Faschismus führten. Seit 1958 arbeitete er in der DDR als freischaffender Schriftsteller. Seine Arbeiten der 50er Jahre spiegeln das Pathos des sozialistischen Neubeginns ("Die Nelke Nikos" 1953, "Die Fahrt nach Stalingrad. Poem" 1953). In den späteren Texten rückt die Verarbeitung der Vergangenheit aus der Sicht der unschuldig-schuldhaft in die Nazi-Verbrechen verstrickten jungen Generation in den Vordergrund, z.B. in "König Ödipus"(1966) und den Erzählungen "Das Judenauto"(1962). In den Texten der 70er Jahre erfolgt eine stärkere Hinwendung zu Mythos und Phantasie, Traum und Sprachspiel, etwa in dem fiktiven Ungarn-Tagebuch "Zweiundzwanzig Tage oder Die Hälfte des Lebens" (1973). Alptraumhafte Negativutopien kennzeichnen den Erzählband "Saiäns-Fiktschen"(1981). In Rezeption der Lyrik Georg Trakls rückt noch einmal die biographische Bilanz ins Zentrum seines Textes. In "Vor Feuerschlünden"(1982) beschreibt F. mit nahezu manischer Intensität den Versuch, sich von ideologischer Doktrin zu befreien. In seiner Haltung als unbestechlicher und doch unbeirrt am Sozialismus festhaltender Kritiker einer kleinlichen DDR-Kulturpolitik war Fühmann bis zu seinem Tode am 8.7.1984 der wichtigste Förderer und das Vorbild der jungen Autorengeneration in der DDR.

- *Drei nackte Männer, in: Franz Fühmann: Erzählungen 1955-1975, Rostock 1977*

Robert Gernhardt

geboren am 13.12.1937 in Reval/Estland, in Göttingen aufgewachsen. Arbeitet als Erzähler, Lyriker, Essayist, Satiriker, Drehbuchautor und Maler. Er studierte Malerei und Germanistik in Stuttgart und Berlin. Von 1964 bis 1976 war er Redakteur des Frankfurter Satiremagazins "pardon". 1977 erschien sein erster Prosaband "Die Blusen des Böhmen", 1981 die Gedichte und Bildergeschichten "Wörterseee", 1982 der Roman "Ich, Ich, Ich", 1984 gesammelte Satiren unter dem Titel "Letzte Ölung". Als Mitbegründer ist G. seit 1980 für das Satiremagazin "Titanic" tätig. In seinen satirischen Gedichten, Prosatexten und Zeichnungen spielt G. mit den Rezeptionserwartungen seines Publikums. Gegen eine moralisierende Literatur, die er immer wieder parodiert, plädiert G. für eine heitere, distanzierte und gleichwohl gesellschaftskritische Kunst. Dabei zeigen seine Arbeiten hohes Formbewusstsein, stilistische Virtuosität und Komplexität. All diese poetischen Qualitäten, aber auch die Entwicklung seiner Lyrik über vier Jahrzehnte hinweg lassen sich in seinen letzten Bänden "Gedichte 1954-1994" und "Lichte Gedichte" (1997) beobachten.

- *Nachmittag eines Dichters, in: Robert Gernhardt: Lichte Gedichte, Zürich 1997*
- *Inventur 96 oder Ich zeig Eich mein Reich, in: ebd.*

Gabriele Goettle

geboren 1946 in Aschaffenburg, aufgewachsen in Karlsruhe, studierte Bildhauerei, Literaturwissenschaft, Religionswissenschaft und Kunstgeschichte in Berlin. Seit Anfang der 80er Jahre ist sie als freie Mitarbeiterin für verschiedene Zeitungen, u.a. die "tageszeitung" (taz) und die "Zeit", tätig. Auftragsarbeiten lehnt sie jedoch grundsätzlich ab. Der Prosaband "Deutsche Sitten" (1991) ist ihre erste Buchveröffentlichung. Die in ihm enthaltenen literarischen Reportagen, Erzählungen, Protokolle und Essays zeichnen auf vielfältige Weise ein Bild der Bundesrepublik der achtziger Jahre. Mit dem Blick der Ethnographin und ausgerüstet mit einem Aufnahmegerät reiste G. jahrelang durch die Bundesrepublik, um die verschiedenen Stimmen einer Gesellschaft einzufangen, die nicht mehr *eine* Sprache spricht, sondern unzählig viele. Ein 'Deutschland von unten' kam auf diesen Streifzügen zu Tage, das fremdartig und bekannt, gewöhnlich und monströs zugleich anmutet. Um dieses andere, inoffizielle Deutschland geht es auch in der ebenfalls 1991 erschienenen Essay-Sammlung "Freibank. Kultur minderer Güte amtlich geprüft".

- *Die Nachmieterin, in: Gabriele Goettle: Deutsche Sitten, Frankfurt/M. 1991*

Oskar Maria Graf

geboren am 22.7.1894 in Berg am Starnberger See, floh 1911 nach dem Tode seines Vaters nach München, um Schriftsteller zu werden. Dort debütierte er mit expressionistischer Lyrik, konnte sich aber nur unter Schwierigkeiten ernähren. 1914 wurde er zum Militär einberufen, widersetzte sich aber dem System durch Hunger- und Sprechstreiks und andere Aktionen, die ihn fast zum Wahnsinn trieben, bis er 1916 entlassen wurde. In den 20er Jahren avancierte er zum gesellschaftlichen Mittelpunkt der Bohème in München. Hier entdeckte er seine Fähigkeit, 'Bayrisches' zu schreiben, was ihm mit dem "Bayrischen Dekameron" (1928) einen außerordentlichen Publikumserfolg einbrachte. International beachtet wurde die Autobiographie "Wir sind Gefangene" (1927), die später von den Nationalsozialisten verboten wurde. Mit "Der Abgrund" (1935) und "Anton Sittinger" (1937) folgten zwei Romane, in denen er sich mit den Ursachen für die Durchsetzung des Faschismus und den daraus resultierenden Problemen des Antifaschismus auseinandersetzte. G. emigrierte 1933 - seine Flucht führte ihn über Wien, Brünn und Prag 1938 nach New York. Hier setzte er sich für verfolgte europäische Künstler ein. Von seinen weiterhin deutsch geschriebenen Werken werden "Das Leben meiner Mutter" (1946) und "Gelächter von außen" (1966) als besonders gelungen bezeichnet. Oskar Maria Graf verstarb am 28.6.1967 in New York.

- *Was mich abhält, nach Deutschland zurückzukehren, in: Oskar Maria Graf: Reden und Aufsätze aus dem Exil, Gesammelte Werke, Bd.11, München 1989*

Günter Grass

geboren am 16.10.1927 in Danzig, war in den letzten Kriegsjahren Luftwaffenhelfer und Panzersoldat, arbeitete nach der Entlassung aus amerikanischer Kriegsgefangenschaft zunächst in einem Bergwerk. Parallel zum Studium der Graphik und der Bildhauerei begann er in den 50er Jahren mit der schriftstellerischen Arbeit. Seit 1955 gehörte er der Gruppe 47 an. Im Wahlkampf 1961 trat er energisch für Willy Brandt ein. Diesem Engagement folgten zahlreiche Auftritte bei Bundes- und Landtagswahlkämpfen der SPD. In das Bewusstsein der internationalen Öffentlichkeit trat G. 1959 mit dem ersten Teil der "Danziger Trilogie", der "Blechtrommel". Dieser Roman sowie die folgenden Bände "Katz und Maus" (1961) und "Hundejahre" (1963) beschreiben die Etablierung des Nationalsozialismus im Kleinbürgertum Danzigs. G.s Arbeiten waren bei Kritik und Lesern nicht unumstritten. Die negativen Reaktionen, die im Pornographievorwurf gipfelten, standen in Zusammenhang mit seinem politischen Engagement. Die größeren Werke der folgenden Zeit sind durch ein stark autobiographisch geprägtes Erzähler-Ich dominiert. Der Roman "Der Butt" (1977), der G. wieder einen weltweiten Erfolg bescherte, die Erzählung "Das Treffen in Telgte" (1979) und die Geschichte der Asienreise des Ehepaares Harms in "Kopfgeburten oder Die Deutschen sterben aus" (1980) sind zunehmend durch G.s persönliche Erfahrungen und pessimistische Weltsicht geprägt. Volker Schlöndorffs Verfilmung der "Blechtrommel" (1979) war ein großer internationaler Erfolg und wurde 1980 mit dem "Oscar" ausgezeichnet. In seinem Roman "Ein weites Feld" (1995) konfrontiert G. das literarische Erbe in der Person Theodor Fontanes mit der deutschen Gegenwart. Zuletzt erschien ein (eigenhändig illustrierter) Rückblick auf die durchlebte Epoche: "Mein Jahrhundert" (1999).

- *Kurze Rede eines vaterlandslosen Gesellen, in: Günter Grass: Ein Schnäppchen namens DDR, Frankfurt/M. 1990*
- *Die Deutschen und ihre Dichter, in: Günter Grass: Werkausgabe in zehn Bänden, Bd.9, Darmstadt und Neuwied 1987*

Durs Grünbein

geboren 1962 in Dresden, lebt seit 1985 in Berlin; studierte kurzzeitig Theaterwissenschaft, 1987 Abbruch des Studiums. 1988 erschien der erste Gedichtband "Grauzone morgens", 1991 folgte der Band "Schädelbasislektion", der als Literaturereignis von der Kritik gefeiert wurde. In ihm versammelt G. Momentaufnahmen, Träume, Gedichte, Zeitungsfunde, Graffiti, philosophische und politische Reflexionen, die den Moment des Mauerfalls umkreisen. 1994 erschienen die Gedichtbände "Falten und Fallen", für den G. den Peter-Huchel-Preis erhielt, sowie "Den Teuren Toten. 33 Epitaphe". 1995 wurde G. als jüngstes Mitglied in die Deutsche Akademie für Sprache und Dichtung aufgenommen und erhielt im selben Jahr den Georg-Büchner-Preis. 1996 erschien die Aufsatzsammlung "Galilei vermißt Dantes Hölle und bleibt an den Maßen hängen".

- *Schädelbasislektion, in: Durs Grünbein: Schädelbasislektion, Frankfurt/M. 1991*
- *Meditation nach Descartes, in: Durs Grünbein: Falten und Fallen, Frankfurt/M. 1994*

Peter Handke

wurde am 6.12.1942 in Griffen (Österreich) geboren. Nachdem der Suhrkamp Verlag 1965 sein Romanmanuskript "Die Hornissen" angenommen hatte, brach H. sein Jurastudium ab. 1966 wurde er mit dem Stück "Publikumsbeschimpfung" einer breiteren Öffentlichkeit bekannt. Im gleichen Jahr hatte er einen spektakulären und provokativen Auftritt vor der Gruppe 47 in Princeton. Seine ersten Arbeiten zielten auf die Bloßlegung bzw. das Aufbrechen von Herrschaftsstrukturen ab. Während in "Kaspar" (1968) das Herrschaftssystem 'Sprache' thematisiert wird, dokumentieren "Der kurze Brief zum langen Abschied" (1972) oder "Die linkshändige Frau" (1976) Versuche eines Ausbruchs aus zwischenmenschlichen Beziehungen. In den folgenden Jahren setzte sich H. mit Arbeiten wie "Das Gewicht der Welt" (1977) zunehmend dem Vorwurf des Egozentrismus aus. Mit "Die Lehre der Sainte-Victoire" (1980) zeichnete sich eine neue Haltung ab, die die Suche nach einer Sinngebung für die Welt in den Mittelpunkt stellt. "Das Gedicht an die Dauer" (1986), "Die Wiederholung" (1986) und die folgenden Schriften dokumentieren den Versuch, Dinge und Menschen dem Vergehen und Vergessen zu entreißen. 1989 erschien H.s essayistischer "Versuch über die Müdigkeit", der eine stark polarisierende Wirkung auf Kritik und Publikum hatte. Es folgten der "Versuch über die Jukebox" (1990) und "Versuch über den geglückten Tag" (1991). Provozierend an diesen 'Versuchen' ist nicht nur die Langsamkeit und Bedächtigkeit, mit der H. seine Betrachtungen entwickelt, sondern auch seine immer wiederkehrende Bezugnahme auf die Antike. Das gilt auch für den 1992 erschienenen Sammelband "Langsam im Schatten", dessen Titel sich auf eine Ekloge Vergils bezieht. Mit "Mein Jahr in der Niemandsbucht" (1994) veröffentlichte H. sein bisher umfangreichstes Werk. In mehreren Texten setzte er sich mit dem Zerfall Jugoslawiens auseinander. Besonders der 1996 erschienene Bericht über "Eine winterliche Reise zu den Flüssen Donau, Save, Morawa und Drina" löste mit seiner Kritik an der Berichterstattung über die jugoslawischen Kriege und seiner Parteinahme für die Serben eine heftige Kontroverse aus. H. lebt bei Paris.

- *Die drei Lesungen des Gesetzes, in: Peter Handke: Die Innenwelt der Außenwelt der Innenwelt, Frankfurt/M. 1967*

Ludwig Harig

wurde am 18.7.1927 in Sulzbach/Saar geboren. Im Anschluss an seine Lehrerausbildung arbeitete er zunächst in Lyon; von 1950-1970 war er Volksschullehrer in Dudweiler/Saar. Seit 1955 veröffentlichte er eigene Texte, und seit 1963 beschäftigte er sich vorwiegend mit experimentellen Hörspielen und Übersetzungen. H. versuchte, mit Mitteln der "Konkreten Poesie" gegen die herrschende Ästhetik der fünfziger Jahre anzuschreiben. In seinen Hörspielen bemühte er sich, mit sprachspielerischen Mitteln Kritik an ideologischen Kommunikationsformen zu üben. Sein erster Roman "Sprechstunden für die deutsch-französische Verständigung und die Mitglieder des gemeinsamen Marktes" (1971) ist von der Absicht geprägt, dem Leser durch eine experimentelle Sprache Einsichten in die Absurdität der Logik zu vermitteln. In den letzten Jahren befasste sich H. verstärkt mit typischen Mustern deutscher Biographien. Der Roman "Ordnung ist das ganze Leben" (1986) rekonstruiert anhand der Lebengeschichte seines Vaters das Leben deutscher Kleinbürger zwischen 1896 und 1980. In "Weh dem, der aus der Reihe tanzt" (1990) schildert H., wie der Nationalsozialismus aus Kindern Täter machte. Im 1996 erschienenen Roman "Wer mit den Wölfen heult, wird Wolf" wird dieses Thema aufgegriffen und weiter geführt.

- *herum gezogen flanken lauf zum, in: Patio - Fußball Magazin, Frankfurt/M. 1968/69*

Christoph Hein

wurde am 8.4.1944 in Heinzendorf/Schlesien geboren. Da ihm als Pfarrerssohn in der DDR der Besuch des Gymnasiums verwehrt war, besuchte er ab 1958 ein Gymnasium in Westberlin. 1960 ging er in die DDR zurück. Er arbeitete nach dem Abitur als Montagearbeiter, Buchhändler, Kellner, Journalist, als Schauspieler in Nebenrollen und als Regieassistent. Von 1967-1971 studierte er Philosophie und Logik in Leipzig und Berlin. Er war dann zunächst als Dramaturg, ab 1974 als Autor bei der Volksbühne in Berlin (Leitung: Benno Besson) unter Vertrag. Hier wurde 1974, nach erheblichen Streichungen, seine Komödie "Schlötel oder Was solls" aufgeführt. Seit 1979 ist H. freiberuflicher Schriftsteller. 1980 erschienen die Stücke "Cromwell" und "Lasalle", in denen die Frage nach den treibenden Kräften der Geschichte im Mittelpunkt steht. In dem Prosa-Band "Einladung zum Lever Bourgeois" aus dem selben Jahr liefert H. Geschichten aus den Vorzimmern der Macht, die als 'Studien zur Subalternität' gelten könnten.
Der internationale Durchbruch gelang ihm 1982 mit der Novelle "Der fremde Freund" (in Westdeutschland: "Drachenblut"). In ihr werden Entfremdungsprozesse und -strukturen einer Gesellschaft enthüllt, die nicht nur von ihrem sozialistischen Programm, sondern auch von ihren industriellen Produktionsweisen geprägt ist. H.s Erzählweise provoziert eine distanzierte Lesehaltung, die es erlaubt, Figuren-Konflikte in kulturgeschichtlichen Zusammenhängen zu begreifen, die zwar in der Frühphase der bürgerlichen Gesellschaft gründen, in der sozialistischen Übergangsgesellschaft aber noch lange nicht obsolet sind. Im Roman "Horns Ende" (1985) werden die Traditionen der Triebunterdrückung und Ausgrenzung Andersartiger noch zugespitzter thematisiert. Da H. sich in seiner Prosa vor allem für die psycho-soziale Dimension der Geschichte interessiert, wirken die dort evozierten Welten der Kälte und Liebesunfähigkeit merkwürdig gesamt-

deutsch - obwohl beispielsweise "Der Tangospieler" (1989) explizite DDR-Themen behandelt und H. mehrfach beteuerte, nur über die DDR schreiben zu können. Auf jeden Fall waren seine Themen mit dem Ende des Landes nicht verschwunden; sein gesellschaftskritisches Instrumentarium taugt auch als Waffe gegen neue Ungerechtigkeiten. Die jüngsten Romane ("Das Napoleonspiel", 1993; "Von allem Anfang an", 1997), Stücke ("Randow", 1994) und Essays handeln davon. 1998 wurde H. erster gesamtdeutscher PEN-Präsident. Er hat zahlreiche Auszeichnungen (darunter den Heinrich-Mann- und den Peter-Weiss-Preis) erhalten.

- *Die Witwe eines Maurers, in: Christoph Hein: Einladung zum Lever Bourgeois, Berlin und Weimar 1980*
- *Die Mauern von Jerichow, u.d.T. Ansichten einer deutschen Kleinstadt, leicht retuschiert, in: neue deutsche literatur, Berlin, H. 4/1992*
- *Die Vergewaltigung, in: Christoph Hein: Exekution eines Kalbes, Berlin u. Weimar1994*

Helmut Heißenbüttel

wurde am 21.6.1921 in Rüstringen bei Wilhelmshaven geboren. Nach einer schweren Kriegsverletzung im Jahre 1941 studierte er Architektur, Germanistik und Kunstgeschichte. Nach seiner Tätigkeit als Verlagslektor (1955-1957) arbeitete er von 1959-1981 beim Süddeutschen Rundfunk, wo er wie vor ihm Alfred Andersch dem Literaturprogramm eigene anspruchsvolle Akzente verlieh. H. gilt allgemein als Vertreter avantgardistischer und experimenteller Gegenwartsliteratur. Ein wesentliches Prinzip seiner literarischen Schreibweise ist die Reduktion der Sprache auf ihre wesentlichen Bestandteile und deren Kombination zu neuen überraschenden Verbindungen, was er in seinen "Textbüchern" (1960-1964) dokumentiert. Ein zentrales Thema H.s ist die Auseinandersetzung mit der nationalsozialistischen Vergangenheit vor dem Hintergrund aktueller gesellschaftlicher Entwicklungen. Bespielhaft hierfür ist sein "persönlicher Bericht": "1945 ist heute" (1977) und das "Projekt 3/2": "Wenn Adolf Hitler den Krieg nicht gewonnen hätte" (1979). Seine Literatur hat bei aller Konzentration auf die sprachlichen Strukturen eine deutlich politische, aufklärerische Funktion. Der Erkenntnisprozess wird jeweils dem Leser zugewiesen, was in der "Satire auf den Überbau. Durchgeführt am Beispiel der Bundesrepublik Juli 1968" (in: "Zur Tradition der Moderne", 1972) besonders deutlich wird. Helmut Heißenbüttel starb am 19.9.1996 in Glückstadt.

- *Kalkulation über was alle gewußt haben, in: Helmut Heißenbüttel: Textbuch 1-6, Stuttgart 1980*

Wolfgang Hildesheimer

geboren am 9.12.1916 in Hamburg, emigrierte 1933 mit seinen Eltern zunächst nach England und im Dezember des gleichen Jahres nach Palästina. Von 1937 bis 1939 arbeitete er in England. Von 1940-1946 war er als Englischlehrer und Informationsoffizier der britischen Regierung in Tel Aviv und Jerusalem tätig. 1946-1949 arbeitete er als Simultandolmetscher und später als Redakteur der Protokolle bei den Nürnberger Kriegsverbrecherprozessen. 1950 begann er mit seiner schriftstellerischen Arbeit, deren erste Resultate 1952 unter dem Titel "Lieblose Legenden" erschienen: satirische Kurzprosa zu den Themen Bildung und Kultur. Im Zeichen satirischer Kulturkritik stehen auch der erste Roman "Paradies der falschen Vögel" (1953) und weitere Werke der Frühzeit. Mitte der 50er Jahre wandte sich H. der Darstellung des Absurden und Grotesken zu. Besonders deutlich wird dies in seinem größten Bühnenerfolg, der grotesken Tragikomödie "Die Verspätung" (1961). Bis in die 70er Jahre hinein stand die Darstellung eines an der Realität scheiternden und auf sich selbst zurückgezogenen Ichs im Mittelpunkt seiner Werke. Diese 'monologische' Phase endete 1973 mit dem Werk "Masante". In der Folgezeit beschäftigte sich H. vorwiegend mit historischen Figuren. 1970 erschien sein Stück "Maria Stuart" und 1977 erreichte er mit "Mozart" seinen größten Verkaufserfolg. Überzeugt, dass sich die Gegenwart einer literarischen Darstellung entziehe, erklärte H. 1983 seinen Abschied von der Literatur. Sein publizistisches Engagement blieb aber ungebrochen. Außerdem arbeitete er wieder als bildender Künstler. Wolfgang Hildesheimer starb am 21.8.1991 in Poschiavo.

- *Eine größere Anschaffung, in: Wolfgang Hildesheimer: Gesammelte Werke in sieben Bänden, Bd.1, Frankfurt/M. 1991*

Franz Hohler

Kabarettist, Dichter und Musiker, geboren am 1.3.1943 in Biel (Schweiz), begann nach dem Abitur mit einem Germanistik- und Romanistikstudium. Nach dem Erfolg seines ersten Soloprogramms "pizzicato" im Jahre 1965 brach er sein Studium ab. Mit verschiedenen Ein-Mann-Programmen gastierte er in den meisten Ländern Europas, in den USA, Kanada und Nordafrika. Daneben verfasste er Prosa, die surreale Perspektiven und Zeitkritik verknüpft. Banales wird grotesk zugespitzt, mündet aber nicht ins Absurde, sondern bleibt als parodistische Inszenierung erkennbar. Wichtige Titel H.s sind: "Idyllen" (1970), das Lesebuch "Ein eigenartiger Tag" (1979) und der Roman "Der neue Berg" (1989). Erwähnenswert sind auch seine Kinderbücher, von denen der Roman "Tschipo" (1978) mit dem Oldenburger Kinderbuchpreis ausgezeichnet wurde.

- *Bedingungen für die Nahrungsaufnahme, in: Franz Hohler: Der Rand von Ostermundigen, Darmstadt und Neuwied 1975*

Peter Huchel

wurde am 3.4.1903 in Berlin geboren. Er wuchs in der noch vorindustriellen Welt des großelterlichen Bauernhofs auf. Nach Literatur-und Philosophiestudium in Berlin, Wien und Freiburg schloss er Freundschaften in links-jüdischen Kreisen (E. Bloch, A. Kantorowicz). Schon 1931 durchschaute er in der Prosa-Studie über einen NS-Mitläufer, "Im Jahre 1930", das Nazi-Regime. Seinen ersten Gedichtband, "Der Knabenteich", zog er Anfang 1933 kurz vor Drucklegung zurück. Bis zu seiner Einberufung zu einer Flak-Einheit wohnte er in Langerwisch bei Potsdam. Nach Kriegsende arbeitete er zunächst für den (Ost-)Berliner Rundfunk und übernahm 1949 auf Wunsch Johannes R. Bechers die Redaktion der Kulturzeitschrift "Sinn und Form", mit der er eine gesamtdeutsche Leserschaft an die internationale Moderne heranführte. Nach heftigen Attacken seitens der SED musste er den Redaktionsposten 1962 aufgeben. Seine Gedichtbände "Chausseen Chausseen" (1963) sowie "Sternenreuse" (1967) konnten nur im Westen erscheinen. 1971 erfolgte die Ausreise in die BRD. In seinen Gedichten ist die Landschaft zwar wesentliches Element, jedoch nicht als unberührter Fluchtraum, vielmehr auch als Ort sozialer wie politischer Konflikte. "Der Leser wird belohnt durch eine Lyrik, die an zeitlicher Weite, an Erfahrungsbreite, an intensiver Bildtiefe und künstlerischer Folgerichtigkeit zur bedeutendsten im deutschen Sprachraum gehört." (Vieregg) Peter Huchel starb am 30.4.1981 in Staufen im Breisgau.

- *Ophelia, in: Peter Huchel: Gesammelte Werke in zwei Bänden, Bd.1, Frankfurt/M. 1984*

Thomas Hürlimann

geboren am 21.12.1950 in Zug/Schweiz. Er studierte Philosophie in Zürich und Berlin und arbeitete drei Jahre lang als Regieassistent und Produktionsdramaturg am Schillertheater in Berlin. Seit 1985 lebt er als freier Schriftsteller in der Schweiz und in Berlin-Kreuzberg. Zentrale Themen seiner literarischen Arbeit sind Sterben und Tod sowie die Erfahrung des Fremdseins. Für seinen ersten Erzählband "Die Tessinerin" erhielt er 1981 den aspekte-Literaturpreis des ZDF. Gelobt wurde auch die Novelle "Das Gartenhaus" (1989). H. verfasste außerdem zahlreiche Theaterstücke.

- *Flug durch Zürich, in: Thomas Hürlimann: Die Satellitenstadt, Zürich 1992*

Ernst Jandl

geboren am 1.8.1925 in Wien, studierte nach der Entlassung aus der amerikanischen Kriegsgefangenschaft 1946 Germanistik und Anglistik. 1949 legte er das Lehrerexamen ab, seitdem ist er - unterbrochen von verschiedenen Beurlaubungen - als Lehrer in Wien tätig. 1952 begann J. mit ersten Veröffentlichungen in Zeitschriften. 1956 erschien sein durchaus noch konventioneller Gedichtband "Andere Augen". Danach wandte sich J. der experimentellen Poesie zu. Seine 'Sprechgedichte' beruhen auf den Prinzipien des Buchstabentausches, der verzerrenden Artikulation und des Falschsprechens. Anders als Helmut Heißenbüttel zielt J. mit der Veränderung des herkömmlichen Sprach- und Grammatiksystems nicht ausschließlich auf eine Sprachkritik ab. Seine Gedichte dokumentieren auch ein grundlegendes Vergnügen am Sprechvorgang. Einen Überblick über seine Lyrik bietet der Band "Laut und Luise" (1966). Seit Ende der 60er Jahre veröffentlicht J. verstärkt essayistische Schriften zur Situation des Autors. Zwischen 1967 und 1971 produzierte er gemeinsam mit Friederike Mayröcker mehrere Hörspiele. Allgemeine, über Österreich weit hinausreichende Anerkennung erlangte er 1979/1980 mit der "Sprechoper" in sieben Szenen "Aus der Fremde". In letzter Zeit erschienen u.a. "der beschriftete sessel" (1991) und "peter und die kuh" (1996). Neben vielen anderen Ehrungen erhielt er 1984 den Büchner-Preis.

- *markierung einer Wende, in: Ernst Jandl: Gesammelte Werke, Bd.1, Darmstadt u. Neuwied 1985*
- *frühe übung einem einen wichtigen sachverhalt einzuprägen, in: ebd.*
- *lichtung, in: Ernst Jandl: Laut und Luise, Olten/Freiburg 1966*

Zoë Jenny

geboren 1974 in Basel, aufgewachsen in Griechenland, im Tessin und in Basel, wo sie heute auch lebt. Seit 1993 veröffentlichte J. Kurzgeschichten in verschiedenen deutschen, österreichischen und Schweizer Literaturzeitschriften. 1997 erschien ihr erster, von der Kritik sehr positiv aufgenommener Roman "Das Blütenstaubzimmer". Im selben Jahr erhielt sie das 3-sat-Stipendium beim Ingeborg-Bachmann Wettberwerb in Klagenfurt, den Literaturförderpreis der Jürgen-Ponto-Stiftung und den aspekte-Literaturpreis.

- *Ahorn, in: Die Schweiz erzählt. Junge Erzähler. Ausgew. v. Plinio Bachmann. Frankfurt/M. 1998*

Uwe Johnson

wurde am 20.7.1934 im pommerschen Kammin (heute Polen) geboren. 1945 floh die Familie nach Recknitz. Nach dem Abitur studierte J. Germanistik in Rostock (1952-1954) und Leipzig (bis 1956). Für eine Anstellung in staatlichen Institutionen hielt man ihn trotz des bestandenen Diploms nicht geeignet. Sein erstes Romanmanuskript "Ingrid Babendererde" wurde abgelehnt. Von 1957 bis 1959 beschäftigte er sich mit "wissenschaftlicher Heimarbeit" und dem Studium der Eisenbahnverbindungen zwischen Mecklenburg und Sachsen. Ergebnis dieser Arbeit ist sein Roman "Mutmaßungen über Jakob". Da dieser nur im Westen gedruckt werden konnte, zog J. 1959 ohne Genehmigung der DDR-Behörden nach Westberlin. Der Roman stellt eine komplizierte, vielschichtige Komposition unterschiedlichster Erzählebenen dar. In Form einer Ermittlung werden die Sachverhalte recherchiert, die für den Tod des DDR-Bürgers Jakob Abs verantwortlich sein könnten. Auch die nachfolgenden Romane J.s beschäftigen sich mit der gespaltenen deutschen Wirklichkeit. So dokumentiert "Das dritte Buch über Achim" (1961) das Scheitern eines westdeutschen Journalisten beim Schreiben einer Biographie über das ostdeutsche Radsportidol Achim. 1970, 1971, 1973 und 1983 erschien die Romantetralogie "Jahrestage", die heute schon als eine der großen Geschichts-Erzählungen unserer Zeit gelten darf. Hier schildert J. das Leben der Gesine Cresspahl, bekannt als Partnerin Jakobs in den "Mutmaßungen", sowie ihrer (und Jakobs) Tochter Marie im Zeitraum vom August 1967 bis zum August 1968. Die Fertigstellung dieses Werkes bereitete J. große Schwierigkeiten. Begonnen hatte er bereits während eines Aufenthaltes in New York 1966-1968. 1974 übersiedelte er nach Sheerness-on-Sea (England). Dort geriet er 1975 in eine schwere persönliche Krise, die eine längere Schreibhemmung zur Folge hatte. 1984 wurde J. in seinem Haus in Sheerness tot aufgefunden. In der Nacht vom 23. auf den 24. Februar war er verstorben. 1985 erschien sein Erstlings-Roman "Ingrid Babendererde. Reifeprüfung 1953" endlich im Druck.

- *Nachtrag zur S-Bahn, in: Uwe Johnson: Berliner Sachen. Aufsätze, Frankfurt/M. 1975*

Marie Luise Kaschnitz

wurde am 31.1.1901 als Marie Luise von Holzing-Berstett in Karlsruhe geboren. Nach einer Buchhändlerlehre in Weimar arbeitete sie als Buchhändlerin in München und Rom. 1925 heiratete sie den österreichischen Archäologen Guido Kaschnitz von Weinberg, mit dem sie in Rom, Königsberg, Marburg und Frankfurt lebte. Am 10.10.1974 starb sie während eines Besuches bei ihrer Tochter in Rom. Ihre wichtigsten Werke schrieb sie nach der Verleihung des Büchner-Preises im Jahre 1955. Von ihrem Frühwerk, das der Suche nach einer reinen Kunst gewidmet war, hat sich K. nach 1945 entschieden distanziert. Eine Wende in ihrem Schaffen markiert der Lyrikband "Totentanz und Gedichte zur Zeit" (1947), der nicht mehr unter dem Druck der Selbstzensur geschrieben ist. Eine einfachere und knappe Sprache zeichnet den Band "Neue Gedichte" von 1957 aus. Die Gedichte der 60er Jahre sind stark autobiographisch geprägt, da sie hier den Tod ihres Mannes zu verarbeiten sucht. Ende der 60er Jahre treten verstärkt politische Gedichte in den Vordergrund, die in den 70er Jahren zugunsten einer Zusammenschau von Lebens- und Welterfahrung wieder zurücktreten. Einer breiten Leserschaft bekannt wurde K. durch ihre Kurzgeschichten, die zum festen Bestand westdeutscher Lesebücher gehören. Von besonderer Bedeutung sind die Sammlungen "Lange Schatten" (1960) und "Ferngespräche" (1966). Die dialogische Grundhaltung in K.s Schreibweise führte dazu, dass sie sich in den 50er Jahren verstärkt der Hörspielproduktion zuwandte. Stark autobiographisch geprägt sind wiederum die Werke der letzten Jahre. So dokumentiert "Steht noch dahin" (1970) die Studentenunruhen Ende der 60er Jahre in der Spiegelung durch einen älteren Menschen.

- *Popp und Mingel, in: Marie Luise Kaschnitz: Gesammelte Werke, Bd.4, Frankfurt/M. 1983*

Sarah Kirsch

geboren am 16.4.1935 als Ingrid Bernstein in Limlingerode im Südharz, aufgewachsen in Halberstadt. Tochter eines Fernmeldemechanikers. Nannte sich "Sarah" aus Protest gegen die Verfolgung und Vernichtung der Juden durch die Nazis und den Antisemitismus des Vaters. Nach dem Abitur Studium der Biologie in Halle. Zwischendurch Arbeiterin in einer Zukkerfabrik, in der Heimerziehung und einer landwirtschaftlichen Produktionsgenossenschaft. 1958 Heirat mit dem Lyriker Rainer Kirsch. 1959 Biologie-Diplom. In einem von Gerhard Wolf geleiteten Zirkel junger Autoren entstehen die ersten Gedichte über den sogenannten "kleinen Gegenstand". Von 1963-65 Studium am Institut für Literatur "Johannes R. Becher" in Leipzig. Danach als freie Schriftstellerin tätig. 1965 veröffentlicht sie zusammen mit Rainer Kirsch den Gedichtband "Gespräch mit dem Saurier". Das Ehepaar erhält den Kunstpreis der Stadt Halle. 1967 der erste eigene Gedichtband "Landaufenthalt". Hier zeigt sich schon K.s Vorliebe für die Beschreibung des Landlebens, der Stimmungen der Landschaft, der Weite und Einsamkeit, der alltäglichen Dinge des Lebens. 1968 Scheidung von Rainer Kirsch und Umzug nach Ost-Berlin. 1973 erscheinen der Gedichtband "Zaubersprüche" und die Erzählungen "Die ungeheuren bergehohen Wellen auf See". Im selben Jahr erhält sie den Heinrich-Heine-Preis der DDR. 1976 unterschreibt sie den Protestbrief gegen die Ausbürgerung Wolf Biermanns, daraufhin 1977 Ausschluss aus der SED und dem Schriftstellerverband der DDR, Ausreiseantrag und Umzug nach West-Berlin. 1978 Stipendium der Villa Massimo in Rom. 1979 erscheint der Gedichtband "Drachensteigen". 1983 Umzug nach Tielenhemme in Schleswig-Holstein. 1984 erscheint der Gedichtband "Katzenleben", 1986 der Prosaband "Irrstern" und 1989 die Gedichte "Schneewärme". Es folgen beinah jährlich Neuveröffentlichungen. Obwohl sich Sarah Kirsch in ihrer Themen- und Motiv-Wahl treu geblieben ist, lässt sie sich nicht als Naturlyrikerin im klassischen Sinne bezeichnen, denn die Naturzustände, die Landschaften und Tierwelten, aber auch die menschlichen Beziehungen, die sie beschreibt, sind immer schon gestörte Beziehungen, irritiert durch geschichtliche Prozesse, technologische Entwicklungen, soziale Erosionen. K. wurde 1996 mit dem Georg-Büchner-Preis ausgezeichnet.

- *Katzenleben, in: Sarah Kirsch: Katzenleben, Stuttgart 1984*

Karin Kiwus

wurde am 9.11.1942 in Berlin geboren, wo sie auch ihre Kindheit verbrachte. Nach dem Studium der Publizistik, Germanistik und Philosophie in Berlin arbeitete sie von 1971-1973 als Wissenschaftliche Assistentin an der Akademie der Künste in Berlin. Ihre erste Gedichtsammlung "Von beiden Seiten der Gegenwart" (1976) wurde von Kritik und Lesern äußerst positiv aufgenommen. K. beschreibt hier sehr einfühlsam den Umschlag von der betont kollektivistischen Weltsicht der Studentenbewegung zur subjektiven Sichtweise des einzelnen in den 70er Jahren. Auch ihr zweiter Gedichtband "Angenommen später" (1979) spricht Themen wie Alltagswelt, Beziehungsprobleme usw. an, zeichnet sich aber durch eine abgeklärtere Sprache aus. Die Gedichte sind getragen von der Hoffnung auf ein Vorwärtskommen in einer Welt, in der Liebe, Wärme und Zuneigung verkümmert sind.

- *Fragile, in: Angenommen später, Frankfurt/M. 1979*

Thomas Kling

geboren am 5.6.1957 in Bingen, wuchs in Düsseldorf auf. Studierte Philologie in Düsseldorf, Köln und Wien, wo er auch seine ersten Lesungen hielt und so einem kleinen Publikum bekannt war, bevor sein erster Gedichtband "Erprobung herzstärkender Mittel" (1986) erschien. In seinen Lesungen gibt sich K. als "Berserker der Poesie", der alle Register des öffentlichen Sprechens - vom Medienmüll bis zur Kneipen-Szenesprache - zieht. Zu seinen Vorbildern gehören Paul Celan und Friederike Mayröcker, die seinen Debütband mit einer Zueignung versah. Unübersehbar ist aber auch der Einfluss der "Wiener Schule", die in den 50er Jahren durch Mundartdichtung, Lautmalerei, Seh- und Hörtexte bekannt wurde. K. ist ein "anarchistischer Sprachmonteur", der in seinen Gedichten dissonante Wortelemente kollidieren lässt, fremdsprachliche oder sprachhistorische Zitate sowie literarische objets trouvées arrangiert und in Arno Schmidtscher Manier mit Interpunktion und Orthographie spielt. Weitere Gedichtbände: "geschmacksverstärker" (1989), "brennstabm" (1991) und "nacht. sicht. gerät" (1993).

- *ruma. etruskisches alphabet, in: Thomas Kling: morsch. Gedichte, Frankfurt/M. 1996*
- *mithraeum, in: ebd.*

Alexander Kluge

geboren am 14.2.1932 in Halberstadt, absolvierte nach der Ersten und Zweiten Juristischen Staatsprüfung und der Promotion zum Dr. jur. ein Volontariat bei dem Filmregisseur Fritz Lang und wandte sich eigenen Projekten zu. Seine Filme wie "Abschied von gestern" (1965/66) oder "Die Macht der Gefühle" (1982/83) errangen auch international Anerkennung. Gleichzeitig hat K., der zeitweilig an der Hochschule für Gestaltung in Ulm lehrte, sich als Sprecher des "Jungen deutschen Films" engagiert und, obwohl er als Rechtsanwalt tätig war, immer als Schriftsteller gearbeitet. Mit seinem Buch "Lebensläufe" (1962) erreichte er bei der Kritik einen Achtungserfolg. Sein Schreibprinzip legt er in einer Nachbemerkung zu dem Buch "Schlachtbeschreibung" (1964) dar, in dem er den Untergang der Armee Hitlers vor Stalingrad schildert. Es geht ihm darum, einen Aspekt aus der Vielfalt der Phänomene auszuwählen, aus dem heraus sich der gesellschaftliche Zusammenhang entwickeln lässt. Die folgenden Bücher "Lernprozesse mit tödlichem Ausgang" (1973) und "Neue Geschichten" (1977) orientieren sich an diesem Formprinzip, das darauf abzielt, im Leser ein Protestpotential gegen die herrschenden Verhältnisse zu aktivieren. Auf formaler Ebene stellen K.s Prosatexte eine Kombination unterschiedlichster Textsorten und Schreibweisen dar, wobei sowohl Kurzgeschichten als auch (fingierte) dokumentarische Materialien in der Montage eingebunden werden. 1981 erschien das mit Oskar Negt konzipierte Werk "Geschichte und Eigensinn", das - wie schon "Öffentlichkeit und Erfahrung" (1972) - auf eine Erneuerung des Marxismus als theoretische Untersuchungsmethode abzielt. In den achtziger Jahren fanden seine Montagefilme "Die Patriotin" und "Die Macht der Gefühle" Aufmerksamkeit. Seit einigen Jahren widmet K. sich ganz der Produktion kritischer Kulturmagazine für das kommerzielle Fernsehen.

- *Pförtls Reise, aus: Die Ostertage 1971, in: Alexander Kluge: Lernprozesse mit tödlichem Ausgang, Frankfurt/M. 1974*
- *Kälte ist keine Energie, in: Alexander Kluge: Theodor Fontane, Heinrich von Kleist und Anna Wilde. Zur Grammatik der Zeit, Berlin 1987*
- *Die Macht der Hoffnung, in: Alexander Kluge: Die Macht der Gefühle, Frankfurt/M. 1984*

Barbara Köhler

geboren 1959, aufgewachsen im sächsischen Penig, Besuch der Oberschule in Plauen. Nach dem Abitur arbeitete sie zunächst als Altenpflegerin und als Beleuchterin am Theater in Karl-Marx-Stadt, heute Chemnitz. Von 1985-88 studierte sie am Institut für Literatur "Johannes R. Becher" in Leipzig. 1991 erschien ihr erstes Buch "Deutsches Roulette. Gedichte und Prosa", dessen Thema der private Schmerz, die Einsamkeit, der Verlust der Freunde, aber auch das Leiden an den realsozialistischen Verhältnissen ist. Im selben Jahr erhielt sie den Förderpreis der Jürgen-Ponto-Stiftung. Mitarbeit an verschiedenen Kunstbänden, Literaturzeitschriften und Anthologien. 1995 erschien ihr zweiter Gedichtband "Blue Box". K. lebt in Duisburg.

- *Anfang III, in: Barbara Köhler: Deutsches Roulette. Gedichte, Frankfurt/M. 1991*

Wolfgang Koeppen

geboren am 23.6.1906 in Greifswald, arbeitete in den zwanziger Jahren als Schiffskoch und Platzanweiser im Kino. Nach einer Tätigkeit als Dramaturg und Regievolontär fand er eine feste Anstellung beim "Berliner Börsen-Courier". 1934 emigrierte er nach Holland. Nach dem Krieg unternahm er Reisen in die USA, in die UdSSR und durch Europa. Später lebte er zurückgezogen in München, wo er am 15.3.1996 starb. K.s erste Romane, wie z.B. "Die Mauer schwankt" (1935), fanden wenig Resonanz bei der Kritik. Die Aufmerksamkeit der Öffentlichkeit erlangte er erst mit den drei Romanen der Nachkriegszeit "Tauben im Gras" (1951), "Das Treibhaus" (1953) und "Der Tod in Rom" (1954). Hier steht die Kritik an den restaurativen Bestrebungen in der Bundesrepublik im Mittelpunkt. Zugleich brachte K. mit seiner assoziativen und anspielungsreichen Schreibweise die deutsche Nachkriegsliteratur auf das Niveau der europäischen Moderne. Die Unfähigkeit der Deutschen, sich mit ihrer nationalsozialistischen Vergangenheit auseinanderzusetzen, und die

Kontinuität faschistischer Denkweisen in der BRD thematisiert er in besonderem Maße in "Der Tod in Rom". Die drei Werke brachten ihm neben breiter Zustimmung auch scharfe Ablehnung aus konservativen Kreisen ein. K.s Erzählklima wird oft als 'dämonisch' bezeichnet, da stets die metaphysische Entwurzelung des einzelnen im Mittelpunkt steht. Gegen Ende der 50er Jahre veröffentlichte K. Reiseberichte, die vom Rundfunk in Auftrag gegeben wurden. Sowohl die Reiseberichte als auch der autobiographische Bericht "Jugend", der 1976 in endgültiger Fassung vorlag, schildern jeweils auf ihre Weise die Erfahrungen eines sich selbst und der Welt fremd gewordenen Individuums. 1992 erschienen "Jakob Littners Aufzeichnungen aus einem Erdloch", ein Bericht über das Schicksal des jüdischen Briefmarkenhändlers Jakob Littner im zweiten Weltkrieg, den Koeppen 1948 unter dem Namen des Betroffenen veröffentlicht hatte.

- *Wahn, in: Wolfgang Koeppen: Gesammelte Werke in 6 Bänden, Bd.5, Frankfurt/M. 1986*

Helga Königsdorf

wurde 1938 in Gera geboren. Von 1955 bis 1961 studierte sie Physik in Jena und Berlin. Seit 1961 ist sie auf dem Gebiet der Mathematik wissenschaftlich tätig. K. wohnt in Berlin. Bereits als Jugendliche wollte sie schriftstellerisch arbeiten. Nach einem ersten "blutrünstigen" Drama, das sie mit sechzehn verfasst hatte, legte sie allerdings eine Schaffenspause ein, da sie ihre Umgebung eher erheitert hatte. Nachdem sie ihre Ausbildung mit Auszeichnung abgeschlossen und eine Familie gegründet hatte, wandte sie sich Ende der 70er Jahre wieder dem Schreiben zu. 1978 erschien der Geschichtenband "Meine ungehörigen Träume". Es folgten "Der Lauf der Dinge" (1982) und "Mit Klischmann im Regen" (1983). K.s Erzählungen zeigen auf satirische Art und Weise die kleinen und großen menschlichen Schwächen und die Abhängigkeiten des Individuums von Instanzen und Hierarchien auf. Ihre Geschichten könnten sowohl in der BRD als auch in Frankreich oder in Italien spielen. Dass sie in der DDR angesiedelt sind, wird nur durch einige typische, meist politische Begriffe deutlich. Nach "Hochzeitstag in Pizunda" (1986) und "Respektloser Umgang" (1986) erschien 1990 in der BRD der Band "Ein sehr exakter Schein". Die hier gesammelten Geschichten und Satiren entlarven die vermeintlich exakten, rational gesteuerten Wissenschaften als eine Welt des perfekt täuschenden Anscheins.

- *Bolero, in: Helga Königsdorf: Meine ungehörigen Träume, Berlin und Weimar 1978*

Uwe Kolbe

geboren am 17.10.1957 in Berlin/DDR, lebte erst seit seinem siebten Lebensjahr ständig in Berlin, da die Eltern Binnenschiffer waren. Nach Abitur und Wehrdienst schlug er sich mit Gelegenheitsarbeiten durch. 1976 machte er die Bekanntschaft Franz Fühmanns, der für ihn zum wichtigen Mentor und Förderer wurde. Nach der Veröffentlichung einiger Gedichte in der Zeitschrift "Sinn und Form" erhielt K. einen Vertrag für ein erstes Buch. Seitdem ist er freiberuflicher Autor und Übersetzer. Seine Gedichte, aber auch seine gesellschaftskritischen Äußerungen bescherten ihm in der DDR zahlreiche Schwierigkeiten. Zwischen 1982 und 1985 hatte er faktisch Publikationsverbot. In dieser Zeit arbeitete er als Übersetzer und Herausgeber der Kleinzeitschrift "Mikado", die den offiziellen Kulturbetrieb unterlief. Seit 1985 unternahm er Reisen in verschiedene Länder Westeuropas und in die USA. Nach Aufenthalten in Hamburg und wieder Berlin lebt er seit 1977 als Leiter des "Studios Literatur und Theater" der dortigen Universität in Tübingen. K. erhielt zahlreiche Preise, darunter den Förderpreis Literatur zum Kunstpreis Berlin/West (1987), den Nicolas-Born-Preis der Petrarca-Preis-Stiftung München, das Villa-Massimo-Stipendium und den Hölderlin-Preis der Stadt Tübingen. In seinem Essayband "Renegatentermine" (1998) behauptet K. die "eigene Erfahrung" gegen die offizielle Geschichte. Der Lyriker K. veröffentlichte nach "Nicht wirklich platonisch" (1994) zuletzt "Vineta" (1998).

- *Dichterlesung, hamburgische, in: Uwe Kolbe: Renegatentermine, Frankfurt/M. 1998*

Angela Krauß

wurde am 2.5.1950 in Chemnitz (Karl-Marx-Stadt) geboren. Von 1969 bis 1972 studierte sie an der Fachschule für Werbung und Gestaltung, arbeitete als Werbeökonomin und Redakteurin in Berlin, studierte dann von 1976 bis 1979 am Literaturinstitut "Johannes R. Becher" und war später in Betrieben der Energiewirtschaft beschäftigt. Ihr 1988 mit dem Ingeborg Bachmann-Preis ausgezeichnetes Filmszenarium "Das Vergnügen" wurde zum einen als "Stilleben der Arbeiterklasse" und Fortschreibung der Ankunftsliteratur der 60er Jahre bewertet (Alexander von Bormann), zum anderen als "leiser tückischer Abgesang" des von der "Würde des Menschen" handelnden Betriebsromans (Konrad Franke). Auch in dem 1988 erschienenen Erzählband "Glashaus" (in der BRD u.d.T. "Kleine Landschaft") geht es um die verschiedenen Möglichkeiten zu leben, "um so oder so leben". Angela Krauß lebt in Leipzig. Ihre 1995 erschienene Erzählung "Die Überfliegerin" gehört zu den interessantesten Varianten einer literarischen Auseinandersetzung mit der deutsch-deutschen Vereinigung.

- *Entdeckungen bei fahrendem Zug, in: Angela Krauß: Glashaus, Berlin und Weimar 1988*

Karl Krolow

geboren am 11.3.1915 in Hannover, studierte von 1935-1942 in Göttingen und Breslau. Seit 1940 veröffentlichte er vereinzelte Gedichte; seit 1942 lebte er als freier Schriftsteller. Neben Lyrik, Übersetzungen und Prosatexten veröffentlichte er literaturkritische Arbeiten. Seit 1956 wohnte K. in Darmstadt. Er war Mitglied bzw. Repräsentant zahlreicher kultureller Einrichtungen wie der Deutschen Akademie für Sprache und Dichtung. K. gehörte zu den bedeutenden deutschen Nachkriegslyrikern. Sein Werk ist außerordentlich umfangreich: Die Anfänge und die erste Nachkriegslyrik stehen unter dem Eindruck naturmagischer Tendenzen. Ende der 40er Jahre entstehen aber auch deutlich politisch akzentuierte Gedichte. Die Arbeiten der 50er Jahre zeichnen sich - wie "Wind und Zeit" (1954) - durch eine Loslösung vom Realitätsbezug aus. Den Höhepunkt der Lyrik K.s bildet der Band "Fremde Körper" (1959), da hier die literarische Technik perfektioniert wurde. K., der in den 60er Jahren zum modernen Klassiker avancierte, hat stets den aktuellen Zeitbezug in seinen Werken gewahrt. 1978 erschien mit "Das andere Leben" der erste größere Prosatext. Diese autobiographische Arbeit stieß, wie auch die folgenden Werke "Im Gehen" (1981) und "Melanie. Geschichte eines Namens" (1983), bei der Kritik auf gegensätzliche Reaktionen. K.s Lyrik blieb über die Jahre hinweg in ihrer Technik und in der Art der thematischen Auseinandersetzung auf gleichbleibendem Niveau, was auch durch die Bände "Als es soweit war" (1988), "Ich höre mich sagen" (1992) und "Die zweite Zeit" (1995) belegt wird. Karl Krolow starb am 22.6.1999.

- *Ziemlich viel Glück, in: Karl Krolow: Gesammelte Gedichte, Bd.1, Frankfurt/M. 1975*

Reiner Kunze

geboren am 16.8.1933 in Oelsnitz, studierte von 1951-1955 Philosophie und Journalistik in Leipzig. Bis 1959 arbeitete er dort als wissenschaftlicher Assistent an der Fakultät für Journalistik. Nach politischen Angriffen wurde er aus dem Universitätsdienst entlassen. K. arbeitete als Hilfsschlosser, heiratete eine tschechische Zahnärztin und beschäftigte sich unter anderem mit Übersetzungen aus dem Tschechischen. In der DDR war er von staatlicher Seite her vielen Angriffen ausgesetzt, die bis zum Publikationsverbot gingen. Seit seiner Übersiedlung in die BRD im April 1977 wohnt er in Obernzell-Erlau bei Passau. Während seine ersten Gedichtbände "Die Zukunft sitzt am Tische" (1955), "Vögel über dem Tau" (1959) und "Aber die Nachtigall jubelt" (1962) noch stark von der offiziellen politischen Doktrin in der DDR geprägt waren, dokumentiert die Sammlung "Sensible Wege" (1969) eine entscheidende Veränderung in K.s Schaffen. Hier solidarisiert sich K. mit dem Prager Frühling und protestiert nachdrücklich gegen den Einmarsch sowjetischer Truppen im August 1968. Der Band "Zimmerlautstärke" (1972) ist zwar im Ton zurückhaltender, die Kritik an den herrschenden Zuständen wird aber deutlicher akzentuiert. Eine Fortsetzung findet dieser Protest in dem Prosaband "Die wunderbaren Jahre" (1976). Die Texte stellen eine Chronik von Erfahrungen dar, die Jugendliche in der DDR mit Lehrern und anderen Ordnungskräften machen konnten. Die Gedichtsammlung "Auf eigene Hoffnung" (1981) gibt einen Überblick über K.s Schaffen von 1973-1981 und zeigt die Kontinuität in seiner Arbeit, die von der Übersiedlung 1977 nicht beeinflusst wurde.

- *Fünfzehn, in: Reiner Kunze: Die wunderbaren Jahre, Frankfurt/M. 1976*

Katja Lange-Müller

geboren 1951 in Berlin, Tochter einer DDR-Funktionärin. Ihr Pate war Erich Honekker. Die ersten sechs Lebensjahre verbrachte sie in einem Heim, mit 17 Jahren zog sie von zu Hause aus und absolvierte eine Schriftsetzerlehre. Das anschließende Kunststudium brach sie nach zwei Semestern ab, arbeitete dann in der Bildredaktion der Berliner-Zeitung, als Requisiteurin beim DDR-Fernsehen und fünf Jahre lang als Hilfsschwester, Pflegerin und Kunsttherapeutin auf geschlossenen Psychiatrie-Stationen. Von 1979-82 studierte sie am Literaturinstitut "Johannes R. Becher" in Leipzig. Im Anschluss ging sie für ein Praktikum in die Mongolische Volksrepublik, wo sie sich mit der neueren mongolischen Literatur befasste. L.-M. siedelte 1984 nach Westberlin über. 1985 schrieb sie ihr erstes Hörspiel für den RIAS Berlin, 1986 erschien ihr erster Erzählband "Wehleid - wie im Leben", der um die Themen Einsamkeit, Angst und Tod kreist. Im gleichen Jahr wurde sie für ein Kapitel aus ihrer Erzählung "Kaspar Mauser - Die Feigheit vorm Freund" (erschienen 1988) mit dem Ingeborg-Bachmann-Preis ausgezeichnet. 1995 erhielt sie für ihre Erzählungen "Verfrühte Tierliebe" den Alfred-Döblin-Preis der Akademie der Künste Berlin-Brandenburg.

- *Am langen Strick, in: ZEITmagazin, Nummer 52, 20.12.1996*

Hugo Loetscher

geboren am 22.12.1929 in Zürich, studierte Soziologie, Wirtschaftsgeschichte, Politische Wissenschaften und Literatur. Von 1958 bis 1962 war er literarischer Redakteur der zeitschrift "du". Nach Reisen durch Europa arbeitete er von 1964 bis 1969 als Redakteur bei der "Weltwoche". Seit 1965 unternahm er regelmäßig Reisen nach Lateinamerika. Seit 1969 lebt er als freier Schriftsteller. Der erste Prosaband "Abwässer. Ein Gutachten" (1963) spiegelt ebenso die Entwicklung von Machtstrukturen wider wie das Drama "Schichtwechsel" (1960). Der zweite Roman "Die Kranzflechterin" (1964) dokumentiert die Zeit zwischen dem Ersten und Zweiten Weltkrieg und übt deutliche Kritik an den politischen Verhältnissen in Europa. Nach dem Roman "Noah" (1967) veröffentlichte L. Reportagen und Essays über seine Südamerikareisen. Die Erfahrungen dieser Jahre prägen auch den autobiographischen Roman "Der Immune" (1975). Das Buch "Wunderwelt" (1979) zeigt nachdrücklich den Notstand in Brasilien. Die Amerikaerfahrungen eines alternden Wissenschaftlers stehen im Mittelpunkt des Buches "Herbst in der großen Orange" (1982). "Die Papiere des Immunen" knüpft an den Roman von 1975 an und beschreibt die Suche der Polizei nach dem Mörder des 'Immunen', wobei der Autor als Täter unter Verdacht gerät. 1995 erschien die heitere Badegeschichte "Saison", 1999 der Roman "Die Augen des Mandarin" sowie die Poetikvorlesungen "Vom Erzählen erzählen".

- *Der Waschküchenschlüssel, in: Hugo Loetscher: Der Waschküchenschlüssel oder Was - wenn Gott Schweizer wäre? Zürich 1983*

Loriot

(eigentlich Vico von Bülow), geboren am 12.11.1923 in Brandenburg/Havel, ist der bekannteste deutsche Cartoonist. L., der heute in Ammerland am Starnberger See lebt, begann seine Karriere auf dem Gebiet der Werbegraphik. In den fünfziger Jahren hatte er erste große Erfolge mit Karikaturserien wie "Auf den Hund gekommen" (1954) oder "Reinhold das Nashorn" (1954). L. hat in seinen Cartoons stets allgemeine menschliche Schwächen und auch, wie zum Beispiel in "Der Deutsche in seiner Karikatur", politische Sachverhalte karikiert. Zu Beginn der siebziger Jahr erlangte L. bundesweit Popularität durch das Medium Fernsehen. Seine satirischen Fernsereihen "Cartoon" (1969-1972) und "Loriot" gehören zu den Klassikern des Genres. Von ihm geschaffene Kunstfiguren wie das "Knollennasenmännchen" oder der Fernsehhund "Wum" haben einen allgemeinen Bekanntheitsgrad erlangt. L., der stets auch als Regisseur tätig war, produzierte 1988 mit "Ödipussi" einen außerordentlich erfolgreichen Film.

- *Fernsehabend, in: Loriots dramatische Werke, Zürich 1983*

Thomas Mann

wurde am 6.6.1875 in Lübeck als zweiter Sohn eines Lübecker Großkaufmanns und einer aus Brasilien stammenden Mutter geboren. Nach dem Tod des Vaters 1891 und der Liquidation der Firma zog die Mutter Julia M. 1893 mit den jüngeren Kindern nach München um. M. und sein älterer Bruder Heinrich, der schon erste literarische Arbeiten veröffentlicht hatte, folgten ihr nach einem Jahr. M. arbeitete zunächst als Volontär in einer Versicherungsgesellschaft, veröffentlichte aber auch erste Novellen. 1901 erschien nach mehrjähriger Arbeit der Roman "Buddenbrooks. Verfall einer Familie". Dieses Werk, das bereits 1910 in der 50. Auflage vorlag, begründete M.s Weltruhm. 1929 erhielt er hierfür den Nobelpreis. 1933 musste M. emigrieren, da er sich stets gegen den Nationalsozialismus engagiert hatte. Sein Weg ins Exil führte 1939 über die Schweiz in die USA, wo er 1944 die amerikanische Staatsbürgerschaft erhielt. Zu den großen Romanen M.s, die seinen Rang unter den bedeutendsten Schriftstellern des 20. Jahrhunderts sicherten, gehören "Der Zauberberg" (1924), die Tetralogie "Joseph und seine Brüder" (1933-43) und "Doktor Faustus" (1947), in dem er sich mit der politischen Entwicklung in Deutschland auseinandersetzt. Nach dem Krieg weigerte sich M., auf Dauer nach Deutschland zurückzukehren, da er an eine plötzliche Veränderung der Menschen nach zwölf Jahren Faschismus nicht glauben konnte. Die Angriffe, denen er bei seinem ersten Besuch in Deutschland 1949 ausgesetzt war, sollten seine Befürchtungen bestätigen. 1952 übersiedelte er in die Schweiz und lebte dort in Kilchberg bei Zürich, wo er am 12.8.1955 verstarb.

- *Aus der Ansprache im Goethejahr 1949, in: Thomas Mann: Gesammelte Werke, Bd.11, Frankfurt/M. 1974*

Kurt Marti

geboren am 31.1.1921 in Bern, entschied sich nach zwei Semestern Jurastudium für ein Theologiestudium in Bern und Basel. Bis 1983 war er als Pfarrer in unterschiedlichen Pfarreien tätig. Zu M.s literarischem Werk gehören erstens seine theologischen Aufsatzsammlungen (z.B. "Der Gottesplanet", 1988), die von einem kritisch-emanzipierten Christentum zeugen, zweitens seine sprachexperimentellen, subversiven und immer mit politischem Anspruch vorgelegten Lyrikbände (etwa "republikanische gedichte" von 1959 oder "gedichte am rand" von 1963), die ihm schnell den Ruf des 'engagierten' Dichters einbrachten. Drittens machte sich M. mit kürzeren Prosatexten einen Namen (z.B. "Dorfgeschichten" 1960, "Bürgerliche Geschichten" 1981) sowie mit seinem Band "leichenreden" von 1969, in dem der aufgeklärte Theologe auf die Tradition des (literarischen) Nachrufs zurückgreift. Den größten literarischen Erfolg allerdings erlangte M. mit seinen Mundartgedichten. Vor allem der in berner Umgangssprache geschriebene Band "rosa loui" (1967) wurde zum Markenzeichen einer Mundartdichtung jenseits von sentimental-kitschiger Heimatlyrik. Während das politische Tagebuch "Zum Beispiel: Bern 1972" (1973) sein ungebrochenes politisches Engagement dokumentiert, ist M.s Lyrik zu Beginn der 80er Jahre schwerpunktmäßig religiösen Themen gewidmet. Die politischen Konsequenzen aus den zuvor theologisch betrachteten Fragen nach der Bedrohung der Welt zeigt z.B. der Gedichtband "Mein barfüssig Lob" (1987) auf.

- *Neapel sehen, in: Kurt Marti: Für eine Welt ohne Angst, Hamburg 1981*

Heiner Müller

wurde am 9.1.1929 in Eppendorf/Sachsen geboren. 1945 zu Reichsarbeitsdienst und Kriegsteilnahme verpflichtet, wurde M. die Nazi-Zeit noch zu authentischer Erfahrung. Seit 1959 lebte er als freier Schriftsteller in Berlin. Von 1970-1976 arbeitete er als Dramaturg am Berliner Ensemble und anschließend an der Berliner Volksbühne. 1990 wurde er der letzte Präsident der Akademie der Künste in Ost-Berlin. Das Theater Brechts, Artauds oder Becketts hat in seinen Texten ebenso seine Spuren hinterlassen wie die Literatur der Antike. Im Zentrum seiner Texte steht die Auseinandersetzung mit den Obsessionen deutscher Geschichte sowie den Konstanten faschistischen und stalinistischen Terrors. Bekannt wurde M. in den 50er Jahren mit sogenannten "Produktionsstücken", die sich mit den Widrigkeiten des sozialistischen Aufbaus befassen: "Der Lohndrücker" (1956), "Die Korrektur" (1957/58) oder "Die Umsiedlerin oder Das Leben auf dem Lande" (1956-61). Letzteres wurde bereits nach der ersten Vorstellung abgesetzt. Wegen des Aufführungsboykotts vieler Stükke wandte sich M. mehr und mehr antiken Vorlagen zu, die er parabelhaft neu zu gestalten wusste ("Philoktet", 1964). In den späten Stücken wird das Weiterwirken destruktiver Kräfte in der Geschichte stärker herausgearbeitet. Davon zeugen Stücke wie "Mauser" (1970), "Leben Gundlings Friedrich von Preußen Lessings Schlaf Traum Schrei" (1976) oder "Hamletmaschine" (1977). Müllers provokante und analytische Kommentare zu Fragen gegenwärtiger Entwicklung sind selbst schon Literatur geworden: "Gesammelte Irrtümer". In seinen letzten Lebensjahren veröffentlichte M. u.a. seine Autobiographie "Krieg ohne Schlacht. Leben in zwei Diktaturen" (1992). Heiner Müller starb am 30.12.1995 in Berlin. Posthum erschien das Drama "Germania 3 Gespenster am Toten Mann" (1996).

- *Fernsehen, in: Heiner Müller: Werke 1. Die Gedichte, Frankfurt/M. 1998*

Herta Müller

geboren am 17.8.1953 in Nitzkydorf/Rumänien, wuchs als Angehörige der deutschsprachigen, banatschwäbischen Minderheit auf. Sie studierte Germanistik und Romanistik in Temeswar und arbeitete anschließend als Übersetzerin und Deutschlehrerin, verlor jedoch ihre Arbeit, weil sie sich weigerte, mit dem rumänischen Geheimdienst Securitate zusammenzuarbeiten. 1987 verließ sie aus politischen Gründen Rumänien und siedelte in die Bundesrepublik Deutschland über. Bereits 1984 hatte sie dort mit der Veröffentlichung ihres Prosabandes "Niederungen" (zuerst 1982 in Bukarest erschienen) erste literarische Erfolge verbuchen können. Wie die Ausreisegeschichte "Der Mensch ist ein großer Fasan auf der Welt" (1986) thematisiert "Niederungen" das Leben im banatschwäbischen Dorf. Dabei fällt der nie idyllisierende, sondern verfremdende und verstörende Blick auf die dörfliche Gemeinschaft aus den Augen eines einsamen Kindes. In "Reisende auf einem Bein" (1989) reflektiert die Hauptfigur die Situation des (Nicht-)Ankommens im Westen. In ihren drei darauffolgenden Romanen, "Der Fuchs war damals schon der Jäger"

(1992), "Herztier" (1994) und "Heute wär ich mir lieber nicht begegnet" (1997) macht M. das deformierte Leben unter der Diktatur Ceuacescus zum Thema. Neben ihren literarischen Arbeiten meldet sich M. immer wieder, stets streitbar, zu aktuellen Ereignissen, politischen Grundsatz- und Menschenrechtsfragen zu Wort.

- *Das Land am Nebentisch, in: Herta Müller: Eine warme Kartoffel ist ein warmes Bett. Hamburg 1992*

Inge Müller

wurde am 13.3.1925 in Berlin geboren. Als Lebensgefährtin und spätere Ehefrau Heiner Müllers fand sie Anfang der 50er Jahre in der DDR zur Schriftstellerei. Zunächst entstanden das Kinderbuch "Wölfchen Ungetüm" (1955), das Hörspiel "Die Weiberbrigade" (1960) sowie in Zusammenarbeit mit Heiner Müller die Stücke "Die Korrektur", "Der Lohndrücker" und "Klettwitzer Bericht" (alle 1959). Inge Müllers eigene Dichtung wurde bis heute kaum zur Kenntnis genommen. In der DDR fiel sie unter das Verdikt, "subjektivistisch" zu sein. Im Mittelpunkt der Texte stehen die traumatischen Erfahrungen des Krieges: mehrmals wurde die Autorin unter Trümmern verschüttet. Ihre Liebeslyrik wehrt sich gegen Fremdheit und einen "gesichtslosen Bürokratismus". Richard Pietraß veröffentlichte 1985 den ersten geschlossenen Band ihrer Gedichte unter dem Titel: "Wenn ich schon sterben muß". Inge Müller starb 1961 an einer Überdosis Schlaftabletten.

- *Unterm Schutt III, in: Inge Müller: Wenn ich schon sterben muß, Berlin und Weimar 1985*

Christine Nöstlinger

wurde am 13.10.1936 in Wien geboren und zählt zu den bekanntesten Kinder- und Jugendbuchautorinnen deutscher Sprache. Nach ihrem Kunststudium arbeitete sie beim Rundfunk. Heute lebt sie in Wien. Ihre ersten Veröffentlichungen datieren aus dem Jahre 1970. Das umfangreiche Werk N.s dokumentiert eine neue Form der Kinder- und Jugendliteratur, da hier soziale Missstände und pädagogische Probleme aufgearbeitet werden. Gleichzeitig räumt sie jedoch der Phantasie und dem Humor in ihren Büchern breiten Raum ein. Besonders erfolgreich waren der Kinderroman "Wir pfeifen auf den Gurkenkönig" (1972), der 1973 mit dem Deutschen Jugendbuchpreis ausgezeichnet wurde, das Jugendbuch "Ilse Janda, 14" von 1974 und der Roman "Konrad oder Das Kind aus der Konservenbüchse", in dem die Prinzipien einer autoritären Erziehung persifliert werden. Weitere bekannte Bücher: "Gretchen Sackmeier" (1981), "Hugo, das Kind in den besten Jahren" (1983), "Nagle einen Pudding an die Wand" (1990), "Villa Henriette" (1996). N. erhielt zahlreiche Auszeichnungen, u.a. den Internationalen Jugendbuchpreis, die Hans-Christian-Andersen-Medaille und den Österreichischen Kinder- und Jugendbuchpreis.

- *Eine mächtige Liebe, in: Christine Nöstlinger: Eine mächtige Liebe. Geschichten für Kinder, Weinheim 1991*

Emine Sevgi Özdamar

geboren 1946 in Malatya/Anatolien-Türkei, lebt seit 1991 in Düsseldorf. 1965 kam sie als Fabrikarbeiterin das erste Mal nach Deutschland, kehrte aber nach zwei Jahren zurück nach Istanbul, um dort eine Schauspielausbildung zu absolvieren. Nach dem Militärputsch 1971 verließ sie erneut ihre Heimat. 1976 kam sie nach Ost-Berlin, wo sie unter dem Brecht-Schüler Benno Bessen als Schauspielerin und Regieassistentin arbeitete. Von 1979 bis 1984 war sie am Bochumer Schauspielhaus engagiert. 1986 brachte sie unter eigener Regie ihr Stück "Karagöz in Alamania" am Schauspielhaus Frankfurt auf die Bühne. 1990 erschien ihr erster Erzählband "Mutterzunge". Der große Durchbruch gelang ihr 1991 mit dem Roman "Das Leben ist eine Karawanserei", für den sie den Ingeborg-Bachmann-Preis erhielt. Ihre bislang letzte Veröffentlichung ist der Roman "Die Brücke vom goldenen Horn"(1998).

- *Mutterzunge, in: Emine Sevgi Özdamar: Mutterzunge, Berlin 1990*

Felix Pollak

geboren am 11.11.1909 in einer wohlhabenden und gebildeten jüdischen Familie in Wien; studierte dort Rechtswissenschaft, bis ihn die Nationalsozialisten zur Flucht zwangen. Sie führte 1938 in die Vereinigten Staaten, wo er nach dem Militärdienst Bibliothekswissenschaften studierte und seit 1949 an verschiedenen Universitätsbibliotheken spezielle Sammlungen literarischer Texte aufbaute und betreute. Nach Kriegsende erhielt er den juristischen Doktorgrad der Wiener Universität. - Seine eigenen literarischen Neigungen verwirklichte er nun fast ausschließlich in der neu erlernten englischen Sprache. Seine Gedichte schließen an die skeptische Weltsicht und aphoristische Kunst seines Landsmanns Karl Kraus an, verbinden sich aber auch mit Einflüssen der modernen amerikanischen Poesie (William Carlos Williams). Neben politischen Gedichten (u.a. gegen den Vietnam-Krieg) stehen poetische Alltagsbilder und die Reflexion auf das persönliche Schicksal der fortschreitenden Erblindung. Neben dem poetischen Werk Heinrich Heines hat er auch die Gedichte von Hans Magnus Enzensberger ins Englische übertragen (der sich mit deutschen Übersetzungen von Texten Pollaks revanchierte). Seine weit verstreuten Gedichte sind gesammelt in dem Band "Benefits of Doubt" (1988); eine Auswahl in deutscher Sprache erschien nach seiner ersten und letzten Lesereise in die Bundesrepublik. Felix Pollak starb am 19.11.1987 in Madison, Wisconsin.

- *Niemalsland, in: Felix Pollak: Vom Nutzen des Zweifels. Gedichte, Frankfurt/M. 1989*

Lutz Rathenow

geboren am 22.9.1952 in Jena. Studierte nach Abitur und Armeedienst ab 1973 Germanistik und Geschichte an der Universität von Jena. 1977 Exmatrikulation aus politischen Gründen: man warf ihm "Zweifel an ideologischen Grundpositionen" vor. Arbeit als Transportarbeiter. Ende 1977 Umzug nach Ost-Berlin, wo er als freier Schriftsteller und Theatermitarbeiter lebt. Nach der Veröffentlichung seines Prosa-Bandes "Mit dem Schlimmsten wurde schon gerechnet" in einem westdeutschen Verlag, wurde R. am 19.11.1980 vom Staatssicherheitsdienst der DDR verhaftet und erst eine Woche später nach Protesten aus dem Ausland wieder freigelassen. Das beherrschende Thema der literarischen Arbeiten R.s ist das Verhältnis zwischen dem Glücksanspruch des Einzelnen und den Normen der Gesellschaft, in der er lebt. Er beschreibt diese elementare Konstellation durchweg als unversöhnlichen, zerstörerischen Konflikt. Immer wieder schildert er, wie der gedemütigte Bürger dem anonymen Staatsapparat hilflos ausgeliefert ist. Am drastischsten geschieht dies in seinen dramatischen Arbeiten, die 1984 unter dem Titel "Boden 411" erschienen sind, und die an Artauds "Theater der Grausamkeit" erinnern. Auch die 1983 erschienene Gedichtsammlung "Zangengeburt" und die Erzählungen "Was sonst noch passierte" und "Jeder verschwindet so gut er kann", beide von 1984, demonstrieren Rathenows literarisch-politisches Konzept: "die Strukturen einer Gesellschaft bis zur letzten Konsequenz zu belasten".

- *Böse Geschichte mit gutem Ende, in: Lutz Rathenow: Mit dem Schlimmsten wurde schon gerechnet, Frankfurt/M. u. Berlin 1980*

Peter Rühmkorf

geboren am 25.10.1929 in Dortmund, aufgewachsen in Warstade-Hemmoor bei Stade in Niedersachsen. 1951 Aufnahme des Studiums der Pädagogik und Kunstgeschichte, später Germanistik und Psychologie in Hamburg. Herausgabe und Selbstverlag der Monatsschrift "Zwischen den Kriegen" mit Werner Riegel, darin Veröffentlichungen unter verschiedenen Pseudonymen (Johannes Fontara, Leslie Meier, Leo Doletzki). Mitarbeit an der Zeitschrift "Studentenkurier" (ab 1957 "konkret"). Aufgabe des Studiums im Wintersemester 1956/57. Von 1958 bis 1964 Lektor im Rowohlt-Verlag, 1964/65 als Stipendiat in der Villa Massimo in Rom. R. hat sich von Anfang an als Produzent *und* Kritiker betätigt. In seinem Werk ergänzen sich die aufklärerischen Absichten seiner essayistischen Prosa und die anarchisch-vitalistischen Tendenzen seiner Lyrik. In beiden artikuliert sich vehement sein Widerstand gegen 'bloß Zeitgemäßes'. Das zeigt sich schon in dem 1956 gemeinsam mit Werner Riegel publizierten Lyrik-Band "Heiße Lyrik" und in der 1959 erschienenen Anthologie "Irdisches Vergnügen in g". Neben der Lyrik hat sich R. auch als Dramatiker versucht: 1972 wurde "Lombard gibt den Letzten" aufgeführt, eine satirische Parabel auf die Probleme des absterbenden Mittelstandes in der kapitalistischen Gesellschaft. In dem 1975 erschienenen Band "Walther von der Vogelweide, Klopstock und ich" führt R. den Nachweis, dass die Artikulation des lyrischen Ich ein Vorgang ist, der "mit spezifischen Klassenunsicherheiten zusammenhängt". Mit dem 1979 erschienenen Gedichtband "Haltbar bis Ende 1999" kehrte R. zur Lyrik zurück, wobei neben den schalkhaft-aggressiven und ironisch-sarkastischen nun auch verhaltenere, skeptischere Töne hörbar werden. 1980 publizierte er das umfangreiche Märchen "Auf Wiedersehen in Kenilworth" und 1983 die Märchen-Sammlung "Der Hüter des Misthaufens". Seine kritischen Vergegenwärtigungen poetischer und poetologischer Positionen lassen sich in den Bänden "Strömungslehre" (1978), "Bleib erschütterbar und widersteh" (1984) und "Dreizehn deutsche Dichter" (1989) nachverfolgen. In jüngster Zeit veröffentlichte R. unter dem Titel "Tabu I" (1995) eigene Tagebuchaufzeichnungen seit 1989. R. wurde 1993 mit dem Georg-Büchner-Preis ausgezeichnet.

- *Bleib erschütterbar und widersteh, in: Peter Rühmkorf: Haltbar bis Ende 1999, Reinbek bei Hamburg 1979*

Hans Joachim Schädlich

geboren am 8.10.1935 in Reichenbach im Vogtland. Studium der Germanistik in Berlin und Leipzig, 1960 Dissertation. Von 1959 bis 1976 Arbeit an der Ostberliner Akademie der Wissenschaften. Anschließend als freier Übersetzer tätig. Seine zwischen 1969 und 1976 verfassten Erzähltexte "Lebenszeichen", "Kurzer Bericht vom Todesfall Nikodemus Frischlins", "Papier und Bleistift", "Nirgends ein Ort" und "Teile der Landschaft" konnten in der DDR nicht veröffentlicht werden, erschienen aber 1975/76 im "Literaturmagazin" des Rowohlt Verlages. S. gehörte zu den Unterzeichnern der Biermann-Petition vom November 1976. Im September 1977 stellte er einen Ausreiseantrag, der zunächst nicht bewilligt wurde. Im Oktober erschien sein Prosaband "Versuchte Nähe" im Rowohlt Verlag und fand so große Beachtung, dass man den unliebsamen Beobachter der DDR-Realität ausreisen ließ. S.s Texte sind keine ausgeführten Erzählungen, sondern kurze, zugespitzte und ästhetisch hochelaborierte Momentaufnahmen, die vom Leser höchste Konzentration, geduldiges Mitdenken und weiterdenkende Phantasie fordern. Nach dem anfänglichen Lärm ist es schnell wieder ruhig geworden um den zurückhaltenden Autor. Die wenigen Texte, die er nach "Versuchte Nähe" zunächst verstreut publizierte, meiden die konkret abgebildete Alltäglichkeit. Sie tendieren zur abstrakt-parabolischen Verfremdung. In der 1984 erschienenen Textsammlung "Irgend etwas irgendwie" erprobt Schädlich sein Verfahren an der Durchleuchtung der bundesdeutschen Wirklichkeit. Der 1986 erschienene Roman "Tallhover" protokolliert die 136 Lebensjahre (1819-1955) eines fiktiven deutschen Geheimpolizisten, der von Metternich bis Ulbricht stets der Bewahrung des Bestehenden dient, bis er sich umbringt, weil das "Manufakturzeitalter der politischen Polizei zu Ende geht". 1992 erschien der Roman "Schott", in dem S. mit sämtlichen Erzählkonventionen bricht.

- *Versuchte Nähe, in: Hans Joachim Schädlich: Versuchte Nähe, Reinbek bei Hamburg 1977*

Klaus Schlesinger

geboren am 9.1.1937 in Berlin, arbeitete von 1963 bis 1969 als freier Journalist und lebt jetzt als freischaffender Künstler. Er war mit der Lyrikerin und Liedermacherin Bettina Wegner verheiratet und wurde 1979 aus dem Schriftstellerverband der DDR ausgeschlossen, nachdem er die offizielle Kulturpolitik kritisiert hatte. Seit 1980 wohnt er in Westberlin. Sein Werk ist nicht sehr umfangreich. 1971 erschien nach einigen Publikationsproblemen S.s erster Roman "Michael", der der Kritik zu wenig optimistisch erschien. Ungewohnt war in der DDR auch S.s Auseinandersetzung mit dem Faschismus bzw. der Schuld der Väter. Die Trostlosigkeit des Daseins und die Flucht in eine Traumwelt prägen S.s Erzählungen wie "Alte Filme" (1975) oder die "Die Spaltung des Erwin Racholl" (in "Berliner Traum", 1977). Ein besonderes Merkmal von S.s Prosa ist die Orientierung an der Realität. Eine exakte Recherche ist für ihn die Vorbedingung des Schreibens. 1996 veröffentlichte S. den Roman "Die Sache mit Randow".

- *Der Tod meiner Tante, in: Klaus Schlesinger: Berliner Traum, Rostock 1977*

Arno Schmidt

geboren am 18.1.1914 in Hamburg; 1933 Abitur, danach Besuch der höheren Handelsschule; kaufmännische Lehre; 1940 Einberufung zur Artillerie und Dolmetscherlehrgang in Halle; 1945 britische Kriegsgefangenschaft. Von 1946-47 arbeiten S. und seine Frau als Dolmetscher an der Hilfspolizeischule Benefeld; ab 1947 freier Schriftsteller. 1949 erscheint "Leviathan oder Die beste der Welten", eine Erzählung, die in der Literatur der "jungen Generation" eine Sonderstellung einnimmt. In ihr wird der monologische, eindimensionale Charakter des auktorialen Erzählens gesprengt und in kalkuliert vielfältige Erzähl- und Wirklichkeitspartikel, Wahrnehmungs- und Assoziationsfetzen zersplittert. Dasselbe gilt für die 1951 erscheinenden Erzählungen "Brand's Haide" und "Schwarze Spiegel", sowie für "Aus dem Leben eines Fauns" von 1953. 1952 Kontakt mit Martin Walser und Alfred Andersch beim Süddeutschen Rundfunk in Stuttgart: S. schreibt Radio-Essays. 1955 erscheint die Erzählung "Seelandschaft mit Pocahontas" und provoziert eine Strafanzeige wegen "Gotteslästerung und Pornographie". 1956 wird das Verfahren eingestellt. 1958 Umzug nach Bargfeld, wo S. den Rest seines Lebens in zunehmender Abgeschiedenheit verbringen wird. 1965 Beginn der Niederschrift von "Zettels Traum", das 1970 als Faksimile-Druck des Manuskripts erscheint. In "Zettels Traum" radikalisiert S. sein ästhetisches Verfahren zu einer kombinatorisch-simultanen Schreibweise, in der sich die traditionelle Orthographie auflöst. Der Text fächert sich auf in assoziationsreiche Gespräche, Reflexionen und Imaginationen über Literatur; er ist dabei zugleich mehrdeutig und reich an sexuellen Anspielungen und Verweisen. Das Erscheinen des schwer-verständlichen Werks führte bald zur Gründung eines "Arno-Schmidt-Dechiffrier-Syndikats" und zur Bildung einer festen Lesergemeinde von 'Eingeweihten'. 1973 erhält S. den Goethe-Preis der Stadt Frankfurt. Am 3. Juni 1979 stirbt Arno Schmidt an den Folgen eines Gehirnschlags.

- *Der Tag der Kaktusblüte, in: Arno Schmidt: Das erzählerische Werk in 8 Bänden, Bd.6, Zürich 1985*

Peter Schneider

geboren am 21.4.1940 in Lübeck, studierte Deutsch, Geschichte und Philosophie in Freiburg, München und Berlin. 1965 schrieb er Wahlreden für SPD-Politiker und arbeitete aktiv in der Studentenbewegung mit. Gleichzeitig war er Hilfsarbeiter bei Bosch, Sprachlehrer und freier Mitarbeiter bei verschiedenen Sendeanstalten. 1973 wurde seine Bewerbung für das Referendariat im Schuldienst wegen seiner vermeintlichen Verfassungsfeindlichkeit abgewiesen. Dieser Beschluss wurde 1976 aufgehoben. S. war nun aber als Schriftsteller erfolgreich und verzichtete auf das

Lehramt. Seine Erfahrungen mit der Studentenbewegung legte er zunächst in dem Band "Ansprachen" (1970) nieder. Auf literarischer Ebene setzte er seine persönliche politische und künstlerische Entwicklung zunächst in der Erzählung "Lenz" (1973) um, die bald ein Bestseller wurde. Nach einem Arbeitsreport über "Die Frauen bei Krupp" (1970 im 'Kursbuch 21') erschien 1975 eine weitere autobiographische Erzählung: "...schon bist du ein Verfassungsfeind. Das unerwartete Anschwellen der Personalakte des Lehrers Kleff". In dem Band "Die Wette" (1978) finden sich schließlich Erzählungen, die unter den Neuen Linken der 70er Jahre spielen und vorzugsweise ihre Beziehungsprobleme thematisieren. Nach dem Filmdrehbuch "Messer im Kopf" (1979) und zwei Sammelbänden mit Essays erschien 1982 die Erzählung "Der Mauerspringer", in der ein fiktiver Schriftsteller Geschichten über das geteilte Deutschland und sein nationales Problem zusammenstellt. Die 1987 erschienene Erzählung "Vati" schließlich zeigt eine weitere Form der Auseinandersetzung mit der deutschen Geschichte. In ihr konfrontiert S. einen sog. Nachgeborenen mit seinem Vater, einem sich in Südamerika versteckt haltenden SS-Mörder. In den Bänden "Deutsche Ängste" (1988) und "Extreme Mittellage" (1990) befasst sich S. essayistisch mit der in Bewegung geratenen deutschen Situation. Auch der 1992 erschienene Roman "Paarungen" spricht - neben dem Altern der sog. "68er"-Generation - das Thema Wiedervereinigung an. 1999 erscheint der an "Paarungen" anknüpfende Roman "Eduards Heimkehr".

- *Über die Mühen des Kampfes in Deutschland, in: Peter Schneider: Ansprachen, Berlin 1970*

Wolfdietrich Schnurre

geboren am 22.8.1920 in Frankfurt/M., war von 1939-1945 Soldat, zuletzt in einer Strafkompanie. 1946 wurde er Redaktionsvolontär beim Ullstein Verlag in Berlin und arbeitete nach seinem Umzug in den Westteil der Stadt als Mitarbeiter zahlreicher Zeitschriften. Der Mitbegründer der Gruppe 47 lebte seit 1950 als freier Schriftsteller. Bis zu seinem Tod am 9.6.1989 wohnte er in Schleswig-Holstein. Wie Heinrich Böll oder Wolfgang Borchert fand S. nach dem Krieg in der Kurzgeschichte die authentische Form des literarischen Neuanfangs und wurde bald zum Lesebuchklassiker. Hatte er sich in den ersten Sammlungen wie "Die Rohrdommel ruft jeden Tag" (1950) oder "Eine Rechnung, die nicht aufgeht" (1958) mit dem Krieg und seinen Folgen auseinandergesetzt, so tritt in späteren Jahren die Tendenz zur Naturbetrachtung in den Mittelpunkt. Die Bedrohung der Natur durch den Menschen wird auch in S.s Gedichten thematisiert, die 1956 in dem Band "Kassiber" erscheinen. Eine Neigung zur humoristischen Idyllik bestimmt S.s mittlere Schaffensphase, die durch den Band "Als Vaters Bart noch rot war" (1958) eingeleitet wird. Die Jahre 1964/66 bringen durch eine schwere Krankheit eine Zäsur in S.s Leben. Von nun an schreibt er vorwiegend Kinderbücher. Im Zuge seiner erneuten Auseinandersetzung mit dem Nationalsozialismus erscheinen 1978 die autobiographischen Aufzeichnungen "Der Schattenfotograf" und 1981 der Roman "Ein Unglücksfall".

- *Jenö war mein Freund, in: Wolfdietrich Schnurre: Als Vaters Bart noch rot war. Ein Roman in Geschichten, München, Zürich 1998*

Anna Seghers

(eigentlich Netty Reiling) wurde am 19.11.1900 in Mainz als Tochter eines jüdischen Kunsthändlers geboren. 1924 promovierte sie mit einer Arbeit über "Jude und Judentum im Werk Rembrandts". 1928 Kleist-Preis für die Erzählung "Aufstand der Fischer von St. Barbara" und Eintritt in die KPD und 1929 in den Bund proletarisch-revolutionärer Schriftsteller. 1933 entschloss sie sich zur Flucht nach Frankreich. Von dort floh sie 1941 nach Mexiko. Ihr Frühwerk, so die Erzählungen "Grubetsch" (1927) oder "Die Ziegler" (1927), schildert die Not des Proletariats vor dem Hintergrund der Wirtschaftskrise. Nach ihrer Flucht sah sie in ihren Büchern ein Mittel zum Kampf gegen den Faschismus. In diesem Zusammenhang müssen die Romane "Der Kopflohn" (1933) und "Die Rettung" (1937) gesehen werden. Sie gehören wie "Das siebte Kreuz" (1942), "Transit" (1944) und "Die Toten bleiben jung" (1949) zu einem großen Deutschlandzyklus. Vor allem "Das siebte Kreuz", das in den USA verfilmt wurde, begründete ihren Weltruhm. "Transit" gilt als einer der bedeutendsten Romane über die Emigration und stellt einen weiteren Höhepunkt in ihrem Schaffen dar. In "Die Toten bleiben jung", im Jahr 1968 in der DDR verfilmt, arbeitet sie deutsche Geschichte von 1918 bis 1945 auf. S. kehrte 1947 nach Deutschland zurück und ließ sich in Ostberlin nieder. Die Arbeiten der folgenden Jahre sind von der Situation des Kalten Krieges geprägt. Darüber hinaus greift sie in "Die Hochzeit von Haiti" (1949) oder "Karibische Erzählungen" (1962) auf Stoffe aus dem mexikanischen Exil zurück. S. war von 1950 bis 1978 Vorsitzende des Schriftstellerverbandes der DDR und danach dessen Ehrenpräsidentin. Nach politischen Kontroversen erhielt sie 1981 die Ehrenbürgerschaft der Stadt Mainz. Sie starb am 1.6.1983 in Ostberlin.

- *Zwei Denkmäler, in: Atlas - zusammengestellt von deutschen Autoren, Berlin 1965*

Botho Strauß

geboren am 2.12.1944 in Naumburg/Saale; studierte fünf Semester Germanistik, Theatergeschichte und Soziologie in Köln und München und versuchte sich als Schauspieler auf Laienbühnen. Von 1967 bis 1970 arbeitete er als Redakteur und Kritiker der Zeitschrift "Theater heute" und von 1970 bis 1975 als dramaturgischer Mitarbeiter an der Schaubühne am Halleschen Ufer in Berlin. 1976 Stipendium der Villa Massimo in Rom. S. hat bereits mit seinem ersten Theaterstück "Die Hypochonder" (1971) sein Thema gefunden: Entfremdung, vorgeführt in vielfältigen Situationen, Sprechweisen, Haltungen. Nach "Bekannte Gesichter, gemischte Gefühle" (1974) und "Trilogie des Wiedersehens" (1976) gelang ihm 1977 mit "Groß und klein" ein durchschlagender Erfolg bei Kritik und Publikum. Das Stück entfaltet als Stationendrama eine erfolglose Suche nach Haltepunkten, Sicherheiten, Gewissheiten und Liebe. Diese Thematik greifen auch die Erzählungen "Marlenes Schwester" (1974) und "Theorie der Drohung" (1975) auf, die als moderne Varianten der Geschichte vom verlorenen Schatten das Zerfallen des Bewusstseins widerspiegeln. Die Frage nach den Möglichkeiten von Literatur angesichts einer vor der Selbstauslöschung stehenden Welt stellt sich S. 1981 sowohl in seinem Prosabuch "Paare Passanten" als auch in dem Stück "Kalldewey Farce". Hier schon arbeitet S. mit der Konfrontation und Verklammerung von Alltäglich-Banalem und Mythisch-Bedeutendem, die 1983 in dem Stück "Der Park", einer Variation von Shakespeares "Sommernachtstraum", zum eigentlichen dramatischen Vorgang wird. Auch in seinem 1984 erschienenen Roman "Der junge Mann" benutzt S. wieder ein literarisches Modell, nämlich den tradionellen Bildungsroman, das er variiert, modifiziert und experimentell verfremdet. In dem 1985 erschienenen Gedicht "Erinnerung an einen, der nur einen Tag zu Gast war" geht der Blick endgültig nach Innen, was S. den Vorwurf der Regression und des Pathos einbrachte. In den 90er Jaren erschienen u.a. die Romane "Kongreß. Die Kette der Demütigungen" (1989) oder "Die Fehler des Kopisten" (1997) sowie zahlreiche Theaterstücke, z.B. "Schlußchor" (1991), "Das Gleichgewicht" (1993) und 1996 "Ithaka", ein "Schauspiel nach den Heimkehr-Gesängen der Odyssee", in dem sich S. einmal mehr mythischen Themen zuwendet und das Stück als "eine Übersetzung von Lektüre in Schauspiel" versteht. - Anfang Februar 1993 löste das im "Spiegel" veröffentlichte Essay "Anschwellender Bocksgesang" eine heftige Feuilletondebatte aus. Wie bereits in "Ithaka" liegt dem Essay eine zivilisationskritische Haltung zugrunde, die in eine Kritik des geistigen Zustands der westdeutschen Intellektuellen einmündet und zur Grundlage wird für die Ermahnung zur kulturellen Erneuerung.

- *Wann war das und wo, in: Botho Strauß: Diese Erinnerung an einen, der nur einen Tag zu Gast war. Gedichte, München 1992*
- *Paare, in: Botho Strauß: Paare Passanten, München 1981*

Hans-Ulrich Treichel

geboren 1952 in Versmold/Westfalen, lebt in Berlin und Leipzig. Seit 1995 ist er Professor am Deutschen Literaturinstitut der Universität Leipzig. Veröffentlichte zunächst Gedichte. 1992 erschien sein erster Prosaband "Von Leib und Seele", für den er 1993 den Förderpreis zum Bremer Literaturpreis erhielt. In komisch-bitteren Szenen beschreibt T. hier eine an Fehlschlägen, Demütigungen und Verwicklungen reiche Kindheit und Jugend in einer westfälischen Kleinstadt. Den distanziert-ironischen Ton nimmt er auch in den ebenfalls autobiographisch geprägten Prosatexten von "Heimatkunde oder Alles ist heiter und edel" (1996) wieder auf. Traurig und komisch zugleich ist auch die Geschichte in dem 1998 erschienenen Roman "Der Verlorene", in dem T. die Suche nach einem im Krieg verlorenen Sohn aus der Sicht des jüngeren Bruders beschreibt.

- *Am großen Wannsee, in: Hans-Ulrich Treichel: Heimatkunde oder Alles ist heiter und edel, Frankfurt/M. 1996*

Christof Wackernagel

geboren am 27.8.1951 in Ulm, wurde Ende der 60er Jahre mit verschiedenen Rollen in Kino- und Fernsehfilmen bekannt. Später arbeitete er als Drucker und gründete schließlich selbst mit Freunden eine Druckerei. Mitte der 70er Jahre begann er mit der eigenen Produktion von Videofilmen. Wenig später schloss er sich der "Roten Armee Fraktion" an und wurde steckbrieflich gesucht. Am 10. November 1977 wurde er nach einer Schießerei mit Polizeibeamten in Amsterdam verhaftet. W. wurde 1980 wegen versuchten Mordes und Beteiligung an einer terroristischen Vereinigung zu 15 Jahren Haft verurteilt, obwohl später festgestellt wurde, dass er nur mit bedingtem Vorsatz gehandelt hatte. Er sagte sich bald darauf von der RAF los, musste aber dennoch in einem eigens eingerichteten Hochsicherheitstrakt der Justizvollzugsanstalt Bochum einsitzen. Im Gefängnis fing W. wieder an zu schreiben. 1984 legte er unter dem Titel "Nadja" einen Band mit Erzählungen und Fragmenten vor. "Nadja" ist geprägt von einer surrealistischen Erzählweise, wobei das Traumhafte und Unwirkliche oft in Alptraumhaftes umschlägt. Sein zweiter Erzählband "Bilder einer Ausstellung" (1986) spiegelt die Entwicklung des Autors W. und seine Fähigkeit wider, für spezifische Erfahrungen eine jeweils besondere Form der Darstellung zu finden. Mitte der 80er Jahre erhielt W. die Erlaubnis, im Rahmen des offenen Strafvollzugs am Bochumer Schauspielhaus als Regieassistent zu arbeiten. 1988 wurde er vorzeitig aus dem Gefängnis entlassen.

- *Viva Maria, in: Christof Wackernagel: Nadja. Erzählungen und Fragmente, Basel, Frankfurt/M. 1984*

Günter Wallraff

geboren am 1.10.1942 in Burscheid bei Köln, musste nach einer Buchhändlerlehre trotz seiner Wehrdienstverweigerung einen zehnmonatigen Wehrdienst ohne Waffe absolvieren. Er gilt allgemein als "Klassiker" der Dokumentarliteratur der späten 60er Jahre. Seine Erfahrungen aus der Arbeit in Industriebetrieben legte er 1966 in dem ersten Reportagenband "Wir brauchen dich" nieder, der 1970 unter dem Titel "Industriereportagen" erschien und weiteste Verbreitung fand. Nachdem sein Telefon jahrelang von Sicherheitsorganen abgehört und seine Wohnung mehrfach durchsucht wurde, lebt W. seit 1986 in den Niederlanden. Eines der wesentlichen Prinzipien seiner "eingreifenden" Schreibweise ist die Recherche unter Annahme einer falschen Identität. Seine frühen Veröffentlichungen wie "13 unerwünschte Reportagen" (1969) resultieren aus dieser verdeckten Arbeit u.a. in der Industrie. Ziele seiner Tätigkeit sind die Aufdeckung von Missständen und das Öffentlichmachen von gesellschaftlichen Widersprüchen, die durch das kapitalistische System bedingt sind. Insofern hat man seine Reportagen mehrfach in der Tradition Egon Erwin Kischs, des "rasenden Reporters" der Weimarer Republik, angesiedelt. Durch seine getarnte Tätigkeit als "Der Aufmacher" Hans Esser bei der Bild-Zeitung, einem politisch konservativ orientierten Massenblatt, wurde W. zu einer Symbolfigur der linken Publizistik. Der Bestseller "Ganz unten" (1985) beruht auf W.s Erfahrungen als "türkischer Arbeiter" in verschiedenen Betrieben und Institutionen. Diese Rückkehr zu den Anfängen der Industrie-Reportage dokumentiert die Ausbeutung und Unterdrückung von Gastarbeitern in der BRD der 80er Jahre. "Ganz unten" provozierte neben dem Erfolg auch massive Kritik von seiten linker Intellektueller, die W. vorwarfen, sich als Medienstar profilieren zu wollen. 1987 erschien eine Essaysammlung unter dem Titel "Vom Ende der Eiszeit und wie man Feuer macht."

- *Am Fließband, in: Günter Wallraff: Die Reportagen, Köln 1976*

Martin Walser

geboren am 24.3.1927 in Wasserburg/Bodensee, wuchs als Sohn eines Gastwirts auf. Nach Militärdienst und Kriegsgefangenschaft studierte er Germanistik und promovierte 1951 mit einer Arbeit über Franz Kafka. 1957 veröffentlichte er seinen ersten Roman "Ehen in Philippsburg". W. gab seine Tätigkeit beim Süddeutschen Rundfunk auf und lebt seitdem am Bodensee als freier Schriftsteller. Mit seinem umfangreichen und vielfältigen Werk zählt er zu den erfolgreichsten westdeutschen Schriftstellern. Wie Böll, Grass, Johnson u.a. gehörte er zu der Generation, die die gesellschaftlichen Verhältnisse im Nachkriegsdeutschland kritisch darstellte, so etwa in der sogenannten 'Kristlein-Trilogie' ("Halbzeit", 1960; "Das Einhorn", 1966; "Der Sturz", 1973). In den 60er Jahren erregte er darüber hinaus mit unkonventionellen dramatischen Arbeiten Aufsehen. Im Mittelpunkt seines Schaffens steht die Auseinandersetzung mit dem individuellen Identitätsverlust. Im Bewusstsein der Grenzen, die der Literatur vorgegeben sind, hat sich W. zwischen 1968 und 1974 verstärkt um Texte von Außenseitern der Gesellschaft, wie Strafgefangenen oder psychisch Kranken, gekümmert. Bei seinen eigenen Arbeiten kehrte er in den 70er Jahren mit "Ein fliehendes Pferd" (1978) und "Seelenarbeit" wieder zu den Themen und Figuren seiner frühen Romane zurück. Ende der 80er Jahre überraschte W. die Öffentlichkeit durch sein Plädoyer für die deutsche Einigung. Mit der deutsch-deutschen Situation beschäftigte er sich schon in seiner Novelle "Dorle und Wolf" (1987). Eingang findet das Thema auch in den 1991 erschienenen Geschichtsroman "Die Verteidigung der Kindheit". Der Roman "Ohne einander" (1993) greift wieder das typisch walsersche Thema der zwischenmenschlichen Beziehungslosigkeit auf. 1996 erschien der Roman "Finks Krieg" und 1998 der autobiographische Roman "Ein springender Brunnen". W. wurde 1998 mit dem Friedenspreis des deutschen Buchhandels ausgezeichnet. Mit seiner Dankesrede, in der er sich gegen die "Instrumentalisierung unserer Schande" wandte, löste W. eine heftige Debatte aus.

- *Die Klagen über meine Methoden häufen sich, in: Martin Walser: Gesammelte Geschichten, Frankfurt/M. 1983*
- *11. November 1989, in: Martin Walser: Über Deutschland reden, Frankfurt/M. 1989*

Maxie Wander

geboren am 3.1.1933 in Wien, verließ die Schule vor dem Abitur und lebte von Gelegenheitsarbeiten, bis sie Sekretärin beim Österreichischen Friedensrat wurde. Mit ihrem Ehemann, dem österreichischen Schriftsteller Fred Wander, übersiedelte sie 1958 in die DDR und arbeitete als Fotografin, Drehbuchautorin und Journalistin. Am

20.11.1977 starb sie an Krebs. Ihre erste Veröffentlichung "Guten Morgen, du Schöne. Frauen in der DDR" (1977) war sowohl in der DDR als auch in der BRD ein sehr großer Erfolg. In 17 Reportagen dokumentierte W. die Lebenssituation von Frauen aus unterschiedlichen Schichten und Altersgruppen sowie ihre Vorstellungen und Träume. 1979 gab ihr Mann Fred Wander den Band "Maxie Wander. Tagebücher und Briefe" heraus. Das Buch erschien 1980 mit leichten Veränderungen unter dem Titel "Leben wär' eine prima Alternative" in der BRD. Fred Wander hat hier drei Krisenjahre aus dem Leben Maxie Wanders ausgewählt und durch Briefe und Tagebuchaufzeichnungen dokumentiert.

- *Gabi A., Schülerin. Die Welt mit Opas Augen, in: Maxie Wander: "Guten Morgen, du Schöne", Berlin 1977*

Peter Weiss

geboren am 8.11.1916 in Nowawes/Potsdam, verbrachte seine Kindheit in Bremen und Berlin. Sein Vater war ein jüdischer Textilfabrikant mit tschechoslowakischer Staatsbürgerschaft, seine Mutter war eine bekannte Schauspielerin. 1934 emigrierte die Familie über London nach Prag, wo W. 1936/38 die Kunstakademie besuchte. 1939 übersiedelte er nach Schweden, wo er zunächst in der Fabrik des Vaters arbeitete. 1945 wurde er schwedischer Staatsbürger. Zunächst arbeitete er nur als Maler. Ende der vierziger Jahre veröffentlichte er erste Prosatexte und Stücke. Erfolg brachte ihm der Roman "Der Schatten des Körpers des Kutschers" (1960). 1961 folgte mit "Abschied von den Eltern" ein autobiographischer Kindheitsbericht, der in dem Roman "Fluchtpunkt" (1962) seine Fortsetzung fand. Die Jahre 1952 bis 1960 sind aber auch geprägt von der Arbeit an Experimental- und Dokumentarfilmen. 1964 hatte in Berlin ein Stück Premiere, das W. internationalen Ruhm einbrachte: "Die Verfolgung und Ermordung Jean Paul Marats dargestellt durch die Schauspieltruppe des Hospizes zu Charenton unter Anleitung des Herrn de Sade". 1965 wurde das Oratorium "Die Ermittlung" uraufgeführt, in dem das Vernichtungssystem "Auschwitz" rekonstruiert wird. Sein aktuelles politisches Engagement belegt der "Viet Nam Diskurs" (1968). Den Höhepunkt seines literarischen Schaffens bildete schließlich der Roman "Ästhetik des Widerstands", der 1975, 1978 und 1981 in drei Teilen erschien. In dieser "Wunschbiographie" beschreibt ein junger Arbeiter aus Berlin seine Lebensgeschichte. Nach der Flucht vor Hitler kämpft er in Spanien gegen die Faschisten. Als dieser Widerstand scheitert, findet er Asyl in Schweden. Während der zweite Band historische Befreiungsbewegungen und ihr Scheitern thematisiert, verhandelt der dritte Band die Bedingungen des Widerstands und die Möglichkeiten emanzipatorischer Kunstan-eignung. Die Arbeit an dem Roman hat W. in seinen "Notizbüchern" dokumentiert. Am 10.5.1982 verstarb Peter Weiss unerwartet in Stockholm.

- *Meine Ortschaft, in: Peter Weiss: Rapporte, Frankfurt/M. 1968*
- *Das schwarze Leben, in: Peter Weiss: Die Besiegten, Frankfurt/M. 1985*
- *Aus den Notizbüchern, in: Peter Weiss: Notizbücher 1971-1980, Frankfurt/M. 1981*

Gabriele Wohmann

geboren am 21.5.1932 in Darmstadt, studierte in Frankfurt Germanistik, Romanistik, Musikwissenschaft und Philosophie. Kurze Zeit war sie als Lehrerin tätig. 1957 erschien ihre erste Erzählung, "Ein unwiderstehlicher Mann", der eine große Zahl von Romanen, Gedichtbänden, Fernseh- und Hörspielen, Tagebuchaufzeichnungen, Essays und Erzählungen folgte. Dies umfangreiche Werk machte sie zu einer der meistgelesenen deutschen Autorinnen und wurde mit zahlreichen Preisen und Ehrungen bedacht: Villa Massimo-Stipendium 1967/68, Bremer Literatrpreis 1971, Bundesverdienstkreuz 1980, Deutscher Schallplattenpreis 1981, Hessischer Kulturpreis 1988 u.a.m. - W.s Werk kreist um einen bestimmten Themenkomplex: Stets geht es der Autorin um die Darstellung von Lebens- und Beziehungskrisen. Die Beschreibung der persönlichen Sphäre wird von ihrer Absicht getragen, die gesellschaftlichen Mechanismen und Repressionen aufzudecken, die individuelle Probleme provozieren. Während sie zunächst voller Aggressivität und Lebensekel schrieb, findet sich seit den 70er Jahren eine positivere Darstellung in ihrem Werk. Eine ihrer bekanntesten Arbeiten ist die Erzählung "Die Bütows" (1967), in der die faschistoiden Verhaltensweisen in einer Familie aufgezeigt werden. Die neugewonnene schriftstellerische Haltung dokumentiert der Roman "Ausflug mit der Mutter" (1976), der die gegenseitige Annäherung in einer problematischen Mutter-Tochter-Beziehung beschreibt. Ein aktueller tagespolitischer Bezug findet sich erstmals in dem Roman "Der Flötenton" (1987), der im Spätsommer des Jahres 1986 anzusiedeln ist und dessen Personen unter dem Eindruck der Reaktorkatastrophe in Tschernobyl stehen. In den letzten Jahren veröffentlichte W. Hörspiele ("Ein gehorsamer Diener", 1990), Erzählungen ("Erzählen Sie mir was vom Jenseits"; "Wäre wunderbar. Am liebsten sofort. Liebesgeschichten", beide 1994) und Romane (z.B. "Bitte nicht sterben", 1993; "Aber das war doch nicht das Schlimmste", 1995).

- *Verjährt, in: Gabriele Wohmann: Ländliches Fest, Neuwied und Berlin 1968*

Christa Wolf

geboren am 18.3.1929 in Landsberg/Warthe, siedelte 1945 nach Mecklenburg um. Nach dem Abitur 1949 wurde sie Mitglied der SED und studierte bis 1953 Germanistik in Jena und Leipzig. Von 1953 bis 1962 arbeitete sie als wissenschaftliche Mitarbeiterin beim Deutschen Schriftstellerverband und als Lektorin bzw. als Redakteurin. Seit 1962 lebt sie als freie Schriftstellerin in Berlin. Ihren literarischen Durchbruch erreichte sie mit dem Roman "Der geteilte Himmel" (1963), der eine Liebesgeschichte vor dem Hintergrund des geteilten Deutschland schildert. Der Roman, der auch verfilmt wurde, ist eines der bekanntesten Bücher der DDR-Literatur. Die besondere erzählerische Technik W.s, die sich durch einen souveränen Wechsel von Zeitebenen und Erzählperspektiven auszeichnet, wird hier bereits deutlich. Perfektioniert wurde sie in "Nachdenken über Christa T." (1968), einem Roman, der in der BRD gefeiert und in der DDR offiziel abgelehnt wurde. In dieser Lebensgeschichte einer jungen Frau fragt W. nach den Ursachen des Faschismus und nach seinen Folgen auch für die sozialistische Gegenwart. Zum zentralen Thema wird der Nationalsozialismus in dem Roman "Kindheitsmuster" (1976), der in der DDR eine positive Aufnahme fand. Eine der gängigen DDR-Interpretation entgegengestehende Auseinandersetzung mit dem Klassiker Heinrich von Kleist liefert W. in "Kein Ort. Nirgends" (1979). In der Erzählung "Kassandra" (1983) vereinigt sie politische Themen wie die Frage nach Macht, Machtmissbrauch und der Rolle der Frau. Als Reaktion auf das Reaktorunglück von Tschernobyl erscheint 1987 die Erzählung "Störfall". 1990 entspann sich eine Debatte um die bereits 1979 in Zusammenhang mit der Biermann-Ausbürgerung entstandene und nun in überarbeiteter Fassung erschienene Erzählung "Was bleibt" und um Christa Wolfs Rolle als Schriftstellerin im DDR-System. 1994 erschien unter dem Titel "Auf dem Weg nach Tabou" eine Sammlung von Essays aus den ersten Nachwendejahren, 1996 der Roman "Medea Stimmen".

- *Warum schreiben sie?, in: Christa Wolf: Die Dimension des Autors, Berlin und Weimar 1986*

Gernot Wolfgruber

geboren am 20.12.1944 in Gmünd/ Niederösterreich, arbeitete zunächst als Hilfsarbeiter und Programmierer. Nach dem Abitur studierte er von 1968-1974 Publizistik und Politikwissenschaften in Wien. Seit 1975 lebt er dort als freier Schriftsteller. Mit seinem zweiten Roman "Herrenjahre" (1976) erlangte W. im deutschsprachigen

Raum einen ersten Erfolg. Sowohl "Herrenjahre" als auch der erste Roman "Auf freiem Fuß" (1975) sind jeweils als Plädoyers für den Glücksanspruch des Individuums zu lesen. Im Mittelpunkt der Romane steht immer ein von der Gesellschaft vernachlässigtes, ins Abseits geratenes Ich. Während "Auf freiem Fuß" den sozialen Abstieg eines Hauptschülers dokumentiert, führt der Weg des Tischlers Melzer in dem Bildunsgroman "Herrenjahre" ins Abseits, da er sein Leben ausschließlich an Fiktionen orientiert. Der Arbeiter Klein, der in dem Roman "Niemandsland" (1978) gezielt versucht, seinen gesellschaftlichen Aufstieg zu organisieren, ist ebenso zum Scheitern verurteilt wie Martin Lenau in "Verlauf eines Sommers" (1981).

- *Neu im Büro, in: Gernot Wolfgruber: Niemandsland, Salzburg und Wien 1978*

Peter-Paul Zahl

geboren am 14.3.1944 in Freiburg/Breisgau, verlebte seine Kindheit in der DDR. Seit 1953 lebte er im Rheinland, absolvierte dort eine Lehre als Kleinoffsetdrucker und ging 1964 nach Berlin. 1966 wurde er Mitglied der Gruppe 61. 1967 gründete er eine Druckerei und einen Kleinverlag. Im Zuge der Studentenunruhen engagierte er sich für die Außerparlamentarische Opposition und wurde deshalb von Polizei und Justiz verfolgt und überwacht. 1970 wurde er wegen des Druckens eines Plakates zum ersten Mal verurteilt. 1972 kam es bei einer Personenkontrolle durch die Polizei zu einem Schusswechsel mit den Beamten. Z. wurde verhaftet und 1974 zu 4 Jahren Gefängnis verurteilt. 1976 kam es im Rahmen eines Revisionsurteils zu einer erneuten Verurteilung wegen derselben Tat zu 15 Jahren Haft. Schreiben war für Z. stets ein Bestandteil politischer Praxis. 1976 veröffentlichte er mit "Waffe der Kritik" Aufsätze, Artikel und Kritiken aus den Jahren von 1969-1976. Nach seinem ersten Roman "Von einem der auszog, Geld zu verdienen" (1970) entstanden alle weiteren Texte im Gefängnis unter schärfsten Isolationsmaßnahmen. Hier entwickelte Z. in dem Essay "Eingreifende oder ergriffene Literatur" (1975) eine eigenständige Literaturtheorie. Der Gedichtband "Schutzimpfung" (1975), in dem er seine Gefängniserfahrungen niederlegt, begründete Z.s Rang als Lyriker. 1979 überraschte er das Publikum mit dem Schelmenroman "Die Glücklichen", der in der politischen "Szene" und im "Milieu" von Berlin-Kreuzberg Ende der sechziger Jahre spielt. 1980 erhielt Z. den Literaturförderpreis der Freien Hansestadt Bremen. Gleichzeitig gewährte man ihm wesentlichte Hafterleichterungen; er wurde auf eigenen Wunsch nach Berlin-Tegel verlegt. Nach seiner Haftentlassung 1982 war Z. zunächst Volontär bei der Berliner Schaubühne, 1984/85 hielt er sich in Nicaragua auf, seit 1985 lebt er vorwiegend in der Karibik. 1989 erschien "Der Staat ist eine mündelsichere Kapitalanlage. Hetze und Aufsätze", 1990 die Komödie "Die Erpresser".

- *februarsonne, in: Peter-Paul Zahl: Alle Türen offen, Berlin 1977*

Matthias Zschokke

geboren 1954 in Bern, lebt seit 1980 als Schriftsteller und Filmemacher in Berlin. Die Protagonisten seiner Romane "Max" (1982), "Prinz Hans" (1984), "ErSieEs" (1986) und "Piraten" (1991) sind allesamt witzig-melancholische Flaneure, aus der helvetischen Enge nach Berlin gereiste Literaturliebhaber, die sich für Künstler halten und in den Straßen Berlins über die Zeiterscheinungen der achtziger Jahre nachdenken. Sie alle, wie auch die Hauptfigur in dem Roman "Der dicke Dichter" (1995), gefallen sich in spielerischen Selbstaufhebungen und Relativierungen ihrer Person. Den Selbstbetrug von Künstlern und Schriftstellern offenkundig werden zu lassen, ist auch das Anliegen des Theaterstücks "Die Analphabeten", das 1994 im Deutschen Theater Berlin uraufgeführt wurde.

- *Warum ich in Berlin lebe, in: Abends um acht. Schweizer Autorinnen und Autoren in Berlin. Ein Lesebuch, hrsg. v. Beatrice von Matt und Michael Wirth, Zürich, Hamburg 1998*